NOIRS SONT LES CHEVEUX DE MA BIEN-AIMÉE

DU MÊME AUTEUR :

SANGAREE
DEUX CŒURS DE FEMMES
LA FIN DU VOYAGE
BOIS D'ÉBÈNE
MERCI, COLONEL FLYNN
AFIN QUE NUL NE MEURE
DOCTEUR LAND
NON PAS LA MORT, MAIS L'AMOUR
DIVINE MAITRESSE
NOIRS SONT LES CHEVEUX DE MA BIEN AIMÉE
LA ROUTE DE BITHYNIE
HOPITAL GÉNÉRAL
LA MAGDALÉENNE
CET INCONNU... SEMMELWEIS
STORM HAVEN
VOTRE CORPS ET VOTRE ESPRIT
A LA POINTE DU BISTOURI
LES DIEUX S'AFFRONTENT

FRANK G. SLAUGHTER

NOIRS SONT LES CHEVEUX DE MA BIEN-AIMÉE

PRESSES DE LA CITÉ
PARIS
—
1954

Le titre anglais de cet ouvrage est
FORT EVERGLADES
Traduction et adaptation de DORINGE

Ce tirage a été exécuté sur Bouffant pur Alfa Cellunaf.

PREMIÈRE PARTIE

FLAMINGO KEY

CHAPITRE PREMIER

LA PIROGUE RESSEMblait à un alligator endormi au milieu d'un champ de fers de lance, qui n'était, à vrai dire, qu'un marais couvert d'herbes coupantes. Bien que le soleil n'y pénétrât point, la chaleur y était impitoyable. L'homme, ses longues jambes brunes étendues, un sombrero lui ombrageant le visage, paraissait endormi. Mais ce repos, cette détente, ne dépassait pas l'épiderme, et, si les yeux restaient clos, l'oreille demeurait attentive au son le plus léger.

Il attendait depuis dix grandes minutes le moment de se risquer dans le chenal couleur chocolat qui s'étirait juste devant sa proue et descendait vers le sud, indolent et onduleux comme un serpent.

Derrière lui, le lac, vaste comme une mer, petit océan bleu d'azur au milieu d'une étendue rongée de soleil, envoyait jusqu'à l'horizon de frémissants et tremblants mirages. Ceinturé de cyprès, abondamment parsemé d'îlots couverts de roseaux, de joncs et de fétuques, et vide sous un brasier céleste, le lac entier aurait pu n'être qu'une illusion... Mais le guetteur savait que, si la couleur était illusoire, le lac était réel, sombre comme les tourbières de ses bords, sombre et désolé et plein de dangers qui lui étaient propres. Et pour la centième fois l'homme se demandait quelle folie le poussait à risquer aujourd'hui encore la mort sur ses rivages.

Ce n'était là, bien sûr, qu'une partie de la question dont il remettait depuis longtemps la réponse. Il se souleva sur un coude, repoussant de ses yeux le sombrero décoloré, cependant qu'il étudiait la surface du lac, que les Séminoles appelaient autrefois Mayami, et que les cartographes de Washington commençaient à désigner sous le nom d'Okeechobee (1). La mort, il n'en doutait pas, était embusquée dans le brouillard qui enveloppait l'horizon occidental. Toutefois, ce n'était pas le moment de méditer sur les impondérables. Pourquoi, par exemple, avec l'habileté chirurgicale qu'il possédait au bout de ses doigts, il continuait à vivre en Floride ? Pourquoi il trouvait beaucoup plus d'agrément aux relations avec les Indiens qu'à la carrière qui l'attendait dans le Nord? Bref, pourquoi un homme diplômé de la Faculté de Londres et de l'Hôtel-Dieu de Paris restait ici (en cette remuante année de grâce 1840), préférant le séjour dans le marécage et les tourbières à celui des salons pleins de jolies femmes et de gentlemen, sa vie hasardeuse à leur vie mondaine?

Toutes les réponses lui étaient connues. Et, d'avance, il s'estimait condamné. Il lui suffisait de se dire qu'il ne serait jamais plus heureux qu'aujourd'hui, car, cela aussi, il le savait.

Les pieds calés sur son carton plein des esquisses faites au cours d'une quinzaine passée avec les Séminoles au cœur des Glades, il s'installa plus profondément dans les roseaux, écoutant la mort qui souquait dur sur sa pagaie, là-bas, dans le brouillard, sur l'autre rive de l'Okeechobee.

(1) Prononcer Okîtchobîe.

CHAPITRE II

TOUT AU LONG DE CETTE matinée, la mort avait été un poursuivant très réel — à l'aube, un bruit de pagaies, pendant qu'il se glissait hors de son dernier couvert à Sandy Bay ; à l'aurore, un profil aigu, nettement dessiné sur le ciel vif, lorsqu'il s'était risqué à traverser cette même baie et à foncer droit sous l'abri des palétuviers de la rive sud.

Depuis le soleil levant jusqu'à midi, il avait tendu vers l'échappée du couloir où il se trouvait en ce moment, et il savait que sa ruse avait réussi, que sa némésis le cherchait toujours en eau profonde, parmi les îlots couverts de cyprès qui séparaient la baie du lac proprement dit.

Lorsqu'ils avaient retrouvé sa trace, il était déjà en sécurité parmi les joncs — si on peut parler de sécurité à propos d'une cachette où le plus léger mouvement des hautes herbes risquait d'éveiller des bruits révélateurs. Maintenant, bien qu'il s'attendît à voir le bec du canoë de guerre de Chittamicco pointer entre les effilochements de brume, il savait qu'il avait pleinement joui de cette longue et folle partie de cache-cache. Il jouirait plus encore du dénouement. Quand bien même ce dénouement consisterait à se déshabiller jusqu'au cuir et, nu comme Adam, passer par-dessus bord, pour affronter dans l'eau Chittamicco, sans autre arme qu'un couteau à trancher les roseaux.

Le défi n'avait pas été porté la veille au soir, pendant qu'il était assis près du Feu du Conseil. Chittamicco n'était qu'un des sous-chefs et interprètes qui fumaient une pipe d'adieux avec Chekika (1) avant de lancer leurs pirogues vers l'est à la rencontre de la nouvelle lune. Il avait entendu une bonne douzaine de fois un grondement de haine s'échapper de l'une ou

(1) Chekika est un personnage historique. Il fut l'âme même de la résistance séminole, laquelle prit fin dès qu'il fut capturé. Prononcer Tchekîka.

l'autre gorge. C'est bien juste si l'éclat ne s'était pas produit lorsque Chekika, tournant le dos à son frère puîné, était descendu à pied dans l'eau peu profonde pour escorter la pirogue de l'étranger blanc dans le chemin de lune jusqu'à ce qu'il fût trempé bien au-dessus des genoux. Pendant ce temps-là, le blanc avait senti dans son dos les yeux de Chittamicco, lequel regrettait assurément que ses yeux ne fussent pas des poignards jumeaux. Et lui, sachant que rien ne serait plus dangereux que de témoigner la moindre crainte, avait fièrement et sereinement pris sa pagaie.

— Reviendras-tu bientôt, Salofkachee (1) ? avait demandé Chekika.

— Chaque fois que le Chef trouvera ma présence bienvenue.

— Tu es toujours le bienvenu, *amigo mio*. Quels que soient les projets que mijotent tes frères blancs.

— Pourrais-tu dire que ceux du Feu du Grand Conseil pensent ainsi ?

Chekika avait souri. Dans le bain clair de lune qui ruisselait sur eux, sa poignée de main avait été aussi ferme qu'à l'accoutumée.

— Le Feu de mon Grand Conseil brûle suivant mes ordres.

— Dieu soit avec toi, Père des Séminoles.

— Dieu soit avec toi, Salofkachee.

Ils avaient parlé un espagnol assez pur, que les sous-chefs eux-mêmes comprenaient. Après tout, chacun des assistants avait en mémoire le temps où les Florides ne faisaient pas encore partie de l'Amérique ! Chittamicco seul avait toujours obstinément refusé d'apprendre une autre langue que sa langue séminole, même quand les Florides prenaient encore leurs instructions à Madrid. Chittamicco, colosse de cuivre aux bras croisés, se tenait à l'écart des autres. Mais sa voix avait résonné et tonné comme un tambour de guerre longtemps avant que la pagaie de l'intrus blanc eût pu trouver l'eau libre...

A présent, accroupi dans son refuge de roseaux, de fétuques et de joncs à l'embouchure du canal des Dix Milles, le même indésirable pouvait se permettre de sourire de sa propre folie. Et le bruit de pagaies qu'il entendait au milieu de l'Okeechobee lui rappelait, avec gravité, qu'une époque finissait.

Bien avant qu'il se fût risqué à cette expédition dans les

(1) Prononcer Salofkatchie.

Glades (1), il avait deviné que ce serait la dernière qu'il oserait entreprendre seul. Alors, déjà, aucun autre blanc ne l'eût risqué. Quinze jours plus tôt, donc, ne sachant que faire de son temps, vide de projets sans but au delà du lendemain, l'idée de ravitailler sa pirogue au fort et de filer vers l'ouest sur le Miami, de filer vers ce désert aqueux dont la carte n'avait jamais été relevée que par lui seul, cette idée lui était apparue comme « bien bonne » ! Et s'était trouvée « bien bonne » en vérité. Fantaisie de solitaire, cette espèce de défi lancé à la fois à l'ennui et au destin ; ce jeu de hasard, en somme, rapportait des dividendes comme une affaire sérieuse. Lorsqu'il avait enfin découvert Chekika — et jamais encore il n'avait dû pousser aussi avant ses recherches avant de trouver dans les profondeurs des Glades le camp des Séminoles, — ses amis de la veille avaient été fort contents d'échanger leurs peaux de loutre contre du sel et de la farine de maïs. Toutefois, dès la première poignée de main, il avait senti la tension — et cette tension qui avait duré pendant tout son séjour s'était faite particulièrement âpre au moment de son départ. Les effets l'en avaient poursuivi tout au long de sa course de retour, véritable fuite pour la vie, scandée par les tambours de guerre, à travers l'immensité de l'Okeechobee argenté de clair de lune.

Salofkachee : le couteau qui guérit. Nom par lequel l'appelait affectueusement Chekika. Titre bien gagné, car, avant que la guerre fût entrée dans sa phase finale, son scalpel était célèbre d'un bout à l'autre des Glades. Aujourd'hui que les Glades n'étaient plus guère que le terrain de chasse des Séminoles — aujourd'hui que Chekika avait revêtu le manteau porté naguère par Osceola et Coacoochee (2), — il ne suffisait plus à « un homme-médecine » blanc, à un guérisseur, d'avoir du courage, fût-ce énormément de courage, pour s'aventurer au delà des chutes du Miami.

Le courage ! Tout en regardant à l'ouest le bec du canoë surgir

(1) On appelle parfois la Floride le « pays de l'Everglade — ou des « Everglades » (prononcer Eveurgléd's). Les Everglades sont une région marécageuse qui occupe en partie le Sud de la Floride, tout autour du lac Okeechobee. Le fleuve Miami la traverse et joint, par un chenal, le lac à la baie de Biscayne où il se jette. Tous les Indiens de l'Amérique du Nord, groupés en une puissante Confédération — le Creek Confederacy, — occupaient la plus grande partie des États de l'Alabama et de Georgie. Les Indiens Séminoles furent les premiers à quitter la Creek Confederacy et vinrent s'installer dans la péninsule de Floride qui était encore, à l'époque, colonie espagnole.

(2) Prononcer Côcoûtchîe.

de la brume et prendre peu à peu une forme discernable, Salofkachee pensait que ce n'était là qu'un nom abstrait. S'il lui avait fallu expliquer le motif de son voyage, fût-ce au plus ancien, au plus proche de ses amis, il aurait vu celui-ci, et sans pouvoir l'en blamer, se tordre de rire. Rire à s'en faire mal aux côtes. Andy Winter n'aurait jamais compris. Pas davantage l'excellent docteur Barker. Moins que tous, ce hargneux pète-sec de colonel Merrick. Chekika lui-même... Quand un homme tourne le dos à l'héritage de son père, à sa carrière qui fut la carrière de son père, quand il se lance tête baissée dans le désert sauvage, il n'a aucun droit à espérer la pitié. Quand ce même homme tourne, en outre, le dos à la vie pour se mettre à peindre des aquarelles représentant des hérons et des spatules, pour collectionner des spécimens à l'intention d'un naturaliste que le ministère de la Guerre même considère comme un tantinet déséquilibré, il n'a d'autre droit que de lever un sourcil désabusé, si son monde le juge sur les apparences.

Le canot en pleine vue effaçait le mirage au bord de l'horizon. Même à cette distance, Salofkachee pouvait compter une douzaine de braves aux pagaies — outre le barreur et Chittamicco lui-même, Chittamicco en personne naturelle, mais plus grand que nature, Chittamicco et ses éventails d'aigrette aux tempes. Pendant quelques secondes, Salofkachee se sentit désappointé parce que son ennemi n'avait réussi à mobiliser qu'un seul canoë. Il avait vaguement espéré une poursuite de gala, une poursuite de style, au grand complet, tenue de parade, tambours-médecine, et une squaw ou deux réclamant avec force hurlements sa peau et son foie !

Refusant de s'inquiéter, même en cette minute, il se rappela instantanément que Chittamicco n'était que le frère de Chekika, qu'une voix hurlante près du Feu du Conseil, qu'il ne pouvait guère faire plus que séparer de l'ensemble une douzaine de tranche-montagnes exaltés dans son genre, de les entraîner directement du Feu du Conseil sur la piste du visiteur, et de s'y lancer avec au cœur le désir du meurtre.

Chittamicco n'aurait pas pu empêcher cette visite d'un émissaire de Washington — même si cette visite n'était pas officielle. Il n'aurait pas davantage pu obtenir la suppression immédiate et radicale de l'homme. Ni même qu'il fût conservé comme otage.

Le meurtre, le désir de meurtre, tel était donc bien son actuel état d'esprit. Mais, après tout, c'est encore là une étiquette d'homme blanc. La loi séminole de l'hospitalité interdit que l'on extermine le visiteur qui dort dans la maison du chef et qui trempe la main au même plat. Mais Chittamicco, en tant qu'héritier présomptif, gardait le droit de défier l'homme une fois franchi le cercle tabou, et alors de le traquer, de le traquer comme on traque un cerf.

Déjà, il pouvait voir le brillant de la sueur sur les épaules cuivrées. Toute la nuit, il le savait, leur effort avait été ininterrompu. Ils tablaient sur leur force réunie pour parvenir à lui couper la route. Ils avaient escompté retrouver sa trace à l'aube — et dans sa cachette il souriait de voir le beau visage puissant de Chittamicco déformé par une grimace à la fois de désappointement et d'incompréhension. L'héritier de Chekika avait spéculé sur la stupidité de l'homme blanc et sur sa propre habileté de chasseur maintes fois affirmée. Il avait calculé qu'il verrait sa proie à découvert en plein lac et qu'il lui serait alors aisé de la forcer. Une fois leurs proues accrochées, le blanc n'aurait pas pu refuser le défi du Séminole. Nus comme le premier Adam, ils auraient passé par-dessus leurs bords respectifs, chacun tenant entre les dents son couteau à jonc. Ils auraient nagé au large de leurs pirogues et se seraient battus jusqu'à ce que l'un des adversaires fût mort... Néanmoins, se disait la proie présumée, « meurtre » serait encore le mot juste et non combat. Car s'il en était sorti vainqueur, un autre l'aurait défié. Ils auraient payé sa défaite finale inévitable d'autant de vies qu'il aurait fallu pour l'épuiser, et un homme frais serait bien parvenu à l'achever. Sorte d'assassinat rituel, en somme, que Chekika lui-même n'aurait pu interdire. Combat plus vieux qu'Homère, obéissant à ses lois propres. Fin que doivent attendre, s'ils se risquent sur son territoire, tous les ennemis de la nation séminole.

« La brume de l'aube m'a sauvé la vie, se dit l'homme en regardant le canoë de guerre tournoyer à l'embouchure du chenal. La brume, et puis ensuite le brouillard de chaleur qui l'a remplacée... Ils entendaient bien ma pagaie dans la nuit, mais ils ne pouvaient deviner avec certitude de quel côté je tournerais, une fois arrivé à l'embouchure du canal des Dix Milles. »

Il regardait Chittamicco se dresser de toute sa hauteur à la proue de sa pirogue, afin d'étudier aussi loin que son regard pouvait porter le cours sinueux du chenal. Et il bénissait l'impulsion qui l'avait porté à s'abriter immédiatement, à l'entrée même de la voie d'eau, car ses ennemis pouvaient voir d'un coup d'œil qu'il n'avait pas suivi la route la plus tentante, la plus évidente, la plus facile, celle qui menait au fleuve Miami et au pays des blancs. Devineraient-ils qu'il s'était terré entre les dures fétuques, les roseaux et les joncs, à un faible jet de pierre du point où eux-mêmes étaient arrêtés pour en discuter ? Il entendait clairement leurs voix et se retenait presque de respirer par crainte de se trahir. Les Séminoles se rendaient bien compte que leur proie pouvait être proche et ils parlaient doucement, mais, dans l'air calme, toutes leurs paroles parvenaient au blanc — qui comprenait presque aussi bien leur langue que la sienne propre.

— Il est encore plus bête que nous n'avions pensé, disait Chittamicco. Il suit la rive de l'Okeechobee, vers l'est.

— Il n'y a aucun signe.

— C'est que le brouillard le cache encore.

— Et s'il est blotti plus loin dans le chenal ?

— Il ne prendrait pas un tel risque ! Sans doute espère-t-il nous échapper dans le marécage.

Chittamicco se pencha par-dessus la proue du canoë, tandis que le barreur souquait dur. Pendant quelques secondes, le platbord effleura les herbes, et le guetteur put voir les cicatrices laissées par le couteau sur la poitrine de Chittamicco, put compter les plumes d'aigrette de son diadème. Puisqu'il chassait aujourd'hui un gibier humain, l'Indien n'avait pas revêtu sa grande tenue, ses culottes de daim, et les demi-lunes d'argent martelé qui étaient les signes de son rang. Seuls, aujourd'hui, les deux grands éventails d'aigrette le long de ses joues et les durs traits de vermillon qui barraient ses pommettes proclamaient son état élevé.

Comme tous les autres, il empestait le poisson rance, car ces braves, avant la bataille, s'oignaient d'une huile au fumet particulièrement infect. Massés qu'ils étaient dans le canoë, le vent apportait jusqu'au guetteur une énorme bouffée quasiment asphyxiante, sauvage, aussi ancienne que l'espèce humaine, et qui éveillait en sa mémoire des souvenirs ancestraux dont il ignorait l'existence en lui. Et il pensa au gouffre qui séparait les Indiens, « les pas lavés », des blancs, qui avaient appris la propreté et y avaient pris goût.

— Le brouillard se dissipe rapidement, disait Chittamicco. Il ne peut pas se cacher longtemps dans le marécage. Regardez où il a brisé la vigne en se forçant un passage entre les cyprès !

Le guetteur sourit. Le Séminole était un traqueur expert et

attentif, mais, aujourd'hui, il avait à faire à partie égale. Il avait oublié qu'il est bien facile d'arracher de la vigne sauvage au point où le marécage descend jusqu'au lac et de refermer le cercle sur sa propre trace. Grâce aux pluies, il y avait entre ces cyprès plus de quatre pieds d'eau. La pirogue du guetteur avait glissé entre eux et en était ressortie sans que rien, à part la vigne volontairement brisée, décelât son passage.

— Nous allons longer la rive orientale pendant un moment, dit Chittamicco. Une fois le brouillard disparu, il faudra bien qu'il se laisse voir, lui ! En avant !

La barre, faisant décrire un large arc de cercle au canoë indien, envoya un remous s'étaler parmi les joncs. La pirogue s'éleva sur le flot et, pendant un instant de terrible tension, l'homme eut l'impression d'être hissé en pleine vue de ses ennemis, puis il rit silencieusement de sa propre panique, car, souquant comme un seul homme, les Indiens avaient déjà laissé le chenal derrière eux. Son cœur n'avait pas encore repris un rythme normal que déjà un solide mur de cyprès, de fétuques et de joncs dérobait à sa vue l'embarcation des guerriers.

Pendant un certain temps encore, son oreille saisit le rythme régulier de leurs pagaies. Cela faisait un son doucement apaisant, maintenant que la menace s'éloignait en même temps. Et puis ce léger trouble même s'évanouit, disparut dans l'air, s'effaça dans l'après-midi lourde d'une chaleur presque épaisse. Pour une fois encore — la dernière ! — l'Okeechobee et ses Glades n'étaient plus qu'à lui seul, étaient son domaine exclusif, à lui, pour en jouir comme un amant peut jouir d'une maîtresse sauvage dont les charmes et les délices sont sans fin.

Pendant une haute et farouche minute, il sentit qu'il ne faisait qu'un avec la nature, avec une nature intacte et pure. Et le cœur lui battit follement, et il sourit de cette joie presque surhumaine qu'il ne pourrait jamais partager avec qui que ce fût.

Andy Winter, si toutefois il cédait au désir de lui expliquer en paroles cette communion ineffable, demeurerait bouche bée. Le docteur Barker lui-même, cet étrange savant qui comprenait presque tout, ne comprendrait pas cela et hocherait la tête, étonné.

Pendant longtemps encore, il resta blotti dans son lit d'herbe dure, laissant la solitude l'envelopper de son baume si particulier. Comment pourrait-il expliquer que la profonde paix du désert était, malgré ses âpres périls, le seul refuge qu'il eût jamais connu ? Comment, alors que la civilisation lui offrait tant d'opportunités générales et de chances personnelles, pouvait-il tenir pour infiniment supérieures les récompenses accordées par ce même désert ?

Les ombres étaient lourdes déjà sur le chenal quand, enfin, il remua et prit sa pagaie. A cause de ce délai, il n'atteindrait les chutes du fleuve Miami qu'à la prochaine aurore. Fort Everglades était, ensuite, à plus d'une journée de voyage. Andy, il le savait, serait encore plus anxieusement impatient que d'habitude de recevoir son rapport... Néanmoins, il ne regrettait pas cette longue pause au bord de l'Okeechobee — pas plus qu'il ne regrettait le risque qu'il avait couru près du Feu du Conseil de Chekika. Il n'était pas pressé d'abandonner la personnalité de Salofkachee. Il était encore moins pressé de reprendre le langage et les manières du docteur Royal Coe, ci-devant chirurgien de l'Armée des États-Unis et éclaireur extraordinaire du commandant en chef à Saint-Augustin.

Il ne se sentit au cœur nul frémissement d'aise lorsqu'il tourna son visage vers la civilisation, ou du moins la pâle image qu'il allait en trouver au Fort.

Peut-être pour se donner une compensation, ou peut-être parce qu'il n'avait pas atteint la trentaine et se sentait solitaire à sa façon, il éleva la voix et se mit à chanter. Un chant plaintif, sur le mode mineur, venu des landes du Lancashire, où ses ancêtres avaient été conçus. Chant bien étrange en vérité pour marquer la cadence des coups de pagaie, à bord d'une pirogue, tout au fin fond des Everglades de Floride :

Noirs sont les cheveux de ma bien-aimée,
Ses lèvres sont d'une exquise suavité...

Or le docteur Royal Coe n'avait aimé qu'une fois. Aimé qu'une blonde aux cheveux d'or fluide.

CHAPITRE III

DEUX JOURS PLUS TARD, solidement appuyé à sa barre, les jambes allongées, il laissait le courant paresseux l'entraîner vers la mer. Et le même chant qu'il avait aux lèvres en quittant l'Okeechobee, il le chantait à présent que l'estuaire du Miami commençait à s'élargir autour de sa pirogue, le même vieux chant qui célébrait une mythique dame — choix au moins curieux pour un homme depuis longtemps détourné de l'amour, de ses atours et de ses œuvres :

J'aime mon amour qui sait que je l'aime,
Et jusqu'au gazon ployant sous ses pas...

Les dernières notes retentirent parmi les palétuviers du rivage, et il se prit à rire quand une grande grue s'envola du bourbier où elle baignait ses échasses et, lui dédiant un cri rauque en guise de réponse, s'éleva en longues spirales vers le ciel.

Il avait laissé derrière lui les Glades marécageuses. Dès la prochaine courbe du fleuve allait apparaître l'arbre foudroyé qui lui servait toujours de repère quand il se préparait à rejoindre la civilisation. Avant de s'y résoudre, il cala sa godille bien à fond dans la boue et s'accorda pendant quelques minutes encore la joie de contempler la terre silencieuse qu'il allait quitter.

L'eau du fleuve était basse en ce moment, car la marée qui, depuis Biscayne Bay, en réglait le débit avait commencé son mouvement de reflux ; il aurait presque pu compter, sur l'épaisseur de la berge, les couches de riche terre maternelle, témoignages muets des successives générations de plantes qui s'étaient vigoureusement épanouies dans ce pays ensoleillé, puis étaient retournées, pour l'enrichir, au limon dont elles sortaient.

La générosité de la nature ne s'étendait pas, pourtant, jusqu'à l'Atlantique, encore distant : ici même, en ce lieu que fertilisaient ses alluvions, la pagaie rencontrait et découvrait cette marne blanche, lit véritable du Miami, sous laquelle s'étendait le blanc massif de calcaire coralligène sur quoi la péninsule de Floride est assise depuis l'origine des temps.

Chaque pied carré de ce pays appelait la charrue et la houe, et cependant, même avant la longue incertitude des guerres indiennes, il avait toujours été maigrement peuplé. L'Espagnol lui-même, au cours de ses siècles d'occupation, avait à peine entamé la surface de cette prodigieuse richesse. La jeune République américaine, conquérante encore mal assurée, s'était débrouillée vaille que vaille pour se frayer une voie à travers ses conflits avec les Séminoles, mais n'avait encore établi clairement aucun plan d'avenir. Ici même, au seuil des Glades, et bien que le Fort ne fût guère éloigné de plus de dix milles vers l'est, n'existait aucun signe d'installation humaine. La demeure la plus proche, devant laquelle il allait passer à cinq milles environ du point où il se trouvait, était celle de Jakob Wagner, mi-ferme, mi-poste de commerce. Les quelques rares colons disséminés plus loin, au long de la côte, où les terres étaient de beaucoup plus pauvres, prenaient peureusement le maquis dès qu'ils entendaient, ou croyaient entendre, le son du tambour de guerre.

Le docteur Royal Coe, retournant pour la centième fois dans son esprit ce problème familier, soupira et reprit sa route. Parvenu à la hauteur du chêne vert foudroyé, il mit pied à terre : ici le sol était ferme et stable. C'était un de ces innombrables îlots solides qui émergent du marécage, et que dans le Sud on appelle « hammocks ».

En fredonnant, il entreprit de transformer Salofkachee en un respectable courrier militaire. Sur le brasier qu'il avait allumé sitôt débarqué, l'eau ne fut pas longue à bouillir : il en remplit un bol de cèdre, puis, assis en tailleur sur la berge, tenant d'une main un bout de miroir, entreprit de se raser, s'étonnant un peu à la rencontre de la figure devenue étrangère qui émergeait sous la lame : son visage, complètement imberbe et couleur d'acajou, était plus clair du menton aux mâchoires, tandis que son corps était tout entier couvert d'un cuir de la même teinte riche et sombre.

Se considérant dans son morceau de glace, il constatait : « Je pourrais passer pour le jeune frère de Chittamicco. »

C'était d'autant plus exact que les longs cheveux qui lui tombaient presque jusqu'aux épaules étaient d'un noir bleu on ne peut plus séminole. « Il ne me manque qu'un accroche-cœur sur la tempe et une plume de grue plantée sur le tout », conclut-il au bout de son examen. « Bien sûr, une guirlande de scalps enfilés sur une baguette de saule n'en ferait que mieux... »

Au fond, il n'était pas mécontent du tout de cette ressemblance. Pour comprendre un peuple, et notamment les Séminoles, qui ont une tradition remontant bien au delà de la venue des Espagnols, il est indispensable d'être pareil à eux, d'être comme un des leurs. Sinon, comment aurait-il pu ramener, du Feu du Conseil de Chekika, un rapport si précis et si clair ?

En retournant à la pirogue pour y ranger son fourniment, il regarda, côte à côte avec l'album gonflé d'esquisses, sa trousse à instruments, sérieusement patinée, elle aussi, un peu éraflée par places, ornée d'une plaque en cuivre gravée, précisant que le propriétaire avait jadis obtenu ses diplômes, « avec honneur », à l'Université Harvard, à Boston... La médecine, au moins, était un terrain sur lequel les personnalités opposées de Salofkachee et de Roy Coe pouvaient se rencontrer et se fondre. Pendant des années, elle avait servi de pont pour le transporter sans dommage sur les terrains disputés où l'homme blanc et le Peau-Rouge faisaient, à la fin d'une bataille, pareillement appel au couteau guérisseur.

La fraîcheur du bois entre ses mains lui rendit le sens de son unité : était-il trop tard pour faire la preuve, même à présent, qu'Indien et blanc pouvaient être amis ?

CHAPITRE IV

IL DIRIGEA SA PIROGUE au long d'un bourbier où des alligators dormaient en grappes épaisses. Très haut dans le bleu, un busard traçait dans le ciel des cercles paresseux — flocon de suie sur fond d'azur. Le Miami se bordait d'un vert nuageux et le reflux entraînait la pirogue vers la baie. La brise qui se levait à quatre heures, avec une régularité d'horloge, comme tombaient les averses à la saison des pluies, était agréable et fraîche à la peau.

Il amena son embarcation au milieu du courant. Bien que les terres marécageuses fussent dépassées, on apercevait encore, par-ci par-là, des canaux de vase qui luisaient sous le soleil descendant vers l'ouest. D'épais boqueteaux de pins commençaient à refouler hors du paysage les choux-palmistes. Des touffes de palmettes balançaient de tous côtés, avec un bruit métallique et sec, leurs éventails d'un vert poussiéreux. La cabine de Jakob Wagner était désormais presque en vue, et le docteur Coe appuyait sur sa pagaie avec un soudain élan de courage quand, tout à coup, la brise lui apporta de la rive un message auquel il n'y avait pas à se tromper. L'odeur de la mort. Un arome écœurant, aussi palpable que la fumée dans l'air pur. La mort solitaire et qui faisait se hérisser le poil.

Lorsqu'il avait pris la même route quinze jours plus tôt pour son voyage vers l'amont, le terrain de Jakob Wagner était aussi net que la cour de devant sa maison avait dû l'être à Francfort, la maison en troncs de palmiers étayée par des blocs de pierre toujours blanchis, les appuis de fenêtre égayés de géraniums et de volubilis : la femme de Jakob y veillait attentivement. De même, elle veillait à garder Jakob honnête dans son commerce avec les Indiens et interdisait la vente du rhum.

Aujourd'hui, la cabine n'était plus qu'une carcasse noircie.

...DE MA BIEN-AIMÉE

Les seuls occupants de la clairière devant la maison étaient une bonne vingtaine de vautours qui exploraient, avec fruit, les débris calcinés du petit dépôt et du petit dock au bord de l'eau.

Le docteur Royal Coe eut tôt fait d'aborder et d'escalader le terrain en courant, lançant un furieux cri de guerre, dans le but, d'ailleurs atteint, de faire envoler les charognards. Dès le premier coup d'œil, il vit qu'il ne pourrait plus aider en rien Jakob Wagner. Non plus que sa femme. Leurs deux corps pendaient côte à côte à un gibet improvisé au bord du terrain, dépouillés de tous vêtements, et violés selon le rituel séminole. Les vautours s'étaient occupés d'eux, arrachant les chairs et déchiquetant les entrailles. Ils avaient travaillé tout aussi consciencieusement sur les corps de trois guerriers indiens, abattus devant la porte de la cabine — preuve que Jakob s'était défendu de son mieux jusqu'au moment où les flammes gagnant de toutes parts l'avaient contraint à sortir ainsi que sa femme.

A proximité, la puanteur était renversante. Le docteur Coe eut besoin de toute sa force de volonté pour mener jusqu'au bout son exploration, mais, bien avant d'avoir retourné sur le dos le premier des cadavres d'Indiens, il savait que ces ravages étaient l'œuvre de Chekika.

Impossible de se tromper sur la peinture de guerre, ni sur la garniture de plume des flèches qui demeuraient encore dans le carquois des morts. Des flèches incendiaires, comme il le constata, sombre et navré, en retirant d'un carquois les deux dernières qu'il jeta dans sa pirogue, à titre de témoignage et de preuve. Le raid avait été prévu jusqu'au dernier détail. Les flèches goudronnées étaient prêtes à mettre le feu au toit de chaume de Jakob, probablement à minuit, pendant qu'il dormait. Et la carabine à canon court encore serrée dans le poing du Séminole avait abattu le trafiquant alors qu'il se précipitait sous le clair de lune, trébuchant, ébloui par les flammes, asphyxié à demi par la fumée.

Le tableau était clair et complet, mais le visiteur s'attarda quelque temps encore parmi les ruines, poussant de temps à autre des clameurs destinées à faire fuir les charognards ailés. Tout au bord du terrain, un détail accrocha son regard — un carré de tissu qui était demeuré empalé sur le tronc en dents de scie d'un palmier nain, chiffon arraché sans aucun doute au vêtement de l'un des assaillants avant ou pendant l'attaque. Pourtant, ce n'était pas un morceau de vêtement indien ; ce tissu rouge et bleu, avec ses zigzags cocasses, appartenait à la garde-robe de Thespis, jamais à Chekika. Il eut une grimace à cette idée baroque, cependant que son esprit faisait une folle culbute en arrière. Il se retrouvait au milieu de la troupe théâtrale de son Université, où il avait foulé les planches avec un enthousiasme et une désinvolture de moulin à vent, déclamant les strophes du Barde. Ses cuisses, il s'en souvenait, étaient recouvertes exactement de semblables zigzags rouges et bleus. Mais que pouvait bien faire Shakespeare sur les rives du fleuve Miami, en l'an de grâce 1840 ? Il laissa la bizarre question attendre quelque imprévisible réponse. La carabine que tenait l'Indien venait d'une usine de Sheffield, sans aucun doute par la voie d'un trafiquant de la Havane ; il retrouverait donc à chaque tragédie la marque des mêmes vampires qui avaient fait une fortune grâce à la longue guerre des Séminoles et aux chances qu'elle leur offrait d'échanger contre des fusils un inappréciable butin. Sans doute ce morceau de calicot bariolé sortait-il du même entrepôt cubain ?

Il laissa tomber dans sa pirogue le bout de tissu gaiement « arlequiné » et reprit place à bord. Cette fois, il mit toute sa force à accomplir le plus rapidement possible le dernier bond de son voyage vers l'aval. Il n'y avait, dans cette hâte, ni crainte, ni colère véritable. Chekika, en effectuant ce raid éclair, avait donné un avertissement solennel au Fort Everglades. Rien de plus. Jakob Wagner n'avait pas été une victime choisie : c'était le message qui comptait. Et Salofkachee allait à présent porter au Fort l'affreuse signature authentifiant ce message... Les paroles de Chekika au Feu du Conseil lui revenaient avec une emphase accrue.

Les Séminoles avaient cédé la péninsule à la nation américaine ; ils ne céderaient, ils n'abandonneraient jamais l'Okeechobee, ni les terres marécageuses qui l'environnaient. Les marécages, dans l'esprit et la volonté de Chekika, comprenaient les riches tourbières que bordaient les joncs, les rives mêmes de la baie de Biscayne et cette myriade d'îlots, les keys de Floride. Le chef avait précisé très exactement ses vues géographiques ce dernier soir autour du Feu du Conseil, en fumant une ultime pipe. Et c'était tout à fait dans sa ligne de conduite d'avoir auparavant posé un avertissement sanglant sur le seuil même de l'armée américaine.

— Crois-moi, Père des Séminoles, aucun homme blanc ne songe à envahir tes territoires de chasse.

— Je te crois sincère, Salofkachee. Je ne crois pas pouvoir en dire autant de Poinsett.

— Notre ministre de la Guerre te souhaite et vous souhaite à tous, les Séminoles, paix, abondance et prospérité. N'a-t-il pas signé le traité qui garantit à jamais vos frontières ?

— Salofkachee oublie que je sais lire l'anglais. Tu as certainement vu le *Papier-qui-parle* de Washington...

En ce moment encore, il se rappelait les yeux du chef, et leur pétillement au-dessus de cette moquerie que représentait alors la pipe de la paix sur laquelle il continua toutefois à tirer pendant un long moment.

— J'ai dit, Salofkachee. J'ai tracé les limites de ma nation. Des limites qu'aucun homme blanc ne pourra désormais franchir !

— Pas même un ami ?

— Chekika n'a aucun ami en dehors de toi. Et le temps viendra où toi-même tu devras prendre la route de tes frères. Alors le Séminole demeurera seul.

Le Séminole demeurera seul. Roy se répéta ces paroles, il en médita l'amère sagesse. Les Indiens de l'Est américain demeureraient toujours seuls, à présent que le jeune géant américain était sorti de ses langes et qu'il essayait ses forces neuves. Pareil aux Creeks et aux Cherokees, pareil aux centaines d'hommes de sa propre tribu qui avaient subi la déportation au cours des récentes années, Chekika et ses guerriers auraient un jour ou l'autre le choix entre une réinstallation dans le Lointain Ouest ou une lente mort d'inanition au cœur du pays des Grands Cyprès.

Sa mémoire, en évoquant les déjà si longues années de guerre, les barbaries dont les rouges et les blancs s'étaient rendus coupables, l'aidait à comprendre le calme fatalisme de l'Indien. Il se battrait pour sa terre, il mourrait dessus s'il le fallait, mais il n'en déménagerait pas. Roy pouvait à peine blâmer Chittamicco de l'avoir chassé à travers les roseaux, les fétuques et les joncs, avec la même fureur froide qu'il mettrait, lui, à poursuivre un chien enragé. Il parvenait même à comprendre l'impulsion qui avait lancé un raid sur la ferme de Jakob Wagner, considérée comme une manière d'avant-poste, brûlé la maison et fait une boucherie de ses occupants.

Joël Poinsett, ministre de la Guerre plus connu pour ses succès dans la Société que pour sa sagesse politique, était l'image d'un siècle que Chekika, qui comprenait si bien l'anglais, ne pouvait pas espérer comprendre. Le *Papier-qui-parle* était le nom donné par les Séminoles à un journal de Washington, qui avait publié, avec conviction, la vaniteuse affirmation récemment proférée par le jeune ministre qu'avant une génération la Floride serait complètement américanisée, de Saint-Mary's au Cap Sable — réfutation formelle, par le signataire lui-même, du traité solennellement conclu avec les Séminoles. Le fait que Chekika avait lu le journal à sa manière, presque en même temps que le commandant en chef à Saint-Augustin, était une marque de ce temps : *la même main qui fournissait les balles et la poudre à fusil aux Séminoles avait pris soin d'entourer de ce journal le dernier envoi de munitions.*

Peut-être, après tout, Chekika était-il l'ultime réaliste, et Salofkachee, l'intermédiaire entre les deux partis opposés, n'était-il qu'un rêveur né trop tard ? Peut-être le couteau à scalper d'Osceola était-il la seule signature qu'un homme blanc fût capable de respecter, devant des traités de paix étalés sur la table ?

L'« intermédiaire » sortit de sa méditation tandis que la pirogue prenait la dernière courbe du Miami et glissait avec aisance dans le remous de la marée descendante. Droit devant lui, le fleuve débouchait dans la pure étendue bleue de Biscayne Bay, que la brise de l'Atlantique fouettait en joyeuses vaguelettes blanches. De vastes marais salants s'étalaient en éventail des deux côtés de l'embouchure du fleuve, des cônes d'alluvion éclataient de verdure et frémissaient de la présence de nombreux oiseaux sauvages. Par-ci par-là, des toits de palmes abritaient les cabines des colons, mais aujourd'hui aucun filet de fumée ne s'en échappait.

Plus près encore, quelques enclos primitifs étaient vides sous le soleil tardif, près d'un groupe de dépôts de trafiquants et un quai de troncs de palmiers. Semblables à des poussins effrayés, toutes ces bâtisses se serraient sous l'aile imposante et sombre du Fort. Celui-ci, massif, carré, appuyé sur le ciel oriental, s'élevait sur la haute rive droite, son grand portail insolemment ouvert sur un terrain de parade poussiéreux. Son drapeau — avec les vingt-six étoiles de l'Union (1) — claquait dans le vent sur le poste du commandant, au milieu du terre-plein. L'émissaire des Glades pouvait compter les canons à chacune des meurtrières ouvertes vers l'ouest et admirer la splen-

(1) En 1840. Elles sont à présent quarante-huit.

deur azurée des sentinelles patrouillant sur les remparts.

Le docteur Royal Coe eut un petit sourire en comptant les shakos sur ce rempart de l'ouest. Jamais le colonel Merrick n'aurait prodigué un tel faste d'uniformes sur des factionnaires. Roy avait donc quelque raison d'espérer que son ami le capitaine Winter assumait le commandement du Fort en l'absence du colonel et avait ordonné ce déploiement sur le pont supérieur en l'honneur de son retour des Glades.

Le courant ronronnait allégrement entre les hautes berges marneuses au confluent du fleuve et de la baie. A peine guidée, la pirogue trouvait d'elle-même sa route vers l'eau profonde, à l'ombre des chênes verts qui bordaient la rive, et la route militaire montant jusqu'à la palissade extérieure. Par la force de l'habitude, l'intermédiaire de Chekika suivit ce chenal, de sorte que sa pirogue glissa, inaperçue des sentinelles, jusqu'au débarcadère où le docteur Royal Coe lança son amarre sur le taquet le plus proche, mit pied à terre, avec, sans s'arrêter, un regard bref pour son chargement : le sergent Ranson s'en occuperait plus tard, si le sergent Ranson était de service — et sobre. Puis, subitement, obéissant à une impulsion inexplicable, il retourna sur ses pas, descendit dans sa pirogue, y prit son bout de tissu arlequin et les deux flèches incendiaires qu'il se passa dans la ceinture, puis repartit en plein soleil. Il faisait vraiment une cible idéale, mais il pouvait se fier à Andy Winter pour n'avoir mis que des vétérans sur les remparts. D'ailleurs le plus jeune simple soldat du 1er Dragons le connaissait de vue, en uniforme ou autrement.

Ses mocassins ne faisaient aucun bruit sur les planches du débarcadère. Au moment de tourner vers le portillon de l'enceinte, il s'arrêta pile en s'apercevant qu'il n'était pas seul sur la berge. A l'endroit où les massifs pilotis du dock s'enfonçaient dans la marne du fond, une ombrelle s'inclinait contre le soleil de cette fin d'après-midi. Sur un pliant ouvert au bord de l'eau, une légère cloche de mousseline, qui faisait assurément partie d'une robe de dame, était posée. La dame en personne était installée — moitié assise et moitié accroupie — dans l'ombre verte du parasol. Elle travaillait activement devant un chevalet improvisé qu'elle avait installé si près du bord que la marée bientôt remontante risquait de le déloger. De sa position élevée, il vit qu'elle esquissait la silhouette d'un grand héron bleu, planté au milieu des herbes dans la partie de l'estuaire que couvraient et découvraient les marées, aussi parfaitement immobile que s'il avait promis de garder la pose jusqu'à ce que l'esquisse fût terminée.

L'artiste était tête nue et ses cheveux, modestement séparés par une raie, puis relevés en un haut chignon, étaient noirs autant que ceux du guetteur. Son profil (il notait distraitement ces détails à mesure qu'il approchait) était aussi net et précis qu'un camée italien, et d'un blanc aussi crémeux. Les yeux légèrement bridés lui paraissaient d'un gris vert assorti à la teinte de l'eau tourbillonnante. Sans motif précis, il se rappela un tableau qu'il avait admiré à Paris, bien des années auparavant — une toile de Watteau représentant une bergère à qui rien ne manquait, ni un *embonpoint* (1) judicieusement réparti, ni une haute perruque Pompadour. Le sujet présent à ses yeux était agréablement proportionné, même en mousseline, mais n'avait rien de la bergère et n'était certes pas échappé d'une ferme voisine.

Il se demandait qui elle pouvait bien être. Peut-être la compagne occasionnelle d'un officier, soit de Key West, en amont, ou de Saint-Augustin, en aval ? Elle n'était certainement pas la fille du commandant... Il se trouvait à présent juste au-dessus d'elle et prenait d'extrêmes précautions pour éviter que son ombre tombât sur le tableau, qu'il examinait en détail. Une chose au moins était certaine, c'était une artiste — une vraie et même une bonne. Bien qu'elle travaillât d'un pinceau rapide, sa composition était vivante, lumineuse et exacte jusqu'au dernier détail. « Elle vaut mieux que moi », admit-il à contre-cœur, car ses tableaux à lui figuraient dans une galerie de Boston, à côté des œuvres d'Audubon.

— Vous avez beaucoup de talent, *señorita mia* (2).

Il avait mis une admiration involontaire dans ses paroles et, comme depuis quinze jours il n'avait parlé que séminole ou espagnol, le langage des « dons » lui était venu tout naturellement aux lèvres. Il la vit se figer vers le pliant, puis tourner vers lui des yeux immenses. Il avait oublié son propre bizarre accoutrement, et les cheveux noir bleu qu'il portait, massés, à la mode indienne, sur les épaules.

Avant qu'il pût dire un mot de plus, elle était debout, un cri d'effroi s'étranglait dans sa gorge. Le mouvement subit décala

(1) En français dans le texte.
(2) En espagnol dans le texte.

le tableau et l'envoya à la rivière. Sautant à côté d'elle sur la berge, il se baissa pour récupérer la toile, mais, avant qu'il pût se redresser, il se sentit assommé par un coup violent sur la nuque et comprit que la jeune personne avait saisi son chevalet et s'en était servie comme d'une arme, avec un effet remarquable. Étourdi par le choc, ses genoux pliant sous lui, il chut dans le fleuve, roulant comme une bûche dans la marée qui l'entraînait, mais sa main n'avait pas lâché la toile.

La morsure de l'eau froide et salée lui rendit aussitôt ses esprits. Il parvint à lancer le tableau sur le quai, encore qu'il le devinât gâché sans remède possible. Alourdi par ses culottes et sa tunique de daim, et par sa poche à balles, il n'arrivait pas à se maintenir contre le reflux, bien qu'il nageât avec toute la vigueur qui lui restait. Au-dessus de lui, la jeune fille avait saisi la pagaie de sa pirogue et battait l'eau entre eux avec le plat de la pale. En dépit de sa rage, il ne put s'empêcher d'admirer la grâce et la vigueur de ses mouvements : la bergère en mousseline s'était en un clin d'œil transformée en une amazone compétente et résolue. Elle semblait, d'ailleurs, trouver beaucoup d'agrément à ce sport imprévu.

Quoique ayant à peine repris son souffle, il parvint à crier en haletant entre les mots :

— M'auriez-vous... pris... pour un... Indien ?

— Vous êtes un Indien, et n'essayez pas de le nier !

La pale frappa la surface à moins d'un pouce du bras qui battait l'eau.

— Regardez mieux... voulez-vous ?... Avez-vous... déjà vu un Séminole... aux yeux bleus ?

Il constata qu'à présent elle l'examinait avec attention, comme si elle le voyait pour la première fois. Rassemblant toutes ses forces, il repartit vers le quai et parvint à arracher le crochet qui maintenait sa tunique. La nage lui devint aussitôt plus facile, mais il avait commis une erreur d'une portée autrement grave. Tout son corps, en effet, après cette quinzaine de nudité presque totale passée sous l'ardent soleil des Glades, le faisait paraître plus Indien que jamais, tandis que, débarrassé de son vêtement lourd et engonçant, il roulait dans les eaux vertes du Miami.

— Gardez vos distances... ou j'appelle la patrouille.

La pagaie prit contact avec son crâne, un coup vif et sec qui alluma une lumière rouge dans son cerveau. D'instinct, il referma les deux poings sur la pale et s'y accrocha de tout son poids.

Comme il l'avait espéré, la jeune fille ne lâcha la perche qu'une seconde trop tard. Il y eut une blanche écume de jupons, l'éclair assez impressionnant de deux longues jambes gainées de soie, et, passant par-dessus lui comme un grand oiseau blanc, elle tomba sur l'eau à dix bons pieds au delà.

Sachant que son ample jupe la garderait à flot pendant un moment, il ne mit aucune hâte à se porter à son secours. Bien au contraire, il encercla d'une nage paresseuse le petit tourbillon qu'elle suscitait en se débattant, et il espérait en son cœur qu'elle avalerait assez d'eau pour apprendre l'humilité.

Le courant les avait entraînés loin du débarcadère. Il regardait la côte des marais salants proches, il regardait l'estuaire du Miami prendre de l'ampleur et devenir Biscayne Bay, sans que le moindre cri jaillît du tourbillon ou que le moindre désir de secours se fût manifesté. Incrédule, il vit que le tourbillon s'élargissait, qu'un cercle de jupons de dessous et d'autres articles innommables dansait gaiement dans le remous bleu de la marée. Selon toute apparence, la jeune personne se déshabillait dans l'eau et, à mesure qu'elle s'allégeait, nageait plus vigoureusement.

Il jeta un avertissement dont nul compte ne fut tenu et se lança dès lors sérieusement sur sa trace. Ses bras, dans leur battement, rencontrèrent une jupe à la dérive. Il la repoussa de côté à temps pour voir les longues jambes, à présent délivrées de leurs bas, « plumer » la surface de la baie, cependant qu'une paire de bras blancs qui, d'être robustes, n'étaient pas moins harmonieusement galbés, brillaient dans le soleil du soir. Déjà elle avait sur lui quinze pieds d'avance, et chaque brasse augmentait la distance entre eux.

— Pour l'amour du Ciel, arrêtez ! hurla-t-il. Est-ce que vous tenez absolument à être entraînée en pleine mer ?

Les mots ne lui avaient pas échappé qu'il sentait leur futilité totale. Si elle pouvait maintenir son allure présente — et elle ne donnait aucun signe de fatigue, — elle pourrait atteindre la côte lointaine de Key Biscayne (1), une île très basse, toute en marais et en dunes, qui séparait la baie de la pleine mer. Le flux écumeux de vagues à la barre n'était pas un danger qui pût

(1) *A key* est *une caye*, c'est-à-dire un îlot à fleur d'eau. La côte de la presqu'île de Floride en est bordée. Les lecteurs de *Docteur Land* se souviennent peut-être qu'au sud-ouest de la péninsule ces îlots sont si nombreux qu'un endroit s'appelle *Thousand Isles*, les mille îles. Le mot « caye » ne nous étant guère plus familier que le mot « key », il nous paraît préférable de garder à ces lieux leur nom réel.

arrêter une nageuse de cette espèce : il voyait qu'elle louvoyait très habilement, se servant du courant pour avancer vers son but, évitant la menace du heurt des lames du raz, dans le détroit.

Il se décida à forcer tous ses muscles, à donner leur maximum à chaque brasse : c'était ridicule qu'une femme pût le distancer longtemps à la nage, même une femme rendue folle par la terreur. Pendant une bonne centaine de yards, la distance entre eux cessa de s'accroître, demeura inchangée. Puis il commença à gagner sur elle, pied à pied. Il lui vit tourner la tête juste une fois, pour mesurer du regard sa proximité, vit qu'elle donnait un effort surhumain, à s'en faire éclater le cœur, pour un dernier sprint, dans sa volonté de le distancer définitivement. Alors il enfonça son visage dans l'eau et donna tout ce qui lui restait de vitalité pour parvenir à la rejoindre avant qu'elle fût trop loin de la terre ferme pour pouvoir rentrer.

Il l'entendit pousser un cri désespéré, que l'eau étouffa. Levant la tête, il la vit alors se cabrer violemment, puis fuir en dessinant un large arc qui la ramena dans la direction d'où elle venait. Apparemment, un péril nouveau venait sur elle, plus formidable que le péril rouge par lequel elle se croyait poursuivie. Il vit l'ombre dans la baie, entendit le reniflement léonin, se mit à rire et coupa sa voie afin de placer son corps entre elle et cette neuve menace.

A vrai dire, il admettait sa terreur et la comprenait. L'espèce de monstre poilu qui roulait et tanguait dans leur direction, jouant parmi les vagues moutonneuses, tel un brun cauchemar matérialisé, aurait suffi à éveiller la panique dans n'importe quel cœur, quand bien même une dizaine de monstres identiquement pareils à lui n'auraient pas flotté à sa suite.

— Restez où vous êtes, cria Roy. Ce n'est qu'une manatee, une vache de mer.

Le sombre lamantin était presque sur lui à présent. Se redressant sur l'eau et virant à angle brusque pour éviter une collision tête la première, il allongea une tape sèche sur le mufle à moustaches et favoris. La manatee poussa un beuglement pareil à celui d'un veau offensé et changea sa route si brusquement, et déplaçant tant d'air et d'eau, qu'elle donna l'impression de quitter la baie d'un seul coup, en marche arrière. Clignant sottement ses petits yeux porcins, le lamantin emmena toute la troupe dans son sillage. Un instant plus tard, ils roulaient et tanguaient ensemble dans les vagues écumeuses qui repartaient vers le détroit et vers la mer.

Quand il avait, d'une gifle bien appliquée, écarté la créature, la jeune fille avait crié une seconde fois, et il n'avait pas eu le temps de lui expliquer que, dès que l'on s'y prend comme il faut avec elle, la vache de mer, qui est herbivore, est aussi inoffensive que le marsouin auquel elle ressemble assez vaguement. Il vit que la nageuse avait cessé de nager, que son corps s'était soudainement amolli, et il se livra à un sprint rapide qui lui permit d'arriver auprès d'elle juste comme elle s'enfonçait sous la surface. Plongeant en hâte, il lui passa une main sous chaque bras et nagea vigoureusement des jambes et des pieds afin de regagner avec elle l'air respirable. Il se rendit compte qu'elle n'avait guère eu le temps de boire une tasse et que, si elle était encore complètement évanouie, du moins avait-elle recommencé à respirer, par grandes aspirations haletantes et irrégulières.

— Il s'en est fallu de peu ! dit le docteur Royal Coe sans s'adresser à personne en particulier.

Puis :

— J'espère que cela vous apprendra et que la fois prochaine vous écouterez ce qu'on vous dit.

Pour une femme qui avait déployé une telle force pendant ce marathon à travers la baie, elle pesait étonnamment peu entre ses bras. Il lui semblait qu'une simple épaisseur de soie séparait les battements de leurs deux cœurs, et, sans savoir au juste pourquoi, il s'écarta promptement, la soutenant sur ses deux bras étendus. Il y avait longtemps qu'il n'avait pas touché une femme, ni en privé ni en public !

La tenant donc de la sorte, il se dirigea vers la côte, tendant du mieux qu'il pouvait vers l'eau dormante entre le marais et la plage parsemée de palmiers de la grande terre. Peu à peu il sentit le tirant de la marée mollir autour de ses jambes battantes. Le rempart oriental du fort était redevenu confortablement proche, masse qui tranchait durement sur le ciel d'ouest, et il vit que toutes les embrasures étaient noires de têtes. Bientôt un bruit de rames, derrière le rideau d'herbes de marais, lui fit pressentir la venue du sergent Ranson, de qui la tête ronde comme un boulet de canon, et tout aussi dépourvue de cheveux, apparut au-dessus de ce brillant écran de verdure.

Un instant encore, à peine, et une baleinière fut en vue, avec deux marins aux avirons. Ranson, comme il convenait à son grade, était assis à l'arrière, une jambe passée par-dessus bord, ce qui lui donnait un air de compétence et d'autorité ; il louchait vers les durs reflets de la baie, ignorant avec décision les conseils criés du haut des remparts.

Les yeux du sergent, attentifs et perçants sous des sourcils aussi abondants que ses cheveux étaient rares, avaient déjà découvert Roy et son fardeau, en eau profonde à bonne distance de la rive ; sa patte couleur de cuir dessina un salut rapide mais impeccable, puis passa par-dessus la tête des deux rameurs pour leur indiquer la route à suivre.

A ce moment exact, le docteur Royal Coe, qui battait l'eau avec une concentration de damné, sentit sa charge frémir légèrement. Pendant plusieurs secondes, mais sans ralentir son allure, il plongea son regard dans les yeux verts fixés sur les siens sans trace de crainte.

A cause de ces quelques instants-là, pendant lesquels ils flottèrent, unis dans cette baie immense et au seuil d'un immense désert, ils pourraient être à jamais amis...

— J'avais tort, dit-elle. Voulez-vous me pardonner ?

— Il n'y a rien à pardonner, fit-il avec solennité. J'ai apprécié à son juste prix chacune de ces minutes.

« Ceci, se dit-il *in petto*, est le plus scandaleux mensonge de ma carrière. »

— Ce fut une terrible erreur, dit-elle doucement. Je présume que ce sont vos longs cheveux qui m'ont trompée. Et aussi ce morceau de tissu bigarré dans votre main...

Il l'interrompit :

— Voici venir le sergent. Nous aurons le temps de parler plus tard.

— Tout compte fait, vous avez les yeux bleus, reconnut-elle. C'est plus que je n'en puis supporter !

Elle baissa les paupières et il crut pendant un moment qu'elle s'était à nouveau évanouie. Mais, les paupières toujours closes, elle parla encore. Si bas, qu'instinctivement il la serra contre lui pour entendre ses paroles :

— La bête... dans la baie ?... Comment s'appelle-t-elle ?

— Un lamantin. Une sorte de vache de mer...

— Je n'en crois pas un mot, vous savez !

Et, cette fois, elle s'évanouit pour de bon, dans le cercle soudain resserré de ses bras.

Il était curieusement peu décidé à abandonner son fardeau. Il se laissa pendant quelques moments porter par la marée. Le rappel du passé, plus dangereux que le reflux, l'avait entraîné dans un autre monde. De l'autre côté de l'Atlantique, dans une ville pétillante de champagne, sur les bords de la Seine. Il était assis près d'Irène, dans une salle de bal illuminée de bougies ; il écoutait l'agonie exténuée des violons, chantant dans une cour ombragée d'arbres, trop enfoncé dans le vin pour penser au lendemain, trop assuré de tous les lendemains pour douter que cette joie délicieuse et folle fût durable... Irène était blonde comme les blés, elle différait de la fille qu'il tenait entre ses bras autant que l'aurore diffère de la nuit. Et cependant les battements de son cœur contre le sien tandis qu'il *la* ramenait des profondeurs vertes de la baie vers l'air libre et le soleil, ces battements de cœur *lui* avaient ramené Irène, toutes ses splendeurs, ses délices et ses charmes. Irène, qui avait été le synonyme même de cette vie désormais rejetée derrière lui...

— Tendez-la-moi, m'sieur, si ça ne vous fait rien, disait la voix de Ranson. Allez-y doucement.

Il regarda le visage bordeaux du sergent penché par-dessus le bastingage de la baleinière. Ranson tenait largement étalé un manteau militaire tout prêt pour recevoir la rescapée. Les yeux de Ranson, discrètement levés vers le ciel, avaient un petit éclair familier. Comme toujours, le regard détourné du sergent faisait silencieusement comprendre qu'ils partageaient à eux deux un aimable secret.

— Est-elle décente, m'sieur ?

Roy passa la fille par-dessus bord et enroula d'une main le corps inerte dans le grand manteau étalé. Il avait eu le temps d'apercevoir — brièvement — la blancheur de cuisses d'albâtre qu'une courte culotte de nankin mettait plutôt en valeur qu'elle ne les dissimulait, une haute poitrine fière, encore à demi protégée par une quantité de dentelle d'Irlande.

— Vous la trouverez vêtue, sergent, répondit-il.

Et il jura entre ses dents.

— A vous, monsieur. Accrochez votre poignet au mien, et vous êtes bon.

Il passa tout seul et ruisselant sur la plage arrière, ayant écarté d'un froncement de sourcils le bras proposé par Ranson.

— Cela va fort bien ainsi, sergent. Occupez-vous de la barre, je vous prie. *Je* m'occuperai de la dame. L'avez-vous déjà vue ?

— Dieu vous bénisse, Doc', c'est Miss Grant Miss Mary Grant. La fiancée du capitaine Winter.

— Voulez-vous répéter ça lentement ?

Le sergent rit à petits coups :

— J'avais oublié que vous êtes parti depuis un bon moment, monsieur. Les fiançailles sont toutes récentes. Faites au poste.

— Quand y est-elle arrivée ?

— La semaine dernière. Avec les comédiens ambulants.

— Qu'est-ce que vous racontez, Ranson ?

— Ce qui est, monsieur. Mais c'est l'histoire du capitaine. Je ne voudrais pas lui gâcher le plaisir de la raconter.

— Vous avez pleinement raison, sergent. Je pense que je verrai le capitaine sans tarder ?

— Vous le verrez, en effet, docteur, et sans délai. Il vous attend chez lui en ce moment.

Le docteur Royal Coe retomba dans le silence, mais un flux abondant de jurons passa sur son cerveau sans qu'il fît rien pour le ralentir. Il était certain que la fille venait de bouger dans le grand manteau. Il était certain qu'elle avait entendu jusqu'au dernier mot prononcé depuis qu'ils étaient sur la baleinière. Mais il ne bougea pas pour vérifier l'exactitude de ses soupçons. C'était tellement plus simple de rester inerte à côté d'elle, un bras toujours passé autour de sa taille. Tellement plus simple de le laisser couler, ce flot intérieur de jurons, sans savoir au juste à qui il en avait, à Mary Grant ou à la mémoire d'Irène. Ou peut-être à Andrew Winter ?...

C'était à lui-même, en vérité. A lui, et aux années gâchées, et au désir douloureux et désespéré éveillé par cette rencontre, et tout de suite redevenu si vif, si lancinant, qu'il se savait assuré de ne plus le voir se rendormir — jamais !

CHAPITRE V

Le capitaine Andrew Winter, du 1er Dragons, avait écouté le rapport de son éclaireur dans un silence bienveillant, un détachement olympien que son état-major s'efforçait d'imiter. Une fois encore, le docteur Coe balaya du regard ce cercle de visages tendus. « Foudres de guerre jusqu'au dernier, pensait-il. Fils de Jupiter, diplômés de West Point (1) et altérés du désir de bataille ! » Tous lui semblaient aussi astiqués, aussi fignolés, aussi au point que leurs bottes vernies et les huit boutons de cuivre de leurs tuniques.

Il risqua une grimace souriante en direction du commandant et refusa de céder le terrain lorsqu'il rencontra un regard glacé. Il savait qu'Andy Winter n'était pas homme à dédaigner les vertus du protocole, en particulier lorsque les circonstances — en l'espèce l'absence du colonel Merrick — avaient placé le manteau du commandement sur ses épaules compétentes.

Son rapport officiel était depuis longtemps terminé et pris en excellente sténo par la main active du sergent Ranson. Le débat animé qui s'était ensuite déroulé autour de la table n'étant pas destiné à être enregistré, Roy n'avait été aucunement surpris lorsque Winter avait, d'un signe de la main, réclamé le silence et, d'un autre signe de cette même main, congédié le sergent. « Andy porte la toge du pouvoir avec une noblesse et une autorité de vétéran, pensait-il, et il n'est jamais plus beau que dans ces grandes occasions ! » Soldat, blanc et rouge, splendide et magnifique, de son toupignard flamboyant à la neigeuse perfection de ses immenses revers massifs, étoilés de toutes les décorations qui avaient marqué les étapes de la guerre, depuis Withlacoochee jusqu'à Taylor's Creek.

Au bout de ces constatations familières, Roy regretta vive-

(1) École militaire américaine.

ment de n'avoir pas, au débarqué, changé ses mocassins et ses culottes de daim trempées contre quelque uniforme plus correct et plus décoratif.

Lorsque le besoin s'en faisait sentir, André pouvait brailler avec une grande efficacité ; il en fournissait présentement une preuve magistrale.

— Comprenez donc, messieurs, que nous ne pouvons rien décider avant le retour du colonel Merrick. Le rapport du docteur Coe est enregistré. Quoi que nous disions à présent, cela ne saurait rien avoir d'officiel et ne peut dépasser les limites de cette salle.

— Alors pourquoi le docteur Coe est-il présent ?

Andy et le docteur lui-même pivotèrent comme un seul homme pour faire taire l'interrupteur d'un regard. Pendant quelques instants, le docteur dut fouiller sa mémoire pour retrouver le nom de ce coquelet, puis il sourit lugubrement — c'était le sous-lieutenant Prescott, frais émoulu de West Point, aussi flambant neuf que son grade. Andy, attirant près de lui son ami, parla posément :

— Veux-tu faire taire ce poids-mouche, Roy, ou préfères-tu que je m'en charge ?

Prescott se hâta de s'expliquer, et ce fut tout juste si sa pomme d'Adam n'entra pas en collision avec son col haut boutonné.

— Croyez-moi, docteur, je ne voulais pas vous offenser, mais j'avais supposé qu'il s'agissait d'une délibération militaire...

— Le docteur Coe n'a pas cessé d'appartenir à l'Armée, que je sache.

— Comme éclaireur, monsieur. Il n'a jamais été officier...

— Peut-être ne l'a-t-il jamais voulu, dit Andy. Ce n'est certes pas cela qui retire du prix à son opinion. Veux-tu parler le premier, Roy ?

Roy étala ses deux mains sur la table des cartes et examina de près la version militaire des Glades. Le cartographe avait reporté les baies et les îles tout au long de la bande côtière avec assez d'exactitude. Même la longue demi-lune de keys et de récifs épars, qui s'étendait du continent à Key West, avait été relevée à la sonde; le tracé en était précis presque partout. Le fleuve Miami était correctement dessiné jusqu'à ses chutes. En remontant à partir de ce point, à en croire la carte, le pays était vide, exception faite de quelques pistes indiquées d'un crayon prudent et discret à travers les pinèdes. L'Okeechobee lui-même n'était que vaguement esquissé, ce qui se défendait, en somme, puisque chaque automne et chaque printemps modifiaient ses rives, selon les pluies et la direction des ouragans qui, venus de l'Ouest indien, balayaient la péninsule à chacune de ces deux saisons. La première ligne positive de communication, Roy en fit la remarque, était la route de charroi reliant Fort King à Tampa Bay et aux blockhaus militaires le long de la rivière Kissimee, qui, venant du nord, se jetait dans le lac Okeechobee.

Roy leva les yeux et considéra tour à tour chacun des officiers de l'état-major du colonel Merrick, penchés vers la carte. Le lieutenant Prescott soutint son regard sans flancher. « Le gamin est fanfaron, mais il n'est pas froussard », se dit Roy. Il lut la même attente enthousiaste dans les yeux du lieutenant Hutchens, un dragon qui combattait aux côtés d'Andy depuis le premier jour. Le capitaine d'artillerie Stevens, qui remplissait en même temps à Fort Everglades les fonctions d'intendant, conservait son habituelle expression d'ennui. N'empêche, et chacun le savait, qu'on pouvait toujours compter sur Stevens dans les coups durs.

Roy, calme, pesant ses mots, demanda :

— Le colonel est vraiment résolu à tenter ce raid ?

Andy répondit, avec assez de patience :

— Voilà des semaines que nous y sommes préparés, tu le sais aussi bien que moi. Tout ce que nous attendions, c'était un motif. En brûlant la cabine de Jakob — avec Jakob dedans, — Chekika nous l'a fourni, ce motif. Je peux partir demain s'il le faut.

— Es-tu certain que le colonel rentre ce soir ?

— Ce soir ou demain, selon ce qui se passera au Quartier Général. (Andy souriait, ajoutant un commentaire) Stevens est encore froissé de n'avoir pas été invité à se rendre à Saint-Augustin pour cette réunion. Quant à moi, j'étais évidemment indispensable ici : il fallait bien quelqu'un pour commander en l'absence de Merrick.

— Nous nous accommoderions tous d'un changement de décor, dit placidement le capitaine.

Andy lui-même fit écho au soupir d'assentiment qui s'éleva tout autour de la table. Rivés au Fort comme ils l'étaient, avec l'ordre formel de laisser en paix les Séminoles, ils avaient trouvé le temps long et lourd durant ces derniers mois. Aussi Roy avait-il fort bien compris que son ami eût répondu avec enthousiasme lorsque son colonel lui avait suggéré de recruter parmi ses hommes un groupe spécial, extrêmement mobile, et qui serait entraîné en vue d'opérations de détail dans les Glades.

L'entraînement avait été tenu secret. Une bonne partie s'en était effectuée parmi les keys du Sud, ou à l'abri de l'écran de palétuviers, à Biscayne Bay même. Pendant son dernier séjour au Fort, Roy avait inspecté les pirogues et les canoës construits à cette intention particulière par un chantier de Charleston, les caisses à munitions étanches, les ponchos conçus de manière à pouvoir au besoin servir de tentes individuelles. A l'époque, il avait ri avec Andy devant de tels raffinements. Lorsque leur entraînement spécial commença, la plupart des hommes étaient déjà prêts à l'action : des années de guerre indienne, dont ils avaient passé une bonne part enfoncés jusqu'au ventre dans la ketmie ou dans les herbes de marais, avaient endurci à la fois leur esprit et leur peau.

— Je crois comprendre que cette occasion est bienvenue, messieurs ?

Ce fut la voix de Hutchens qui lui répondit, mince comme une lame, et tout aussi froide :

— C'est notre métier, Roy. Personne n'aime se rouiller.

— Avez-vous évalué vos chances ?

— Je les considère comme excellentes, si vous êtes avec nous pour nous guider.

— Permettez que je m'assure de vous bien comprendre.

Roy se tourna vers Andy avec le léger salut exigé par l'étiquette.

— Vous vous proposez d'envahir les Glades avec trois cents hommes et de ramener Chekika vivant. Vous croyez honnêtement qu'il va résister et se battre. Permettez-moi de détruire cette pieuse espérance.

— C'est ton droit, Roy, dit Andrew, retournant le salut avec la même gravité.

— Chekika n'a pas engagé une seule bataille depuis qu'il a coiffé le bonnet de Coacoochee. Il est aussi roublard qu'un loup et deux fois plus dangereux. Il n'y a qu'une façon — une seule — de l'avoir : drainer les Glades. Tant que ces marécages existeront, ils seront le terrain de chasse des Séminoles.

— Tu ne parles pas sérieusement ?

— Tout ce qu'il y a de plus ! Et je vais vous en dire davantage. Les Glades ne seront jamais drainées à l'ouest des chutes.

Sous ces joncs, ces fétuques et ces roseaux, il existe en réalité une rivière, et qui coule. Un fleuve qui s'écoule de l'Okeechobee vers le golfe (1). Je l'ai compris dès la première fois que je l'ai traversé. On peut y perdre une armée, ou, quand on a la cervelle de Chekika, en dissimuler une.

Andy Winter se raidit :

— Nous fais-tu entendre que ce raid est impossible ?

— En aucune manière, messieurs. Je vous demande seulement de regarder cette carte d'un œil précis et réaliste.

— Il n'y a pas de carte véritable, Roy, répondit Andy, notre carte, c'est toi.

— Je ne suis pas le seul homme qui ait traversé les Glades !

— Je sais, Roy. Nous avons actuellement Sam Slade dans notre compagnie. Il y a ce Minorcain de Saint-Augustin, Tony Genovar. Mais Sam et Tony sont deux trappeurs, rien de plus. Et ils ont dû fuir à fond de train, voici des années, pour sauver leurs chevelures ! Ils t'aideront, bien sûr, mais c'est tout de même toi qui devras découvrir Chekika.

Andrew frappa la table du poing :

— Et ne me dis pas que c'est impossible !

— Avez-vous consulté le docteur Jonathan Barker à ce sujet ?

— Je pars pour Flamingo Key ce soir même, dès que le colonel arrivera. Et qui mieux est, tu viens aussi. Et Mary de même. Elle est en route pour Key West, tu sais.

C'était la première allusion faite par Andy à sa fiancée, depuis le début de la réunion. Roy, qui sentait sur lui les regards des officiers et qui se doutait bien que la plupart d'entre eux avaient assisté à... ses difficultés... dans la baie, rougit jusqu'aux oreilles. Il plongea d'autant plus résolument dans l'affaire en cours. Mary Grant était un autre sujet et dont ils discuteraient à loisir, Andy et lui, plus tard, quand ils seraient seuls à cette même table.

— J'ai la conviction, dit-il, que le docteur Barker confirmera pleinement ma façon de voir : si ce raid réussit, ce sera un des miracles mineurs de l'Histoire !

Le lieutenant Prescott se jeta dans la conversation avec sa fougue habituelle :

— Pardonnez à ma stupidité, docteur. N'étiez-vous pas assis au Feu du Conseil de Chekika, voici deux jours ?

— J'y étais certainement, lieutenant. Il campait sur la

(1) Le golfe du Mexique, de l'autre côté de la péninsule de Floride, vers l'ouest, à l'opposé de Miami.

hauteur, sur la rive méridionale de l'Okeechobee. Très exactement entre The Mound et Sandy Bay.

— Vous pourriez sans aucun doute nous conduire en ce lieu ?

Roy faillit bien éclater de rire et se retint juste à temps :

— Sans aucun doute ! Et le capitaine Winter le pourrait tout aussi bien. Les yeux fermés. Seulement, il ne trouverait même plus de cendres pour marquer l'emplacement !

— Je crains de ne pas vous suivre.

— Le Séminole est semblable à la plupart des Indiens d'aujourd'hui. Aux temps de la domination espagnole, il vivait, stable, côte à côte avec les blancs dans l'arrière-pays de Floride. La plupart des chefs avaient leurs propres esclaves ; ils étaient fermiers autant que chasseurs. Aujourd'hui, au lieu de vivre de maïs, ils doivent se contenter de cœurs de palmiers, de racines de sagou et d'arbres à pain. Ils achètent des armes et des munitions aux renégats cubains parce que nous ne voulons pas leur vendre des fusils et qu'ils ont besoin de fusils pour vivre. Oui, bien sûr. Et ils suivent le gibier, ils se déplacent avec lui, pour empêcher leurs enfants de mourir.

Roy s'arrêta pile : son intention première n'avait pas été de se lancer dans une telle tirade. Il repartit sur une autre voie :

— Il y avait un passage de bass dans Sandy Bay. Tous les mâles de la tribu étaient à la pêche quand je suis arrivé. Et bon nombre de squaws avec eux. Ils les ont certainement déjà salés pour l'hiver. Et ils sont repartis...

— Tout le village ?

— Pourquoi non ? Le bois ne coûte rien dans les Glades, et le chaume de palme est encore moins cher. J'ai vu une famille monter une maison entière, des pilotis jusqu'au faîtage, entre midi et le crépuscule. Je les ai vus aussi faire cinquante milles du crépuscule à l'aube. En cet instant même, toute la nation peut être en train de s'installer dans les cyprès. Ou bien le long de la côte ouest, à pêcher dans Thousand Islands (1). Vous imaginez bien qu'ils feraient plus vite encore s'ils savaient que nous nous sommes mis en route dans l'intention de les poursuivre.

Prescott joignit ses mains gantées sur la poignée de son sabre. En dépit de la chaleur de fournaise de cette journée, il était aussi net que s'il sortait d'une boîte. Seule l'ardente

(1) Les Mille Ilots. Un groupe d'îlots vers la pointe méridionale de la Floride, au sud-ouest de la péninsule.

rougeur qui débordait de ses magnifiques pattes de lapin sur ses joues presque adolescentes trahissait sa colère.

— Défendez-vous ce mode de vie sauvage ?

— En aucune façon, lieutenant. Je constate simplement que c'est le leur, car notre politique à Washington le rend inévitable.

— Alors pourquoi ne veulent-ils pas se rendre ? Se mettre sous la tutelle du gouvernement ? Beaucoup de ces Indiens sont venus à Tampa Bay pour être déportés.

Roy ferma les yeux sur cette image. Il était allé plus d'une fois à Tampa Bay (1) pour des affaires de l'Armée, lorsque des groupes de Séminoles prenaient place sur les transports qui allaient les emmener dans les réserves à l'ouest du Missis-sipi (2). Ils arrivaient sur la côte par familles, souvent par clans entiers. Parfois, les groupes lamentables étaient tellement affamés qu'ils parvenaient à leur dernier bivouac, sur le sol de Floride, trébuchants, titubants, épuisés. D'autres crânaient, défi aux yeux, menton fièrement levé. Mais, orgueilleux ou humiliés, nourris ou crevant de faim, tous, comme un seul homme, s'étaient agenouillés pour remplir une corbeille de leur terre natale et l'emportaient avec eux sur les bateaux qui les emmenaient vers l'exil.

Être sous la tutelle du gouvernement, ce n'est pas tellement drôle, surtout pour ceux qui furent rois sur le sol de leur naissance.

Le docteur Coe n'exprima pas ces sentiments : « Je fais mieux d'économiser mon souffle à l'intention de Winter », se disait-il, sachant d'avance que son ami pouvait se montrer deux fois plus dur que ces messieurs de West Point, déjà raides, eux, comme des piquets. Il s'informa simplement :

— C'est votre première guerre indienne, lieutenant ?

— Ma toute première, répondit le visage impeccablement rasé, ferme comme granit, et un peu plus grand que nature, comme si, déjà, le lieutenant Prescott posait pour son bronze.

— Il est bon alors que je vous signale que le Séminole est une drôle de race d'ennemis.

— *Amen !* dit Andrew Winter.

— Il se bat suivant ses propres règles, quand il choisit de se battre. Le plus souvent, il frappe et, le coup porté, fuit aussitôt. Le cas de Jakob Wagner en porte le témoignage. Et des cen-

(1) Tampa est sur la côte ouest de la Floride, sur le golfe du Mexique.
(2) Notamment dans l'État du Texas, à l'ouest du golfe du Mexique, alors que la Floride est à l'est.

taines de fermiers d'entre Saint-Augustin et le Kissimee. Nous avons attiré la fleur de leur nation sur nos transports de Tampa. Mais, malgré cette dramatique saignée en plein dans leurs forces vives, ils sont encore capables de terroriser la péninsule tout entière. Andy est dans le vrai, de toute évidence, lorsqu'il dit que, si nous tenons à leur prendre — jusqu'au dernier acre — la terre sur laquelle ils sont nés, et leurs ancêtres avant eux, la solution, l'unique solution, c'est de les pendre — jusqu'au dernier homme, toute la race...

— Est-ce que vous trouvez qu'il a un droit particulier sur cette terre, puisque nous sommes disposés à le réinstaller ailleurs ?

« Je ne répondrai pas à cette question, pensa Roy. Je ne peux pas perdre mon souffle et ma salive pour expliquer le sens de la démocratie à un esprit d'une telle qualité ! Votre tâche, lieutenant Prescott, est magnifiquement simple. Il s'agit pour vous de rendre ce coin de la République sûr pour les blancs, jusqu'à la fin des temps. Et puis vous irez plus à l'ouest, et vous recommencerez la même brillante expérience dans le pays de Sam Houston (1), au nom d'un aigle jeune et vigoureux, d'un aigle un peu fou qui commence à projeter l'ombre de ses plumes en travers de tout un riche continent... »

A temps, il se rappela où il était et parla très simplement :

— Pas de quartier possible avec Chekika. Il faut ou le tuer sur place, ou admettre que ces terres marécageuses sont siennes à jamais.

Nul ne parla dans la pièce chaude et close. Le docteur Coe, se forçant à la détente après son second éclat, avait l'étrange sentiment que les anciens du moins, les vétérans, se rangeaient de son côté. Le lieutenant Prescott, fidèle à ne pas manquer la réplique, rompit le silence :

— Chaque pouce de Floride est américain, par notre traité avec l'Espagne. C'est à l'Amérique de s'en rendre effectivement propriétaire. Après tout, il nous reste encore à perdre notre première guerre.

« Celle-ci, pensa Roy, est perdue d'avance. Jusqu'à présent, cette rébellion indienne nous coûte cinq mille hommes. Il est vrai qu'on ne peut attribuer aux combats qu'un faible pourcentage des pertes, si on défalque le massacre de Dade

(1) Samuel Houston (1793-1863), soldat américain et chef politique, président du Texas.

[j'ai dit une silencieuse prière auprès de cette pyramide de coquina (1) qui se défraîchit et se décolore dans le cimetière militaire de Saint-Augustin] et les corps couverts de mouches à Taylors' Creek, et les crânes sans chevelure qui moisissent encore le long du Withlecoochee. La plupart des morts sont attribuées à la dengue, ou tout bonnement à la diarrhée. Plus simplement encore à une « fièvre d'origine indéterminée ». Votre billet est peut-être pris dès à présent pour quelque mort moins glorieuse encore ! »

Mais, quand il parla, sa voix était assez douce :

— Vous avez, je pense, lu le registre des décès à ce jour ?

Andy intervint, avec une égale douceur :

— Cesse d'insulter le garçon, docteur, ou je lui donnerai liberté de te provoquer à son tour !

Prescott, chose assez surprenante, leva la main pour protester :

— J'ai probablement mérité ceci, capitaine. Laissez continuer le docteur Coe.

— Merci, lieutenant, dit Roy. Si *la liste des morts américains* est peut-être sortie de votre mémoire, permettez-moi de vous rappeler qu'elle *comporte un nombre de noms légèrement supérieur à la totalité de la nation séminole* au premier jour de la guerre. Et la guerre est loin d'être terminée. Chekika continue à frapper à volonté, et jusqu'aux portes mêmes de ce fort. Quelle solution proposez-vous ? Un traité qu'il respecterait ? Ou l'extermination ?

— Je n'ai pas le choix, docteur, j'ai mes ordres.

— Parle comme un soldat, murmura Winter. Et cesse de prétendre que tu n'es pas avec nous, Roy : nous savons tous le contraire.

Roy céda, sans bonne grâce :

— Je suis allé présenter à Chekika un plaidoyer de la dernière minute, et j'ai échoué. Comme le lieutenant Prescott, *je n'ai pas le choix.* Je suis donc de votre côté.

Andy, d'un coup d'œil, contraignit le cercle au silence :

— Tu trouves nos... préparatifs... insuffisants ?

— Je vous ai dit quelle est, à mon avis, la seule solution de bon sens, le drainage de marais... qui ne seront jamais drainés. Parvenir à ce que Chekika vienne mendier au portail de

(1) Mortier fait de coquillages, fort en usage dans les États du Sud.

l'enceinte. Comme ce sont là choses irréalisables, je suggérerais l'installation de vos forces dans les Glades mêmes. A une journée au delà des chutes du Miami, pas plus loin. De ce camp de base, vous et moi pourrions explorer la région. Cela même est assez risqué, vu l'état d'esprit actuel de Chekika. Et nous avons... disons une chance sur vingt... peut-être... de repérer à temps le lieu de sa retraite.

» Je ne vois cependant aucun autre moyen. »

Andy se balança pendant quelque temps dans le fauteuil du commandant, les yeux au plafond. Le silence, dans ce bureau d'état-major, était absolu. Roy, se balançant de son côté, attendait le moment de rendre à son ami coup d'œil pour coup d'œil. Le bruit lui parvenait de la discussion entre une mule et le maréchal ferrant, dans la forge de l'autre côté du terrain d'exercice, et le bruit d'une hache sur du bois, quelque part à l'intérieur de la palissade, où un fermier sans logis préparait le repas que, depuis le début de la guerre, les réfugiés se confectionnaient en ce lieu.

— Peut-être serez-vous plus secourable si nous reprenons la question *à deux* (1), dit enfin Andy.

— Depuis quand vous êtes-vous mis au français, *mon capitaine* ? (1)

C'était une plaisanterie à eux et ils s'en amusaient ensemble, n'éprouvant aucun besoin de la partager avec qui que ce fût. Cela ne regardait personne qu'eux, si leur première rencontre avait eu lieu à Paris, autour d'une bouteille, dans un café à l'enseigne du *Chat-qui-remue* et si une sirène blonde nommée Irène avait fait les présentations.

Andy Winter se leva courtoisement pour répondre au salut des officiers qui sortaient. Roy demeura où il était, comme il était, allongé sur le dos dans un fauteuil à bascule à fond de paille cannelée : dans le bruit de toutes ces bottes vernies, ses mocassins auraient été muets.

— Le colonel attendra un rapport et des conclusions de chacun de nous, dit Andrew.

— Si vous le permettez, capitaine, je vais aller rédiger le mien, dit Prescott.

— *Guerre à outrance* (1), je n'en doute pas, dit Andy.

— Guerre à mort, répondit (en anglais) Prescott.

Il salua Andy d'un geste vif et net, hésita une fraction de

(1) En français dans le texte.

seconde devant le docteur Royal Coe, puis lui adressa le même hommage.

Le capitaine Stevens se contenta d'une bourrade cordiale dans les côtes de Roy, puis suivit au dehors, le dos plein de dignité du jeune Prescott.

Hutchens s'attarda le temps qu'il fallut pour chiper dans le coffret du colonel un cigare de choix. L'œil qu'il attacha sur Roy trahissait une de ces jaunisses chroniques dont les dragons ont le secret, et particulièrement un dragon qui sert comme fantassin dans une guerre sans répit ni gloire :

— Tu aurais pu te montrer plus doux avec notre jeune camarade, dit-il.

— Tout au contraire, fit Andrew. J'espère encore que le colonel fera de Prescott son aide de camp lorsque nous serons sur le terrain. Il est beaucoup trop brave pour se battre contre les Séminoles, si vous voyez ce que je veux dire !

— Nous te suivons parfaitement, dit Hutchens, qui s'éloigna de son allure nonchalante et déhanchée de cavalier à pied, le crâne auréolé par la fumée d'un havane superlatif.

Calant sur la table des cartes ses jambes bottées, Andy adressa un sourire grimaçant à Roy, sans pourtant rencontrer carrément son regard. « Pour la première fois de sa vie de bretteur, il se sent un peu timide avec moi ! » remarqua en silence le chirurgien.

Il se dit qu'Andrew avait les qualités propres au jeune homme de son siècle : il se prenait un peu pour une médaille mais il n'y avait pas en lui de vraie fanfaronnade. Semblable en cela au héros dont il portait le nom (1), il avait une solide armature de force. Son ego... explosif... était aussi naturel que sa bonne humeur, que son refus d'admettre la défaite. Ils étaient amis, Roy et lui, depuis l'époque des études de Roy en Europe, bien que l'amitié avec Andy Winter fût parfois quelque chose d'aussi hasardeux qu'une promenade sur un mustang sauvage, sans selle ni bride. Pareil à tous les hommes de destinée (et le capitaine Winter avait, dès sa prime enfance, affirmé qu'il était né pour de grandes choses), il considérait l'amitié comme son dû.

Depuis le début, Roy savait que le passage d'Andy sous l'uniforme n'était qu'une partie d'un vaste dessein : ce n'était

(1) Andrew Jackson (1767-1845), général américain, septième président des États-Unis, de 1829 à 1837.

un secret pour personne que, sitôt terminée la guerre indienne, il rangerait cet uniforme au fond d'un placard afin d'aller chercher à Washington de plus importantes récompenses. Comme sa brève rencontre avec « le droit » à Harvard, comme l'extravagante prétention qu'il avait eue de vouloir fignoler son éducation à Londres et à Paris, ce séjour en Floride n'était qu'une sorte d'interlude coloré en attendant qu'il choisît son éventuelle carrière. Avec, dans sa famille, un sénateur, un banquier ou deux, et la certitude d'un héritage qui comprenait un bon millier d'arpents dans le Tennessee, Andy pouvait se permettre d'attendre sa chance et, entre temps, de savourer le rôle de héros.

Roy se dit, avec une légère pointe d'envie : « Andy est le résumé, la synthèse de son époque ; la vague le portera vers une célébrité obéissante. N'importe quelle vague fera l'affaire. »

Il n'avait pas, à vrai dire, inclus une femme dans ce calcul de probabilités, du moins dans les débuts de cette marche à la gloire... Rompant le silence, il exprima sa surprise :

— Tu aurais pu me mettre au courant plus tôt, Andy.

— Voyons, Roy ! Tu sais très bien que ce raid est en projet depuis une éternité !

— Laisse le raid dans son coin pour le moment. C'est un tour de service auquel nous ne pouvons pas échapper. Nous passerons par là ensemble et nous tâcherons d'en sortir vivants. Je fais allusion à la dame qui s'est efforcée de me noyer dans le Miami.

Andy ne broncha pas :

— Tu peux m'en croire, Roy. J'ai été plus stupéfait que toi lorsque je l'ai vue entrer par le portail de la palissade.

— Ne me raconte pas que c'est une fille de ferme ! Tu ne me ferais pas avaler celle-là.

— Elle est arrivée au Fort avec une troupe théâtrale ambulante, *Les Comédiens d'Avon*, venant de New-York et se dirigeant sur La Havane.

— Donc tu connaissais la dame avant sa venue ici.

— Mais voyons, bien sûr ! Le mariage est un pas sérieux à franchir, mon ami. Nul ne devrait promettre mariage avant d'avoir considéré cette promesse sous tous ses angles.

Roy soupira. Il savait d'avance qu'André expliquerait le mystère à sa façon :

— N'essaye pas de me faire croire qu'elle t'a suivi jusqu'ici !

— C'est pourtant bien ce qu'elle a fait. Cela et pas autre

chose. Depuis New-York City, où nous nous rencontrâmes l'an dernier. Tu te souviens ? J'y suis monté par le paquebot pour acheter des vivres. Bien que ce soit moi qui le dise, et qu'il serait plus modeste et plus discret de me taire, ce fut un coup de foudre réciproque.

— Je devrais te féliciter, mais j'attends d'apprendre la suite.

— Il n'y a rien de plus à apprendre. Pourquoi es-tu devenu amoureux d'Irène Boucher ? Pourquoi, elle morte, t'es-tu, toi, enterré au fin fond du désert après t'être rongé le cœur ?

Le docteur Royal Coe regardait sans répondre une tache décolorée sur le mur. Andy seul était capable de formuler les choses d'une façon aussi brutale qu'imagée. Roy s'étonna de ne pas sentir saigner la vieille blessure à l'énoncé du nom d'Irène. « Il paraît, se dit-il, que le temps guérit toutes les plaies. Peut-être suis-je enfin au bout de cette agonie ? »

— Le fait est, disait Andrew, que je suis amoureux. Pour la première fois, et, j'ose le croire, pour la dernière. Tu dois, toi mieux que quiconque, être capable de me comprendre, Roy ?

— Ainsi donc, tu es tombé amoureux l'an dernier à New-York. Et quand t'es-tu fiancé ?

— Voici un mois. Ici même.

— Tu viens de dire que ce fut un coup de foudre réciproque.

— Eh bien !... non... pas tout à fait. Un coup de foudre de ma part. Pour ce qui est de Mary, il a fallu un peu de persuasion...

Andy pivota sur lui-même, ses bottes brillantes heurtèrent le plancher de pin rugueux, et il fit le tour de la salle en lissant d'une main machinale devant le miroir du commandant son toupet flambant rouge :

— Remarque qu'elle n'avait rien contre moi..., dit-il.

Roy ne put s'empêcher de sourire en le regardant carrer le torse et marcher à longues enjambées avantageuses. Malgré son sourire affectueusement ironique, il admettait que l'amour-propre d'Andy était, en somme, assez justifié. De quelque angle qu'on l'examinât, le capitaine Winter était un soldat de belle prestance. Et, bien sûr, il était (du moins de l'avis du capitaine Winter) inconcevable qu'une femme, n'importe quelle femme, comptât lui résister longtemps.

— Alors, demanda Roy, est-ce la vie que tu mènes qui lui déplaît ?

— C'est ce que j'avais cru comprendre, à l'époque. Naturellement, je lui ai expliqué qu'avant une année je serais civil, avec une maison à Washington et tout ce qu'elle pourrait souhaiter. Elle a encore refusé de s'engager.

— Tu lui avais donc fait la cour dans l'intervalle ?

— Surtout par lettres.

— Pourquoi n'ai-je jamais entendu parler d'elle ?

— Un homme de mon tempérament, reconnut Andy, ne discute pas volontiers ses campagnes infructueuses. Quand sa lettre d'acceptation me parvint enfin, tu étais déjà en route vers ton rendez-vous avec Chekika.

Roy hocha silencieusement la tête, se souvenant de sa propre folle passion, jadis, à Paris. « Folie », il le savait depuis longtemps, « folie » était le seul nom qui convînt à l'affection passionnée qu'il avait prodiguée à Irène Boucher. La fin de ce roman était écrite dès son commencement — qu'Irène vécût ou mourût. Il pouvait comprendre, en toute sympathie, la recherche spirituelle d'Andy — et pourquoi il avait mené seul sa quête.

— Elle t'a accepté par lettre, puis t'a suivi ici ?

Andrew hocha une tête perplexe :

— Je t'ai dit que sa venue était, pour moi, complètement imprévue. Penses-tu que j'aurais permis à ma future épouse de mettre le pied dans ce territoire, avec tous ces démons rouges sur le sentier de la guerre ?

— Elle n'en est pas moins arrivée, avec les Comédiens d'Avon ?

— Pour l'amour de moi, dit Andy. Pour se rendre compte de la façon dont je subsistais dans le désert. Du moins elle l'assure. Personnellement, je crois que son motif était plus complexe. Je te le dis en confidence, bien entendu...

— Bien entendu ! Dois-je comprendre qu'elle a entrepris ce voyage en manière d'aventure ?

— Tu peux aussi bien savoir les choses telles qu'elles sont, Roy. Depuis l'âge de dix ans, elle a désiré faire du théâtre. Il va de soi que son père le lui a interdit. Elle est enfant unique. Sa mère est morte ; elle a été élevée par une gouvernante. Autant que j'en puisse juger, elle n'a jamais eu l'occasion de pousser la tête hors de la porte paternelle, jusqu'au jour où je me suis manifesté.

— Puis-je demander le nom de ce père ?

— Livingstone Grant. Une des meilleures familles du Nord.

— Déjà entendu ce nom.

— Fait une fortune comme armateur, et une autre grâce à des transactions immobilières dans la Réserve de l'Ouest. Il y a beaucoup d'éléments en faveur de notre union, des deux côtés.

— Je commence à voir la lumière, dit Roy.

— Appelle-moi coureur de dot, si tu veux, dit Andy. Je ne refuserai pas l'étiquette. Lorsque j'ai été présenté à Miss Grant, j'ai décidé que je l'épouserais, pour des raisons évidentes. Ce ne fut ni sa faute ni la mienne si nous sommes devenus amoureux l'un de l'autre. Son père était résolu à ce que ce mariage se fît. Il tient à m'avoir comme gendre, autant que je tiens à avoir sa fille.

— Au point qu'il lui permet de te rendre visite ici ?

— En ce moment, fit paisiblement André, des agents à lui fouillent toute la côte orientale à la recherche de Mary. A l'heure qu'il est, il doit savoir qu'elle est en bonne santé et en sécurité et qu'elle fait partie d'une troupe de comédiens ambulants. Rôles d'ingénues à ce que l'on m'a dit. Et, si j'en crois ses collègues, elle s'en acquitte fort bien. Ophelia, Ariel, Bianca et autres personnages de ce genre.

Andy se rassit avec son petit soupir :

— Et voilà. Tu connais toute l'histoire, Roy. La trouves-tu romanesque ? ou simplement amusante ?

— Du moins, elle était sûre de te trouver ici, si toutefois tu étais encore en vie ! On peut dire qu'il y a de la méthode dans sa folie.

Andy acquiesça, gravement, du geste :

— Elle a rencontré les comédiens à New-York, par l'intermédiaire d'une ancienne camarade d'école. Elle savait qu'ils joueraient dans des granges, à travers tout le Sud. Ils avaient l'intention de s'embarquer pour Saint-Augustin, après Charleston et Savannah. Son idée avait d'abord été de m'y rencontrer — ou d'attendre ma première permission — et de m'épouser sur place. Il s'est trouvé que j'étais à Key West, pour le service, alors que la troupe est arrivée en Floride. Elle n'osait plus révéler son nom : il y avait toujours son père...

— Tu ne soupçonnais donc pas qu'elle était dans le territoire ?

— Ah ! pas le moins du monde ! Les représentations à Saint-Augustin ont eu beaucoup de succès. Alors on leur a offert des salles à Tallahassee et à Pensacola, s'ils acceptaient de risquer le voyage en diligence. Sur le Pavé du Roi.

— Ne me dis pas qu'ils ont couru le risque ?

Tous deux fronçaient les sourcils, au souvenir de l'abominable route en rondins qui passait pour El Camino Real — la voie royale — à l'est de Saint-Augustin. Tracée par les ingénieurs de Sa Majesté Très Catholique comme lien direct entre Saint-Augustin et la Californie, la voie royale était en piètre état d'entretien depuis que la péninsule était passée aux mains américaines. Des diligences étaient censées effectuer régulièrement le parcours entre la côte orientale et Pensacola, avec arrêt à Tallahassee, la capitale du territoire. Le dragon et le chirurgien savaient quels périls présentait ce trajet, même quand Chekika se contentait de chasser dans les Glades.

— Ils ont couru le risque, dit Andy. La diligence s'est embourbée entre Saint-Augustin et Picolata. Une embuscade était tendue à peu de distance et les Indiens ont dû être navrés de ne pas voir arriver leur proie selon l'horaire. Encore une chance qu'ils fussent à la recherche de magie blanche et non de scalps !

L'image était fort claire pour Roy : le coche, trop lourdement chargé du haut, se trimbalant sur la route défoncée et que le crépuscule rendait plus incertaine encore, s'enlisant tout à coup dans une poche de vase. Les efforts frénétiques pour soulever l'essieu et l'arracher du bourbier. Le premier cri de guerre qui fait couler de la glace au long de l'échine. L'essaim de sauvages émergeant des palmettes et du fenouil. Par bonheur, la diligence avait quitté Saint-Augustin sans escorte militaire. Les bandits de Chekika s'étaient contentés d'envahir le coche, de faire main basse sur les bagages des passagers, et s'étaient fondus dans la verdure aussi promptement qu'ils en étaient sortis (1).

Roy, riant tout bas, alla jusqu'au coffret du colonel pour y chiper un cheroot (2).

— Je commence, dit-il, à comprendre la réaction de ta fiancée lorsqu'elle m'a vu derrière elle, sans s'y attendre.

Andy haussa les épaules :

— Il semble qu'un acteur ne tienne à rien au monde autant qu'à son costume. Et il semble que les bandits avaient les mêmes goûts. Ils ont vidé la diligence jusqu'aux coussins. Inclusivement.

(1) Épisode véridique de cette guerre entre rouges et blancs. Les costumes des héros shakespariens auraient réellement été revêtus par des chefs séminoles et, notamment, par les « hommes-médecine ».

(2) Cheroot, cigare cylindrique à bouts coupés.

» Te rappelles-tu comment ils déshabillaient nos morts — pour faire de la magie blanche ? Les œuvres complètes de Shakespeare sont désormais au fond du coffre de guerre de Chekika — mais savoir où est le coffre !... »

Hamlet, Othello, Lear, Caesar, Mercutio, Romeo. Jakob Wagner avait, la chose apparaissait clairement, été assassiné par un des hommes de Chekika déguisé en personnage du Barde d'Avon.

— Je comprends de mieux en mieux la panique de Miss Grant. Elle a dû me prendre pour Caliban. Ou bien était-ce pour Mercutio ?

Andy examina un moment le morceau de tissu bariolé que son ami venait de lancer sur la table, entre eux :

— J'opinerais pour Mercutio, pas pour Caliban, dit-il.

— Merci pour cette petite consolation ! (1).

— Tu as rencontré d'importants visiteurs dans Biscayne Bay, dis-moi ?

— Aurais-tu assisté à la rencontre ?

— Observé attentivement. De cette fenêtre même.

— Entre nous, tu aurais pu venir à mon aide !

— Pourquoi ? Vous n'étiez en danger ni l'un ni l'autre. Mary est une forte nageuse. Je l'ai appris en allant passer quelques jours sur le domaine de son père, en bordure de l'Hudson. Cela m'amusait de vous voir faire connaissance. Incidemment, approuves-tu mon choix ?

— Complètement, répondit Roy entre ses dents serrées, et priant Dieu que Winter ne se fût pas rendu compte de la soudaine tension de sa voix.

— Tu seras mon témoin à mon mariage ?

— Si tu veux.

— Il est trop tôt pour pouvoir faire des projets précis, évidemment, mais le mariage pourrait être célébré à Key West. Ou même à La Havane, si le colonel peut se passer de moi.

— Ne serait-il pas plus sage d'attendre... après le raid ?...

— Beaucoup plus sage ! s'il ne fallait compter avec le père de Mary. Mais comment pourrais-je la réexpédier vers son Nord sans qu'elle soit Mrs. Winter ?

— Tu lui as écrit, au père ?

— Le chapitre et le verset, sans omettre un détail ! dit

(1) Caliban, fils d'une sorcière, est, on le sait, un personnage affreusement laid de *The Tempest*, tandis que Mercutio est un joyeux ami de Romeo, qui meurt tué en duel.

joyeusement Andy. Espérons qu'il nous pardonnera à tous les deux.

— Ne devrais-tu pas attendre son pardon écrit ?

— Cela va comme ça, Roy ! (La voix d'Andy était devenue dure.) Pour qui me prends-tu ?

— Me le demande un peu. Suis pas encore très fixé pour le moment. Peux pas, bien sûr, te blâmer pour ce qui est arrivé...

— Tu dois bien te rendre compte que j'ai une responsabilité ! D'accord, je ne suis pas directement responsable de la présence de Mary ici. Elle a cédé à une impulsion. J'ai expliqué cela très soigneusement à son père. Une impulsion que ni lui ni moi ne pouvions refréner ni même prévoir. Elle voulait voir comment vivait l'armée, voir l'armée chez elle. Oui. Et aussi passer sur les planches avant de devenir Mrs. Winter. Tu comprends cette impulsion, toi, et tu l'excuses ?

— De grand cœur. Mais son père ?

— Il me croira si je lui dis qu'elle est entièrement en bon état. Et je crois qu'il nous pardonnera, à tous les deux, si nous sommes mariés sous la bannière étoilée à Key West, après-demain.

— Es-tu assuré d'obtenir ta permission ?

— Je t'ai dit que j'ai une mission à Flamingo Key (1). En réalité, il s'agit d'autre chose que d'une simple visite au docteur Barker. Il s'agit de passer un contrat avec Dan Evans, qui doit assurer l'approvisionnement de notre raid.

Roy fronça vraiment les sourcils. Evans, un sujet britannique de qui les ancêtres étaient restés solides à leur poste de trafiquants à Flamingo Key lorsque la Floride était passée de l'autorité espagnole à la domination anglaise, et puis de nouveau à la domination espagnole quand la révolution américaine avait pris fin, Dan Evans servait depuis plus de trente ans les pionniers sur cette côte. Tout aussi naturellement, il était devenu le cantinier du Fort lorsque le drapeau américain avait à son tour flotté sur Biscayne Bay. Fermement établi à Flamingo Key, où le naturaliste un peu timbré, Jonathan Barker, avait plus récemment planté ses myriades de racines, Evans fournissait la garnison en whisky et en rhum de la Jamaïque depuis le jour où le mess avait ouvert ses portes. A une journée du Miami — la traversée en bateau à voiles était fort agréable, — il avait ouvert une sorte d'hôtel propre à recevoir les officiers — avec les

(1) Flamingo : flamant — l'îlot des flamants.

femmes des officiers et les amies des officiers — sur le parcours brûlé de soleil de Fort Everglades à Key West. Il était d'avance entendu que n'importe quel approvisionnement extraordinaire, destiné au magasin de l'intendant — qu'il s'agît d'un supplément de porc salé à la mauvaise saison ou de légumes verts provenant du riche et abondant potager de Dan Evans, — pouvait être convoyé par les esclaves de Dan avec le minimum de délai.

Roy avait toujours soupçonné Evans de servir plus d'un maître. Mais Roy avait longtemps vécu dans la Floride méridionale, où la plupart des hommes commençaient leur carrière comme renégats. Il ne prononcerait jamais sans preuve un mot à la charge du trafiquant.

— Il semble, en effet, dit-il, que tu as plusieurs raisons d'aller faire un tour vers le sud.

— Et toi de même. Dan marchandera dur, comme d'habitude. Et je tiens à ce que tu sois avec moi pour signer ces papiers.

— Et ta fiancée ? Elle voyage avec nous ?

— Mais voyons !...

— N'est-ce pas... un tantinet irrégulier ?

— Pas le moins du monde. Les Comédiens d'Avon sont partis vers le sud *in toto* hier soir, par le paquebot. Tous, sauf la couturière, une certaine Mrs. Simmons qui est, de surcroît, une manière d'actrice. Je crois qu'elle joue les mères, ou les douairières, ou les duègnes, tu sais, la mère d'*Hamlet*, la nourrice dans *Romeo et Juliette*. Elle pèse deux cents livres. C'est plus de duègne qu'il ne nous en faut pour que les convenances soient sauves.

Roy sourit à ce tableau et voulut ignorer l'étrange tiraillement de cœur qu'il éprouvait à la pensée de la traversée probable. Mary Grant lui avait rappelé que la vie vaut parfois d'être vécue, qu'il y avait d'autres femmes au monde capables de faire courir son sang et battre son cœur que la Française morte qui avait des cheveux-en-soie-couleur-de-blé-mur et des yeux pareils à des cierges allumés au Paradis...

Il gagna le balcon de la salle et regarda pendant un long moment le terrain d'exercice sans le voir du tout. Un long moment durant lequel il concentra sa pensée sur Irène Boucher, sur leur ravissement partagé. Et son cœur frémit quand il s'aperçut qu'il pouvait évoquer ces images sans autre émotion que le regret. La cuisante douleur s'était apaisée. Aussi complètement que si elle n'avait jamais été. Irène était morte. Définitivement et pour toujours.

Son regard s'éclaircit, et il examina le terrain de parade comme s'il le voyait pour la première fois. De la palissade d'enceinte jusqu'à la masse centrale du blockhaus en troncs de palmiers nains, la surface presque entière était couverte de tentes, de hangars improvisés, de charrettes à bœufs; elle fumait d'une vingtaine de foyers de cuisine, qui éclairaient faiblement tout le reste et, dans la pénombre, semblaient le considérer comme des yeux de chat. Des enfants criaient parmi les tentes, mettant à profit la demi-heure de jeu avant la cloche du souper. Des mères s'agitaient autour des feux avec l'air préoccupé qu'ont partout les mères; on les aurait crues enracinées depuis les origines dans ce sol poussiéreux. Peu d'hommes en vue. Ils étaient à fourrager à portée de fusil du fort, les uns chassant, les autres pêchant, tant qu'il restait un fil de jour, d'autres encore apportant à leurs bivouacs de toile le bois à brûler pour le lendemain.

« C'était un spectacle trop familier, se disait-il, alors que cette guerre indienne se traînait vers son inévitable et sanglante conclusion. Il valait encore mieux se remuer pour assurer ses rations sous les canons de l'armée que de subir le sort de Jakob Wagner. »

Il questionna, sans se retourner :

— Où as-tu mis ta fiancée ?

— Dans mes propres appartements, évidemment, avec Mrs. Simmons convenablement couchée à côté d'elle. J'ai occupé ta chambre pendant ton absence. Tu m'y offres un abri près de toi pour ce soir ? Si non, j'irai à bord du sloop et j'y installerai mon sac de couchage.

— Fais-moi le plaisir de rester où tu es. C'est *moi* qui irai à bord du sloop.

Toujours sans se retourner, Roy sentit sur son bras la main de son ami :

— Qu'y a-t-il, docteur ? Ai-je dit quelque chose qui t'offense ?

— Bien au contraire.

— Si nous allions présenter nos hommages à Miss Grant, à présent que te voilà documenté sur sa présence ici ?

— Si cela ne te fait rien, j'ai grande envie de me coucher tôt.

Andy le suivit dans la salle de l'état-major, la main toujours posée sur le bras de Roy, qu'il serra gravement :

— Es-tu mécontent parce que je me marie ? Crains-tu que cela gâche notre amitié ?

— Je ne pense absolument rien de tel. D'après ce que tu m'as dit, ce mariage fera de toi quelqu'un.

Roy se contraignit enfin à regarder André en face :

— Mais je ne puis m'empêcher de penser que Miss Grant regrettera ce voyage...

— Raison de plus, alors, pour l'embarquer à destination de son père dans le plus bref délai. Si je n'étais pas de service, je l'emmènerais à Flamingo Key ce soir même, colonel ou pas colonel.

— Si je ne me trompe, le colonel est en bas à présent.

Andy alla jusqu'à la porte et fit un signe affirmatif. L'oreille de Roy, accoutumée à discerner le moindre son, avait sans peine repéré, parmi les bruits du rez-de-chaussée, l'indubitable beuglement de son chef. Cette voix de baryton, qui, pour l'instant, lançait à pleine gorge une chanson gaillarde, ne pouvait être que celle du colonel Elias Merrick, commandant du Fort Everglades, retour de Saint-Augustin avec plus de rhum sous la ceinture qu'il n'était souhaitable, même pour un dragon.

Andy et Roy échangèrent un sourire comique :

— Il sera sobre demain, dit Winter. Il l'est toujours, le lendemain. Nous pourrons partir avec la marée.

— Je ne ferais peut-être pas mal de disparaître par la porte de service ?

— Tu ferais peut-être bien. Dans son état d'esprit actuel, notre estimé commandant ne trouvera point d'agrément à ta présence.

Ils échangèrent un sourire encore, toute leur camaraderie retrouvée.

Entre Roy et le colonel, il n'y avait pas de sympathie perdue : leurs sentiments réciproques ne comportaient aucune cordialité. Aigri par une carrière également dépourvue d'honneurs et de profits, pète-sec et garde-chiourme, l'officier vieillissant avait toujours soupçonné son éclaireur principal d'être favorablement disposé pour l'« ennemi ». « Il m'aimera moins encore, se dit le docteur Coe, lorsqu'il saura ce que je pense du raid projeté. »

— Viens me retrouver dans une demi-heure, dit le capitaine. Nous dînerons chez moi, avec Mary.

— Merci, non. Il faut que je fasse mes préparatifs pour le voyage de demain. Qui emmenons-nous, outre Stevens et le sergent ?

— Je mets deux fusiliers à l'avant. Es-tu d'avis qu'il faudrait davantage ?

— Mieux vaut être plus sûrs que moins, avec des femmes à bord.

— Nous en discuterons pendant le dîner, Roy. Promets que tu viendras. On fait griller pour nous une paire de canards sauvages. Et j'ai du « Marques de Riscal », qui arrive tout droit de Madrid.

— Au regret, capitaine. Il est inutile de me tenter. Bonne chance auprès du colonel.

— Mary ne te mangera pas, Roy !

— N'en sois pas trop sûr ! dit-il.

Il fila par l'escalier de service cependant que les bottes du colonel Merrick, ayant achevé de gravir l'escalier principal, retentissaient sur le palier.

« Après tout, pensa-t-il, Andy est mon meilleur ami. Je ne puis vraiment pas lui dire que je l'envie de tout mon cœur !... »

CHAPITRE VI

ROY DONNA UN LÉGER coup de barre. Le sloop, obéissant aussi gaiement et facilement qu'une dame dans un pas de menuet, fila vent arrière à travers l'embouchure du Miami, sa grand'voile gonflée en un arc fortement tendu. Il examina — c'était au moins la troisième fois — la disposition des passagers et de l'équipage, et n'y trouva rien à redire.

Mozo, le maître de manœuvre noir qui allait les mener aujourd'hui entre les keys, y avait veillé. Cet affranchi cubain qui servait l'armée depuis son enfance avait fait ce trajet des centaines de fois avec beaucoup plus de passagers. Pour l'heure, il était étalé à l'avant, tenant la sonde entre ses paumes. Roy se servait du gouvernail avec une précision et une fermeté qui lui valurent un coup d'œil approbateur de Mozo : la tête tournée par-dessus l'épaule, le nègre fit signe qu'ils avaient évité l'affleurement de corail au bout de l'estuaire et qu'ils voguaient en eau libre.

Le capitaine Winter avait fait embarquer quatre fusiliers sous les ordres du sergent Ranson ; ils étaient paisiblement installés sur la plage avant, dorlotaient leurs armes à long canon et paraissaient curieusement hors de leur élément, dans ce matin frais.

Andrew était assis près de sa fiancée dans le spacieux habitacle juste devant le mât. Roy ne pouvait voir de lui que sa tête et sa haute casquette d'officier, posée comme toujours de façon désinvolte ; le reste de sa personne était caché par un large caban qu'il partageait avec Mary Grant. Roy n'apercevait que, fugitivement, une toute petite partie de la tête lisse, brillante et noire dans le bras d'Andy : il se félicitait, non sans une secrète amertume, de n'en pouvoir voir davantage.

Il remarqua que Mrs. Simmons était dans le minuscule poste des malades, visiblement et dramatiquement prête au mal de mer. La plus faible provocation d'une vague ou d'un coup de vent y suffirait. Dès leur première rencontre, il avait éprouvé de la sympathie pour Mrs. Simmons, encore qu'elle ne ressemblât à rien autant qu'à un tas de ballast, encombrant et difficile à déplacer, toute empaquetée qu'elle était dans des couches successives de châles et de fichus étroitement serrés autour d'elle, et qui, contrairement à ce qu'on aurait pu supposer, devaient la préserver des atteintes du soleil. Le capitaine Stevens (c'était peu dire que d'affirmer qu'il n'avait pas le pied marin) était assis auprès d'elle et tentait de détourner son attention du vaste et souple roulis qui s'était emparé du navire depuis que son étrave avait fendu le premier rouleau de la barre de Biscayne. Efforts méritoires, car, s'il existait quelque différence entre ces deux anxieux, le teint de Stevens était d'un vert nettement plus vert que le teint de la dame. « La journée, se disait Roy, était une journée idéale pour une traversée, même s'il y avait des malades à bord. Même si son cœur à lui éprouvait un mal étrange dès que le jeune homme laissait son regard s'attarder, si brièvement que ce fût, sur Mary Grant — sur le peu qui en était visible pour lui.

— *Qué tal, hombre ?*

— *Bueno, Señor Medico!*

Mozo arrivait à lui par le plat-bord, de la proue à la poupe, avec l'aisance d'un chat de gouttière. Sur un signe de lui, les deux matelots noirs chargés de la manœuvre des voiles larguèrent le clinfoc, qui prit le vent par le travers et aussitôt les tira vers l'Atlantique à bonne allure.

— Pourrons-nous débarquer à Flamingo Key au crépuscule ?

— Facilement, docteur. Vous l'y conduiriez vous-même sans mon aide et sans peine.

— Cela signifie que je reste un moment à la barre ?

— Aussi longtemps que le cœur vous en dira, *Señor Medico!*

Mozo donna un coup d'œil vers le petit poste, puis :

— Je vais en profiter pour aller sauver la vie d'une dame. Tout ce dont elle a besoin, je crois, c'est d'une petite ration de brandy.

Roy le remercia d'un sourire et allait lancer l'ordre de virer d'un quart de tour, quand il s'aperçut que les matelots noirs déjà le prévenaient et redressaient le bout-dehors qui avait paru disposé à brouter les fétuques sur la côte occidentale de

Key Biscayne. Une fois sa direction bien assurée, le sloop fila d'une allure si légère et si rapide qu'il semblait littéralement soulevé sur l'eau comme s'il voulait imiter les grandes mouettes blanches auxquelles il ressemblait. Roy gardait les yeux attentivement fixés sur les bancs de sable qui affleuraient à bâbord. Il était content de l'hommage que Mozo rendait à son habileté en lui laissant le gouvernail pour le passage du mascaret.

— Puis-je m'asseoir auprès de vous, docteur ?

Le gouvernail fit un violent écart sous sa main et il ne redressa le sloop que tout juste à temps, ce qui n'empêcha point un véritable tourbillon de sable de bouillonner dans leur sillage, comme, s'écartant de l'écueil (évité d'un cheveu), ils regagnaient l'eau profonde. Mary Grant, les cheveux serrés dans un foulard de gypsy, retira la main qu'elle lui avait posée sur l'épaule pour enjamber le banc du barreur, où elle se nicha confortablement, de l'autre côté de la barre.

— Vous ai-je vraiment saisi ? Alors, nous voilà quittes.

Il vit qu'Andy s'était rendu à l'avant, où il était plongé dans une conversation fort animée avec le sergent.

« Vous n'avez aucun droit à me bouleverser si profondément », dit-il — sans paroles — à sa visiteuse. Mais leurs yeux s'étaient rencontrés et tenus, il se sentait assuré que Mary Grant avait lu sa pensée jusqu'à la dernière syllabe. Et tout aussi assuré qu'elle se réjouissait vivement de l'avantage remporté... Oui... ç'avait été une erreur que de refuser l'invitation à dîner d'Andrew, la veille au soir. Une erreur plus fatale encore, ce matin même, de s'être tenu à l'écart du sloop jusqu'à ce que le dernier bagage fût embarqué, le dernier passager installé.

« Elle croit que j'ai peur, se dit-il. Et elle tombe juste. Elle me prend pour un lourdaud du fond des bois. Avec dix pouces en guise de doigts et une langue empêtrée. Le plus simple, pour nous deux, ce serait sans aucun doute que je la laisse dans cette idée, sans y rien changer. » Mais, en même temps que son esprit formulait cette pieuse suggestion, il s'aperçut qu'il lui avait déjà répondu, et aussi naturellement que s'il l'avait toujours connue :

— J'ai comme une vague idée que vous me saisirez toujours de quelque manière, Miss Grant.

— Appelez-moi Mary, dit-elle, paisible. Vous êtes le plus vieil ami d'Andy. Vous devez donc être *mon* plus vieil ami du même coup.

— J'essayerai, répondit-il avec soumission. Mais ce ne sera pas facile pour commencer, je le crains bien. Hier soir, j'ai dit à Andy que vous n'étiez pas tout à fait réelle. Je le pense toujours.

Il ne répéta pas ce qu'il avait dit encore — qu'elle amènerait par sa présence des complications pour tous et pour chacun. « Pour elle surtout », ajouta-t-il rapidement à son monologue intérieur, sachant bien qu'il y en aurait largement autant pour lui ! Il tenait ses yeux fixés — attentivement ? prudemment ? — en avant de lui, sur le trajet le long duquel il devait guider son bateau.

— Qu'y a-t-il donc d'irréel en moi, Roy ?

Il se sentit tourner au ponceau sous son hâle en l'entendant dire son nom pour la première fois. Son cœur n'aurait pu battre ni plus vite ni plus fort si, se penchant tout à coup par-dessus la barre du gouvernail, elle l'avait embrassé pour lui retirer son dernier scrupule.

— Difficile à expliquer, fit-il lentement, cherchant ses mots avec soin dans l'espoir d'en trouver qui cacheraient ses pensées véritables. Nous vivons tous depuis longtemps à la frontière de ce désert sauvage. Beaucoup d'entre nous n'ont pas eu de permission depuis *trop* longtemps. Comprenez que ce nous fut une vraie secousse de vous trouver au milieu de nous sans préavis. Je ne suis pas encore parvenu à me persuader que vous ne nous êtes pas tombée d'une autre planète.

— Quelques-uns des officiers ont une femme, Andy me l'a raconté.

— Des maîtresses plutôt, dit-il vivement.

— Soyez honnête et véridique ! Pour quoi m'avez-vous prise quand... vous m'avez vue sur le quai ?

— Pour une dame, une vraie

— Même quand je vous ai poussé à la rivière ?

— Servi qu'à renforcer ma conviction.

— Une dame. D'un autre monde. Je ne jouerai jamais ce rôle-là avec distinction !

— Que faites-vous d'autre ? Vous le jouez à présent, dit-il.

Et il osa la regarder en face. Pour la première fois ses yeux la détaillèrent, elle et son vêtement. Elle portait du blanc aujourd'hui encore. Une jupe lourdement plissée, qu'étoilaient de petites fleurs de lis dorées. Une manière de cape ajourée permettait d'apercevoir le rose de ses épaules. (Les Indiens paraissaient, après tout, avoir respecté une partie de sa garde-robe !) Sous le nœud lâche de son foulard, un curieux petit chapeau de paille, coquin et de guingois, ombrageait ses yeux rieurs. « Elle m'a percé à jour ! » se dit-il, pris de panique, devinant l'étincelle narquoise au fond de ces petits lacs verts.

— Il y a longtemps que je n'avais vu une dame, dit-il.

— Je le sais, Roy.

— Ça vaut tout de même la peine d'être répété. Et cela doit vous aider à comprendre que... que mon émotion... emberlificote mon éloquence !...

— Jusqu'ici vous avez plutôt été un modèle de réticence ! Ne pouvez-vous pas me dire ce que vous pensez vraiment ? Andy est soldat, il a cette excuse. Il m'est même arrivé de juger que notre... roman... était un secret militaire, à *son* point de vue, j'entends !

Quand elle souriait, une petite fossette se creusait dans sa joue. L'ayant constaté, Roy se pencha légèrement... pour plus de certitude... et aussi parce qu'il se demandait ce qui arriverait s'il posait un baiser là. Exactement là.

— Avez-vous entendu ce que j'ai dit, Roy ?

— Bien sûr... murmura-t-il d'une voix lointaine. Vous m'avez accusé de réticence.

— Vous pensez, tout compte fait, que je suis une femme légère, dit-elle. Comment vous en blâmerais-je, puisque Andy vous a raconté l'histoire de ma vie. Du moins les derniers chapitres.

— Vous l'aimez. Pourquoi ne l'auriez-vous pas suivi ici ?

— Il me le reproche. Amèrement. Il craint que mon père nous désavoue tous les deux. Peut-être voit-il juste.

— Regrettez-vous d'être venue ?

Mary Grant tendit son visage au vent de la mer et respira à fond :

— Pas une minute ! Pas une seconde ! J'ai été prisonnière toute ma vie. Ça valait la peine — même si je dois retourner derrière les barreaux.

— Avec... votre père comme geôlier ? questionna-t-il.

— Il m'enfermait pour mon bien, cela va de soi. C'est une habitude que les hommes ont prise avec les dames — depuis que les dames furent inventées !

— La vertu de la femme, la plus grande invention de l'homme !

La fossette se creusa. Fort.

— Tiens, tiens ! Vous lisez donc Balzac, docteur ? Je n'aurais pas cru qu'il figurait dans votre bibliothèque.

— Il n'y a qu'un Français pour oser énoncer si simplement une vérité fondamentale.

— Vous comprenez donc ma révolte, même si vous ne l'approuvez pas ?

— Je comprends *et* j'approuve tout à la fois, Mary.

D'avoir osé prononcer son nom tout haut, il se sentit grandement soulagé, comme s'il avait abattu entre eux une autre barrière invisible.

— Tous les êtres humains aspirent à la liberté, affirma-t-il. Pourquoi les dames feraient-elles exception ?

— Bien sûr ! Vous pouvez affirmer ça en toute sécurité, puisque vous savez qu'après-demain je serai sur la route du retour au foyer familial.

Cette fois il sourit à son sourire :

— Puis-je faire quelque chose pour rendre votre bref séjour en Floride... mémorable ?

— Vous vous en êtes déjà chargé ! Où donc aurais-je pu rencontrer un Indien en culottes de daim pour découvrir dans l'heure suivante qu'il est docteur en médecine et chirurgie, diplômé de Harvard ?

Elle étendit les bras au large, embrassant la terre et le ciel dans son geste, et suggérant sans commentaires que, dans ce geste exubérant, il était inclus :

— Où donc, ailleurs qu'ici, pourrais-je trouver pareille matinée ?

Le mascaret était droit devant eux. A cette barre d'eau, à l'endroit exact où se rencontraient l'océan et la baie enrichie par le fleuve, l'air était un blanc fouillis de mouettes se querellant au-dessus d'un banc de mulets qui avaient osé émerger en surface juste en deçà de la dernière sablière. Sur la gauche, les dunes de Key Biscayne se détachaient en un relief précis sur fond d'Atlantique — interminable colline de sable, interminable cortège de palmiers nains tourmentés par le vent, celle-là portant ceux-ci et le tout disparaissant ensemble derrière l'horizon septentrional.

Vers le sud, il pouvait distinguer déjà le rideau de palétuviers en bordure de Black Caesar Key, sombre et massif plateau adossé au cobalt éclatant de la mer. Derrière eux, ils laissaient la masse solide de Fort Everglades, carrément plantée et vaguement menaçante au bord de la palmeraie jaune. Au mât, fixé sur le poste du commandant, le drapeau aux vingt-six étoiles claquait bravement dans le vent. Roy, le regardant voltiger sur le poste, pensa au colonel. Et, pensant au colonel, il se demanda s'il s'était, en dormant, débarrassé de la gueule de bois baptisée migraine qu'il avait ramenée de Saint-Augustin. Il était sage de se souvenir qu'avant que la semaine fût écoulée Andrew Winter et lui-même remettraient leur vie aux mains de cet infortuné garde-chiourme. Mary, du moins, aurait quitté la zone calamiteuse, en route pour le Nord par le premier paquebot à quitter Key West ou La Havane. Quoi qu'il pût advenir ensuite, pensait-il consciencieusement, elle serait dès lors une femme mariée, une épouse respectable et prête à braver le paternel courroux...

Le sloop tressauta rageusement dans un trou d'eau, prit à bâbord la poussée du vent et fila dans l'étroit chenal. Roy serra ses deux genoux contre la barre du gouvernail et fit à nouveau face à Mary, son masque soigneusement remis en place. Il pouvait effectuer cette première partie de leur voyage sans bouger un muscle. En un certain sens, il regrettait la nécessité de garder un œil attentif sur la manœuvre. La situation au gouvernail était dangereuse.

— Je suis heureux que vous preniez plaisir à votre visite, dit-il rapidement.

— Je vous ai dit ce qui m'a amenée ici. Maintenant, quelle est votre histoire ?

— Elle est simple. Andy était déjà dans l'armée. Nous avions vécu ensemble à l'étranger, Paris et Londres. J'avais un diplôme tout neuf et nul endroit pour me faire une clientèle, jusqu'au jour où je reprendrais le cabinet de mon père à Boston. Andy m'a conseillé de venir comme chirurgien militaire dans le territoire. J'ai suivi son conseil et j'ai eu le coup de foudre pour la Floride.

Il tendit ses mains ouvertes, à la manière indienne, pour signifier que l'histoire était finie.

— Vous comprenez cela, j'espère ?

— Je le comprends parfaitement. Mais dans tout ça vous ne m'avez pas encore parlé de vous-même. Andy m'a raconté qu'après avoir décroché votre diplôme de Harvard vous étiez allé étudier la médecine en Europe...

— En ces temps-là j'étais décidé à devenir le meilleur chirurgien de toute la Nouvelle-Angleterre. J'ai étudié à Édimbourg, puis à Londres, et, de là, je suis allé à Paris...

Il coupa court sa phrase. Depuis bien longtemps il n'avait pas mis son passé à nu, et il sentait que sa langue en dirait trop s'il ne la retenait pas. La barre du gouvernail toujours prise entre ses genoux serrés, il se leva pour brailler à l'adresse de

Mozo un ordre parfaitement inutile. Les fusiliers dormaient sur leurs fusils. Andy et le sergent étaient toujours en pleine discussion, une carte étalée entre eux sur le pont salé par les embruns.

Dans le poste, Mrs. Simmons avait posé sa tête lasse sur les genoux vêtus de daim du capitaine Stevens. Le capitaine, éventant d'une palme le visage vert-de-gris de la dame, semblait sur le point de s'effondrer en travers de son giron montagneux... Roy s'empara de la première paille qui lui tomba sous la main, inquiet qu'il était de se sentir prêt à raconter toute son histoire en un seul flot de paroles :

— Voyez cette rangée de pélicans dans la lame, juste en avant de nous ? Voyez la façon qu'a la mer de virer du bleu au jaune-citron tout de suite après ? Il y a du corail là-dessous. Nous allons y passer à nos risques et périls.

— Peur ? Moi pas.

« Une peur mortelle ! pensait-il. Vous êtes promise à Andy — et je vous désire. Je donnerais à l'instant même mon bras droit pour déverser tout mon passé à vos pieds en vous laissant juge de mon avenir. C'est mon châtiment parce que je vous ai permis de me ramener vers la vie. Parce que, vous tenant entre mes bras, si peu de temps que cela ait duré, j'ai trouvé que cela valait la peine de vivre... »

Pour ne pas dire cela — qu'il pensait — il dit n'importe quoi, ce qui lui passait par la tête, priant Dieu que sa voix ne trahît pas son désarroi :

— Nous y arriverons. J'ai choisi ce passage afin de vous montrer Florida Key. Par là, sur la gauche. Andy s'est déjà inscrit pour obtenir une concession sur cette pointe, où il veut fonder son foyer. Si Washington a la gratitude décente, il aura droit à toute l'île, jusqu'à la bouée lumineuse là-bas au bout.

— Pourquoi restez-vous ici, Roy ? Vous devez avoir une raison.

— Une excellente raison. Quand nous aurons une bonne fois, et définitivement, réglé cette guerre indienne, mon intention est d'aller m'installer à Flamingo Key, en qualité d'assistant du docteur Barker. Croyez-moi, c'est la carrière rêvée pour un homme qui aime la nature libre.

A son grand soulagement, elle parut accepter cette explication :

— Vous pourriez peut-être m'en dire davantage au sujet du docteur Barker, puisque je dois être son invitée ce soir.

Sans répondre tout de suite, il appuya sur la barre et laissa le sloop s'éloigner du banc de sable isolé qui marquait le terminus de Florida Key. A présent qu'ils étaient tout à fait dégagés de la terre, ils gagnèrent de la vitesse comme si, de son propre chef, le bateau avait résolu d'atteindre sans retard des pâturages plus bleus.

— Encore une bordée, dit-il, et nous passerons de nouveau derrière les récifs à Monkey Key (1). Si vous voulez regarder droit devant vous, à tribord, vous verrez l'endroit que je veux dire.

Sa main suivait le tracé d'une hauteur boisée, généreusement couverte de palmiers et de chênes verts, qui s'élevait du bord de l'eau, semblable à un parc tropical, et s'étendait majestueusement vers l'ouest.

— Ce n'est là que le début de la concession appartenant au docteur Barker. Après cette bande côtière, la terre est de première qualité. Terre d'alluvion. Il a déjà baptisé ça le Bois des Cocotiers. L'Éden me paraîtrait un bien meilleur nom. Sitôt réglée notre querelle avec Chekika, le docteur Barker et moi avons l'intention de nous associer comme planteurs et comme médecins, et de justifier nos deux titres.

— Ne pouvons-nous débarquer là maintenant ?

Roy eut un sombre sourire :

— Vous avez noué vos premières relations avec les Séminoles par la portière d'une diligence. Tenez-vous particulièrement à les rencontrer chez eux ?

— Vous voulez dire qu'il y a des Indiens en ce moment dans cette prairie ?

— A mon avis, notre sloop est surveillé depuis ce bosquet de palmettes. Vous pourriez demander au sergent Ranson ce qu'il en pense : il sent les Indiens à deux kilomètres.

— Mais cela paraît si calme et si charmant...

— C'était bien ainsi, avant la venue de Ponce (2) et de Menéndez (3) lorsque la terre appartenait en propre aux Indiens.

« A présent, les squaws descendent par ici deux fois l'an, pour déterrer les racines de zamier dont elles feront le sagou, unique ressource des Indiens pour remplacer le maïs, maintenant que l'Armée les contraint à vivre en nomades. Pendant

(1) Monkey : singe — îlot du Singe.
(2) Ponce de Léon (1460-1521), soldat espagnol qui découvrit la Floride.
(3) Pedro Menéndez de Avilès (1519-1574), amiral espagnol et gouverneur colonial. Fonda la ville de Saint-Augustin, en Floride.

que les squaws broient la farine destinée à leur pain d'hiver, les hommes vont chasser dans l'arrière-pays. Vous voyez, ce ne serait guère prudent d'entreprendre aujourd'hui l'exploration de l'Éden !

Il la sentit frissonner tout près de lui, bien qu'elle n'eût pas quitté des yeux la perfection dorée de cette côte :

— Je commence à comprendre, dit-elle, pourquoi le docteur Barker vit sur une île.

— Il ne serait pas beaucoup plus en sécurité à Flamingo Key qu'ailleurs, si la flotte n'était stationnée juste en face, de l'autre côté du détroit. C'est beaucoup trop près de la grande terre.

— Andy a bien essayé de me la décrire, dit-elle, mais je ne l'imagine pas très clairement.

— Appelez-la Paradis Terrestre en miniature. Mais n'essayez pas de vous l'imaginer d'avance. Il faut la voir pour la croire.

— Est-ce que le docteur Barker est réellement une manière de sorcier pour faire pousser les choses ? Pas mal de gens le jugent un peu fou...

— La plupart des rêveurs sont considérés comme fous par les gens qui refusent de rêver.

— Vous endossez donc son jugement ?

— Oui, pour la plus grande partie. Cocoanut Grove — le Bois des Cocotiers — ne sera qu'un... point de départ. La guerre finie, il espère bien que la Floride sera ouverte à tous les colons. Et il prétend qu'il y aura quelque jour une ville importante à l'embouchure du Miami. Et des plantations tout le long de cette côte. Une richesse dépassant l'imagination. Un viaduc d'île en île, reliant Key West à la Grande Terre. Il espère même que les Glades seront drainées jusque tout au bout, jusqu'à Cape Sable, et qu'elles produiront de quoi nourrir toute la côte orientale. Il va jusqu'à penser qu'à la prochaine génération des navires à vapeur entreront dans Biscayne Bay avec de la glace comme lest et repartiront chargés de fraises en janvier.

— C'est un rêve qui pourrait se réaliser.

— En grande partie, oui. Le territoire pourra devenir un État dix ans après le règlement de la question indienne. Qui saurait mieux que Jonathan Barker ce qui poussera ici ? Après tout, il a fait des échantillonnages de culture dans tous les coins des Glades.

— Vous venez de dire qu'il n'y a pas de sécurité dans les Glades ?

— Chekika ne fait aucun mal à ses amis, Mary. Nous avons été ses amis, le docteur et moi, tant qu'il s'est tenu dans ses limites.

— Et maintenant qu'il a déclaré la guerre ?

Il la regarda vivement :

— Qui vous a dit ça ?

— Andy. Il m'a dit qu'il va conduire une compagnie dans les Everglades pour écraser Chekika, et que c'est vous qui lui servirez de guide.

Roy ne décela pas la moindre note d'angoisse dans la voix de Mary. Sans l'ombre d'un doute, le capitaine Winter avait présenté son expédition sous une lumière irréprochablement optimiste. L'Armée (invincible puissance) effectuerait simplement une descente sur un village indien, l'écraserait sous une avalanche de métal et de biceps musculeux, avec Andy lui-même, le capitaine Andrew Jackson Winter (commandant immaculé, en grande tenue, étincelant de décorations) dirigeant la victoire d'un poste de commandement confortable et sûr.

— Vous a-t-il dit qu'il pourrait n'en pas revenir ?

Pour brutale qu'elle fût, il ne pouvait pas regretter d'avoir posé la question. Ce n'était pas la première fois qu'il réagissait contre la sereine conviction que le capitaine de dragons nourrissait de son immortalité physique et terrestre.

— Il m'a dit que la marge de danger était négligeable avec vous comme guide.

« Ainsi c'est moi qui supporterai le blâme de l'échec quand il reviendra les mains vides, se dit Roy. S'il revient ! Et si je ne lui livre pas Andy sur pied, devant sa porte, elle ne m'adressera plus jamais la parole ! »

Pour lutter contre l'impulsion de lui fournir une image exacte et réelle de ce qui les attendait, il se donna sans réserve à la tâche de tenir leur route.

— Vous n'acceptez pas ce compliment, Roy ?

— C'est un point dont je n'ai pas envie de discuter.

— Donc vous croyez qu'il y a danger ?

— Il y a du risque dans tous les métiers. Le métier de soldat ne fait certes pas exception à la règle.

— André assure que vous pourrez conduire ses hommes tout droit à la retraite où se cache Chekika, et que ce sera chose facile de l'encercler...

— Pas mal. Qui suis-je pour contredire le capitaine Andrew Jackson Winter ?

— Andy juge qu'il est sage de nous marier dès à présent et bien qu'il compte me rejoindre à New-York au printemps. Mais c'est pour me donner une protection.

— Cette décision a-t-elle votre accord ?

Mary Grant sourit et ses yeux regardèrent vers l'avant du sloop. Andy se levait, la longue conférence avec le sergent Ranson prenait précisément fin. Debout de toute sa taille, sur ce pont que le vent balayait, dans son uniforme bleu et blanc, il aurait pu entrer de plain-pied dans une galerie de héros et s'installer dans le cadre de son choix.

— Naturellement, elle a mon accord, répondit enfin Mary Grant. Pouvez-vous m'en blâmer ?

— Pas le moins du monde. J'ai déjà promis d'être témoin.

— Lâchez-lui la bride, Roy, murmura-t-elle, et ses cheveux lui frôlaient le visage pendant qu'elle lui parlait de près, comme si elle le mettait de moitié dans un secret. Il terminera votre guerre indienne en moins de rien.

— Si c'est possible.

— Vous pourrez alors planter votre Éden en paix. Et, quand nous serons installés de l'autre côté de la même baie, je viendrai vous aider.

Il la regarda, yeux écarquillés, bouche bée, et ses sentiments étaient lisibles sur tout son visage :

— Croyez-vous que ce serait très sage ? demanda-t-il finalement.

Andy se cala solidement sur les deux pieds et mit ses mains en cornet autour de sa bouche pour crier contre le vent :

— Cesse de distraire le pilote, Mary ! et viens *me* parler à présent.

Roy soupira intérieurement, sachant que l'interruption l'avait sauvé juste à temps. Quand elle se retourna vers lui après avoir répondu au cri d'André, Mary avait les yeux les plus pétillants du monde. Si elle avait surpris le regard affamé de Roy, elle n'en laissa rien deviner.

— Eh ! naturellement que ce serait sage, dit-elle en riant. Honnêtement, de quoi aurait l'air, je vous le demande, un Éden sans Ève ?

Déjà elle était à côté d'Andrew, laissant Roy tout seul au gouvernail que le vent malmenait.

CHAPITRE VII

Il s'agita dans son rêve et, quand il s'éveilla, le soleil tardif frappait ses yeux ; fait comme il l'était à prendre son repos selon que l'opportunité s'en présentait, il passait généralement du sommeil à une lucidité immédiate et complète. Cette fois-ci, il regarda tout autour de lui, étonné, ne parvenant pas à se rappeler exactement où il était.

Au premier coup d'œil, il se crut dans une vaste salle aux murs très hauts, pannelés de brun. Il crut d'abord que, par quelque magie propre, le sloop était retourné dans sa retraite parmi les palmiers nains à Fort Everglades. Mais ces gémissements de fantômes tout autour de lui, il ne les avait jamais entendus dans la tranquillité massive du Fort. Puis il y eut à distance la voix de Mozo criant un ordre, et le claquement de pieds nus sur du bois : c'étaient les deux matelots qui obéissaient promptement à leur chef. Roy eut le sentiment que l'eau ronronnait tout près, une poulie craqua, tandis que virait le bout-dehors, effaçant à ses yeux le soleil. Il se redressa et, assis dans le sloop, vit que le mur brun qui enserrait le bateau était le bord d'une jungle de palétuviers : les arbres, poussant serré, s'étaient enchevêtrés de manière à former une cloison épaisse de deux côtés de la crique où le sloop poursuivait son avance, avec la légèreté silencieuse d'un fantôme, si doucement, si calmement, qu'à peine avait-on l'impression qu'il se déplaçait. Le gémissement d'âmes en peine, c'était la fin d'une violente bourrasque qui usait vainement sa force contre cette vigoureuse paroi végétale.

Maintenant les détails du voyage lui revenaient. Mozo l'avait libéré du gouvernail juste avant que les hommes passent avec les paniers du déjeuner tout le long du bastingage, de la proue à la poupe. Mrs. Simmons, de qui la guérison après sa troisième rasade de brandy avait été quasiment miraculeuse, les avait régalés d'une chanson tout droit venue d'un music-hall londonien, tandis que les autres commençaient à s'expliquer avec deux dindons sauvages, une salade monumentale, une de ces salades comme on n'en mange qu'en Floride, et les dernières bouteilles de « Marques de Riscal », joie et fierté d'Andrew Winter. Il se rappela le badinage gouailleur de Mary et le contrepoint qu'y avait inscrit son ami, et combien, à son extrême surprise, il avait trouvé facile d'y tenir sa place...

Peut-être à cause du vin, ou du soleil — peut-être était-ce une suite de son long séjour dans les Glades ? — il s'était senti subitement très las et, sitôt les dames retirées dans la cabine du cockpit pour y faire la sieste, il avait été heureux de se mettre à l'abri du soleil sur la plage arrière. Il semblait qu'il eût dormi pendant toute la bourrasque de vent et de pluie et pendant la course dirigée par Mozo vers leur abri actuel. Sans surprise, il vit que le poncho de caoutchouc qui le couvrait était encore tout brillant de l'averse, le rejeta de côté et s'assit près du barreur.

Les autres, bercés par le rythme des voiles, par le balancement du bateau glissant le long de l'estuaire, dormaient encore. Seuls Ranson et son pilote étaient installés des deux côtés du beaupré. De l'endroit où il était assis, il entendait la basse profonde du capitaine Stevens qui ronflait sous le panneau avant, et le son était repris par Andrew Winter, incontestablement satisfait de s'être abandonné à Morphée. Sans savoir exactement pourquoi, il était, lui, vaguement satisfait de s'être réveillé avant Andy. Il parvint tout juste à se contraindre à s'asseoir près de Mozo plutôt que d'aller voir à l'avant si Mary s'agitait dans sa cabine.

— Pouvons-nous continuer en sécurité ?

— En toute sécurité, *Señor Medico*. Nous n'avons pas été retardés. Comme vous le voyez, nous sommes dans Angel Creek : on pourrait même dire que c'est un raccourci vers Flamingo Key.

Roy approuva d'un signe l'habileté de son maître de manœuvre. A présent son esprit avait recouvré sa lucidité et il retrouvait des repères le long de l'étroit chenal. Il était venu par ici, lui aussi, seul, pour rendre visite au docteur Barker au retour d'une tournée dans les Glades. Il se rappelait, à présent, que cette crique était en quelque sorte un double chenal entre la jungle dense de Matecumbe Key et le labyrinthe de corail, vers le sud, corridor naturel rattachant à la pleine mer le passage intérieur qu'ils avaient suivi pendant cette longue et torride journée. Cela ressemblait tout à fait à Mozo de se précipiter vers un abri quand la bourrasque menaçait et d'employer cet abri comme raccourci.

— C'est un peu juste pour un sloop de cette taille, Mozo...

— Un peu juste, mais possible. La preuve ! Déjà en avant de nous le chenal est plus profond.

Le nègre changea la barre, évitant de quelques pouces une souche immergée.

— Nous allons mettre à l'ancre pendant un petit moment en attendant que la mer s'apaise : il ne s'agit pas de troubler le sommeil des dames.

Le foc se gonfla, s'emplit sans un son, les tirant doucement en avant. Vers le sud, la muraille de palétuviers s'amincissait.

Roy revit briller la mer où roulaient encore les moutons blancs des vagues, bien que la bourrasque se fût éloignée considérablement vers le nord où un noir rideau de pluie effaçait la Grande Terre. Ici, par contre, au bord de la jungle, le soleil flamboyait de toute sa force, arrachant au rempart de végétation une vapeur verte qui fondait ensemble les arbres et l'eau dans de tremblants mirages. Roy applaudit à nouveau à la sagesse du nègre qui avait jeté l'ancre jusqu'à ce que la brise qui suivait toujours ces violentes tempêtes pût balayer l'horizon et leur permettre de reprendre leur route avec certitude.

Il quitta ses bottes et s'en fut, pieds nus sur le pont trempé, jusqu'au beaupré. Pendant qu'il la regardait, la mer s'éclaircissait progressivement, et là, contre la côte, apparaissait la trace jaune du corail : au cas où tremblerait la main de Mozo, un danger mortel existait en ce point précis. On pouvait bien juste discerner le coude du chenal que la poussée incessante de la crique vers la pleine mer avait creusé dans le corail. Au delà, l'eau allait par teintes successives du vert au cobalt, de l'écume couronnant les récifs à peine cachés à l'aigue-marine transparente et lumineuse de l'Atlantique même.

Vers l'ouest, la suite des keys s'incurvait en un arc allongé, sommé de palmes, battu par les vagues, pitoyable et désolé.

De minute en minute, sous ses yeux, une île nouvelle semblait surgir à la vie, brumeux mirage blanc verdâtre qui se transformait en une demi-lune de sable, un bout de terre surélevée où les cocotiers balançaient leurs palmes avec une sorte de langueur épuisée. Certaines de ces îles occupaient une surface considérable avec, parfois, les restes d'une hutte de naufrageur dont d'anciens ouragans oubliés avaient fait des éclats de bois, mais la plupart n'étaient que de minuscules îlots, points semés sur l'immensité de la mer. Ponce de Léon, le conquistador infortuné qui avait découvert ces îlots, les avait autrefois appelés les Martyrs, parce que les palmiers qui frangeaient leurs plages, jamais au repos, même par les jours calmes, lui rappelaient une interminable file de victimes se tordant sur les bûchers de l'Inquisition. Aujourd'hui, tandis que se découvrait l'immense horizon lumineux et sauvage, Roy se sentait pleinement d'accord avec l'imagination poétique de l'Espagnol. Il y avait quelque chose de tragique dans ces fragments épars arrachés à la Grande Terre, comme si les keys, éparpillés au petit bonheur à la surface de l'océan, avaient été oubliés là. Par le temps lui-même. Il aimait cependant ce monde amphibie autant qu'il aimait les Glades. Dans cette solitude, un homme pouvait trouver la paix. Pour peu qu'il fût bien au courant des habitudes des ouragans et qu'il choisît en conséquence le lieu de son installation avec un soin attentif, il ne lui restait qu'à s'y bâtir une maison de marne et de coquina, elle résisterait à toutes les tempêtes, et il y pourrait vivre heureux.

Il revint à une question de Mozo demeurée sans réponse :

— Mettez-vous en route sans hésiter.

La mer était plate sous un vent de nord-est, lorsqu'ils longèrent le dernier récif de corail et mirent le cap sur une langue d'océan toute bleue, qui avait l'air d'un coup de pinceau de peintre céleste, et qui serrait dans sa boucle l'extrémité sud de Matecumbe Key. Si habitué qu'il fût à cette seconde partie du voyage, Roy ne put tout à fait retenir un halètement d'admiration qui lui monta aux lèvres quand ils glissèrent enfin en eau profonde et filèrent vers leur ultime destination, toutes voiles dehors.

Les palétuviers, tracés comme à l'encre de Chine sur le bleu invraisemblable du ciel, faisaient une toile de fond parfaite pour Flamingo Key, qu'on eût dit, à cette distance, blotti dans l'étreinte de l'île plus vaste, tel un joyau dans une monture d'ébène. Le jardin expérimental du docteur Barker était, comme toujours, une débauche de couleurs, bien que la première impression fût celle d'une flamboyante orgie de rouge. Cela, il le savait, c'étaient les joyeux poinsettias, récemment importés du Yucatan, ainsi nommés en l'honneur du secrétaire de la Guerre Poinsett. Ce n'était que plus tard que le visiteur enchanté et ravi remarquait les hautes plantes séculaires, les verts rapprochés des orangers et des citronniers, les terrasses d'hibiscus et de poinsillanas, l'arpent de pamplemousses gonflés où les fruits brillaient comme autant de petits soleils jaune pâle. Plus tard encore, le visiteur découvrait la propre demeure du docteur Barker, une petite maison carrée en marne, avec des balcons et des galeries, enveloppée jusqu'au faîte dans la plantation de mûriers qui l'entourait presque. De cette distance, la nette petite maison semblait étrangement hors de place. Roy lui-même arrivait difficilement à croire que ce paradis fleuri eût jamais connu la présence humaine.

Il prit la lunette d'approche de Mozo et mit au point sur l'île, retrouvant une centaine de détails connus et retenus. Là, à l'abri d'un brise-lames, étaient les docks couverts où le botaniste garait ses embarcations, les ateliers où, au retour d'un voyage, il débarquait ses spécimens. Entre les hangars à bateaux, et hardiment pointé vers l'eau bleue, était le vivier couvert qui servait de parc aux tortues. Roy avait l'eau à la bouche en pensant aux soupes délectables dont l'origine serait en ce même vivier que les tortues quitteraient pour le domaine propre de John, majordome et cuisinier du célibataire docteur Barker. John, en cette minute, devait être très affairé par leur imminente arrivée.

Comme toujours, il était obscurément satisfait que le coupe-vent de grands fromagers masquât l'hôtel de Dan Evans, le quai toujours affairé, désordonné, encombré, qui desservait l'entrepôt de Dan. Il s'obligea à se souvenir une fois de plus que l'Anglais était un ami du docteur Barker et qu'il avait bien servi l'Armée, tout ensemble comme conseiller et comme fournisseur. Car jamais ne s'était atténuée en lui — bien qu'il observât toujours une complète aménité en présence du marchand — la conviction que Dan Evans était un traître-né, qui n'avait de fidélité qu'envers son propre intérêt.

Et pourtant, ne fût-ce que pour se mettre l'esprit à l'aise, il promena son télescope le long de l'horizon jusqu'à ce qu'il rencontrât la silhouette de Tea Table Key, une île massive et trapue, posée en plein sur l'éclat de la mer, juste en deçà de la barrière de corail qui formait la ligne de démarcation entre les eaux côtières, peu profondes, bleu clair, et le tracé indigo du Gulf Stream. La station navale — à vrai dire c'était surtout un poste avancé destiné à protéger Key West — y était ancrée depuis quelques années, lorsque la guerre indienne avait commencé de gronder de façon menaçante sur la Grande Terre. Ancrée, pensait Roy, était bien le verbe précis qui convenait à cette installation d'un bloc de baraquements. La petite flotte de sloops de la Marine représentait pour le docteur Jonathan Barker l'assurance qu'il pouvait continuer tranquillement ses recherches et, pour Dan Evans, l'assurance que son hôtel un tantinet canaille réaliserait un joli profit chaque année — relais logique pour les bateaux caboteurs qui avaient bénéficié la veille de l'hospitalité de Fort Everglades et pouvaient compter atteindre aisément Key West dans la journée du lendemain.

La bouée sonore qui marquait l'extrémité du brise-lames se trouvait à présent presque sous leur beaupré. Toute la petite île, ramassée, compacte, s'étalait à leurs yeux sans qu'il fût besoin de lunette d'approche pour dénicher les maisons entre les arbres. Malgré ses bonnes résolutions, Roy s'aperçut qu'il regardait les établissements de Dan Evans avec déplaisir, voire avec dégoût : une enseigne criarde noir et or — qui se répétait en lettres hautes de trois pieds sur le toit blanc de l'hôtel — accrochait l'œil dès le quai d'arrivée. C'était l'heure du traditionnel *sundowner* (1) ; il entendait par les fenêtres ouvertes du cabaret l'accordéon d'Evans souffler joyeusement derrière les persiennes et devina que les barmen préparaient le punch des Bermudes pour les hôtes dont le chant lui parvenait par-dessus les flots. Un examen des embarcations amarrées à l'abri du môle, pavillons claquant aux mâts, l'amena à conclure que la plupart des visiteurs étaient Cubains, avec un semis de pêcheurs d'éponges des Bahamas, et l'équipage d'une allège à toutes fins venue de Tea Table Key pour rapporter d'ici la ration de rhum des officiers.

Indépendamment de leur nationalité, il se disait aigrement que tous, assurément, étaient des coquins par goût et par choix — sans excepter de cette qualification les becs-salés en uniforme de la marine. Les keys n'étaient pas des pépinières de saints, quelles que fussent l'origine et la carrière initiale des hommes, et, d'ailleurs, presque tous les habitants de l'auberge Evans avaient été, dans leur jeunesse, des naufrageurs — ou des contrebandiers, — ou, très probablement, les deux. La plupart d'entre

(1) *Sundown*, coucher du soleil. *Sundowner*, consommation prise au coucher du soleil. Habitude tropicale correspondant à l'habitude de l'apéritif ailleurs, du cocktail autre part.

eux terminaient leurs soirées par des batailles rangées sur la plage, entre les docks de Dan et le brise-lames qui marquait la limite du terrain appartenant au docteur Barker. Chose remarquable, jamais un de ces pugilats ne débordait sur les jardins du botaniste. Si jovial qu'il fût, Evans manœuvrait ses hôtes avec une poigne de fer: il n'oubliait pas que le docteur Jonathan Barker avait des amis haut placés, et que six mois ne s'étaient pas écoulés depuis qu'un personnage de l'importance du secrétaire de la Guerre avait honoré le key de sa visite.

Le beaupré se logea contre les solides demi-troncs de palmiers nains qui formaient l'enclos des tortues. Les joints du bois n'étaient pas cimentés, le flux et le reflux mettant dans le vivier, pour le bien-être et la santé de ses occupants, la vie même de la mer. Par une des fissures, Roy rencontra — et son cœur, d'émotion, manqua un battement — deux flammes jaunes qui lui firent penser à une âme en peine. Il se demanda un instant si, d'aventure, le docteur Barker aurait capturé une murène, ou encore si, pendant son absence, le vivier avait été converti en aquarium pour *barracudas* (1). A y regarder de plus près, il s'aperçut qu'il ne s'agissait que d'une tortue moins léthargique que les autres et qui, réveillée d'une somnolente méditation par le bruit de leur arrivée, marquait son mécontentement par une vive agitation des nageoires et un sifflement des plus reptiliens.

Les dormeurs continuaient à dormir dans le poste, mais Ranson était déjà par-dessus bord, avant l'équipage même, pour guider le sloop vers son amarrage. Les fusiliers, avec une prudence née de longues campagnes, restèrent à leur poste à l'avant jusqu'à ce que Ranson leur donnât l'ordre de descendre à quai. Sans un regard en arrière, Roy avait débarqué en même temps que le sergent. Il éprouvait encore une manière d'obscure satisfaction de n'avoir pas eu à partager cette minute avec Mary Grant : c'était à son futur et imminent époux qu'il appartenait de l'introduire dans cet Éden multicolore.

Le docteur Barker lui-même émergea de l'ombre des bougainvilliers qui entouraient sa véranda, chose tout à fait inaccoutumée, car, malgré son ancienne amitié pour Roy, il avait l'habitude, lors des visites du jeune chirurgien, de rester parmi ses livres et ses collections, et son collaborateur venait l'y retrouver. Aujourd'hui, le vieux docteur était en manches de chemise, ses

(1) Poisson à très forte dentition, qui fréquente les mers tropicales, et particulièrement les Caraïbes. Sa longueur atteint parfois 6 pieds, il est extrêmement vigoureux, vorace et méchant (*Sphyræna*).

cheveux voltigeaient en désordre, on eût dit un blizzard blanc : il était préférable que Mary ne le vît pas en ce moment. Bien que, semblable en cela à beaucoup de savants, le docteur Barker eût, d'une manière générale, plus du chemineau que de l'homme du monde, son apparence présente avait quelque chose d'excessif qui mit en éveil l'attention de Roy. Ses pantalons étaient boueux jusqu'aux genoux, il avait même de la boue sur le visage, sans doute arrivait-il tout droit d'une de ses plantations. En tout cas, il était plein de vie et d'activité, animé autant qu'un moineau de mai, sa poignée de main ferme, ses yeux bruns étaient aussi éveillés — et beaucoup plus sages — que ceux du jeune homme.

— J'ai envoyé un messager au Fort ce matin même pour te prier de venir au plus tôt, garçon. Aurais-tu prévu ma pensée avant qu'elle pût être formulée ?

— Aviez-vous à ce point le désir de me voir, monsieur ?

— Tu ne sauras jamais à quel point j'en avais le désir ! John est sur le billard dans ma salle d'opération pendant que je te parle, prêt et résigné à perdre sa jambe droite. J'aurais évidemment fait de mon mieux pour la lui enlever de façon convenable, mais j'espérais que le messager te ramènerait à temps...

— John ? Votre maître d'hôtel ?

Les mots lui firent mal. Il voyait en esprit John, le doux nègre, l'esclave aux cheveux gris, qui saisissait d'habitude avec tant d'adresse son amarre lorsqu'il venait ici, qui lui servait son rhum avec une si souple grâce, pour ne rien dire des repas merveilleux que le docteur Barker, comme tous ceux qui aiment la vie et en jouissent pleinement, trouvait « tout naturels », quel que fût le lieu où son couvert devait être mis. Des filets de tortue dignes de l'Olympe présentés avec un montrachet sec que seul un roi de Boston aurait pu susciter sur les keys de Floride. Refroidi à l'exacte température voulue dans le plus profond des puits artésiens du docteur, ce vin constituait une splendide introduction pour le *caneton aux oranges*, que révélait la cloche d'argent révérencieusement soulevée par John. Des pommes de terre nouvelles fraîchement arrachées au sol et du riz sauvage résultant de croisements opérés dans les marais de Matecumbe Key parlaient bien haut en faveur de la botanique. Un bourgogne chaleureux accompagnait le canard. Et John avait servi ensuite, d'une main aussi dévotieuse, un ananas au kirsch et un magnum d'un champagne qu'aurait pu envier Louis-Philippe. Des havanes exceptionnels comme taille et comme parfum, du café noir et du brandy de Fundador rendaient la conversation vive et animée jusqu'à l'aurore...

« ... Et maintenant, se disait Roy, John attend *le couteau qui guérit.* »

Tous les environs, si peu peuplés qu'ils fussent, s'étaient habitués à compter sur le docteur Barker, qui avait été en son temps un brillant chirurgien, avant qu'un héritage lui eût permis d'abandonner la médecine et la chirurgie, et de s'adonner sans réserve à son premier, à son véritable, à son unique amour : la botanique. Roy comprenait fort bien la répugnance du vieillard à entreprendre désormais une opération majeure, telle que l'amputation d'une jambe.

Déjà ses doigts refermés sur le coude du docteur Barker l'entraînaient, le long de la route en coquilles d'huîtres, vers la maison hors de portée de la voix tonitruante d'Andy Winter qui s'était, cette fois, réveillé pour de bon.

— John *est* sur la table ?

— Comme tu t'en rends compte, lorsque ta voile a été signalée je me préparais à opérer, il n'y avait pas moyen d'attendre le retour du messager... Veux-tu prendre la place ?

— Très volontiers, si vous voulez vous occuper de vos hôtes. (Roy se permit une manière de sourire en coin.) Vous m'avez donné vos ordres avant même que j'eusse pris pied sur votre terre. Sûrement, vous pourrez accepter un hôte ou deux — s'ils sont amenés par Andrew Winter.

— Va droit à l'infirmerie, fils. Je recevrai avec joie ma compagnie. Beaucoup de monde ?

— Andy, le capitaine Stevens et moi-même. La fiancée d'Andy et sa duègne, toutes deux en route pour Key West et La Havane. Quant à Ranson et à ses hommes, ils descendront chez Evans, comme à l'ordinaire.

Les yeux du docteur Barker s'écarquillèrent légèrement :

— J'y vais de ce pas, et je viendrai te rejoindre dans un moment. Comme tu verras, le temps est le facteur essentiel...

Et Roy repartit sur le sentier sans un coup d'œil en arrière. D'un certain point de vue, il était fort satisfait qu'une urgence l'eût délivré de la nécessité de penser. Maintenant, du moins, il redevenait lui-même, un homme de science, avec la science comme unique préoccupation, et il allait pouvoir travailler avec les instruments de son art.

Mary Grant et le problème soulevé par sa présence reprendraient leur place plus tard, à loisir.

CHAPITRE VIII

L'INFIRMERIE DU DOCteur Barker était à l'écart du corps de logis principal. Blanchie à la chaux, comme la plupart des bâtiments du key, son toit lourdement chargé de cubes de marne pour le caler en dépit du vent pendant les ouragans et les bourrasques, elle ne faisait qu'un avec la construction beaucoup plus vaste où le botaniste logeait ses spécimens vivants, la serre chaude vitrée où les orchidées dressaient leurs têtes altières. Roy se demandait — et ce n'était pas la première fois — si le bon docteur, l'homme le plus humain qu'on pût imaginer, avait bien gardé son équilibre, lorsqu'il avait consacré plusieurs bons arpents à héberger rongeurs, reptiles et fleurs de la jungle, et n'avait réservé qu'une manière de petit hangar, d'ailleurs irréprochablement propre, pour y livrer la lutte contre la mort.

Son sourire disparut quand il passa dans l'intérieur et aperçut son patient : les membres déjà attachés à la table d'opération, John était allongé, ruisselant de sueur, couvert par une gaze de moustiquaire, et une minuscule négresse en tablier de calicot, les yeux roulant, terrifiés, dans ses orbites, balançait audessus de lui un minuscule éventail fait d'une feuille de palmette, dans le vain espoir d'empêcher les mouches de se ruer sur la plaie.

John, si Roy comptait bien, atteignait la cinquantaine ; ses chances de survivre à la scie du chirurgien paraissaient faibles. Malgré quoi le nègre parvint à grimacer un sourire, tandis que ses yeux fiévreux se fixaient sur le visage nouvellement surgi au-dessus de sa couchette :

— 'Soir, docteur. Gentil de venir si vite.

— Nous allons vous arranger ça, John. Simplement, restez calme.

Déjà sa main tenait le poignet du nègre et comptait les pulsations. L'homme était lourdement gavé de somnifères et prêt pour le bistouri. Tout en comptant les battements du cœur, Roy examinait la peau du visage et la trouvait brûlante et sèche. A vrai dire, il n'avait eu nul besoin de confirmer son diagnostic : la brune puanteur qui emplissait la petite salle et l'avait assailli dès son entrée était suffisamment explicite. C'était une odeur fréquente — et que trop ! — sur tous les champs de bataille, même dans ces combats de catch-as-catch-can qui constituaient la guerre indienne. Il l'avait trop souvent reniflée, dans les hôpitaux improvisés au bord d'un marais, dans les cabines perdues au milieu d'une touffe de palmiers nains, partout où il avait eu à lutter pour sauver une existence, tranchant, rognant, grattant, ne déposant le scalpel que lorsque la dernière fibre de chair pourrie était enlevée.

« La gangrène, pensait-il, s'annonçait d'elle-même, évoquait d'avance sa propre image. » Et, pourtant, il eut la chair de poule, sans pouvoir s'en empêcher, lorsqu'il replia le drap qui couvrait la jambe blessée de John et se trouva devant la plaie. La fracture intéressait le fémur, l'os long de la cuisse qui commence juste au-dessus du genou. L'os avait projeté son extrémité brisée au dehors de la longue plaie irrégulière : il était là, bien visible, son ivoire terne au milieu d'un affreux mélange de muscles, de chairs et de caillots qui semblait fermenter, bouillonner faiblement d'une vie propre, un bouillonnement vert-de-gris pareil à du fromage dans une cave sans soleil. En dessous du genou, la peau avait déjà perdu son velouté. Le membre entier était gonflé, jusqu'à atteindre deux fois son volume normal, mais une ligne très marquée séparait encore la chair morte de la chair vivante, entre le genou et la cuisse.

— C'est arrivé sur le récif de la barre, Roy. Il y a deux jours. Et on ne l'a ramené que ce matin.

Roy leva les yeux et vit le docteur Barker déjà près de son coude. Leurs regards se rencontrèrent au-dessus du patient. A ce moment-là, point n'était besoin de paroles. Leurs mains, déjà, parcouraient automatiquement la table des instruments, où le botaniste avait rangé sa propre panoplie de scalpels, pinces et scies chirurgicales. Mathew, qui était le second esclave domestique du docteur et le sous-ordre de John, entra dans la salle sur la pointe de pieds tremblants, lâcha sur la table la trousse de Roy et s'enfuit à fond de train.

— Nous aurons besoin de quelqu'un pour le tenir.

— Ranson vient avec deux soldats.

— Comment est-ce arrivé ?

— Il chassait les homards à la foëne sur le récif. Plusieurs noirs étaient dehors en même temps, travaillant avec des torches. John fut le seul à perdre pied, et nul ne s'en aperçut. Le malheur voulut que je fusse à Key West au moment de l'accident. Assommé par la chute, il est resté là dans le flux et le reflux, tantôt au soleil, tantôt trempé, jusqu'au surlendemain matin, aujourd'hui.

Pendant que son aîné préparait les éponges et les sondes, Roy se mit nu jusqu'à la ceinture. Il comprenait fort bien de quelle manière la chose s'était produite. Lui aussi avait pratiqué la chasse aux homards sur les récifs, à la lumière des torches. Il savait avec quelle facilité on perdait pied dans une crevasse. Il n'ignorait pas davantage avec quelle facilité un os se brisait. Et il imaginait sans peine John, pris jusqu'à la taille dans la grosse houle que donne le choc de l'océan sur le récif, puis, au sortir d'un long évanouissement, se traînant, tirant sa jambe brisée derrière lui, jusqu'au banc de sable où il avait attendu sous un soleil de flamme des secours si longs à venir. Un banc de sable, couvert d'une épaisse couche de fiente d'oiseaux et de tous les débris laissés par la mer, n'est pas le milieu idéal pour y étaler une fracture ouverte.

— Quand on vous l'a amené ce matin, la gangrène était-elle déjà déclarée ?

— Je le crains bien, Roy. Et, comme tu vois, ne pouvant risquer d'attendre ta venue, j'avais rassemblé tout mon courage pour me mettre à l'œuvre sans autre délai.

Le sergent Ranson, là-dessus, fit son entrée, accompagné de deux fusiliers. Comme Roy, ils étaient nus jusqu'à la ceinture : ils l'avaient assisté trop souvent pour avoir besoin d'instructions à ce sujet. Sur un signe de Roy, Ranson prit place à la tête de la table, prêt à immobiliser le cou et les épaules du patient. Les fusiliers prirent leur poste à l'autre bout : au premier coup de bistouri, ils stabiliseraient avec une égale fermeté les jambes prêtes à se débattre.

— Donnons-lui un moment pour que l'opiat achève son effet, dit le docteur Barker. Peut-être profiterai-je du délai pour aller installer confortablement mes hôtes.

Il gagna la porte de sa curieuse allure saccadée, tout à fait semblable à celle du héron blanc prêt à prendre son vol. Roy ne put s'empêcher de sourire à cette innocente astuce : lui aussi se serait volontiers accommodé d'une prise d'air frais avant d'entamer l'opération.

Pendant que le souffle ronflant du nègre devenait une basse plus profonde, Roy lava à fond ses mains et ses avant-bras à la petite cuvette au coin de la salle. Il constata, pour l'approuver, que l'eau était bouillante ; le savon épais et caustique partout employé sur les keys (on le faisait en filtrant la potasse de la cendre de bois et en la traitant ensuite à la graisse de porc) brûla sa peau plus sûrement encore que n'avait fait l'eau bouillante. Il se rinça méthodiquement et s'en fut contrôler les instruments dont l'acier étincelait sur la table. Même en combinant sa trousse avec celle du docteur Barker, il y avait à peine le nécessaire requis pour une amputation du haut de la cuisse. Il compta les scalpels, affûtés comme des rasoirs et enroulés dans du coton pour préserver la lame. Il faudrait bien que la demi-douzaine de forceps suffise quand on en serait à saisir et maintenir les vaisseaux pour empêcher les hémorragies. Il vérifia le coupant de la scie à os, part inévitable de l'attirail que comptait un chirurgien à l'époque où les amputations et quelques coups de lancette formaient l'essentiel de son gagne-pain.

Le docteur Barker était revenu à son côté, pâle mais maître de lui.

— Nous commencerons quand tu voudras, Roy, dit-il.

La voix du vieux botaniste était assez ferme : il tiendrait le coup.

— Avez-vous averti vos hôtes ?

— Ce ne fut pas nécessaire. Andy a insisté pour faire visiter la plantation à Miss Grant. Quant au capitaine Stevens, il a emmené l'autre dame chez Evans pour y prendre un remontant. Je ne serais aucunement surpris s'ils dînaient là.

— Préparez-vous, sergent.

Roy choisit un scalpel et délimita d'un long trait sans bavure la zone opératoire.

— Heureusement, il existe une ligne de démarcation fort nette entre la zone saine et les tissus gangrenés. Néanmoins, nous amputerons plus haut dans la cuisse.

— Les garrots sont prêts.

Le docteur Barker roula une bande de tissu en un tampon serré qu'il enfonça dans l'aîne de John avec une pression suffisante pour qu'il disparût presque entièrement dans la fosse inguinale d'où les vaisseaux principaux émergent de la jambe vers le tronc.

— Ça empêchera toujours les hémorragies, pour commencer.

Ranson s'était aussitôt avancé avec le premier garrot, qu'il plaça immédiatement au-dessous du tampon de toile. La courroie de cuir, durement sanglée par le sergent, pénétra cruellement dans la chair. Il la serra davantage encore en prenant appui d'un genou sur le haut de la cuisse de l'esclave. Un second garrot fut placé au-dessus du premier, en renforcement, pour le cas d'une hémorragie imprévue.

— Attention !

Les bras musculeux descendirent, les mains se serrèrent comme des écrous aux bords de la table, renforçant les sangles déjà passées autour du corps inerte ; elles maintiendraient la chair sursautante aussi fermement que si des pinces s'étaient fermées sur elle.

Le docteur Barker allumait le long du mur trois lampes tempête à huile — à l'huile de baleine, — pourvues de grands réflecteurs, et, en outre, une lampe plus forte descendant du plafond au-dessus de la table. Comme elle se balançait au moindre souffle venu du dehors, sur un geste de Roy le botaniste laissa se refermer les persiennes, ce qui coupa tout à la fois le vent et les reflets ambigus du soleil couchant.

Roy considéra, couchée sur sa paume, la lame qui jetait de pâles éclairs. Il savait qu'elle représentait pour le noir l'unique chance de vie. Elle représentait aussi, s'il commettait le moindre faux mouvement, la chance de sa propre mort : plus d'une fois il avait vu un de ses confrères chirurgiens, les mains plongées dans une plaie infectée, faire d'un coup de bistouri mal calculé jaillir son propre sang... Parfois un autre scalpel l'avait sauvé, au prix d'une main, ou d'un bras. Parfois aussi...

Sans permettre à de telles pensées de s'installer en son esprit, de la pointe du bistouri il traça sur la jambe enflée un arc allongé qui indiquait, en gros, le parcours de son incision : deux lambeaux, le plus grand à l'avant, de manière à pouvoir ramener les muscles épais par-dessus l'extrémité sciée de l'os, pour qu'ils fassent coussin sous la peau, pour le moment (si l'occasion lui en était accordée) où John aurait à se servir d'un pilon de bois en guise de jambe.

A présent le scalpel semblait agir par lui-même, indépendamment de la volonté du chirurgien, tranchant la peau, séparant, au-dessous, plusieurs couches de graisse. Si enfoncé qu'il fût dans la langueur de la morphine, John, bouche ouverte, exhalait un cri à percer le cœur, une lamentation ininterrompue, cependant que l'acier continuait sa besogne. Des vaisseaux tranchés, un sang épais et sombre glougloutait à petits coups. Le docteur Barker épongeait la blessure et, l'un après l'autre, assujettissait dans des pinces les vaisseaux les plus importants. Plus haut que ces forceps, Roy faisait autour de chaque vaisseau une ligature de whipcord, renforcée par des points de suture, de sorte qu'à peine subsistait un faible suintement. John, à présent, était plus calme. Entièrement calme même, à part un tressaillement nerveux occasionnel de la jambe malade. En profondeur, les plaies sont toujours moins douloureuses, en tout cas d'une façon moins aiguë, tant qu'on ne touche pas le nerf lui-même.

Le scalpel séparait à une allure régulière et soutenue les fibres musculaires, allant toujours en remontant à partir de l'incision initiale. Un moment encore et il allait atteindre l'artère fémorale. Alors Roy fit pivoter l'instrument dans sa main et se servit du manche d'ivoire pour continuer, le guidant de l'index droit, jusqu'à ce qu'il eût trouvé, et serré, l'artère vitale qui transporte presque tout le sang de la jambe.

Le manche du bistouri, suivant le doigt indicateur, souleva le vaisseau assez haut dans la plaie : entre les forceps placés par le docteur Barker, d'un coup net, Roy trancha l'artère. Ligature, suture — l'aiguille traversant avec difficulté la coriace paroi artérielle, — et ce fut le tour d'une grosse veine bleue qui battait dans le même sillon musculaire.

— Si vous voulez soulever la jambe à présent, docteur, nous verrons ce que nous pouvons faire à l'arrière.

Sa voix était désormais aussi calme que s'ils s'étaient trouvés dans le cabinet de travail du docteur Barker, en train de « monter » un de ses spécimens. Il se recula pendant deux ou trois secondes, le temps pour le botaniste de soulever le membre gangrené. Puis il respira profondément et fit sa première incision sous cet angle... Il y avait juste assez de forceps pour serrer tous les vaisseaux importants...

Toute la partie charnue de la jambe étant séparée, le travail se présentait aussi bien qu'une pièce de bœuf chez un boucher soigneux.

Seul l'os restait, colonne d'un pouce peut-être de diamètre que longeait un conduit d'un blanc brillant gros comme le petit doigt et contenant les nerfs. Roy l'effleura très légèrement de la pointe de sa lame, et les muscles tressautèrent brutalement plus haut et plus bas que le genou, preuve que les nerfs étaient intacts.

— Attention maintenant, c'est presque fini.

Il glissa son doigt sous le faisceau et y appuya fermement le scalpel. Tout autour de la table, les mains renforcèrent vigoureusement leur prise, et c'était là une précaution vitale, car le corps de John fit, sur place, un bond où était rassemblée toute sa force et qui paraissait devoir faire sauter les sangles. Cette fois, le cri arraché à l'homme endormi dut être entendu dans l'île entière...

Seule, la colonne blanche du fémur soutenait encore le membre bringuebalant. Repoussant les muscles vers le haut tout en travaillant, afin de ne pas les meurtrir, Roy se mit à scier. Bientôt la poussière d'os se répandit sur la table. Et puis ce fut la moelle et le son changea, pour reprendre aussitôt avec l'autre côté de l'os.

... Et la jambe tomba de la table sur le sol...

... Et le sergent Ranson, se penchant tranquillement, la ramassa, la lança dans un baquet placé là tout exprès...

— Beau travail, docteur, du commencement à la fin, dit le sergent.

— Je crois que tu lui as sauvé la vie, Roy, dit le docteur Barker.

D'un signe, Roy acquiesça. Il croyait désormais, en effet, que l'espoir était permis.

— Aucune trace d'inflammation plus haut que la plaie. Enlevons les garrots et voyons s'il n'y a pas d'hémorragie.

... Il n'y en avait pas...

Quelques sutures supplémentaires étanchèrent de faibles suintements.

Il cousit solidement les lambeaux, rabattus, laissant flotter les derniers brins de whipcord afin d'être tout à fait assuré que nulle possible gangrène ne serait enfermée sous la peau. Des tampons de charpie légère couvrirent tout le champ opératoire et une sorte de bonnet coiffa le moignon.

Roy alors se recula de la table et rendit au monde extérieur l'accès de ses sens.

— La yole est amarrée au dock. Je vais l'y faire transporter avec Rachel comme infirmière. Si on mouille l'ancre juste de ce côté-ci du récif, il sera en sécurité.

— Tout à fait en sécurité.

Roy regardait John d'un œil vide. La vie envahissait son cerveau trop vite pour que ce fût confortable. Ce l'était d'autant moins qu'après avoir vécu si longtemps solitaire il avait commis la double folie de tomber amoureux — et amoureux de la fiancée de son meilleur ami...

— Excusez-moi, docteur Barker. Vous disiez ?

— N'es-tu pas d'avis que ce genre de plaie guérit plus vite si le patient est en mer ?

— Beaucoup plus vite. Surtout si on prend la précaution de les garder sous pansement humide. Humide d'eau de mer, bien entendu. Je vais m'occuper de le faire transporter à bord sans retard.

— Ne t'inquiète pas, garçon. Je vais m'en charger. Aurais-tu, dis-moi, quelque préoccupation ?

— Aucune, pourquoi ? Non, vraiment aucune. Mais la journée a été longue. Si vous le permettez, j'irai prendre un peu l'air.

— Matthew prépare en ce moment le dîner de nos hôtes Tu nous rejoindras vers huit heures ?

— Pas ce soir, merci. Je ne me sens pas sociable ce soir.

Il sortit rapidement de la clinique, sans laisser au docteur Barker le temps de placer un mot de plus. Il se rendait bien compte qu'il avait considérablement choqué son vieil ami, si accoutumé que fût celui-ci à son goût de la solitude. Et pourtant il ne pouvait faire autrement. Il lui fallait marcher dans la nuit. Seul avec son dilemme. Sans quoi il crierait d'angoisse et de douleur, et toutes les oreilles l'entendraient.

La bataille qu'il venait de livrer contre la mort avait encore augmenté l'acuité de ses perceptions. Son esprit lui disait qu'il devait employer toutes les ruses à sa disposition pour se tenir en dehors du rayon de Mary Grant ce soir — et, en même temps, son cœur le suppliait de jouir encore de la douceur et du charme de la jeune fille.

CHAPITRE IX

Au sortir de la clinique, il eut, en foulant l'herbe épaisse, l'impression de quitter une cave éclairée pour plonger dans un bain de vif-argent. Il avait oublié que la maison du docteur Barker serait, ce soir, inondée de lune et qu'il ferait sur la pelouse presque aussi clair qu'en plein jour. Il se recula vivement dans l'ombre d'un buisson de lauriers-roses, le cœur battant, la gorge nouée, en entendant, vers le nord, derrière le brise-vent, un bruit de bottes écrasant les coquillages et un rire qui ne pouvait être que celui d'Andy Winter.

Il regagna juste à temps son refuge : à peine y était-il, en effet, que, levant les yeux, il vit Andrew aider Mary Grant à franchir l'échallier séparant de la route en coquilles d'huîtres les jardins tirés au cordeau du docteur Barker — sage précaution pour empêcher les cochons sauvages qui se promenaient à leur guise du côté « Evans » de l'île d'envahir le domaine du botaniste. Le capitaine Stevens suivait et déployait, pour faire atterrir Mrs. Simmons saine et sauve sur la pelouse, la même galanterie courtoise.

« Ils ont terminé leur virée à l'auberge, pensa Roy, et ces messieurs du moins ont pris un verre de trop... »

Il attendit, enveloppé de l'ombre aromatique du feuillage, tandis qu'Andy conduisait sa dame jusqu'à la galerie de la maison, comme phosphorescente sous la lune, et que le capitaine Stevens effectuait la même manœuvre avec Mrs. Simmons, exactement comme dans un spectacle de variétés le couple comique imite le couple des amoureux.

Le baiser qu'avec grâce Andy posa sur la main de Mary n'aurait pas été désavoué par un maître de danse ; son inclinaison rigide, presque à angle droit, faisait partie du numéro. Et le capitaine Stevens pareillement se cassa en deux pour saluer, les crins de son shako dansant sous la lumière argentée.

Le rire de Mary faisait la gaieté de ce jeu cérémonieux. Enfoui dans ses lauriers-roses, le guetteur sut qu'il garderait jusqu'à son dernier jour dans l'oreille le son de ce rire — qu'il garderait dans les yeux le mouvement du menton fièrement relevé par quoi elle accueillait l'hommage d'Andrew, l'éclat de possession qui l'enveloppait d'une sorte d'aura presque visible.

— Ne manquez pas de vous mettre à la recherche du docteur Coe sans retard, et découvrez-le, disait-elle. *Ce* soir, il ne *peut* pas ne pas dîner avec moi.

— Nous avons, tout d'abord, quelques affaires à discuter avec Evans, chère. J'espère que le capitaine Stevens pourra ensuite s'occuper des détails. Je ferai tout mon possible pour être auprès de vous à huit heures.

— Avec Roy, ne l'oubliez pas !

Ayant dit, Mary s'éclipsa.

Mrs. Simmons, duègne exemplaire, enfonça vigoureusement sa capote et roula dans le sillage de la jeune fille.

Roy demeura dans sa cachette jusqu'à ce que les deux officiers eussent repassé l'échalis en se pavanant, puis disparu derrière le brise-vent. Alors, courant le risque de s'entendre héler de la maison, il traversa la pelouse en direction opposée. Suivant la pente de la grossière digue de mer qui protégeait à l'est les jardins du docteur, il gagna son objectif initial, la longue bande de plage qui s'incurvait en direction du nord et de Matecumbe Key.

« Je vais faire une promenade d'une demi-heure, se promit-il. C'est suffisant pour que Dan Evans et Andrew Winter aient fini de se jeter des injures à la tête. Ils scelleront ensuite leur marché en compagnie d'une dame-jeanne de rhum de la Jamaïque. Si Andy est suffisamment ivre, il oubliera sans doute les instructions de Mary. Dans le cas contraire, j'aurai toujours la ressource de dire que je dois aller visiter mon patient à bord du ketch. »

Sous ses pieds, le sable abandonné depuis peu par la marée était délicieusement frais. Il envoya valser ses bottes, roula son pantalon presque jusqu'aux hanches et s'en fut patauger au loin, dans les remous paresseux, allant vers le nord, et sans faire plus de bruit qu'un chat en maraude. Il s'efforçait de ne penser à rien, et ses sens n'en étaient que plus disponibles, plus alertes. Le parfum des orangers en fleurs, mêlé à l'haleine salée de l'Atlantique, l'assaillit comme il atteignait l'extrémité des plantations Barker : « Des fleurs pour la mariée... » se dit-il. Et il se demanda si Andy et sa belle s'étaient arrêtés dans cette ombre grisante afin d'échanger quelques baisers légitimes. « Que je puisse passer seul cette soirée, priait-il mentalement. Et je serai capable ensuite de *lui* faire face avec calme sans risquer de me trahir. Quoiqu'elle ait à demi deviné mes sentiments. Mais ils n'auront aucune importance, ces sentiments, dès que je les tiendrai bien en main. Dieu aidant, je serai un témoin fort correct à l'autel quand Andy la prendra pour épouse. Chekika peut attendre un peu plus longtemps dans les Glades — il ne demanderait d'ailleurs pas mieux s'il était consulté ! Quant au colonel Merrick, il aura le temps de laisser s'évaporer les fumées de ses saturnales à Saint-Augustin, et puis le temps de fumer de colère et d'impatience ! Ce qui importe, c'est avant tout que je la mette au delà de toute tentation à bord d'un navire en route pour le Nord. »

Il s'intéressa au sillage phosphorescent que ses pieds éveillaient dans les creux ; il attendit patiemment qu'un crabe de terre, disgracieux et gauche, fût sorti des racines découvertes d'un cocotier et parvenu dans les vagues ,celles où il allait chercher sa nourriture.

« Peut-être, se disait-il, peut-être serait-ce plus simple si je donnais ma démission de l'Armée, sur place et sans délai. Qu'Andy et le colonel finissent cette guerre à eux deux. Le docteur Barker a très réellement besoin de moi, et il ne faudrait pas me pousser beaucoup pour que je devienne un batteur de grève de premier ordre ! »

L'ombre du crabe, projetée par la lune, disparut le long d'une pente. Il suivit pendant un moment la route d'une conque géante sur le sable, s'arrêta pour faire chavirer du pied la grande coquille spiralée et vit la valve se fermer aussitôt, d'un claquement, tandis que la conque se remettait d'aplomb, à l'abri désormais de tous ses ennemis, sauf de l'homme ! Il prit à deux mains la lourde coquille, la soupesa, supputa la force du bras musculaire qui, de l'intérieur de sa maison, venait, en s'y retirant, d'attirer si vigoureusement à lui le volet.

Plus d'une fois, au cours de ses expéditions en canoë parmi les keys, il avait mangé de la chair de conque. Cuite sur un lit de braise, noyée dans une sauce de paprika et ketmie, elle était aussi tendre que le meilleur aloyau, avec une saveur que les mots ne pouvaient rendre.

La vie serait bonne sur les keys. Ici, où se joignaient le golfe et l'océan, il trouverait aisément sa subsistance. Quelques troncs flottés, un toit de palme, et il aurait une maison aussi douillette que n'importe quelle demeure de pierres dans le Nord humide et froid. Son porche serait une plage pareille à celle-ci ; son jardin, intouché par aucune main humaine, lui donnerait — il suffirait de cueillir ! — des fruits savoureux et des légumes, des oranges sauvages, des papayes, le lait délectable de la noix de coco, le cœur succulent des choux-palmistes qu'il avait appris à aimer pendant ses longs séjours chez les Indiens. Tant que de gras lapins des marais vagabonderaient parmi l'herbe de la plage, tant que les tortues remonteraient sur le sable pour aller pondre au clair de lune, il ne manquerait pas de viande. Et les poissons en abondance faisaient des sauts entre les récifs, n'attendant qu'un coup de foëne pour aller gonfler sa gibecière.

Quelques soins à donner, quelques opérations par-ci par-là afin de garder son habileté chirurgicale. Un peu de dur travail physique à la station expérimentale du docteur Barker. Et il aurait plus d'argent qu'il ne lui en faudrait pour satisfaire ses simples besoins... Mais ce serait tout de même un Éden sans Ève...

Pendant quelques minutes, il permit à sa fantaisie de divaguer librement, envoya Andy Winter en exil dans les limbes et prit résolument sa place à l'autel, soit à Key West, soit à La Havane. Mary, il en avait la certitude, trouverait que les keys étaient ce qu'on pouvait rêver de mieux pour une lune de miel. L'idéal, en somme. Ils vivraient ensemble, innocents et passionnés autant que les deux premiers occupants du Jardin, avant que s'y manifestât le Serpent de la Sagesse. Nus et sans honte, ils pêcheraient et chasseraient le jour, nageraient quand bon leur semblerait, dormiraient quand ils se sentiraient fatigués, que ce fût pendant le silence de sieste des après-midi ou dans le bleu sombre des après-minuit.

... Cette folle image, illusoire et verbale, s'évanouit bientôt, et il se retrouva seul sur la rive de Flamingo Key. Seul avec la bonne terre maternelle et ses myriades de richesses et de dons. Plus seul qu'il n'avait jamais été.

Sa rêverie avait, sans qu'il s'en aperçût, entraîné ses pas tout au long de la courbe de la plage, très loin vers le nord. Les derniers baraquements éparpillés sur cette partie de la côte étaient depuis longtemps derrière lui. Ici, le détroit qui séparait les dunes de Flamingo Key de la muraille de palétuviers de Matecumbe n'avait guère plus d'un demi-mille de large.

Il fut saisi de voir qu'une torche se mouvait entre les arbres de la plus grande des deux îles — un tortillon de branches résineuses, à en juger par le crépitement. Il regarda nonchalamment pendant une minute ou deux, assuré que cette lumière se déplaçait dans un but précis. Un retour de l'invasion qui avait si souvent menacé les keys, depuis les jours où les Caloosas — les Indiens espagnols ainsi nommés — étaient tout-puissants sur la Grande Terre ? Il était ridicule d'imaginer que Chekika fût embusqué quelque part dans ces ombres, prêt à bondir sur Flamingo Key et sur les richesses enfermées dans les magasins de Dan Evans ! Plus probablement un chasseur d'oiseaux solitaire était-il à la recherche de nids d'aigrettes, ou espérait-il capturer une spatule en train de couver.

Pendant quelque temps, il suivit la plage du côté du golfe, tendant toujours vers l'hôtel d'Evans et le verre de rhum qui le libérerait de songes creux. Le choc du ressac sur la barrière de corail était plus faible à présent. Seule la voix d'un accordéon troublait la paix du soir dans la salle de cabaret de l'hôtel, et ce son ambigu s'accordait curieusement avec l'obscurité.

Roy était presque parvenu à la porte de derrière de l'entrepôt et marchait dans une eau plus profonde, afin de pouvoir passer sous le plancher même du dock, encombré comme toujours de petites embarcations et de tout l'outillage des pêcheurs.

Il évita de justesse de s'érafler la jambe contre la proue d'un canoë, une pirogue de cyprès telle qu'en emploient les Indiens des Glades, avec son trou de poussée à l'arrière qui était encore humide ; près de la barre de traverse, près du talon, un dispositif destiné à empêcher la godille de s'enfoncer trop profondément dans la boue — la rugueuse écorce de surface était couverte d'une couche de marne révélatrice. La courte voile triangulaire était amenée et soigneusement pliée sous les bancs de nage.

S'il avait aperçu le canoë tiré sur la plage, Roy n'y aurait pas attaché d'importance ; nombreux étaient les pêcheurs, au long des keys, qui se servaient encore de canoës indiens — aucun type d'embarcation n'étant plus pratique dans les eaux peu profondes, à cause de leur faible tirant d'eau qui leur permet de flotter partout. Mais ce canoë avait été délibérément caché là par un visiteur dont la mission était sans doute clandestine : il se pencha par-dessus le bord pour une rapide investigation, tel un pointer sur la piste, et il reçut à pleines narines un fumet de chair cuivrée, une odeur aussi sauvage que l'haleine même des

Glades... Pendant quelques instants, il demeura le souffle coupé, ramené par le souvenir à la minute où il n'avait sauvé sa vie qu'en demeurant accroupi, immobile, presque sans respirer, au fond du « hammock » de fétuques, de carex et de joncs, cependant qu'un autre canoë, fort semblable à celui-ci, exhalant le même arome écœurant et farouche, s'approchait de sa cachette presque à toucher sa pirogue...

Toujours pieds nus, il remonta en courant le sentier du dépôt. Le bâtiment, trapu sous sa toiture de fer-blanc, semblait énorme au clair de lune, et son ombre, épaisse comme une flaque d'encre, s'étalait jusqu'à la plage. Il vit tout de suite, bien qu'il n'entendît nul mouvement à l'intérieur, que la porte des magasins était entr'ouverte et avança d'un pas, indécis sur ce qu'il allait faire ensuite. Le visiteur, qui avait pénétré dans le dépôt par l'arrière, pouvait n'être qu'un des intermédiaires de Dan. Le trafiquant était certainement trop au courant des mœurs du voisinage, et trop avisé, pour laisser la porte de son garage sans cadenas, une fois la nuit tombée.

Roy s'était déjà à demi retourné vers le sentier qui, à travers les dunes, conduisait à l'hôtel, avec l'intention d'avertir Evans de la présence d'un maraudeur, lorsque la porte du magasin s'écarta davantage et un homme en sortit, se plantant dans l'ombre projetée par l'avant-toit. Il avait dû escompter que la plage serait déserte, car, apercevant Roy, il se rejeta aussitôt en arrière, là où l'ombre était le plus épaisse, de sorte que Roy ne pouvait discerner s'il s'agissait d'un Indien ou d'un blanc.

— Restez où vous êtes ! lança-t-il. Qui êtes-vous ?

L'intrus ne parla point, mais un bras brun plongea en arrière, dans l'espace derrière la porte du dépôt, et en ramena la longue perche d'une foëne dont le trident brillait. Ainsi armé, le visiteur inconnu progressa pas à pas, toujours dans l'ombre, avec l'intention probable d'atteindre l'obscurité totale du dock et le canoë amarré.

Roy, qui connaissait la nature et le maniement de la foëne, céda aussitôt du terrain. Ce type de lance — mais tellement plus acérée que n'importe quelle lance ! — ces trois pointes aussi pénétrantes que des aiguilles, aussi efficaces que des stylets, pouvaient embrocher un tarpon — ou un homme — d'un seul jet bien dirigé. Juste à ce moment il se souvint de la godille du canoë et fila comme une flèche pour couper la retraite de son ennemi. La perche était évidemment une arme primitive, mais elle était au moins aussi longue que le manche de la foëne, et, employée avec une attention d'escrimeur, elle pouvait écarter la fourche d'acier. Instantanément, bois et métal se heurtèrent et la dangereuse parade commença, à quoi répondait une botte qui se voulait mortelle, un assaut qui brassait l'eau, la faisait écumer sous le dock et envoyait voler des éclats de bois.

Roy se sentit débordé dès le début : son adversaire, dont il ne parvenait pas à voir le visage, était beaucoup plus grand que lui, fort comme un taureau, et sans doute accoutumé dès l'enfance au maniement de la foëne. A deux reprises, Roy évita la chute de justesse, tandis qu'il écartait de sa gorge les dents terribles. Une fois, l'homme parut chanceler et Roy s'efforça de tirer tout le parti de cet avantage inattendu, mais pour voir son adversaire faire une volte brusque comme un tigre qui change de tactique et, se servant de la foëne comme d'un javelot, pousser droit vers son cœur.

Roy, cependant, pressentant à demi cette ruse, ne s'était pas laissé prendre au dépourvu. La perche de poussée reçut tout le choc du trident et le fit dévier sur la droite, où il s'enfonça profondément dans la masse spongieuse d'un pilotis en tronc de palmier. Alors Roy lança la perche à la volée sur son assaillant et ses deux poings, jetés en avant avec vigueur, suivirent le mouvement. Il sentait que, s'il pouvait se saisir de l'homme, le capturer vivant, il aurait ce soir la réponse à de multiples questions. Mais c'était l'ennemi à présent qui, les mains vides, cédait du terrain. Pendant un temps assez long, ils feintèrent désespérément entre les embarcations, sans qu'un avantage fût marqué de part ni d'autre. Et puis la forme sombre s'esquiva parmi un groupe de pilotis et, subitement, il la vit reparaître, comme par magie, le long du plat-bord du canoë. Il vit la godille récupérée passer dans l'embarcation et sut que l'autre allait lui échapper sans avoir pris un seul coup sérieux. Tardivement, il pensa à réclamer de l'aide à grands cris, tout en courant vers l'esquif le plus proche en une ultime tentative de couper la route au canoë. Au moment même où ses orteils appuyaient sur le sable pour ce dernier élan, il comprit pourquoi son antagoniste était si anxieux d'atteindre son embarcation : un rayon de lune se réfléchit sur de l'acier, et Roy, se laissant aller à plat ventre dans l'eau peu profonde, entendit une hache indienne, lancée avec une précision diabolique, passer à un demi-pouce de sa tête, pour aller se perdre dans l'épaulement de la dune. S'il ne s'était pas littéralement enfoncé dans l'eau et le sable, il était mort. Bien vivant, il se ramassa sur les genoux et les mains, puis plongea, dans l'espoir de s'accrocher à l'arrière du canoë qui démarrait.

Mais, une fois en route, une pirogue, un canoë indien peuvent filer à une allure vertigineuse. Roy connut immédiatement la futilité de son effort : même s'il avait trouvé des rames et détaché promptement une quelconque embarcation, il était battu d'avance, car aucune n'était construite pour la course. Il se redressa et, la godille déterminant de grands tourbillons phosphorescents, suivit du regard le canoë en fuite : déjà il avait dépassé l'extrémité du dock et, par un effet de lumière et d'ombre magiquement combinées, semblait avoir quitté la surface de l'océan et, tel un grand oiseau, abandonner les vagues pour s'élever en l'air. Debout dans l'eau jusqu'à la taille, Roy appelait vainement un secours qui ne venait pas. Il vit la voile triangulaire se dresser, s'étaler, se gonfler et entraîner l'embarcation au delà de la pointe au moment même où la main du sergent Ranson le prit par le coude pour l'aider à gagner la plage, puis le sentier de l'hôtel où des voix rauques chantaient toujours.

— J'étais dehors, monsieur, je vous ai entendu appeler et j'ai eu beau venir aussitôt, c'était tout de même trop tard. Les autres, eux, sont presque tous aveugles en ce moment au point d'en être sourds !

— Vous avez donc vu ce qui s'est passé ?

— Suffisamment, docteur. Y compris la carte de visite de votre visiteur !

Ranson se baissa pour ramasser le tomahawk sur la pente de la dune.

— Si vous voulez mon avis, monsieur, je crois que vous ne vous êtes pas laissé choir une seconde trop tôt.

— Avez-vous vu son visage ?

— Pas moyen. L'éclairage était trop mauvais et il prenait grand soin de se cacher.

Ranson donna un coup de hache rageur dans une touffe de cactus baïonnette qui poussait près de la porte de la salle de café :

— Emportait-il beaucoup de choses ?

— C'est bien ce qu'il y a de curieux : à part la foëne, il avait les mains vides.

— J'opinerais presque... pour quelque ami personnel de Dan !

D'un grognement, le sergent admit cette supposition. Il avait déjà été le confident de Roy, quand les canailleries de Dan Evans avaient fait l'objet de discussions parmi l'État-Major.

Côte à côte, ils se frayèrent de l'épaule un passage à travers l'épaisse fumée qui servait d'air respirable au cabaret. C'était un lieu assez curieux que cette salle, accolée à la bâtisse principale, construite en planches de pin non rabotées, parsemée un peu partout, autour du bar lui-même et dans tous les coins, de chaises à fond de paille. Elle était dessinée de manière à représenter un schooner échoué, dont le bastingage faisait office de table et dont les mâts brisés soutenaient des grappes de brocs et de pots enveloppés de paille. Ce soir, le rhum coulait de tous les goulots. Le *Bar du Naufrage* — au nom maintes fois justifié — de Dan Evans était célèbre sur les deux côtes de la Floride. La plupart des buveurs étaient déjà depuis longtemps sinon dans les vignes du Seigneur, du moins dans ses cannes à sucre et ses champs d'orge. L'arrivée de Ranson ne troubla en aucune façon le brouhaha des voix, où prédominait l'espagnol-cubain aux inflexions sibillantes : un tomahawk dans un poing viril, ce n'était certes pas une nouveauté sur les keys.

Dan Evans, qui avait fait si allégrement soupirer son accordéon au début de la soirée, dormait à présent sur une table de coin, la tête enfouie dans ses bras. Ranson envoya un coup de pied dans sa chaise sans que ses ronflements fussent interrompus pour si peu de chose. Mais il se réveilla avec un bâillement caverneux lorsque le sergent laissa tomber la hache indienne sur la table, tranchant vers le bas, avec assez de force pour faire éclater l'épaisse planche de pin jaune.

— Au réveil, Dan ! Reconnais-tu cette carte de visite ?

Le Britannique les regarda du fond de ses yeux bleu pâle. Qu'il fût ivre ou sobre, son visage lunaire était toujours d'une trompeuse douceur. La torsion du coin de sa bouche, quand il offrait son sourire contrit et navré, faisait penser à la moue d'un enfant, tant qu'on n'avait pas remarqué les dents — saillantes les unes, cassées les autres — entre les lèvres boudeuses, le nez brisé qui dominait l'ensemble.

Dan Evans, encore qu'il portât de nombreuses cicatrices, témoignages des blessures que lui avait infligées la vie, avait toujours conservé intacte sa bonne humeur. Ses amis assuraient qu'il était le plus riche propriétaire terrien de toute la Floride, en même temps que celui sur lequel on pouvait le plus sûrement compter. Ses ennemis eux-mêmes (car, comme beaucoup de fils de leurs propres œuvres, il avait, au cours de son ascension, piétiné plus d'un visage) tiraient leur chapeau à son compte en banque et ajoutaient qu'il était un peu moins digne de confiance qu'un barracuda.

La voix de Dan était, ce soir, douce et paisible :

— Vous êtes un de mes vieux amis, sergent. Je ne pardonnerais à personne d'autre de m'avoir éveillé aussi rudement.

— Assez légitime, fit Ranson. Ce n'est pas une raison pour ne pas répondre à ma question.

Dan Evans bâilla de nouveau et retira le tomahawk du bois de sa table. Il le soupesa dans sa main avec un dégoût évident, comme s'il hésitait à lui donner un nom.

— Nous avons tous vu ça avant aujourd'hui, sergent ! Où avez-vous trouvé celui-ci ?

— Dites-le-lui, docteur, fit Ranson.

Les yeux de l'un et de l'autre n'avaient pas quitté le visage de Dan depuis qu'ils étaient entrés dans le cabaret.

Roy conta l'histoire aussi simplement qu'il le put, afin qu'elle fût compréhensible pour Dan malgré son état actuel. Mais, bien avant d'avoir terminé son récit, il se demandait si l'ébriété du tenancier n'était pas plus feinte que réelle. Comme l'histoire approchait de sa fin, Evans se mit à secouer vigoureusement la tête, et elle semblait plus grosse à chaque secousse. « Il est en train de se souvenir que j'ai enfreint les limites de son domaine, se disait Roy. Un moment de plus, et il me dira que je ferais bien de rester du côté Barker du Key, et de laisser les voleurs à l'attention du seul Dan Evans. »

— Ainsi donc, docteur, la porte de mon entrepôt était ouverte ?

Le trafiquant soupesait toujours le tomahawk sur sa paume.

— Et vous avez été attaqué parce que vous vous efforciez de... de vous rendre compte ?

Roy se fit à nouveau la réflexion que la langue d'Evans était étrangement alerte et claire pour un homme aussi imbibé d'alcool.

— N'était-ce pas... peut-être... un de mes propres surveillants, qui vous aurait pris pour un malfaiteur ?

— Peu probable ! Je lui ai demandé son nom... et vous avez sa réponse en main !...

— Alors, oui, évidemment, c'est un voleur. Il a choisi un drôle de coin pour son... brigandage... Dois-je vous dire que le magasin du sud ne contient rien, absolument rien que du sel, en fûts de cent livres ?

Roy haussa les épaules et laissa passer le ricanement sans le relever :

— Pourquoi, s'il était innocent, m'aurait-il attaqué ?

— Supposez — puisque vous l'insinuez — que c'était un Indien. Supposez qu'il coupait au plus court pour regagner son canoë. N'auriez-vous pas été saisi, à sa place ? Et n'auriez-vous pas — à sa place — réagi comme réagirait n'importe quel sauvage ?

— Vous recevez donc des Indiens ici ?

— Fréquemment, docteur Coe. Et pourquoi pas ? Je suis l'ami des Indiens aussi bien que le vôtre. Durant toute la guerre, j'ai cédé du sel en échange de peaux de loutres, exactement comme vous l'avez fait dans les Glades. Nous avons, vous et moi, fait ce que nous pouvions pour assurer la subsistance de ces pauvres Séminoles, pour les garder en vie — en attendant que Chekika se décide à enterrer la hache de guerre. Je respecte votre point de vue. Pourquoi ne respectez-vous pas le mien ?

« Je ne crois pas un mot de tout cela, se disait Roy. Cela vous ressemble bien, d'attaquer avec mes armes. En vérité, je suis tout à fait certain que jamais vous n'avez versé une larme sur qui que ce soit au monde en dehors de vous-même. Ou, peut-être, en dehors de la sang-mêlé que vous appelez votre femme. »

Ses yeux errèrent tout autour de la salle et il se demanda si Aigrette Blanche, la Cubaine couleur de miel qui s'appelait elle-même la « femme de Dan Evans », était l'interlocuteur de l'intrus, dans la conférence qu'il avait sans doute interrompue.

Il s'obligea, en répondant, à garder une voix aussi calme et paisible que celle de Dan :

— Cela ne vous trouble pas autrement, quand un voleur entre dans vos magasins ?

— Êtes-vous certain que c'était un Séminole ?

— En aucune façon, dit Roy, qui marqua un léger avantage.

Il avait pris soin de ne pas décrire trop exactement son assaillant : la question de Dan était donc une manière d'aveu.

— Sel ou pas, dit-il, je serais d'avis que vous vous assuriez que c'était bien un loup solitaire !

Dan Evans, à son tour, haussa les épaules et lança une remontrance au barman. Puis :

— On m'a déjà volé avant aujourd'hui, et j'ai survécu,

dit-il. Je pourrais ajouter que j'ai gardé ma licence ! J'irai plus loin, docteur Coe. Il serait plus simple pour tout le monde que, dans vos promenades, vous vous teniez sur la partie Barker de l'île. Non certes que vous ne soyez le bienvenu ici, à la condition de venir par le chemin normal et régulier.

« Depuis le début, je m'attendais à cette réprimande », pensa Roy, qui se contenta de dire :

— Vous admettrez néanmoins que la police n'est pas trop bien faite de votre côté de la frontière.

— En aucune façon ! Comme je le disais à l'instant, votre adversaire pouvait fort bien être un parent par mon mariage !

« Ou un émissaire de Chekika, se dit l'autre. *Chittamicco lui-même, ou l'un de ses guerriers.* »

Chose curieuse, un sens inférieur — l'instinct peut-être, réservé aux animaux — lui suggérait avec insistance que son ennemi envolé était l'héritier de Chekika, et nul autre. Il rejeta ce soupçon : après tout, les keys grouillaient de voleurs de tout poil. Comme Dan en avait fait la remarque, ils avaient jusqu'ici limité leur activité à son côté de l'île.

— C'est entendu, Dan, dit-il. Désormais je saurai quelle est ma place.

Le trafiquant se hissa lourdement sur ses pieds :

— C'est tout ce que je désirais entendre, docteur, dit-il, d'une voix pâteuse cette fois. Ce sera même très bien comme ça. Croyez-en ma parole, l'homme sera puni, si je puis retrouver sa trace, même s'il est cousin au second degré d'Aigrette Blanche.

Sans s'inquiéter davantage, il gagna, en tanguant pesamment, l'escalier qui conduisait à ses appartements privés. Le silence qui plana soudain sur la salle fit se retourner Roy. Personne ne bougea pendant que Dan montait vers la fille couleur de miel qui l'attendait, debout, devant une porte ouverte, une fille dont les cheveux noirs et les yeux de jais trahissaient la race. Roy se leva juste à temps pour la saluer d'une inclinaison profonde, où il mettait vraiment beaucoup de cœur. Il détestait suffisamment Dan pour plaindre en toute sincérité la douce métisse cubaine qui partageait sa vie.

Dan s'arrêta un instant sur le seuil pour agiter, en direction de l' « Armée », un doigt chargé d'intentions coquines.

— Merci encore, messieurs, pour le zèle que vous avez déployé à mon égard. Commandez ce que vous voudrez, votre argent n'a pas cours ici ce soir.

Il disparut sur ces paroles, s'abandonnant au bras de la fille claire et brune, avec autant de naturel qu'un fils un peu dévoyé reviendrait vers l'étreinte de sa mère.

Roy regardait la porte fermée et bouillait de ressentiment :

— Est-ce que, par hasard, il essayerait de nous acheter ?

— M'en a tout l'air, monsieur, répondit Ranson. Êtes-vous dans un état d'esprit à refuser... une prime ?

— Certainement pas, à condition de garder les mains propres.

Sur quoi ils choquèrent leurs verres, après qu'un des esclaves de Dan fut venu, traînant les pieds, leur verser du rhum cordon noir.

— A la santé d'une fieffée canaille ! dit Ranson. Puisse-t-il être pris et tranquillement pendu avant la fin de ce tour de service.

— A propos, est-ce que Winter et Stevens vont revenir ?

— Pas que je sache, monsieur. Ils ont à s'occuper des dames chez le docteur. Si vous voulez parler de leur affaire avec Dan, cela, c'est terminé, en règle, signé et scellé, depuis une bonne heure. Il semble que Dan et le colonel Merrick s'étaient préalablement mis d'accord sur les grandes lignes. En ce moment même, une partie du ravitaillement est déjà en route pour le fort par allège spéciale. Le reste partira à l'aube.

— J'aurais dû me trouver présent, mais j'avais une opération... Nous aurions peut-être pu économiser de l'argent à l'Armée.

— Le prix aussi était d'accord. Convenu. Dan est formel sur ce point. En tout cas, nous ne mourrons pas de faim dans les Glades, docteur. Il nous a vendu assez de bœuf séché pour nourrir un régiment.

— Cubain, j'en jurerais. Et coriace.

— Exactement tel, monsieur. Nous serons cependant content de l'avoir embarqué lorsque nous serons entre l'eau, les joncs et la fétuque.

Le sergent remplit le verre de Roy.

— Boirons-nous à la réussite du raid, monsieur ? Ou bien si vous ne contresignez pas ce projet ?

— C'est un toast qui en vaut bien un autre, sergent.

D'un seul coup, ils envoyèrent la liqueur de feu au fond de leurs gorges, et, presque instantanément, Roy sentit les fumées lui monter au cerveau. « Je devrais être rentré chez le docteur Barker, pensa-t-il. Même s'ils ont fini de dîner depuis longtemps ! Espérons qu'elle s'est aperçue de mon absence et que je lui ai manqué un peu. Un tout petit peu. »

Et il souleva la dame-jeanne pour verser la troisième tournée.

— Que pensez-vous du raid, Ranson ?

— Je puis répondre sans chercher mes mots, monsieur : ce sera la pire aventure que nous aurons jamais vécue.

— Pire que Withlacoochee?

— Withlacoochee était un pique-nique avec paniers garnis, docteur ! Nous avions une berge de rivière d'où combattre — c'était une base, même si c'était surtout de la vase. Et des howitzers (1) pour tenir ces démons en respect. Cette fois-ci, nous nous battrons sur un territoire jamais exploré. Nous combattrons à partir des embarcations. Sans plus de base qu'une vipère d'eau. Si vous permettez que je vous donne mon avis, monsieur, le fantassin est au mieux de sa forme sur la terre ferme.

— Et vous voulez tout de même porter un toast à ce raid ?

Ranson leva son verre :

— Être soldat est mon métier, docteur.

— Oui, mais ce n'est pas le mien ! Pourquoi donc est-ce que je reste avec l'Armée ?

— Je ne saurais répondre à cette question, monsieur. Tout ce que je sais, c'est que nous sommes bien contents de vous avoir.

— Sans doute ai-je dû avoir toute ma vie le désir de mourir ! Sans doute ne suis-je pas disposé à le reconnaître !

Roy considéra fixement son verre, puis remplit les deux verres et but. « Cette dame-jeanne est certainement un raccourci en direction de la mort ! pensa-t-il. En ce moment, c'est un genre de médecine qui ne me déplaît pas ! »

— Buvez, sergent ! Nous vivrons... indéfiniment, vous savez !

« C'est le cas de la plupart des gens qui voudraient y passer, ajouta-t-il en silence. Vieillir. Sonner le creux. Se vider, s'aigrir à mesure que s'écoulent les années... Vivre... ou survivre... grâce à des principes cyniques... Se refuser d'envier le bonheur des autres... »

Il formula tout haut sa conclusion :

— Ranson, est-ce que vous voulez bien me mettre au lit ce soir ?

— Si vous le désirez, monsieur. Puis-je vous demander en quel honneur nous allons boire, ce que nous allons célébrer ?

— Ma liberté, Ranson. Le fait que je suis vivant, sain et sauf, et libre comme l'air, sans fil à la patte. Combien de célibataires, vienne la trentaine, en peuvent dire autant ?

(1) Howitzer : canon court, obusier de campagne.

CHAPITRE X

Il s'était attendu a se réveiller avec un mal de tête fracassant. Mais, longtemps avant d'ouvrir les yeux, il savait que son corps, complètement remis à neuf par ces longues semaines dans les Glades, avait brûlé les excès de rhum sans perdre un battement de cœur. Il se retourna avec satisfaction dans son cocon de couvertures, tint le souvenir de Mary à distance et, son cerveau embrayant sans difficulté, retrouva une complète lucidité. Jamais il ne s'était senti plus dispos, plus renouvelé ; il avait abandonné sa dépouille de désespoir dans quelque coin du *Bar du Naufrage* — littéralement il avait mué.

— Réveille-toi, Roy ! Tu ne comptes pas rester éternellement dans ces couvertures, non ?

Il se redressa et regarda Andy Winter, à califourchon sur une chaise au milieu de la pièce, le dos vers la persienne par où entraient des lames de soleil.

D'un coup d'œil, il s'y retrouva : il était dans sa chambre habituelle chez le docteur Barker ; le sergent Ranson, l'ayant installé dans le lit à colonnes et bordé avec son habileté coutumière, avait soigneusement rangé ses vêtements dans l'armoire. Non sans surprise, il constata qu'Andrew portait son uniforme de fatigue et qu'une ride profonde creusait son front.

— Je n'ai que trois minutes pour te dire au revoir, Roy. Es-tu sûr d'avoir la tête claire ?

— Je suis totalement éveillé ! Mais pourquoi n'es-tu pas en grande tenue ? Je croyais que tu te mariais aujourd'hui ?

Il posa les pieds par terre et, sentant une douleur familière, lancinante, passer derrière le globe de ses yeux, secoua la tête pour se débarrasser du brouillard :

— Qu'est-ce que c'est que cette histoire de dire au revoir ?

— Ordres, répondit brièvement Andrew. Arrivés avec la marée, par sloop spécial. Il semble qu'on nous ait cherché partout hier !

— Du colonel ?

— Qui donc me donne des ordres en dehors de lui ? fit Andy, hargneux.

Il se leva, écarta sa chaise d'un coup de pied et se prit à arpenter la pièce. Avec ses mains nouées derrière son dos, il avait un air de Napoléon grand format. Ou d'un grand enfant boudeur en uniforme.

— C'est le colonel qui t'a envoyé ici, Andy ?

— Et c'est le colonel qui me rappelle au Fort. Réunion d'un Conseil de Guerre ce soir. Maintenant que notre contrat est signé avec Evans, nous n'avons plus rien à faire ici, dit-il. Au fond, il a raison. Ça n'empêche pas que c'est bigrement désagréable pour Mary.

— Pourquoi ? Elle attendra le paquebot de Key West. Tu as encore le temps de l'épouser.

— On n'épouse pas une dame à pareille heure.

— On épouse une dame à n'importe quelle heure. Pourvu qu'elle soit consentante.

— Pas *ce* soldat-*ci*, Roy ! Depuis que mes ordres sont arrivés, j'ai réfléchi : le père de Mary sera enchanté de notre mariage. Pas le moindre doute à ce sujet. Mais il serait sans doute moins satisfait si nous nous mariions sans son consentement formel. Le vieux Merrick m'a probablement évité une regrettable gaffe.

— Comment ! Tu veux dire que, finalement, tu vas la renvoyer à New-York... demoiselle ?...

— Que faire d'autre ? Le sloop attend impatiemment à la barre du port. Dix minutes de plus, et on manque la marée. Alors, juge.

— Est-ce que Stevens est prêt ?

— Il est déjà à bord. Ranson m'attend dans la vedette.

— Je m'habille en vingt secondes !

— Prends ton temps, fit aigrement Winter. Tu ne vas aujourd'hui nulle part en particulier.

— Je suis bien rappelé avec toi, je présume ?

— Tu présumes mal. Le colonel laisse cette question-là à mon entière discrétion, pourvu que tu sois rentré pour l'appel de lundi matin, dernier délai. Il nous faudra au moins ce temps-là pour approvisionner les navires et pour installer une base de ravitaillement aux chutes.

Andy n'avait pas cessé d'arpenter la chambre au pas régulier de ses longues guibolles. Il interrompit ses allées et venues et frappa du plat de la main sur l'épaule de son ami :

— Tu m'as tiré d'autres pétrins, mon cher vieux. Cette fois-ci, tu vas être *vraiment* utile !

« Pas possible ! Je rêve tout cela ! » pensa Roy, qui, après avoir enfilé un pantalon écru, insérait ses pieds dans ses lourdes bottes de marais — selon sa coutume lorsqu'il restait quelques jours à la plantation du docteur Barker.

— Que pourrais-je donc faire pour toi, ici ?

— T'occuper de Mary, bien sûr. Veiller à ce qu'elle prenne place à bord du paquebot de Key West dans de bonnes conditions et, entre temps, l'amuser de ton esprit et de ta sagesse !

— Le docteur Barker s'occupera fort bien d'elle.

— Je puis difficilement prier le docteur Barker de prendre ma place !

— Je ne le pourrais pas plus que lui.

— Tu peux faire de ton mieux, Roy. Après tout, le paquebot doit arriver ici demain, venant de Saint-Augustin. Après-demain au plus tard. Une fois qu'elle sera installée à bord, avec sa destination bien en vue, elle ne s'ennuiera pas trop. Je ne veux pas qu'elle se ronge ici, toute seule.

— Je m'étais proposé de passer la journée à Matecumbe.

— Excellente idée en vérité ! Emmène-la. Elle souhaite follement voir d'autres keys.

— Est-ce un ordre en bonne forme, capitaine ?

— Un ordre indubitable, docteur Coe. Jusqu'à ce que le paquebot quitte le port, tu n'auras aucune excuse pour laisser Mary.

Leurs regards se rencontrèrent et leurs yeux firent des étincelles. Roy fut le premier à baisser les siens. L'air à peu près aussi boudeur et grognon qu'Andrew, il s'en fut à l'armoire et en sortit une chemise blanche avec large cravate assortie :

— S'il faut que je sois le cavalier d'une dame, dit-il, je ne puis guère me promener nu jusqu'à la taille.

— Va comme il te plaît, mon garçon. Mais facilite donc les choses à Mary, elle commence à croire que tu la détestes.

« Elle ne croit absolument pas de telles sornettes, pensa Roy. Elle ne sait que trop bien quels sont mes sentiments ! »

— Je suis un loup solitaire, Andy, et tu ne l'ignores pas. N'essaye pas de me civiliser trop vite ni de me « mondaniser » !

— Promets-moi de te conduire civilement et c'est un homme heureux qui quittera cette chambre.

— Je me conduirai civilement, Andy.

Sur quoi ils se serrèrent la main avec un naturel parfait. Andy se dirigea vers la porte, car de la pelouse montait un rappel lancé par la voix tonnante du sergent Ranson.

— Souviens-toi que tu es attendu au Fort lundi.

— Je m'en souviendrai, capitaine Winter.

— Et ne deviens pas amoureux d'elle ! Je serais obligé de te coller deux balles dans la peau.

— Est-ce également un ordre ?

— Le dernier que je te donnerai aujourd'hui, dit Andrew, qui sortit en riant.

Roy s'aperçut qu'il faisait écho à ce rire, pour des raisons bien différentes : « Au moins, pensait-il, je n'ai pas promis de l'emmener à Matecumbe. Seulement de l'amuser et de veiller à ce qu'elle prenne saine et sauve la route de Key West et du foyer paternel. »

Il termina en hâte sa toilette, sans formuler de plan précis. Par l'escalier de service, il arriva droit dans la cuisine où la vieille Queenie, la cuisinière-mammouth que le docteur Barker avait achetée en même temps que la maison, s'affairait autour d'un de ces petits déjeuners que seule peut offrir la Floride — quelle que soit la saison. Roy examina le plat fumant d'ignames et de crevettes fraîches, les filets de mulets, les biscuits de pâte fouettée connus sur cette côte sous le nom de *hush puppies* (1), et le jambon noblement confit qui s'étalait, rouge, important, tel un pacha satisfait sur son trône d'œufs frits et de maïs grillé. Même l'admirable déjeuner de Queenie n'avait pas l'air vrai aujourd'hui. Roy engloutit en vitesse quelques tranches de toasts beurrés, les fit couler avec du café noir — exquis d'ailleurs, — se promit de dîner sérieusement à Matecumbe et s'efforça de réussir la première manœuvre qu'il eût en tête — à savoir de quitter la maison sans être vu.

— Miss Grant est-elle à table, Queenie ?

— Dieu du ciel, non, docteuhh ! je ne coihs pas qu'elle soit même déjà descendue.

« Tant mieux, tant mieux ! » se dit-il en filant par la porte de la cuisine. Il eut une rapide vision du docteur Barker installé solitaire et en pompe devant un bifteck, un journal de La Havane

(1) Nom intraduisible. *Hush !* : silence ! *puppies :* chiots, toutous. Notre « pet-de-nonne » n'est vraiment pas plus facile à traduire.

plié contre son assiette. L'estomac de Roy se rebiffa violemment contre cette fuite, instinctive soit, mais néanmoins à jeun. Il ignora cette protestation motivée et descendit à la course jusqu'au dock couvert.

Le hangar aux bateaux était plein d'une riche lumière blonde. Au delà des portes ouvertes, on voyait les moutons blancs des vagues bondir dans le port, à mesure que le vent augmentait — et le vent augmentait à mesure que croissait le jour. C'était ce même vent qui avait poussé le vieux Ponce au delà des derniers keys jusqu'au détroit de Bahama, vers son ultime rendez-vous avec l'Histoire.

Belle journée pour naviguer — quand bien même il ne s'agissait que d'une traversée d'une demi-heure, droit vers le nord, jusqu'à la première plage où l'atterrissage serait bon sur Matecumbe. Roy examina le catboat, petit bâtiment gréé en taille-vent que le docteur Barker prenait toujours pour ce voyage : une foëne se trouvait à bord et assez de charbon de bois pour qu'il pût faire un feu et cuire son déjeuner. Il avait dans sa poche une boîte de ces nouveaux engins vraiment bien pratiques, des « lucifers » (1), et le sachet gonflé de sel que tous les bûcherons, les chasseurs, les pêcheurs et les campeurs en général avaient, en Floride, coutume d'emporter dans leurs expéditions. Pour ce jour-là tout au moins, il n'avait besoin de rien de plus.

La marée tirait légèrement, même dans la cale couverte. Il largua l'amarre et le catboat fila vers l'eau libre. Le foc se gonfla dans le vent et maintint le bout-dehors bien d'aplomb. Roy pensa à inspecter l'horizon pour s'assurer qu'Andy et l'armée avaient dépassé la barrière de récifs : déjà le sloop du Fort n'était plus qu'un point noir contre le ciel septentrional.

Comme il filait sans secousse vers les bouées et les brisants, il vit la yole ancrée en deçà des bancs de corail : un remords de conscience le saisit au souvenir du vieux John et de ses propres obligations de physicien. Il avait le temps de faire à son patient la visite professionnelle qu'il lui devait. Rachel, riche d'une solide expérience d'herboriste, était plus et mieux qu'une infirmière acceptable. Il savait que si une crise s'était produite le docteur Barker aurait déjà été appelé. Malgré quoi il avait instinctivement donné un coup de barre et se dirigeait droit sur le sloop. Les deux coques se frôlèrent en murmurant lorsqu'il jeta

(1) Allumettes.

son amarre à bord, et, comme il passait d'un bâtiment dans l'autre, il fut accueilli par Rachel avec une joie affectueuse.

La vieille négresse était accroupie près d'un brasier et Roy vit qu'elle délayait dans une belle crème épaisse l'inévitable farine de maïs : qu'aurait-on pu rêver de meilleur pour donner de l'appétit à un homme arraché de justesse à la mort ? Tout à côté, elle tenait un pot de café bien chaud.

— Comment va-t-il ce matin, Rachel ?

— Pâhfaitement, docteuh, pâhfaitement bien ! Il doht comme un enfant. Pouhquoi vous venez si bonne heûh ? La demoiselle le veille depuis le lever du joûh !

Trop tard, il aperçut, penchée au-dessus d'une paillasse, une tête familière aux cheveux noirs... Il adressa à Rachel le bref salut d'un homme qui voit tout en bon ordre autour de lui et eut l'air d'avoir prévu, comme toute normale et naturelle, sa rencontre avec Mary Grant. D'ailleurs, sitôt fait à bord son premier pas résolu et décidé, il avait eu l'impression que cette rencontre aux premiers rayons du jour était inévitable entre eux.

— Puis-je vous demander ce que vous faites ici ?

Mary se redressa près du lit et présenta au nouveau venu son sourire le mieux choisi :

— Je représente le docteur Barker, naturellement, dit-elle en un très léger murmure. Et je vous attends. Je ne saurais sans y réfléchir dire ce qui, des deux, a le plus d'importance.

— Quand êtes-vous sortie du port ?

— Comme Rachel vient de vous le dire, à l'aurore. Je ne pouvais pas dormir, alors je suis descendue avec l'intention de prendre le café, mais le docteur Barker se préparait à venir ici. Renoncé momentanément au café. Insisté pour l'accompagner. Après avoir constaté que John dormait paisiblement, il est rentré déjeuner.

Roy s'obligea à la regarder en face pour la première fois et cligna des yeux dans sa stupéfaction. Elle portait des treillis assez semblables aux siens et une chemise militaire que le lavage avait suffisamment rétrécie pour qu'elle s'y trouvât juste bien. Il osa risquer un œil vers ses chevilles et vit qu'elle avait les jambes et les pieds nus, comme lui-même. Le madras éclatant posé sur ses cheveux noirs était le seul détail féminin de sa tenue actuelle.

— Il ne faut pas prendre l'air choqué, dit-elle. Le docteur Barker a trouvé que c'était le costume le plus approprié pour passer la journée à Matecumbe Key — c'est là, n'est-ce pas, que nous allons, quand vous aurez examiné votre patient ?

— Faites-vous profession de liseuse de pensée ?

— Andy me l'a annoncé, en me criant ses adieux par-dessus les vagues. Je dois reconnaître que cela m'a donné un choc de le voir voguer hors de mon existence ! Un peu l'effet d'être abandonnée au pied même de l'autel...

Il sentit son cœur bondir de façon tout à fait désordonnée en l'écoutant parler aussi placidement de cette aventure. « Peut-être, après tout, n'est-elle pas vraiment attachée à Andrew ? pensa-t-il, soudain baigné d'espoir et d'allégresse. Peut-être le vieux Merrick m'a-t-il sauvé la vie avec son ordre impétueux !... »

Mais, en s'approchant d'un pas, il vit briller une larme dans les yeux de la jeune fille et se détourna. Bien qu'il souhaitât de tout son cœur la consoler, il sentait les mots s'étouffer dans sa gorge.

— Bien sûr, vous pouvez venir si vous le désirez. Je crains toutefois que vous ne trouviez pas cela drôle du tout : je vais simplement inspecter la plantation.

— Si je craignais de m'ennuyer, je n'aurais pas attendu ici.

Il se détourna de cette innocente provocation et s'en alla droit au lit de John, bénissant l'attitude professionnelle qui lui permettait de cacher ses sentiments. Avant même d'avoir pris le pouls du noir, il sut qu'aucun examen approfondi n'était nécessaire. Le front de John était frais au toucher, son souffle régulier, les battements de son cœur vigoureux, et même le pansement — que le docteur Barker avait visiblement changé à la fin de la nuit — était normalement rose, signe certain que la chair était saine au-dessus de la partie amputée, et qu'elle se cicatrisait déjà.

— Vous êtes un chirurgien de premier ordre, docteur Coe

Il refusa d'entendre le compliment et s'obligea à répondre d'une voix indifférente et presque rude :

— J'ai été à une dure école. Ceci n'est guère qu'une opération de routine, du tout-venant. L'air marin sera désormais son meilleur guérisseur.

— Cela signifie-t-il que nous pouvons partir tranquilles, sans attendre le retour du docteur Barker ?

Il alla, sans un regard en arrière, jusqu'au plat-bord qu'il franchit et, une fois dans le catboat, lui tendit la main pour l'aider à y descendre :

— Quand il vous plaira, Mary.

Mary Grant passa de la yole au catboat et s'installa à côté de Roy, au gouvernail, comme si sa place avait été là de toute éternité. Il mit le cap sur l'épaisse et haute touffe de palmiers, à la pointe occidentale de Matecumbe, et n'osa pas s'apercevoir tout de suite de la présence de la jeune fille. Même quand il entendit son petit rire chaud et cordial, il garda les yeux résolument fixés devant lui, encore que le fouet léger d'une mèche noire s'obstinât à lui taquiner la joue.

— Aurais-je, d'aventure, dit quelque chose de drôle ?

— Jusqu'à présent, vous n'avez rien dit du tout, protesta Mary. Et je ne donnerais pas deux sous de vos pensées qui, cela saute aux yeux, ne sont pas faites pour la publication !... Vous pourriez cependant m'expliquer pourquoi il faut que je sois sur l'eau — ou dedans ! — pour avoir le privilège et l'agrément de votre compagnie ?

— Je regrette, dit-il brièvement, si j'ai pu vous donner l'impression que je vous évitais. Pouvez-vous tenir la barre ferme dans sa direction pendant que je vais larguer le clinfoc ?

— Droit comme ça, monsieur !

Il ne se retourna pas tout en se dirigeant vers le beaupré, mais ses orteils nus lui disaient que Mary était un marin-né, car les planches du pont ne frémissaient pas et la petite embarcation continuait sa route avec une stabilité et une exactitude parfaites. Le foc gonflé, la proue se souleva lestement sous la force du vent. Mais, quand, revenu à l'arrière, il lui reprit la barre des mains, leur route était demeurée aussi précise que celle d'une flèche.

— Droit sur ce bouquet de palmiers, skipper, dit-elle.

— Droit dessus. Nous prendrons la station navale par bâbord et vireront ensuite pour entrer dans Matecumbe Bay par le canal du Sud.

Il concentrait toute son attention sur la manœuvre. Les bâtiments massifs et trapus de Tea Table Key semblèrent se précipiter à leur rencontre. Il pouvait déjà compter les mâts des sloops à l'ancre longtemps avant de voir ruisseler les embruns sur les récifs. La longue jetée qui s'avançait dans le canal grouillait littéralement de marins en vareuses bleues. Il distingua même le commandant de la station, un jeune lieutenant mince, littéralement soulevé par ses épaulettes comme un aigle par ses ailes, au point que ses talons ne paraissaient plus toucher les planches. La vue des uniformes éclatants était curieusement réconfortante, quoique la petite station navale eût son air habituel d'enfant perdu dans l'écume et l'interminable assaut des vagues. Les soldats de Fort Everglades l'avaient baptisée Pelican Patrol.

Roy fut tenté, pendant un grand moment, de s'arrêter au dock, de présenter Mary au lieutenant, et, qui sait? avec un peu de chance, de la débarquer et d'obtenir que ce jeune foudre de guerre, isolé loin de tout héroïsme, acceptât de la ramener à Flamingo Key à bord de son sloop. L'impulsion était quelque peu entachée de couardise : il la repoussa et se prépara à vivre une journée... défensive.

— Quand avez-vous appris à naviguer, Mary ?

— Dans le domaine de mon père, sur l'Hudson. De façon non officielle, bien entendu ! il n'aurait pas approuvé...

— Ça ne vous en amuse pas moins ?

— Presque autant que la nage. Cela aussi je l'ai appris en été, comment dire ? en douce et entre deux gouvernantes. Ce sont mes seules connaissances autres que « de salon »...

— Et l'art dramatique, vous l'oubliez ?

— Oh ! je ne suis pas vraiment actrice et vous le savez bien. Je reconnais que j'ai un plaisir énorme à me parer, me maquiller, me transformer, déclamer. Mais je ne me suis affiliée aux Comédiens d'Avon que pour avoir l'excuse de quitter pendant quelque temps le foyer paternel — et pour aller retrouver Andy.

— Je regrette que, l'ayant trouvé avec tant de peine, vous l'ayez perdu si vite !

— Prouvez-le, dit-elle. Prouvez-le en m'aidant à oublier que je suis encore célibataire. Montrez-moi comment vous vivez quand vous êtes... loin de tout !...

— Je ne fais qu'une petite traversée pour aller inspecter les plantations du docteur Barker, sur Matecumbe. Vous trouverez ce key absolument pareil aux autres.

— Ne m'en veuillez pas si je souhaite échapper à mon passé ! Je ne le retrouverai que trop vite.

— Vous aimeriez rester ici plus longtemps ?

— Vous pouvez dire « y rester toujours », Roy

Elle soupira et il choisit de ne pas entendre ce soupir. Par bonheur, il avait besoin de toute son habileté manœuvrière pour garder son petit esquif sain et sauf au milieu des périls de cette dernière — et courte — partie de leur expédition, alors que les longs bras couverts de palétuviers que Matecumbe étendait vers la baie semblaient prêts à les engouffrer, et que l'estuaire qui allait se rétrécissant toujours, bloqué par le mur bleu noir de la jungle, prenait un air de tunnel sans fin empli du soupir de la marée. Et puis leur beaupré pointa une fois encore vers l'eau libre : la grande plaine bleue de Florida Bay s'ouvrait devant eux, parsemée de minuscules touffes de palétuviers sur des îlots grands comme un jardin de banlieue, et toute pointillée des ailes blanches des innombrables et mobiles oiseaux de mer.

Loin vers le nord, la courbe de Cape Sable mettait son trait de suie sur l'horizon, comme si quelque artiste céleste, las des dessins fantasques et désordonnés des récifs de corail et des keys, avait, d'un seul coup précis de son pinceau, donné la fermeté au caractère de ce paysage avant de s'en détourner.

— Est-ce là la Grande Terre, le Continent ? demanda Mary.

— Land's End, dit-il, le « Bout de la Terre » — et le plus vert des déserts sous le ciel du Bon Dieu !

— Est-ce que Chekika y est aussi ?

Il la regarda, surpris : il ne pensait pas qu'elle aurait retenu sa conférence sur le Séminole et ses habitudes.

— C'est toujours son terrain de chasse légal.

— Alors, je présume que nous sommes allés assez loin ?

— Tout à fait assez loin, dit-il en changeant la barre.

Ils atterrirent doucement, sans secousse, le bout-dehors fendant une grappe d'algues qui chevauchait une vague.

Il tendit gravement la main à Mary pour l'aider à descendre à terre, évitant toutefois de rencontrer son regard, et ils se trouvèrent debout côte à côte sur l'étroite bande de plage. A présent qu'il avait atteint le but de son voyage, il éprouvait une curieuse répulsion à avancer :

— La plantation est au milieu de l'île, au delà de cet écran de jungle. Nous allons commencer par mettre notre dîner sur le feu, nous irons explorer ensuite.

— Votre Éden vous semble-t-il gâté depuis qu'Ève l'a envahi ?

Il s'aperçut que la main de la jeune fille était toujours étroitement serrée dans la sienne et aussitôt la libéra. Le temps d'un battement de cœur de plus, et il n'aurait pas résisté à son désir de l'attirer dans ses bras. Pourquoi, tout au fond de sa cervelle, quelque démon toqué insinuait-il que Mary s'y serait blottie très volontiers ?

— Bien au contraire, dit-il courtoisement, surpris lui-même

de la fermeté de sa voix. Vous demandez comment je vis dans la nature sauvage ? je vais vous le montrer — mais il va falloir que vous fassiez votre part de besogne si vous avez l'intention de dîner avec moi. Vous pourriez commencer tout de suite à ramasser du bois flotté parmi ces racines de palétuviers. Et gardez l'œil ouvert vis-à-vis des serpents, ils ne manquent pas dans cet Éden.

— Très bien, skipper, répondit Mary. A vos ordres.

Il la regarda se mouvoir, légère et rapide, parmi les troncs noircis par le temps, et négligea l'élancement douloureux de son cœur. Il trouva son salut personnel à s'emplir les bras de morceaux de bois qu'il rapportait au puits de coquina sommairement façonné lors d'une précédente visite, et ne leva pas les yeux lorsqu'elle le rejoignit, les deux bras chargés.

— Apportez-moi à présent tout ce que vous pourrez de mousse espagnole, de zostère, de coralline, et trempez-les dans les flaques.

Mary obéit sans mot dire, comme si, avant celui-ci, ils avaient construit ensemble une centaine de fours de sable. Des pierres plates, étalées en une couche en travers du foyer, sifflèrent quand la flamme s'élança du bois flotté. Les mousses trempées une fois posées près du brasier ronflant et prêtes à l'usage, il retira une foëne du catboat :

— Roulez le plus haut possible les jambes de ce pantalon, dit-il. Je promets de ne pas regarder. Si je ne me trompe, notre dîner nous attend parmi les coraux.

Ils avancèrent côte à côte dans les hauts-fonds où les arches torturées des racines de palétuviers s'enlaçaient aux affleurements de corail ; il sentait plutôt qu'il ne voyait l'éclair blanc des jambes nues dans l'eau limpide, savait qu'elle attendait haletante son prochain mouvement. Une ombre bougea dans un nid de racines baignées par le flot, et la foëne lancée vers le bas fit exploser un violent tourbillon de sable, puis se releva, un homard épineux de trois livres solidement coincé entre les pointes.

— Prenez un sac dans le bateau, voulez-vous ? que j'y mette notre prise. Et vous vous essayerez à capturer le second.

Il n'osa pas la regarder pendant que son corps entier s'arquait pour arracher à son gîte parmi les racines un crustacé géant, mais se hâta de l'aider avant que l'animal réussît à lui entraîner la perche hors des mains.

— Ève elle-même n'aurait pu apprendre plus vite, dit-il. Le vôtre est bien plus gros que le mien.

— Laissez-moi essayer à nouveau. Pour le prochain, je m'en tirerai toute seule.

Ce qu'elle fit à plusieurs reprises au cours de la demi-heure suivante. Deux sacs, à présent, étaient gonflés d'énormes écrevisses de mer qui se bagarraient dans l'obscurité.

Mary ne rendit la foëne qu'à contre-cœur à Roy, qui captura deux des plus grands homards épineux et les apporta au foyer :

— Ces deux-là sont plus que nous n'en pourrons manger. Les autres iront au vivier des tortues du docteur Barker.

Ils avaient bien calculé le moment de leur retour. Le puits-à-feu était à présent une masse de charbons incandescents et les pierres qui en doublaient les bords étaient presque aussi chaudes. La mousse, quand il la jeta, en l'étalant sur toute la largeur du foyer, donna une vapeur considérable : sur cette couche protectrice, les deux crustacés furent chargés de pierres brûlantes, puis d'une autre couche de mousse humide, et une épaisse couche finale de sable, régulièrement étalée, termina le dispositif.

Roy perça le sable de place en place pour donner issue à la savoureuse vapeur :

— Accordez une heure et demie à notre four, et Madame sera royalement servie.

— Pouvons-nous aller voir la pépinière à présent ? Et puis-je rester comme je suis ?

L'affaire de la pêche aux homards avait fourni à Roy une bonne raison pour regarder ailleurs. Il lui fallut à nouveau donner un regard attentif à la jeune fille : dans ses pantalons haut roulés, les cheveux étroitement noués dans son foulard, elle aurait pu passer pour un garçon, si les seins développés n'avaient tendu vigoureusement la chemise à demi boutonnée. Il savait qu'elle ne mettait pas l'ombre de coquetterie dans sa requête. Jusqu'ici, leur expédition avait été menée dans un esprit absolu de camaraderie et d'égalité : il pouvait difficilement faire à présent appel à la pruderie.

— Ça ira très bien, si vous ne vous éloignez pas de moi, dit-il. Le sentier est assez large pour deux.

Ils avancèrent donc ensemble entre les palétuviers, dans un silence curieusement heureux et satisfait. La plantation était un long rectangle de terrain au sommet de l'îlot. La chaleur y régnait comme une présence visible et, protégé comme il l'était par le mur épais de la jungle, le sol profond et riche semblait véritablement éclater en végétation spontanée. Roy lui-même, qui savait pourtant tous les soins amoureusement prodigués en ce lieu par le botaniste, pouvait à peine croire que ce merveilleux, abondant et luxuriant jardin tropical était dû au cerveau et aux mains d'un homme. Parmi le sombre feuillage des orangers, les fruits croissaient en une telle profusion qu'ils évoquaient des galaxies en miniature, des galaxies apprivoisées. Citrons et limons poussaient aussi généreusement ainsi que les tamariniers et que l'agave aux larges feuilles. Les piments, les tomates, la ketmie semblaient foisonner tout naturellement dans le potager à l'ombre des vignes qui, en réalité, provenaient de ceps amenés de Bourgogne... Roy ne put s'empêcher de rire tout haut lorsqu'il vit Mary quitter son côté, vive comme un trait, pour aller entourer de ses deux mains comme d'une coupe une fleur pourpre de bougainvillier qui s'épanouissait à la hauteur de son visage :

— Navré, Mary ! Mais ces fleurs n'ont aucun parfum. L'Éden lui-même a ses imperfections.

— C'est trop beau pour être absorbé en une fois. Surtout dans un tel entourage ! C'est comme si, après avoir marché à travers un terrain couvert d'herbes fétides, on tombait sur une orchidée. Ou, mieux encore, sur une rose épanouie. Est-ce que la Floride entière sera un jour pareille à cela ?

— Pas toute la Floride, Mary. Le sol ne saurait être partout aussi riche. Mais les Glades peuvent produire autant et davantage.

Mary cassa un rameau de bougainvillier et le mit à son corsage — ou, du moins, à sa chemise !

— Avec ou sans parfum, je vais le porter, il m'aidera à me souvenir de vous quand j'aurai retrouvé le Nord glacé.

D'arbre en arbre, ils parcoururent la plantation, et Roy expliquait chaque plante en détail. De nombreux arbrisseaux étaient issus de graines mexicaines. Le sisal (1) aux fibres résistantes, que le docteur Barker avait ramené du Yucatan, pourrait, il l'espérait, former un jour la base d'une industrie nouvelle dans le Sud, l'industrie du chanvre. Quant au flamboiement des poinsettias, aux poivriers d'un vert si soyeux, à l'éclat ardent des hibiscus, c'étaient, disait Roy, autant d'hommages apportés par le docteur Barker à l'art de la nature comme peintre de fleurs.

— Dans cent ans d'ici, dit-il, quant on parlera de poinsettias, peut-être évoquera-t-on aussitôt la Floride.

— Espérons que l'Amérique se souviendra de l'homme qui l'acclimata ici !

(1) Le sisal, ou agave, s'appelle aussi chanvre du Yucatan.

— Bien plus que celui d'après qui la plante est nommée, il mérite que l'on se souvienne de lui !

Mary avait les bras encombrés d'échantillons divers et variés : le couteau de poche de Roy avait enlevé à chaque arbre un rameau fleuri en même temps qu'il élaguait habilement à droite et à gauche — ce pourquoi, en fait, il était venu...

Ajoutant une dernière touffe de poinsettias au fardeau de la jeune fille, il abandonna les manières du guide ou du pédagogue et la regarda qui s'avançait en dansant gaiement.

« Elle se souviendra de ce soleil, pensait-il, et de ce calme désert de verdure baigné par la mer. Jamais du pauvre fou qui l'y a conduite ! »

— Revenez à la plage à présent, Mary. Il est temps d'aller dîner.

— Faut-il déjà quitter l'Éden? Ne pouvons-nous pas rester un moment encore ?

— Pas une seconde. Les poinsettias attendront. Nos homards pas !

Quand il eut écarté le dernier brin de mousse salée, les deux crustacés apparurent, d'un rouge magnifique : une vapeur qui faisait venir l'eau à la bouche montait des fêlures de leur carapace. Il sépara une pince, la brisa sur un affleurement de corail, et offrit à Mary la chair blanche sur l'assiette improvisée que constituait une feuille de palmette.

Outre la savoureuse chair des homards épineux, il y avait des tomates et des poivrons, pris dans le jardin du docteur Barker, et une tranche de beurre frais fondu au-dessus de la braise. Le vin, un excellent *riojo alta*, qui provenait de la cave du docteur, avait été mis à rafraîchir dans la mer au moment où les jeunes gens partaient pour leur tournée dans l'Éden : pour être bu dans des quarts d'étain rincés à la vague paresseuse, il ne perdait rien de son feu ni de sa saveur. Les deux jeunes gens mangeaient avec leurs doigts et, tout en buvant, se regardaient par-dessus leur vin et se souriaient comme des amis. Quand il ouvrit sa seconde bouteille, Roy avait la tête qui lui tournait un peu. Il ne saurait jamais si ce vertige était dû au mélange du vin et du soleil ou à la présence si proche de Mary. Il s'en préoccupait moins, à présent que la journée s'étendait devant eux claire et longue, et semblait devoir durer toujours.

— Ne pouvez-vous pas tout me raconter à présent, Roy ?

— Tout quoi ? Que voulez-vous savoir ?

— Pourquoi vous êtes venu ici. Je comprends pourquoi vous

y restez et j'aimerais y rester avec vous jusqu'au jour du jugement. Mais vous n'êtes pas de ce désert, pas plus que moi.

— C'est assez vrai.

Il versa du vin et sentit que ses mains tremblaient. « Il faut que je lui dise tout, pensait-il ce faisant. Dût-elle me détester ensuite, il faut que je parle. Je ne puis me torturer indéfiniment. »

— Vous savez que je suis venue pour voir Andy. Ne me dites pas que vous n'aviez pas de meilleure raison.

— C'est curieux, mais c'est pourtant comme ça ! J'ai effectivement suivi Andrew ici. Mais à l'époque j'étais un mouton tondu, et Andrew était le bélier qui me guidait. N'importe quel autre pâturage aurait fait l'affaire. J'ai eu la chance de bien tomber...

— Un mouton ! Et tondu, encore ! murmura-t-elle. Je ne puis vous imaginer grelottant dans le blizzard.

— C'était pourtant ça. Lorsque j'ai pris pied sur la terre de Floride pour la première fois, j'étais un homme fini. Brisé. Et sans aucun désir de me réparer.

— Comment s'appelait-elle, Roy ?

— Irène, répondit-il — et sa voix n'était qu'un murmure enroué, — Irène Boucher.

— Que vous aviez rencontrée à Paris ?

— Que j'avais rencontrée à Paris. Tandis que je terminais ma chirurgie à l'Hôtel-Dieu. Pendant près d'une année, nous... nous avons été tout l'un pour l'autre...

— Comment vous a-t-elle brisé ?

— Je lui ai demandé de m'épouser. Je voulais la ramener à Boston avec moi. Le lendemain, je suis venu chercher sa réponse : elle s'était tuée. Elle avait laissé un billet pour expliquer son acte. Cinq mots, rien de plus. *Je veux t'épargner cela.*

— Cela signifie-t-il qu'elle... n'était pas digne du mariage ?

— C'était une *cocotte* (1), dit-il. Comprenez-vous assez de français pour saisir le sens du mot ?

— Je comprends, Roy.

— *Une grande cocotte* (1). Elle avait été la maîtresse des hommes les plus célèbres d'Europe. Nous nous étions rencontrés à un bal masqué. Aux Quat'z'arts. Nous étions... amants... depuis quelque temps, lorsque j'ai appris ce qu'elle avait été... avant... Son protecteur du moment était un colonel de l'État-Major de Louis-Philippe. Il nous guetta, nous découvrit, me défia : je

(1) En français dans le texte.

lui mis une balle dans l'épaule et je gardai Irène. Pendant une folle année. Chose étrange, je ne me souciais aucunement de ce qu'elle avait pu être ou faire. L'avoir près de moi me suffisait.

— Cela aussi, je puis le comprendre.

« Comment pourriez-vous comprendre ? Il enrageait silencieusement. Comment une fille telle que vous pourrait-elle comprendre et excuser ma folie ? Du moins je vous ai dit ce que je pouvais. Les faits, secs et nus, sans accompagnement. Les délices partagées des nuits de printemps. Les cœurs battant au même rythme dans l'obscurité. Et la soif de vivre qui s'était éteinte avec elle... jusqu'au moment où *vous* l'avez ranimée... » Il ne dit rien de tout cela. Il sentait la bonté dans ses yeux, la fraîcheur de ses doigts contre son poignet... Il dit seulement :

— Il y a bientôt sept ans de cela. J'étais jeune. Assez jeune pour croire que je n'aimerais plus. Jamais plus.

— Cela guérira avec le temps.

— Je suis guéri à présent, dit-il en la regardant et sans que son regard lâchât celui de la jeune fille pendant un long instant.

— Elle était plus sage que vous, dit Mary.

— Beaucoup plus sage. Mais elle n'avait pas le droit de mourir pour moi.

— On ne peut être jeune qu'une fois — et à Paris. Elle vous a donné cela. Vous lui avez donné quelque chose qu'elle n'avait jamais connu. Ne voyez-vous pas à présent que c'était un excellent marché ?

— Pas avec la mort en guise de sceau !

— Peut-être avait-elle trop vécu déjà.

— J'ai appris par la suite que les médecins ne lui donnaient plus tout à fait un an à vivre. D'apprendre cela m'a aidé... un peu...

Il se leva et, du pied, mit du sable sur les braises mourantes du foyer :

— Maintenant, au moins, vous savez pourquoi je préfère les Glades à la civilisation.

— Cela vous a aidé ?

— Énormément. Même si vous me méprisez...

— Pourquoi vous mépriserais-je, Seigneur ? Vous étiez étudiant à Paris. Vous êtes devenu vraiment amoureux de votre maîtresse. Qu'y a-t-il de plus logique ? *C'est de votre âge* (1).

(1) En français dans le texte.

Elle se pencha et, une fois encore, lui toucha très légèrement le poignet :

— Vous voyez, moi aussi, je parle français ! Ça, c'est un de mes talents de salon !

— Andy est un homme heureux, dit-il. J'aurais dû dire cela plus tôt.

— Ne pensiez-vous pas que j'aurais compris ?

— Je n'avais pas la moindre idée de la façon dont vous réagiriez. Mais je sentais qu'il fallait que je vous raconte toute l'histoire. Par exemple, ne me demandez pas pourquoi

— Je *sais* pourquoi, dit-elle. C'est parce que nous avons été amis tout de suite, bien que vous vous soyez farouchement débattu !

Comme les yeux de Roy continuaient à la brûler, Mary rougit violemment, se leva et quitta le bord du four de sable, traversa la plage et s'en fut s'installer sur un affleurement de corail. Il ne la suivit pas tout de suite. Il fit même montre de beaucoup de zèle à éteindre complètement le feu, à mettre le puits bien en ordre, à rassembler leur matériel avant d'aller le porter au bateau. Quand enfin il la rejoignit, elle regardait vaguement une flaque que la marée avait creusée au bord même de la mer — un bassin de corail où tout un banc de poissons-sergents, rayés de noir sur jaune, jouaient comme du soleil vivant...

— Amis, Mary, quoi qu'il advienne ?

— Même si vous ne me revoyez plus jamais après la journée de demain ?

— Même si, répondit-il. Je me souviendrai que c'est vous qui m'avez ramené à la vie après sept années de mort. Avez-vous une meilleure définition de l'amitié à m'offrir ?

— Soyons amis et faisons ensemble le tour de notre île une fois de plus, ou bien est-il trop tard pour cela ?

Il regarda le soleil, évaluant le temps que pouvait encore durer la lumière :

— Je crois, dit-il, que nous pouvons risquer le coup.

Elle tendit la main, il la prit et aida Mary à se relever. Cette fois encore, il sentit qu'il lui suffirait de faire un pas, rien qu'un court et unique pas, pour l'avoir dans ses bras — et cette fois encore il rejeta la tentation. Par un dur effort. « L'amitié, pensait-il, est un bien pauvre mot sous lequel noyer une flamme telle que celle qui brûle désormais entre nous... »

Il laissa enfin tomber sa main, parce qu'il venait de se demander si Mary elle-même souhaitait vraiment empêcher la flamme de flamber...

CHAPITRE XI

ILS TOMBÈRENT SUR LES traces de la pirogue sans s'y attendre le moins du monde. Roy, qui sentait croître son malaise, parlait vite et beaucoup, et tenait son regard fixé vers l'horizon. La voix douce et calme de Mary, si proche de lui, paraissait étrangement lointaine, comme si elle aussi s'était, par prudence, retirée dans un domaine intérieur... La vue du creux dans le sable, si pareil à celui laissé par un alligator se vautrant au soleil, avait causé au jeune homme un choc assez vif pour le ramener au sentiment du temps et de l'espace. Il avait instinctivement fermé son poing sur l'épaule de Mary, l'obligeant à se dissimuler derrière un buisson épineux, et, par instinct encore, son autre main se plaqua sur les lèvres de la jeune fille, étouffant net sa protestation.

Puis, comme ses yeux fouillaient le terrain à la recherche d'autres indices, il vit qu'un petit feu de camp, tout auprès, était déjà complètement froid, et que, là où un homme s'était enfoncé vers l'intérieur, la trace s'effaçait déjà, les petits rameaux avaient été brisés ou arrachés au passage plusieurs heures auparavant.

Tous ces détails racontaient une histoire fort lisible : un visiteur solitaire avait passé la nuit dans ce petit coin confortable et abrité, et il était reparti aux premiers feux du jour.

— Malgré tout, il peut y en avoir d'autres.

Il se rendit compte qu'il avait exprimé tout haut sa pensée, détendit sa pression sur l'épaule de Mary, puis parla d'une voix calme et assurée, car il avait appris de longue date à repousser ses craintes au plus profond de son cerveau et, dans le péril, à « ne penser qu'avec ses sens ».

— Demeurez où vous êtes, il faut que je vérifie cette trace dans le sous bois.

— Je vais avec vous, Roy.

— N'ayez pas peur, je vous en prie ! Quiconque était ici en est parti depuis longtemps.

— Êtes-vous sûr que c'était un Indien ?

— Cela me paraît plus que probable. C'est bien la trace d'un canoë indigène, et ces brindilles qui restent du foyer sont disposées à la manière indienne. Probablement un chasseur de plumes en route vers le nord.

Il s'efforçait à un ton de confiante certitude — qui ne répondait pas à ce qu'il éprouvait — et, en quittant la plage pour gagner le coin de jungle, il faisait de son corps un rempart à la jeune fille qui le suivait : il ne se rappelait que trop bien le sifflement du tomahawk qui avait de si peu manqué sa tête, à l'ombre du dépôt d'Evans.

Dans le boqueteau même, aucun signe de vie : la trace s'arrêtait à brève distance, dans l'ombre d'un grand chêne vert, sur la ligne de faîte de l'île. Son œil averti ne vit d'abri arrangé en aucun point. Le silence était absolu ; seul, par moment, un souffle de brise marine faisait chanter les feuillages. Les doigts de Mary touchant son bras le ramenèrent une fois de plus au lieu où il se trouvait.

— Peut-être, disait Mary, peut-être était-ce une campeuse ? Bien que... on n'imagine guère une femme oubliant derrière soi son miroir...

Il avait suivi son geste de l'œil et se pencha pour ramasser. sur la nappe de mousse séchée au pied de l'arbre, un morceau de miroir brisé. Mary, qui avait vu spontanément le premier, explorait de son côté et, bientôt, retrouvait un second éclat. Alors il palpa l'écorce de l'immense chêne vert, et ses doigts rencontrèrent de menues lacérations dans la haute colonne du tronc.

— Quelqu'un a grimpé ici, il n'y a pas tellement longtemps, constata-t-il.

Par une impulsion qu'il ne tenta pas de s'expliquer, il mit dans sa poche les deux bouts de miroir, enfonça son talon à l'endroit exact où son prédécesseur avait mis le sien — à la première enfourchure — et, de là, ce fut chose facile de grimper comme un singe jusqu'au cœur feuillu de l'arbre.

— Ne bougez pas, Mary. Je redescends tout de suite.

Déjà, il avait dépassé le bloc végétal, il voyait se balancer au-dessous de lui les plumeaux des cocotiers — une fourche encore, et son regard put parcourir tout l'horizon, avec Flamingo

Key blotti dans le cobalt aveuglant, à un petit demi-mille vers le sud. Le tronc se balançait sous son poids, mais il continua son ascension jusqu'à ce qu'il fût solidement installé au sommet de cette vivante pyramide, qui laissait flotter au vent marin de vertes bannières de mousse.

Grâce à la transparence cristalline de l'air, Flamingo Key semblait à portée de main. Il voyait l'enseigne peinte sur le toit de l'hôtel d'Evans, et il s'en fallait de peu qu'il pût la lire et qu'il pût compter les pélicans, accroupis comme de nonchalantes sentinelles sur les piliers du quai. A demi cachée par son coupe-vent, la maison du docteur Barker projetait, entre les pins balancés par le souffle du large, les éclairs de blancheur de sa façade. Il vit luire la hache d'un esclave-bûcheron qui réparait une palissade dans le coin des figuiers-banians.

Ramassé sur lui-même dans son embuscade verte, attentif comme un espion, il jouait, sans y penser, avec les éclats du miroir. Et, toujours sans que sa volonté y fût pour rien, il tenta machinalement de capter sur la petite surface polie un rayon de soleil... qu'un mouvement inconscient de sa main envoya se briser en éclats de flèche contre une fenêtre des magasins du trafiquant.

Aussitôt son moi conscient se réveilla ; il referma la main sur l'éclat de verre, le remit dans sa poche et, sans répéter le signal — si c'était un signal ! — redescendit de son perchoir. Lentement. Si bien qu'en arrivant à terre il put offrir à Mary un sourire rassurant :

— Nous pourrons rentrer quand il vous plaira. Nous sommes absolument seuls sur l'île.

Il n'osa pas se risquer à en dire davantage, mais, la surveillant attentivement tandis qu'ils retournaient à leur mouillage, il la sentit rassurée. Quant à lui, il était trop perplexe pour formuler son doute. Son doute ?... Une chose en tout cas était certaine : quelqu'un avait utilisé le miroir — qui avait dû se casser ensuite — pour envoyer un signal par-dessus le canal qui séparait Matecumbe de Flamingo Key. Ce qu'il était impossible de savoir, c'est si le signalisateur et son assaillant de la veille ne faisaient qu'un seul et même individu. Peut-être n'était-ce qu'un chasseur de plumes ? Peut-être ce signal faisait-il partie d'une routine établie ? Nul n'ignorait que Dan n'était aucunement pointilleux dans le choix de ses contrebandes et que les aigrettes volées lui étaient bonnes comme lui étaient bons les esclaves introduits en fraude. Que Dan fût une canaille, la chose ne supportait pas de discussion. Mais un signal indien venu des palmiers de Matecumbe ne pouvait suffire à le cataloguer aussi comme traître !

— Était-ce une femme, Roy ?

Il sursauta, ramena sa pensée vers Mary et se contraignit à sourire en lui tendant la main pour l'aider à passer dans le catboat :

— Je crains bien que non. C'était un mâle de l'espèce. Les Indiens emploient volontiers les miroirs comme parure, ne le savez-vous pas ? Ils ont toujours servi d'objets d'échange dans nos relations commerciales...

— Qu'est-ce qu'il faisait en haut de l'arbre ?

— Il surveillait les alentours pour savoir s'il pouvait traverser l'eau sans risque d'anicroche et s'en aller traiter quelques affaires plus ou moins légitimes avec Dan. Je les ai vus souvent, dans ses entrepôts, venir échanger leurs pelleteries pour du sel ou des cotonnades...

Il offrit un second sourire, avec autant d'effort que le premier :

— Les Séminoles en baguenaude ne sont pas tellement bien vus par la flotte ces temps-ci. Et il leur est bien difficile de traverser l'eau sans être aperçus de la Station maritime.

Mary s'installa à l'arrière.

Les ombres s'allongeaient sur la baie pendant que Roy larguait sa voile pour prendre la queue du vent d'après-midi. Il ne sentait aucune menace dans le mur de palétuviers qu'ils laissaient derrière eux, ni aucune trace d'inquiétude dans l'esprit de la jeune fille assise à son côté. « Après tout, se disait-il avec fermeté, je suis tombé des douzaines de fois sur des camps d'Indiens, dans ces keys... »

Cependant, son sixième sens, auquel il obéissait toujours sans discuter, l'incita à prendre au plus près sa première virée et à mettre le cap droit sur Tea Table Key.

— Vous avez fait connaissance avec l'Armée, Mary. Vous plairait-il de rendre visite à la Flotte, avant de repartir pour le Nord ?

Mary replia sous elle ses longues jambes humides d'embruns et demanda :

— Pensez-vous que je passerais l'inspection dans cette tenue ?

— Peut-être pas, répondit-il. J'avais oublié que nous avons laissé l'Éden derrière nous. Et, je vous en prie, pardonnez les quelques instants mélodramatiques de la fin...

— C'est ce que j'ai le mieux aimé de la journée, dit Mary. Au moins, je pourrai raconter à mes amis de New-York que j'ai vu un camp indien sur les keys. Sans oublier que j'avais commencé par l'échapper belle dans la diligence !...

Sans commentaire, il constata son changement de ton. « Une heure encore, pensa-t-il sombrement, et vous serez en sûreté chez le docteur Barker. Une semaine encore, et cette étrange journée ruisselante de soleil vous semblera aussi lointaine, aussi vague qu'un rêve. Une aventure que vous pourrez raconter en riant autour de la table à thé, chez votre père, en même temps que votre aventure de la diligence, bien entendu ! Pour ne rien dire de ce rat des marais qui avait été naguère médecin et chirurgien, et qui se montra un compagnon si amusant tandis que vous attendiez le navire du retour... »

Il repoussa cette dernière pensée comme regrettable, même dans son état d'esprit actuel, et se reprit : « Quoi qu'il advienne, je ne regretterai jamais de lui avoir ouvert mon cœur sur la plage de Matecumbe. »

— Restez derrière l'écran de la voile, dit-il. J'ai un mot à dire à l'officier de service.

Le sloop se glissa dans l'ombre de la jetée et s'arrêta doucement, le nez contre les pierres. Roy fixa son amarre et remonta allégrement la chaussée de planches usées. Au premier coup d'œil, la petite rade semblait déserte autant que la lune. Une canonnière était amarrée devant la poudrière de l'autre côté du port, deux catboats étaient tirés sur la place tout près du brise-lames. Pas un être humain qui fût visible. Puis il entendit un nonchalant claquement de talons et reçut le salut de l'officier de jour, un jeune midship qui portait l'ennui comme un fardeau visible sur ses épaulettes flambant neuves.

— Bonsoir, Mr. West. Comment se fait-il que vous n'êtes pas en mer ?

— Par ordre du lieutenant Pinckney, docteur, répondit joyeusement l'autre. Le lieutenant avait besoin de compagnie !

— Ne me dites pas qu'il n'y a ici que vous deux ?

— J'ai bien peur que si, docteur. Puis-je vous être utile ?

— Où est votre flottille ?

— Partie vers le sud depuis ce matin de bonne heure. Une histoire de contrebande à Key Largo, un renseignement qui nous est parvenu.

Le jeune homme se raidit :

— Il est bien entendu, docteur, que cette information n'a rien d'officiel !

Se souvenant du grand déploiement d'activité à la jetée lors de leur passage matinal, Roy se raidit à son tour. Ainsi donc il ne s'agissait pas d'un exercice de pure routine ?

— Où sont les « marines » ?

— La moitié de la compagnie est embarquée. L'autre moitié est allée seiner.

De nouveau, les belles épaulettes se redressèrent au garde à vous, mais l'ombre d'un sourire flottait sur le jeune visage de Mr. West :

— Car un autre renseignement encore nous est parvenu : l'annonce qu'un banc de mulets batifole à Lady Key.

Ainsi donc, depuis midi à peu près, Tea Table Key était autant dire sans surveillance. Au souvenir de ce qu'il avait découvert parmi les palétuviers à moins d'un demi-mille vers le nord, Roy envoya cordialement au diable la patrouille des pélicans. Mais aussitôt il excusa leur apparente négligence. Des mois de paresse, sans un ennemi en vue, avaient plongé la station dans un abîme de torpeur, et l'on ne pouvait guère blâmer la patrouille qui avait gobé la première rumeur comme un hameçon et mis gaillardement cap plein sud, sous toute sa toile.

— Quand rentreront vos pêcheurs de mulets ?

— Au coucher du soleil, docteur. Si vous contournez le banc de sable, vous les apercevrez certainement. Ils sont partis à pied pour Lady Key. Maintenant que la marée monte, ils pataugeront pour rentrer.

— Si vous n'y voyez pas d'inconvénient, j'aimerais parler au lieutenant.

— Entrez, docteur. Vous êtes toujours le bienvenu.

Roy, négligeant l'ironie dont était empreint le salut que lui offrait fort correctement le midshipman West, se dirigea vers le quartier du commandant, un massif petit cottage de coquina perché en bordure de la mer. De l'intérieur, on entendait les ronflements sonores du lieutenant James Pinckney, médaillé à Annapolis en 1839 : aussi bien que la blancheur nue des murs passés à la chaux, ils participaient de la chaleur de cet après-midi. Le tirant de la marée qui soupirait entre les piliers offrait un contrepoint discret au repos béat de l'officier.

A peine la cervelle engluée de torpeur de Pinckney eut-elle décelé le pas inconnu sur le seuil, que deux bottes impeccablement astiquées heurtaient le sol avec ensemble.

Roy ne put réprimer son sourire quand il vit que le lieutenant — sauf ces bottes resplendissantes — était nu comme un ver. Son uniforme immaculé se balançait paisiblement sur un portemanteau dans l'armoire ouverte, comme si le commandant de la place avait été depuis peu pendu en effigie.

— Asseyez-vous, docteur, et prenons un verre : c'est la bonne heure pour un sundowner.

Pinckney faisait de méritoires mais difficiles efforts pour paraître éveillé, mais, dans son costume actuel, il lui était impossible, et ça le gênait beaucoup, de se pavaner et de marcher solennellement de long en large selon son habitude.

— J'espère que votre visite est purement amicale ?

— Tout ce qu'il y a de plus amical, lieutenant. Et c'est tant mieux. Parce que vous n'avez pas l'air de vous rendre compte que j'aurais eu la plus grande facilité, si le cœur m'en avait dit, pour vous fendre la tête d'un coup de tomahawk sans que personne s'en doutât !

Pinckney se frotta les yeux et il eut tout à coup une joyeuse grimace de gosse :

— Ne me dites pas que Mr. West dort, lui aussi ?

— Mr. West aurait pu être surpris avec la même facilité. Puis-je vous demander ce que vous avez fait de votre escadre ?...

— Puisque nous sommes amis, répondit l'autre en souriant, je puis vous confier, docteur, que nous donnons la chasse à une rumeur. A une rumeur si persistante que nous ne pouvions pas nous permettre de la négliger. Ce serait même plutôt sérieux.

— Mais encore ?

— Trafic d'armes, monsieur. De La Havane et des Bahamas. D'après notre informateur, le rendez-vous serait Key Largo.

— Et qui est votre informateur ?

— Un homme extrêmement sûr, un observateur très attentif — Dan Evans.

Ainsi donc, Dan Evans avait donné le change à cet apprenti-commandant, et, pour quelque raison à lui, inconnue mais qui ne le resterait sans doute pas longtemps, il lui en avait mis plein les yeux. Roy laissa tomber à sa place exacte une pièce de plus dans son puzzle intérieur et garda un visage de pierre.

— Vous comptez surprendre ces contrebandiers au grand jour ?

— Sans aucun doute, non ! Mais, avec un peu de chance, nous pouvons découvrir leur tanière. Ce qui suffirait pour adresser notre double protestation à Londres et à Madrid.

— Puis-je vous demander quand la flottille rentrera ?

Le lieutenant Pinckney écarta ses mains ouvertes et eut un sourire indulgent, le sourire plein de tolérance que les sages et les officiers supérieurs accordent au profane :

— Qui peut le dire ? Peut-être demain s'ils font buisson creux. S'il y a un ennemi à Key Largo, et s'il se montre combatif, cela peut tourner à l'action importante. C'est pourquoi j'ai envoyé tous nos bâtiments, tout notre personnel naval et la plupart de nos fusiliers marins.

Roy fit un effort pour être à la hauteur de la courtoisie du commandant :

— Vous aviez, sans aucun doute, le plus vif désir de diriger l'expédition ?

— Comme bien vous pensez. Malheureusement, ce poste est un poste de commandement pour tout le district. J'ai bien dû rester, par la force des choses, et attendre les rapports.

— Vous vous rendez certainement compte que cette zone est actuellement sans défense ni protection d'aucune sorte ?

— Je ne me rends compte de rien d'approchant, monsieur. J'ai une demi-compagnie de « marines » et beaucoup d'armes et de munitions.

— Et Flamingo Key ?

— Flamingo Key, docteur, est sous l'aile de la flotte. Qui oserait y molester âme qui vive tandis que je suis ici ?

Roy, par la fenêtre entr'ouverte, donna un coup d'œil à l'étendue d'eau bleue qui les séparait du domaine du docteur Barker. La critique non formulée n'échappa point au lieutenant Pinckney :

— Suggéreriez-vous que Flamingo Key pourrait être envahi ?

— Vous admettrez que ce n'est pas impossible.

— Je vous répète, monsieur, que personne n'oserait.

— Chekika pourrait oser.

— Chekika est cloué au fond des Glades. C'est l'affaire de l'Armée de l'y maintenir.

— La Marine doit jouer son rôle à ce bout-ci. Je n'ai pas besoin de vous rappeler que les Glades sont, en somme, un fleuve qui se jette dans cette baie ?

— Vous n'aviez pas besoin de m'enseigner la géographie, monsieur

— Je n'aurais pas cette prétention. Mais je vous demande d'assurer la sécurité de mon collègue, qui est un ami très proche du ministre de la Guerre.

— Est-ce que vous insinuez que je manque à cette obligation ?

— Je n'insinue rien, monsieur. Mais je suggère que, au moins, vous retapiez, et sans perdre une minute, un de ces sloops plus ou moins défoncés qui sont mouillés près du brise-lames, et que vous expédiiez vingt fusiliers marins à Flamingo Key ce soir même. Et avant le lever de la lune.

Le svelte commandant de la place se redressa de toute sa hauteur — quelque cinq pieds six pouces en mesurant large, talons et bottes compris. Dans sa nudité brillante de sueur, il ne ressemblait à rien autant qu'à un petit coq bantam dont la souveraineté sur la basse-cour vient d'être contestée et périlleusement défendue.

— Je ne crois pas remarquer que vous portiez l'uniforme de la Marine, docteur ?

— Ni vous, pour ce qui est de cela, en ce moment du moins !

— Votre serviteur, monsieur ! Voudriez-vous avoir l'obligeance de laisser les affaires de la Marine aux soins de la Marine ?

— Très volontiers, Pinckney, pourvu qu'elle s'en occupe ! Puis-je vous souhaiter bonne chance, en espérant que vous n'en aurez nul besoin ?

Il quitta l'appartement du lieutenant avec les honneurs du dernier mot et contint sa rage solidement embouteillée, cependant qu'il redescendait la jetée et qu'il larguait son amarre. Déjà Mary était au gouvernail : il l'y laissa et s'en fut s'installer en tailleur sur la plage avant, admirant l'habileté avec laquelle elle manœuvrait, la voile étant déployée. Le sloop glissa sans bruit du canal dans la baie, prenant adroitement le peu de brise du soir qui subsistait encore.

— Content de votre visite à la station ?

— Pas plus qu'à l'ordinaire, dit-il hargneusement.

Il ne pouvait pas se résoudre à lui confier ses craintes, même à présent qu'elles étaient très précises. Peu à peu, comme le port de Flamingo Key s'ouvrait devant leur étrave, elles commencèrent à lui paraître ridicules, et il se réjouit de n'avoir point parlé.

Une douzaine de petites embarcations étaient amarrées devant l'hôtel d'Evans. Dans l'air à peu près immobile, la fumée du souper dessinait ses boucles lourdes par-dessus les hangars qui bordaient le quai. Derrière son rideau coupe-vent de pins touffus, la maison blanche du docteur Barker semblait aussi inébranlable que le temps lui-même. Après tout, se disait-il, le botaniste était le plus ancien ami de Chekika. Il est vrai que (pour des motifs très différents, presque opposés) ce coquin de Dan Evans était à peu près sur le même pied.

« Peut-être, au fond, se dit Roy, avais-je mérité de me faire remettre à ma place par ce filou ! »

— Quelque chose vous préoccupe, Roy. Craignez-vous de m'en avoir trop dit, là-bas, sur l'îlot ?

Il vint s'installer auprès d'elle. « Même si nous devons revenir sur ce sujet, pensait-il, c'est moins dangereux que de supputer le comportement probable de Chekika. »

— Je vous ai dit, Mary, à quel point je vous étais reconnaissant. Vous avez été une auditrice exceptionnelle.

— J'écoute encore, Roy !

— Qu'écouteriez-vous encore, alors que déjà vous savez tout ?

— Votre passé est derrière vous et ne vous pèse plus désormais. Parlez-moi de votre avenir ?

« C'est absolument vrai, se dit-il en la laissant mettre le cap sur la bouée sonore. J'ai rompu avec mon passé. Le fantôme d'Irène Boucher a trouvé le sommeil. Mon avenir est à moi pour que j'en fasse ce qu'il me plaira. A l'heure qu'il est, si on néglige le risque suspendu sur nos têtes d'être tous morts avant le lever du jour, à l'heure qu'il est, cet avenir me paraît plus vide que jamais ! »

Telle ne fut pas sa réponse, évidemment :

— Je vous ai dit tout ce que je prévois de mon avenir. Le docteur Barker désire que, sitôt la guerre terminée, je m'installe ici en permanence. Lui et moi ensemble, nous construirons notre Éden, je puis vous le promettre.

— Avec ou sans Ève ?

— Sans, selon toute probabilité. L'excellent docteur est trop âgé pour convoler à nouveau. Quant à moi — Roy étendit les mains en un geste qui englobait l'horizon — je me contenterai fort bien de ce que j'ai trouvé ici. C'est une chose de se libérer de son premier amour. C'est un peu plus difficile d'en trouver un autre.

— L'Ève se présentera bien, Roy : donnez-lui le temps !

Il demeura raide et silencieux à son côté, sachant que sa voix « craquerait » s'il disait un mot de plus. Mary changea la barre. Le petit navire obéit avec précision, et, gracieusement penché sur l'oreille, dépassa la bouée et son tintement paresseux, et gagna enfin le port, aimable nappe d'eau d'un gris de tourterelle, transparente et claire comme une vitre dans le jour mourant. Les fenêtres à volets de la maison du docteur Barker souriaient leur bienvenue. « C'est comme un retour au foyer, se dit-il, le seul retour au foyer que nous ne partagerons jamais. »

— Quand le paquebot pour La Havane fait-il escale ici ?

Il répondit sans se retourner, se demandant si elle avait deviné ses pensées :

— S'il est exact, demain. Venant de Saint-Augustin. De toute manière, après-demain.

— Supposons qu'il ait du retard. Pourrons-nous, demain, repartir pour la journée ?

— Si vous voulez.

— Combien de fois devrai-je vous dire que c'est exactement le genre de journée que j'ai toujours souhaité vivre — sans l'obtenir jamais ? Vous ne sauriez me blâmer d'en désirer une seconde ?

Elle avait parlé très simplement, comme toujours. Il ne bougea pas lorsque sa main, passant par-dessus la barre, vint serrer chaleureusement celle du garçon.

— Andy vous ramènera à Biscayne quand le moment sera venu, dit-il. Vous aurez votre compte de la Floride !

— Ne comprenez-vous pas ? Ce ne sera plus pareil *quand tout sera paisible et sûr*. Quand je pourrai remonter le Miami dans mon propre catboat, sans avoir besoin d'aucune protection et sans rencontrer un seul Indien...

— ... Ni même un rat de marais que vous pourriez confondre...

— A ce moment-là, vous aurez votre propre Éden. Et vous aurez rencontré votre Ève. J'espère que vous la trouverez moins capricieuse que moi.

Le sloop glissa vers son mouillage, la jetée couverte que prolongeait un hangar aux bateaux jouxtant le vivier aux tortues. Roy se rendit à l'avant pour carguer la voile. Pareil à un goéland qui rentre au nid, le petit navire gagna son coin de port, frémit légèrement comme son bout-dehors touchait le débarcadère, puis recula, souple et maniable, obéissant à Roy qui l'amarrait. Le jeune homme grimpa sur le plancher de cyprès rugueux du hangar, conscient de la douce pénombre, faiblement lumineuse encore, qui les enveloppait, des murs protecteurs qui opposaient une barrière aux regards indiscrets.

— Grimpez, Mary. Nous voilà rentrés chez nous !

Mary restait assise, sans bouger un cil, la main toujours appuyée au gouvernail qui se balançait paresseusement :

— Mais je ne veux pas retourner chez moi, dit-elle. Pas aujourd'hui, en tout cas ! Je veux qu'aujourd'hui dure et demeure.

— Grimpez tout de même.

— Je veux continuer à voguer perpétuellement sur cette eau bleue. Je veux foëner les homards épineux sur Matecumbe Key et vous regarder chercher des traces d'Indiens. Et, par-dessus toutes choses, je veux absolument oublier que, dans deux semaines exactement, je mettrai mon meilleur costume de satin gris pour aller rendre visite à mes tantes à Washington Square. Si cette façon de voir fait de moi une fille perdue, dit-elle en relevant fièrement le menton, tirez-en le meilleur parti !

— *Voulez-vous grimper, Mary !*

Leurs mains se joignirent sans qu'ils échangeassent une parole. Mary abandonna le banc arrière du catboat et d'un seul mouvement se trouva sur le débarcadère. Avec la même gracieuse aisance, elle se glissa entre les bras du garçon. Plus tard, quand il aurait retrouvé une tête froide, il se rappellerait que c'était elle qui lui avait tendu les lèvres en cette longue minute éperdue où il pensait que son cœur allait éclater.

Lorsqu'elle parla enfin, sa voix parut venir du bout du monde, bien qu'il la tînt encore serrée dans son étreinte :

— C'est mon remerciement pour aujourd'hui, Roy... la journée la plus merveilleuse que j'aurai jamais !

Il lui prit le menton au creux de sa paume, la baisa sur la bouche doucement mais fermement :

— Et c'est mon souhait de bonheur pour demain, Mary... Soyez heureuse, vous le méritez. Vous méritez tout ce qu'Andy pourra vous donner.

Il laissa retomber ses bras au long de ses flancs, s'écarta résolument, la faisant passer devant lui, sortir la première du hangar aux bateaux et le précéder sur le sentier couvert d'une pergola qui menait du quai à la véranda. « C'était aussi mon adieu, ajouta-t-il en silence. C'était un regret pour tous ces demains que nous ne partagerons pas... »

Sur les marches de la véranda Mary s'arrêta, encadrée par la glycine. Vraiment, dans ses pantalons de treillis haut roulés, elle ressemblait à un garçon — et même à un gamin, plutôt espiègle, qui s'amusait énormément à jouer au mauvais garçon.

Elle revint au sujet qui lui tenait à cœur :

— Où pouvons-nous passer la journée de demain ? Pouvons-nous, cette fois, voguer cap au sud ?

— Je crains d'être trop occupé pour cela demain, dit-il, entrant dans la véranda en même temps qu'elle, et sans la quitter des yeux.

— Aux plantations ? J'aimerais vous aider !

— Je crains que ce soit un travail que je doive faire seul.

— Vous recommencez à m'éviter ! s'écria-t-elle.

— Mais bien sûr, Mary, je vous évite. Vous devez savoir pourquoi.

Elle le regarda avec deux yeux qui ne cillaient point et ses lèvres riaient quand elle répondit, en baissant la voix dans un vrai murmure de conspirateur :

— Est-ce que vous voudriez que ce baiser fût effacé ? *Moi pas !*

— Au revoir, Miss Grant. Puis-je vous souhaiter un heureux voyage de retour auprès de votre père ?

Tout en parlant, il partait déjà, n'osant pas la regarder bien en face. Longtemps après qu'il eut plongé dans l'abri que lui offrait le *Bar du Naufrage,* il entendait encore son rire qui le poursuivait. Et il sentait que l'écho de ce rire serait avec lui tant qu'il respirerait. Et il ne lui reprochait pas ce rire, car il savait que son cœur était innocent. Le baiser qu'elle lui avait donné n'était, en son esprit, qu'un baiser de camarade.

Du moins s'efforçait-il de le croire...

CHAPITRE XII

IL AVAIT DINÉ DE FILETS de tortue en compagnie de deux matelots de La Havane, discutant la guerre indienne et versant du rhum à ces nouveaux amis jusqu'au moment où ils étaient allés embarquer leur fret et avaient mis le cap vers le sud, au premier rayon de lune.

Puis il avait repris le sujet avec Dan Evans lui-même, jusqu'à ce que le trafiquant eût balayé hors du cabaret le dernier propre à rien-rôdeur de grève et mis ses volets.

A présent, il se promenait dans un bain de clair de lune du côté Barker de Flamingo Key, au coin du bosquet de tilleuls, et constatait que le rhum, même en quantité industrielle, ne parvenait pas à calmer la fièvre de son cerveau ni à lui procurer le sommeil et l'oubli.

La maison blanche et carrée était close contre l'air humide de la nuit. Un coup d'œil vers les volets de Mary lui apprit qu'elle devait dormir profondément, car aucune lumière ne coulait entre les lattes. Il ne pouvait pas se résoudre à dépasser le bloc massif de corail qui servait de marche à la véranda. Son propre lit l'attendait sur le balcon de bois de l'étage supérieur. Après tout, le sommeil viendrait peut-être l'y retrouver quand le martèlement aurait cessé derrière ses yeux. Mais c'était plus sûr de rester ici, dût-il attendre l'aube assis à l'ombre de cette glycine. Beaucoup plus sûr de mettre une porte supplémentaire entre Mary et lui, même si Mary dormait coude à coude avec une duègne.

Il prit dans sa poche la pipe en épi de maïs qu'il avait fumée auprès d'une centaine de feux de camp, y enfonça le tabac cubain ébouriffé et pelucheux, et frotta une allumette : elle lui parut crépiter dans l'ombre comme un volcan miniature... Peut-être, en somme, devrait-il réveiller le docteur Barker et le mettre au courant de ses découvertes sur Matecumbe ? Il congédia instantanément l'idée où il découvrit une tentative brouillonne et désespérée pour fuir sa propre société en une nuit d'insomnie. Non. Il n'avait pas le droit de priver le vieux botaniste de son repos pour des craintes probablement mal fondées...

D'où il était assis, son regard englobait la totalité du port, et le flot de lune étalé sur l'eau y répandait un argent si lumineux que chaque bouée d'amarrage était visible comme en plein jour. Ainsi constata-t-il, sans trouble aucun, que le dernier des caboteurs avait quitté son mouillage au cours de cette longue soirée. Ces pêcheurs, qui faisaient un va-et-vient à peu près constant entre les docks d'Evans et Key West, naviguaient par méthode empirique et se souvenaient instinctivement du moindre récif ; ils avaient coutume de mettre à la voile soit à la lune levée, soit à la fraîcheur de l'aube.

Roy ne bougea même pas lorsqu'il vit une dernière voile s'avancer paresseusement, venant du hangar aux bateaux de Dan Evans, et qu'il reconnut l'*Estrella*, le vaisseau amiral de la flotte privée de l'hôtelier.

L'*Estrella* était un catboat haut mâté, doté d'un clinfoc spécial. Il glissa le long du vivier aux tortues, le bout-dehors pointant vers la haute mer. Dan lui-même se tenait au gouvernail ; sa femme traînait un matelas hors du poste et jusque sur la plage avant. En d'autres heures, cette vue aurait éveillé ses soupçons. Pour l'instant, dans son état de « pensée en veilleuse » — en fait, il s'essayait même à ne pas penser du tout, — il était à peine capable de concentrer son esprit sur un doute nouveau. « Dan et son Aigrette Blanche ont décidé d'aller dormir à côté d'une bouée cette nuit », se dit-il, et le trouva tout naturel, car c'était une chose qu'il avait faite mainte fois lorsqu'il trouvait l'air du rivage trop lourd ou trop chaud.

Lorsque le catboat eut contourné la pointe et disparu, Roy vida sa pipe et descendit en flânant jusqu'au vivier des tortues. Ces pataudes, agitées à cause de l'excessive chaleur, entrechoquaient leurs carapaces ou se raclaient les unes contre les autres, tandis qu'il marchait jusqu'au bout du dock couvert et descendait sur le vaste débarcadère. Ici, l'eau peu profonde était d'un riche bleu de nuit. Sous la généreuse coulée de clair de lune, la mer, au delà, paraissait calme autant qu'un lac. Il distinguait les mâts du ketch où son patient passait sa seconde nuit de convalescence à l'abri du récif méridional : c'était à un bon mille de la rive, il le savait, mais une impulsion subite, à laquelle il ne résista pas une seconde, lui fit enlever sa chemise et se débarrasser de ses bottes. Il lança le tout sur le dock, au-dessus de sa tête. A cause de ce clair de lune qui projetait une si vive lumière jusque sur le fond sablonneux de l'océan, les requins ne s'aventureraient pas à l'intérieur de la barrière de corail cette nuit... « La nage me fatiguera, se dit-il fermement. Et peut-être le sommeil m'attend-il à bord du ketch. »

Cependant, il demeurait irrésolu encore dans l'ombre du vivier aux tortues. Et tout à coup son corps se raidit. Distrait comme il l'était, il n'avait pas entendu un bruit assourdi de pas sur le sol de la véranda qu'il venait de quitter. Mais il était impossible d'ignorer la longue flèche de lumière qui tombait en travers du quai et de l'eau, se rapprochant à mesure que s'élevait la main qui tenait la lampe, et brusquement s'éteignait parce que la mèche venait d'être soufflée. Quelqu'un était sorti de la maison, employant pour se diriger la lampe posée sur la table du hall, jusqu'au moment où la clarté de la lune avait suffi à rendre inutile toute lumière artificielle. Et ce quelqu'un avait commencé déjà à marcher parmi les hauts-fonds, tout le long du dock couvert.

Sans savoir pourquoi, il retint son souffle et se fit tout petit entre les piliers. Même avant qu'elle parvînt en vue, il sut que c'était Mary. Ses cheveux noirs, coulant librement presque jusqu'à sa taille, étaient son seul vêtement — *Noirs sont les cheveux de ma bien-aimée...* — elle avait évidemment, au moment d'entrer dans l'eau, retiré le peignoir qui pendait à présent à son bras. Voyant Flamingo Key endormi, les sables déserts et la baie vide, elle avait décidé d'aller nager une dernière fois, seule.

Il voulut l'appeler, avant de la laisser approcher davantage, l'avertir, mais sa gorge était trop sèche pour que le son passât. Alors il voulut se détourner, mais ses yeux étaient fixés sur le corps svelte, blanc comme marbre sous cette cascade de cheveux noirs, tiède et doux comme la lumière qui l'enveloppait d'un charme. Déjà elle était au bout du dock et dans l'eau jusqu'à la ceinture. Lorsqu'elle lança sur le débarcadère le peignoir qu'elle avait jusqu'alors gardé sur le bras, il aurait pu la toucher sans quitter sa cachette. Un instant encore, elle resta là, au bord de l'eau profonde, relevant ses longs cheveux noirs pour les tordre en un nœud ; sa poitrine ferme et ronde se soulevait dans le même mouvement, dressant deux fiers globes d'albâtre.

Roy se pencha, son souffle s'exhala en un cri silencieux. A ce moment, sans regarder derrière elle, Mary plongea. Debout sur le débarcadère, les pieds entortillés dans le peignoir qu'elle avait laissé, il pouvait suivre le trajet de son corps à mesure qu'elle nageait plus profondément sous l'eau, jusqu'à ce qu'elle touchât le fond de sable ridé de vaguelettes figées. Grâce à la lune éblouissante, elle flottait dans un élément aussi pur que l'air et presque aussi transparent... Puis, avec un battement rapide de ses longues jambes fuselées, elle revint à la surface. Sa tête jaillit de l'eau au centre d'un tourbillon phosphorescent, et elle repartit vers la mer, à longues brasses vigoureuses.

Il mit les mains en cornet autour de sa bouche pour lui crier de se tenir à distance du corail à l'entrée du port ; plus d'une fois il avait vu les grandes murènes jouer là, au clair de lune, pour ne rien dire du requin qui ne se laissait pas toujours impressionner par son ombre. Mais il savait que, même pour la mettre en garde, il ne devait pas l'appeler à présent. Mary lui pardonnerait difficilement si elle découvrait qu'il avait guetté là, comme un indiscret au trou d'une serrure, se gorgeant à loisir de son charme et de sa beauté. Au lieu de quoi il se hissa sur le dock et courut à toute allure jusqu'à la pointe, s'emparant d'une foëne au hasard dans le premier canot le long duquel il passa. Maintenant, au moins, il pourrait prétendre qu'il était là, à pêcher au clair de lune, bien au delà de la plage, à l'endroit où la pointe s'effilait vers la barre de sable et la haute mer. Il serait assez proche pour crier un avertissement — et assez loin pour sauvegarder la décence — si Mary se risquait trop près du récif.

Restant dans l'ombre des cocotiers, et priant le ciel qu'elle revînt à temps, il attendit près de la pointe où elle allait passer. Elle était évidemment une nageuse hors classe ; les bouées du port étaient déjà dépassées, et le long trait de sa course s'étirait vers l'horizon. « Elle nage vers Matecumbe, pensa-t-il avec une étrange douleur au cœur. Elle s'en va, seule, à l'aventure, dans cette nuit folle-de-lune, pour retrouver le rêve que nous avons osé rêver ensemble... » Fantaisie insensée, il le savait ; il ne devait pas permettre à Mary Grant de nager seule plus loin. Et pourtant, s'il plongeait à présent, mît-il même toute sa force dans sa propre nage, il ne pouvait guère espérer la rejoindre avant qu'elle eût atteint la passe qui trouait le banc de corail.

Son cœur ne fit qu'un tour lorsqu'il vit les longues brasses pures s'arrêter brusquement, comme si Mary s'était tout à coup changée en femme de pierre, très loin au bout du port. Il l'entendit crier — un cri faible, incroyablement solitaire et abandonné sur cet immense miroir de lune. Il la vit plonger hors de vue et, pendant un temps où il demeura le souffle coupé, crut qu'elle n'allait jamais reparaître à la surface. Puis sa tête revint, toujours à l'intérieur du récif protecteur. Elle nageait à présent de toute sa force, de toute sa vitesse, comme si quelque monstre des profondeurs la poursuivait à courte distance.

Sans savoir comment il s'était avancé aussi loin, il se trouva dans l'eau jusqu'au cou, criant son nom tandis qu'il grimpait sur un affleurement de corail assez éloigné de la côte déjà, agitant éperdument les bras. Il comprit qu'elle avait reconnu sa voix et sa silhouette, mais elle ne modifia point sa direction.

— Qu'y a-t-il, Mary ?

Cette fois, elle s'arrêta et montra la mer comme si elle ne se rendait pas compte que la perspective en était coupée pour lui par le long épi couvert de palmiers.

Il hurla :

— Nagez droit vers le dock, je vous y rejoins.

Terrifiée telle qu'il la devinait, il ne pouvait pas exiger qu'elle gaspillât son souffle en explications.

Elle était encore à une bonne centaine de mètres du bout de la jetée, lorsqu'elle sortit de l'eau par mouvements saccadés et se hissa sur la rive vers la terre sèche. Il courait sur les planches au-dessus du vivier aux tortues lorsqu'il se rappela que sa Vénus allait sortir des ondes aussi nue que la déesse de la légende, prit le peignoir et l'étala farouchement, prêt à envelopper sa propriétaire. Au goulet du port, la mer était toujours brillante et vide.

— Montez sur le débarcadère, dit-il. Je ne regarderai pas.

Elle était apparemment hors d'haleine, à tel point qu'elle fut incapable de répondre et grimpa en silence sur le dock. Roy, en dépit de ses nobles résolutions, eut, avant que le peignoir les eût dissimulés, un bref coup d'œil vers de longues jambes blanches et des seins parfaits. Il en eut le cœur battant la chamade, et ce fut bien pis lorsque, insoucieuse du vaste vêtement qui l'enveloppait, elle se précipita dans les bras du garçon, cherchant éperdument la sécurité de son étreinte, se serrant contre lui comme si rien ne pouvait l'arracher de ce refuge choisi.

— Dieu merci, Roy, c'était vous ! Cela aurait pu être n'importe qui !...

— Dites-moi ce qui s'est passé... vite...

— Des Indiens ! (Elle haletait entre les mots.) Des Indiens par centaines... La mer en est noire !...

— Est-ce que vous savez ce que vous dites ?

— Je sais ce que *j'ai vu* !

Elle criait à présent son affirmation, et sa voix faisait présager une crise de nerfs imminente.

— Ils arrivent de Matecumbe. De la plage où vous avez trouvé la trace de la pirogue. Avant de revenir j'avais compté vingt canoës. Étirés en un grand demi-cercle, du côté de l'océan.

Blottie contre la poitrine du jeune homme, elle éclatait en sanglots confus. Le dernier morceau manquant au puzzle venait de tomber à sa place exacte : l'éclaireur de Chekika était venu hier soir sur cette plage, avait à son aise observé du haut de son chêne vert tout ce qu'il désirait savoir, puis, de Matecumbe, avait adressé un signal à quelque complice de l'autre côté du chenal. « A présent que toutes les dispositions utiles sont prises par leurs soins, et que *la Flotte est partie vers le sud sur la piste d'un ennemi qui n'existe pas*, les Séminoles ont quitté la Grande Terre en force ! » Ses pensées, qui revêtaient les plus sombres couleurs, se suivaient rapidement dans son esprit, préparant à mesure la solution la plus prompte ; le choix, d'ailleurs, était terriblement limité...

Ses deux poings se refermèrent aux épaules de Mary qu'il écarta de lui, et, la prenant à bout de bras, il la secoua avec assez de vigueur pour arrêter ses sanglots :

— Allez vivement jusqu'à la maison, dit-il, et avertissez le docteur Barker. Ses esclaves dorment toujours un mousquet au côté. Ils sauront ce qu'ils ont à faire.

— Venez avec moi, Roy. J'ai peur de bouger !

— Faites ce que je vous dis, répliqua-t-il durement, faites-le, et faites-le tout de suite. Il n'y a pas un instant à perdre.

Tout en parlant, il avait lâché les épaules de la jeune fille, une de ses mains, coulant le long d'un bras tiède, s'était arrêtée au poignet, et ce fut ainsi qu'il l'entraîna. Ensemble, ils coururent sur le sentier de coquilles d'huîtres qui serpentait parmi les ombres massées du jardin. Et, tout en courant, il établissait la suite de son plan : le calme qui lui était habituel aux minutes graves s'installait à présent dans son esprit. Si Mary Grant n'avait pas été à son côté, trébuchant comme un enfant apeuré, il aurait poussé de grands cris de joie à cause de la détente qui soulageait ses nerfs douloureux.

Il poussa la jeune fille sur les marches de la véranda :

— Allez vite chez le docteur Barker, prenez ses ordres et restez à l'abri. Je serai bientôt près de vous.

— Où allez-vous maintenant, Roy ?

— Réveiller l'île ! Il y a une cloche d'avertissement sur le porche de Dan, si toutefois la rouille ne l'a pas fait tomber en pièces.

Il serra brièvement la petite main frémissante et quitta les marches pour s'enfoncer dans l'ombre du coupe-vent. Se retournant avant de tourner, il vit que Mary, demi-courant demititubant, passait la porte.

Des années de négligence et d'abandon n'avaient pas amélioré le timbre ni la puissance de la cloche d'alarme, qui était située devant l'entrée de l'hôtel. Le battant était soudé par la rouille à la cloche même, de sorte que Roy frappa le métal à deux poings, et ne lui fit rendre qu'un faible écho de son ancienne résonance. Il se mit alors à tambouriner contre la porte de l'hôtel et, n'obtenant aucune réponse, il se souvint que Dan et son Aigrette Blanche d'épouse métisse étaient partis à bord du catboat. Il se précipita aussitôt vers le dock du trafiquant, mais, avant qu'il eût pu mettre ses mains en cornet autour de la bouche pour lancer une mise en garde, la voix de Dan lui arrivait, roulant au-dessus de l'eau comme un tonnerre :

— Les avez vus aussi ?

— Combien, Dan ?

— Trente canoës, approximativement. Des parures de guerre dans quelques-uns. Je file droit sur Tea Table Key avertir la Flotte.

— La Flotte est loin !

Le bruit d'une voile hissée noya le cri de Roy et il vit le catboat, sa toile déjà tendue, partir en direction du chenal et comprit que cette manœuvre astucieuse conduirait la petite embarcation derrière le coupe-vent du docteur Barker avant que l'ennemi ait pu contourner la pointe de l'autre côté. Le chirurgien sentit son esprit protester avec une fureur indignée, et pourtant Dan avait bien raison de prendre la mer sans attendre l'arrivée de Chekika. Il était dans son droit absolu. Même il rendrait service, car, malgré l'absence du gros de la Flotte, il pourrait embarquer à bord de l'*Estrella* — et ramener assez de fusiliers marins pour porter un coup sérieux à l'assaillant.

— Revenez, Dan ! emmenez les femmes avec vous et laissez-les à Tea Table Key.

Mais le voilier, filant bon train dans une soudaine risée de vent, était déjà hors de portée de la voix. Il eut encore une brève vision d'Aigrette Blanche manœuvrant le gouvernail de manière à ne pas laisser perdre le plus faible souffle d'air, en même temps que Dan hissait au beaupré un foc supplémentaire. La métisse avait une expression sinistre sous la clarté lunaire — d'une ennemie plutôt que d'une amie. Roy cria une fois encore à tout hasard.... et par acquit de conscience :

— Dites à Pinkney qu'il envoie tous ses « marines ».

Puis il se remit à courir sur la route qui coupait l'île en deux sur toute sa longueur. Une volée de braillements d'ivrogne l'accueillit lorsqu'il ébranla de ses poings l'huis du premier naufrageur — braillements qui se turent dès que le sens du message eut pénétré le cerveau aviné de l'homme.

Trente canoës, se répétait-il vaguement, pour lui-même, tout en passant dans la cour suivante, encombrée d'innommables débris, et, cette fois, il lança son avertissement par une fenêtre entr'ouverte.

Comment Dan pouvait-il être tellement *assuré* quant au nombre *précis* des canots indiens ? Et comment, au nom du Seigneur, pouvait-il distinguer des parures de guerre dans certains canoës de l'autre côté d'un kilomètre de mer baignée de lune ?

Mais il classa, pour s'en occuper plus tard, ces étrangetés de conduite. La partie active de son esprit — ce même instinct qui lui avait fait traverser toute une guerre indienne — échafaudait des plans d'une autre sorte, déployait les forces dont il disposait pour rencontrer la première poussée des pirogues de Chekika, massait son feu à l'embouchure du port, pour contenir les assaillants jusqu'à l'arrivée des secours...

A présent, les gens se précipitaient hors de leurs bicoques. C'étaient, pour la plupart, des pêcheurs hirsutes, des hommes des Bahamas restés à Flamingo Key lorsque le drapeau américain s'était installé en Floride, quelques Cubains terrorisés. La plupart d'entre eux étaient armés de mousquets, il y avait aussi quelques fusils et quelques carabines. D'un commun accord, ils se dirigèrent tous vers la résidence du docteur Barker, qui, par sa blanche masse cubique, leur semblait un bastion rassurant, et vers la longue ligne sombre du vivier aux tortues. Celui-ci — faisant exactement face à la passe qui trouait la barrière de corail et qui formait l'unique accès de l'île — constituait, même à marée haute, un rempart naturel. La maison avait déjà, en d'autres circonstances, servi de dernier retranchement. Grâce à la galerie sur piliers qui entourait tout l'étage supérieur, elle pouvait être défendue pendant quelque temps par de bons tireurs postés derrière les persiennes.

Roy comptait les hommes, à mesure qu'ils passaient devant lui, et ne pouvait s'empêcher de sourire en les voyant prendre sans attendre d'ordres chacun sa place le long du vivier aux tortues, descendant jusqu'aux hanches dans l'eau du port et déposant fusils, munitions et poires à poudre sur les planches séchées par le soleil. Il aurait donné son bras droit, en ce moment, pour le réconfort de la présence d'Andy Winter ou celle du sergent Ranson au solide bon sens.

Derrière eux, la maison s'animait de lumières. Il vit Mary, toujours en peignoir et ses longs cheveux noirs dénoués, passer devant la fenêtre, une demi-douzaine de fusils sur les bras. Le docteur Barker parut sur la galerie du haut, inspecta calmement l'horizon et, enfonçant dans son pantalon sa chemise de nuit en batiste, disparut. Déjà, Roy en était certain, un petit arsenal était réuni derrière ces hautes fenêtres aux volets vénitiens. Lorsque l'attaque se déclencherait, les lampes s'éteindraient instantanément. Chaque ouvrier au service du botaniste, chacun de ses esclaves, était dressé à faire un bon tireur.

Il sentit une folle poussée d'espérance l'envahir : peut-être, après tout, parviendraient-ils à repousser Chekika, même si le compte de Dan était exact ? Grâce à Mary, l'élément de surprise sur lequel les Séminoles avaient évidemment tablé n'existait plus. Sans son avertissement, tous les blancs de l'île — à la très probable exception de Dan Evans — auraient été assassinés dans leur sommeil avant l'aurore.

Il n'avait pas encore aperçu l'ennemi. Il alla murmurer des paroles d'encouragement sur la ligne de résistance longeant le vivier aux tortues, franchit d'un bond le brise-lames, piqua une course vers la pointe, puis, arrivé là, se fraya prudemment passage à travers l'écran de cocotiers, gagnant par élans successifs un tronc après l'autre, jusqu'à ce qu'il eût atteint le bord de l'eau. Il fallait laisser le plus longtemps possible à Chekika l'illusion que ses victimes désignées dormaient encore et qu'il allait foncer avec ses guerriers sur une communauté ignorante de son sort, confiante, désarmée, endormie.

Une étendue de carex entre deux dunes lui fournit un couvert idéal, il s'y glissa et put à loisir examiner l'étendue marine jusqu'à l'horizon.

Si rompu qu'il fût aux choses de la guerre, il sentit son cœur lui remonter à la gorge devant ce qu'il découvrit alors. Au premier coup d'œil, il lui parut que les canoës et pirogues sortaient de partout — un immense arc brun se mouvait sur l'eau impitoyablement, se dirigeant de l'ombre de Matecumbe vers le banc de corail. Un grand arc brun dont la forme se modifiait constamment. A cette minute même, il se rompait en segments à la surface de cette plaine argentée comme un dessin géométrique vivant. Une vingtaine de canoës de guerre (il distinguait à présent leurs silhouettes et même les plumes de guerre au front des hommes de godille) se séparèrent du gros de la formation et souquèrent à un rythme plus accéléré en direction du port. Ce nouveau groupe affectait la forme d'un triangle très aigu, proue contre poupe. Le reste des envahisseurs, se répartissant en formations triangulaires séparées, ralentirent leur mouvement et suivirent à distance le groupe de tête. Roy avait déjà vu manœuvrer Chekika sur le lac Okeechobee et savait avec quelle attention méticuleuse il avait dû préparer son attaque. Cette première vague, visant droit les docks du docteur Barker, avait été estimée suffisante pour s'emparer de l'île. Le reste des embarcations seraient tenues en réserve pour être jetées à l'assaut en cas de besoin. Même à cette distance, il pouvait aisément s'assurer que tous les canoës n'étaient pas équipés pour la guerre ; on comptait dans le nombre des pirogues à balancier qui se promenaient sur l'eau comme des scarabées géants ; d'autres étaient plutôt des barges que des canots. Le chirurgien déduisit que ces vaisseaux plus lents avaient été adjoints à la flottille dans le but de transporter tout le butin que les Séminoles pourraient razzier.

Déjà le sommet du triangle de tête semblait sur le point de s'enfoncer comme un coin dans l'ouverture du récif ; un moment encore et il serait à portée de fusil du vivier aux tortues. Roy, soulevé sur les mains et les genoux, se préparait à regagner son propre emplacement de tir, lorsqu'une étrange chose se produisit : tout d'abord, une touffe de plumes blanches fut attachée à une perche et levée très haut à la proue du premier canoë. Alors, comme si cet emblème blanc sur fond de ciel avait été un signal, toutes les pagaies du triangle nagèrent à culer, vigoureusement, ce qui arrêta sur place pirogues et canoës, tandis que le chef de file se lançait seul dans la passe du banc de corail et disparaissait ainsi à la vue de Roy : la touffe blanche qui surmontait de haut la proue demeura visible jusqu'à ce que l'embarcation eût contourné la pointe.

Déjà le jeune homme repartait à fond de train vers le débarcadère : si Chekika envoyait au port un drapeau blanc, un seu coup de feu intempestif pouvait tout gâter. Lorsqu'il coupa l'angle de la pelouse, il fut extrêmement soulagé de voir que déjà le botaniste était sorti sur la véranda.

— Tu n'as pas besoin de rien expliquer, Roy, dit calmement le vieillard. Je regardais, moi aussi, d'une fenêtre d'en haut.

— Et vous concluez ?

— Rien, jusqu'ici. Je ne suis pas encore très certain... Mais j'ai des guetteurs dans les deux ailes du haut et, tant que la flottille reste en dehors du corail, nous pouvons leur laisser l'initiative du premier mouvement.

— Et si quelqu'un ouvre le feu ?

Le docteur Barker sourit ; sa voix semblait à chaque parole devenir plus calme et plus assurée :

— Personne ne tirera. Du moins jusqu'à ce que nous sachions, par Chekika lui-même, ce qu'il désire. J'ai donné les ordres nécessaires.

Ils se turent alors tous les deux et regardèrent anxieusement le long canoë aux couleurs voyantes qui, maintenant, était dans le port. Roy pouvait compter les pagayeurs et deviner l'identité des deux chefs enturbannés assis à la proue, bras croisés. Le daim de leurs culottes était d'un blanc agressif.

— C'est de toute évidence une délégation de parlementaires, monsieur. Le Séminole ne porte pas de blanc à la guerre.

— Ce n'en est pas moins un canot de guerre !

— Ils veulent quelque chose, pas de doute, et ils espèrent l'obtenir sans combattre.

Roy fit impétueusement un pas en avant. Laissant le botaniste dans l'ombre relative de la glycine, il se planta en pleine lumière, offrant ainsi une cible magnifique — et le canoë n'était plus qu'à un jet de flèche. C'était un risque qu'il ne put s'empêcher de courir, n'eût-ce été que pour obliger Chekika à montrer ses couleurs.

— Laissez-moi leur parler, monsieur, murmura-t-il. Peut-être pourrons-nous faire traîner quelque peu les choses ; Dan est allé demander de l'aide à Tea Table Key. Si Pinckney n'est pas le dernier des idiots, il pourra les prendre à revers.

— Je ne compterais pas trop sur Dan, répondit le docteur Barker. Nous l'avons vu partir dans son catboat. Il est déjà à terre à un quart de mille d'ici, parmi les hauts-fonds.

— Accident ?

— Je ne crois pas que j'appellerais ça ainsi, Roy, mais je ne puis rien certifier. En tout cas, il a sauvé sa propre peau. Les Séminoles ne l'attaqueront jamais, lui, pas s'il reste à l'écart de cette affaire. Il a assuré leur subsistance pendant de trop nombreux hivers.

— *Ole, Señor Medico !*

Il reconnut instantanément la voix de Chekika, amplifiée par un long porte-voix en bronze que le Séminole tenait devant ses lèvres. Roy avança d'une grande enjambée, toujours en pleine lumière, au milieu de la pelouse, la main levée pour le geste immémorial de la paix. Chekika se leva dans son canoë, regardant, regardant fixement, comme s'il ne pouvait croire ses yeux. L'autre chef n'eut qu'un seul mouvement : sa main tomba sur le manche de la hache passée dans sa ceinture. A l'instant même, Roy reconnut la grimace malveillante de Chittamicco sous le second turban de guerre et, en même temps, comprit — trop tard ! — que l'appel impérieux de Chekika s'adressait *non* à lui, *mais au docteur Barker* ! Et le chef était convaincu, c'était visible, que son appel réveillerait une maisonnée endormie. D'où son intense stupéfaction.

A présent, il était trop tard pour reculer, la moindre hésitation serait fatale. Les Indiens étaient aussi tendus que les corde de leurs arcs cachés ; il s'en rendait compte rien qu'à la manière dont les guerriers tiraient sur leurs pagaies, puis s'arrêtèrent à quelque cinquante mètres du bord. Chittamicco se tenait debout auprès de son frère, un poing crispé sur le manche du tomahawk. Roy attendait au bord de l'eau, les bras croisés sur la poitrine. « Qu'ils parlent les premiers ! se dit-il, en manière d'avertissement intérieur. Ne leur laisse pas deviner ton angoisse. » Déjà un plan prenait forme en son esprit, un argument qui pourrait avoir un certain poids auprès des Séminoles s'ils avaient véritablement l'intention de parlementer.

— Qu'est-ce qui amène Salofkachee aux îles ?

— Je fais ma médecine en tous lieux et à n'importe quelle heure. C'est peut-être une bonne chose que je sois sorti cette nuit.

Nul ne bougea dans le canoë. Proche comme il l'était, le chirurgien pouvait déchiffrer le symbole des peintures dont s'ornait la proue, une patte de panthère levée pour protéger un daim et un panier de maïs : Chekika avait hérité de son prédécesseur le surnom de Chat Sauvage. Il pouvait voir aussi les phalanges de Chittamicco serrer furieusement le manche de la hache et sentait la haine crépiter entre eux, vivante comme un éclair.

Quand Chekika parla de nouveau, sa voix était toujours douce :

— Ouvre ton esprit, Salofkachee. Nous sommes toujours amis.

— Avec une hache de guerre tout à côté de toi ?

— Mon frère n'est pas mon porte-parole. Il ne le sera que plus tard. Si ces pourparlers échouent.

— Tu dis que tu viens en ami. Prouve-le par tes actes.

— Ouvre ton esprit, Salofkachee. Tu n'as rien à craindre de moi — ni de la nation séminole tant que je vis.

— Et ton frère Chittamicco ? Quel est son message ?

— Chittamicco n'est pas encore mon porte-parole. Combien de fois devrai-je le répéter à mon frère blanc ?

— Mon esprit est ouvert, Chekika. Emplis-le de ta sagesse. Explique-moi comment il se peut qu'un frère vienne en paix vers son frère avec des tomahawks derrière lui ?

— Comment savais-tu que nous viendrions en force ?

— Je suis dehors à toutes les heures, Roi des Panthères. J'ai senti l'odeur de ton feu à Cape Sable et j'ai compris. J'ai compté tes canoës et tes pirogues, un à un, avant qu'ils aient quitté Matecumbe.

Un long gémissement monta du canoë, une exhalaison primitive, spontanée, comme si les guerriers avaient soupiré à l'unisson. Chittamicco murmura des invectives en langage séminole. Sans nulle surprise, Roy vit le Chat Sauvage réduire son frère au silence, d'une paume négligente.

— Telle est donc la médecine que tu pratiques sous la lune, Salofkachee.

— J'ai fait bien davantage. J'ai alerté l'île entière, et jusqu'au dernier homme est présentement bien éveillé et bien armé. En cet instant même, une douzaine de fusils sont braqués sur ton ventre. Dis-moi qu'il ne s'y trouve aucun venin. Vide ton propre cœur de haine, Chekika, et va en paix.

Un autre murmure s'éleva du canoë et s'apaisa dès que le Chat Sauvage eut levé la main pour demander le silence.

— Nous sommes venus en paix, Salofkachee. Avec des fusils non chargés et des arcs aux cordes non tendues. Nous partirons en paix si le docteur Barker est assis à mon côté.

— Tu nous honores grandement. C'est ici le foyer du docteur Barker. Pourquoi le quitterait-il, même en ta noble compagnie ?

Chekika (et Roy s'en fit *in petto* la réflexion) parlait à présent en séminole, un séminole très pur. Le chirurgien s'efforça d'arriver à la hauteur de cette éloquence.

— Ceci est son jardin. C'est de ses propres mains qu'il le plante. Ce jardin est sa vie, et c'est plus encore son orgueil et sa fierté ! Es-tu homme capable d'enlever sa fierté à ton frère ?

— Combien de fierté nous a laissé notre père de Washington ? Quand un Séminole a-t-il osé relever la tête et regarder son frère dans les yeux, à moins qu'il soit au fin fond des marécages ? Mon intention est de prier le docteur Barker de nous accompagner dans les Glades comme otage, et avec lui la fille qui est tout récemment arrivée dans l'intention de réconforter ses vieux ans. Je pense que, lorsque Poinsett entendra cette nouvelle, il nous offrira un traité de paix qui ne puisse pas être rompu.

Sur quoi Chekika fit un petit salut précis et Roy retourna la politesse. « Comptez sur ce démon rouge pour en venir au point sensible », pensait-il. Et, maintenant que la menace était disposée sur le seuil du docteur Barker, il s'étonnait que personne n'y eût pensé plus tôt. Car, bien certainement, cet ami, si vraiment proche du secrétaire de la Guerre Poinsett, aurait pu être entraîné vingt fois, sans difficulté aucune, tandis qu'il visitait sa plantation à Cape Sable ou qu'il errait à la recherche de spécimens dans les Glades. Cette menace en force, à présent qu'elle avait été si fermement proférée, emporterait un poids supplémentaire considérable à Washington, une fois qu'on apprendrait là-bas qu'un des favoris de l'Administration (laquelle titubait et fléchissait comme d'habitude sous d'autres travaux et d'autres fardeaux qu'une peu profitable guerre indienne) avait été enlevé sous le nez même de la Flotte.

Roy allait glisser un mot en faveur de Mary Grant et revint sur son idée lorsqu'il vit du coin de l'œil que Mary, ayant pris le temps de s'habiller, était sortie sur la véranda et, un bras passé dans le bras du vieux médecin, se tenait debout à côté de lui. Quiconque avait informé Chekika de la présence de la jeune fille sur l'île avait bousillé son message, et il n'y avait plus moyen d'expliquer sa présence à présent que, dans l'esprit du chef, elle comptait comme une partie du prix qu'il emporterait le lendemain dans les Glades, une partie de la garantie qui l'assurerait de la bonne conduite de l'Armée à son égard !

— Et si le docteur refuse de venir ?

— C'est des lèvres mêmes du docteur que j'entendrai sa sagesse.

Le botaniste avait exhumé de sa poche une pipe en épi de maïs, la bourrait, l'allumait paisiblement et à loisir, jouant avec le plus d'effet possible de ces « lucifers » qui semblaient encore, pour la plupart des Indiens, une forme inquiétante de magie noire.

— Le Chat Sauvage m'honore grandement. Le secrétaire Poinsett est un ami, je vous l'accorde, mais il n'est pas mon frère de sang. Non plus que cette jeune personne n'est ma fille...

— Si Poinsett n'était pas ton frère de sang, pourquoi donnerais-tu son nom à des fleurs nouvelles ? Et, si cette princesse blanche n'est pas de ta chair et de ton sang, que fait-elle dans ta maison ?

Les yeux du docteur Barker cherchèrent ceux de Roy, y lurent son message silencieux, et sa main serra le bras de Mary, au moment où elle allait parler.

— Ainsi donc, le Père des Séminoles espère terminer une guerre en capturant des jeunes filles et des vieillards ? Je ne pensais pas que sa situation fût à ce point désespérée.

Le bras de Chittamicco quitta sa ceinture, la hache toujours serrée dans son poing. Son frère fit tomber le tomahawk, d'une tape si vive et si forte qu'il fit, en tombant, éclater le bois du plat-bord.

Puis il parla, cette fois dans cet espagnol-cubain coulant et rapide que Chittamicco avait toujours refusé d'apprendre :

— Nous ne nous servirions de toi et de la fille que pour obtenir un traité de paix qui durerait plus longtemps que nous-mêmes.

— Tu n'établiras jamais la paix par la violence, crois-moi, Roi des Panthères ; si tu poses le pied sur Flamingo Key cette nuit, tu auras signé ton propre arrêt de mort.

Roy parla rapidement dans le lourd et menaçant silence :

— J'ai dit à Chekika qu'il sert de cible à une douzaine d'armes à feu. Je n'en dirai pas davantage. Aucun de ses canoës n'atteindra Flamingo Key, sauf s'il vient s'y échouer comme une épave, la quille en l'air.

— Ce n'est pas toi qui tentes de m'effrayer, Salofkachee, répondit Chekika. Je ne puis permettre à ta voix d'arriver à mes oreilles.

— Il n'existe aucun homme capable d'effrayer le Chat Sauvage. Je me contente de faire appel à sa grande sagesse. Nous sommes bien armés ici, et nous avons été avisés à temps de ton arrivée. Tes guerriers se feront tuer à leurs pagaies avant d'avoir pu toucher la place.

Les yeux de Roy s'arrêtèrent sur le vivier aux tortues. Vingt carabines et mousquets y étaient dissimulés, prêts à tirer sur le premier esquif qui approcherait à portée de fusil. Derrière les lattes des stores vénitiens, une demi-douzaine d'ouvriers et les huit esclaves domestiques du docteur s'emploieraient jusqu'au dernier souffle à repousser les agresseurs. Mais ce que Roy avait vu de la flottille de Chekika lui avait permis de comprendre combien les habitants de l'île seraient débordés. Trois cents guerriers au moins participaient au raid, et tous, il le savait d'avance, seraient mieux armés que les défenseurs. Si le tomahawk de Chittamicco devenait le porte-parole de son frère, la lutte serait terminée en moins d'une heure, toute résistance écrasée. Surtout si les Indiens, conformément à leurs habitudes, attendaient la brume du matin et lançaient leur attaque pendant l'heure grise et brune de l'aube.

— Le raton laveur ne menace pas la panthère, Salofkachee, dit Chekika d'une voix douce et basse, un peu triste peut-être... et séparant chaque mot... Tout ce que je demande, c'est deux otages pour assurer notre avenir. Consens à nous les remettre et tu épargneras du sang et des cheveux.

— Tu regagnerais paisiblement les Glades ?

— Aussi paisiblement que nous sommes venus. Et si Poinsett accepte les termes de traité que nous proposerons, nous ne quitterons plus jamais la terre verte des Glades.

« Tu as lancé ton défi, pensa le chirurgien. Je n'ai plus qu'un mot à ajouter. » Il éleva la voix suffisamment pour être entendu par les tireurs embusqués près du vivier aussi bien que par les nègres au visage gris, accroupis aux fenêtres de la maison, et par les femmes entassées dans le hall aux volets clos.

— Nous allons examiner ta proposition, Père des Séminoles. Quand faut-il que notre réponse te parvienne ?

— Pas plus tard qu'au premier reflet de l'aube.

Roy s'inclina pour marquer son acquiescement. Il avait compté sur l'horreur des Séminoles pour tout combat se passant dans l'obscurité. Cette fois, les habitants de l'île y trouveraient peut-être leur salut.

— Rentrez les pagaies quand vous serez sortis hors des

limites du banc de corail, dit-il. La mer est calme cette nuit. Tu auras notre réponse à l'aube.

Il avait continué à parler espagnol, car tous les habitants de l'île comprenaient cette langue. A présent il répéta les mêmes mots en langage séminole, avançant pour cela d'un pas encore, car il tenait à s'offrir la satisfaction de rendre à Chittamicco regard pour regard, dans les yeux. Il ajouta à voix basse : « Prie tes dieux, frère de Chekika, pour que notre réponse ne t'arrive pas enroulée autour d'une balle ! » Puis, délibérément, il se détourna de cet ennemi et leva la main, paume en dehors, en un salut pacifique adressé à Chekika. Le Roi des Chats Sauvages lui rendit son salut et son geste de paix, tandis que son canoë, traçant sur l'eau un grand arc silencieux, mettait le cap sur la passe et gagnait la sortie du port à toute la vitesse des bras de ses pagayeurs.

CHAPITRE XIII

IL PARVINT, EN RACLANT minutieusement toute la paroi, à extraire de la jarre une dernière poignée de graisse d'ours, la plaqua dans son autre paume et, debout devant le miroir, entreprit d'oindre un bras déjà luisant. Le noir de fumée, lui aussi, était presque épuisé ; il mit une touche finale à son front frotté de suie et se recula pour juger de l'effet d'ensemble. Le mélange de noir de fumée et de graisse rendrait, il l'espérait du moins, sa tête et ses épaules invisibles au niveau de la mer.

En outre, et pour s'en être servi l'an dernier dans un match qu'il avait gagné contre Andrew Winter (il s'agissait alors de traverser Biscayne Bay à la nage), il savait que la graisse lui serait dans l'eau une utile protection.

La pendule de la cheminée marquait trois heures : dans trente minutes, la lune serait couchée ; dans deux heures, l'aube se lèverait. S'il ne perdait pas de temps, s'il ne rencontrait pas de « barracudas » au milieu du détroit, s'il ne perdait pas son sang-froid en discutant avec le lieutenant Pinckney de la Marine américaine, il aurait juste assez de temps. Doucement il ouvrit la porte de la pièce et, plus doucement encore, lança un appel de l'autre côté du couloir.

Le docteur Barker s'amena sur la pointe des pieds et l'enveloppa d'un regard d'absolue réprobation. Roy, qui se voyait dans une glace, ne pouvait s'empêcher de rire. Nu, au caleçon près, noir comme un Malgache des cheveux au cou, enduit de graisse luisante et malodorante du cou aux orteils, il aurait difficilement pu sembler plus grotesque.

— Je persiste à répéter que tu es complètement fou, Roy. Ton entreprise est insensée. Ce serait infiniment plus simple si je me rendais.

La voix du botaniste semblait venir d'extrêmement loin.

— Ils exigeraient Mary en même temps. Nous avons déjà examiné la question.

— Mais puisque Mary aussi est consentante. Plus que consentante.

— *Vous* savez ce que c'est qu'être otage chez les Indiens. Est-ce qu'*elle* s'en doute seulement ?

Le docteur Barker étendit les mains sous la lumière de la lampe. Pour la première fois, Roy remarqua combien il était frêle, fragile même, et combien indomptable.

— Admets, dit le vieillard, que nous serions des otages spéciaux. Nous serions des hôtes dans la maison du chef...

— Combien de temps Chekika restera-t-il le chef ? Avec Chittamicco et les autres qui hurlent en réclamant du sang ?

— Tant qu'il vivra, il nous gardera en vie. Comment pourrait-il en être autrement ?

— Je n'en suis pas tellement certain ! La dernière fois que je me suis assis auprès de son Feu du Grand Conseil, je n'ai échappé à la mort que d'un cheveu !

— En tout cas, si nous nous rendions ce soir, l'île serait épargnée.

Roy soupira, regarda la pendule, moins de deux heures avant l'aube, en mettant les choses au mieux, un coup de dé hasardeux, presque désespéré... Pourtant ils s'étaient mis d'accord et avaient conclu que l'enjeu valait le risque... Cela ressemblait bien au docteur Barker de reprendre une fois de plus la discussion.

— Vous avez entendu ses conditions, monsieur. A l'aube il se montrera à la passe du récif, précédé d'un autre drapeau blanc, et il vous prendra à son bord, vous et Mary.

Un long moment, Roy imagina ce tableau, puis ferma en frissonnant ses yeux qui allaient évoquer les suites... Il reprit :

— Si la moindre difficulté se produit, trois cents hommes arriveront à la suite du canoë de Chekika et s'empareront de Flamingo Key. Trois cents meurtriers tout droit venus des Glades et que démangera le double désir des scalps et du rhum cubain de Dan Evans. Même si vous montez dans le canoë de Chekika, même si Chekika vire aussitôt de bord pour reprendre le chemin de Cape Sable, croyez-vous que les autres suivront ?

— Du moins ils attendent l'aurore.

— Pour une seule raison : les Indiens n'aiment pas mourir après que le soleil est couché ni avant qu'il soit levé ; ils sont convaincus que l'esprit du mort s'égare dans l'obscurité. Et, si vous voulez mon avis, je vous dirai que c'est bien la seule toute petite veine que nous ayons cette nuit.

Le docteur Barker laissa libre l'ouverture de la porte :

— Très bien, Roy. C'est toi et pas moi qui dois nager jusqu'à Tea Table Key. Et c'est toi qui dois persuader ce lieutenant à tête enflée qu'il gagnera un galon supplémentaire s'il se décide à te suivre. Je n'en reste pas moins convaincu que c'est l'étincelle qui nous fera tous sauter !

— Non pas si nous les prenons à revers, par le nord, quand ils s'y attendront le moins. Non pas s'ils supposent que nous avons toute la compagnie derrière nous.

Le botaniste soupira, laissant tomber sa main sur l'épaule du garçon :

— Très bien, fils. Je sais que nous avons convenu que l'enjeu vaut le risque. Si je discute, c'est sans espoir de te convaincre. Veux-tu dire au revoir à Mary à présent ?

« Cet après-midi, pensa Roy, j'ai dit adieu à Mary Grant une fois pour toutes. Je ne désire aucunement renouveler cette épreuve. »

Il se contenta de répondre, assez doucement :

— Si vous n'y voyez pas d'inconvénient, je lui épargnerai cela !

— Elle attend, sur la véranda...

— Saluez-la pour moi, je vous prie. Et dites-lui que je reviendrai avec le soleil, afin d'être à temps pour la faire embarquer sur le paquebot de La Havane.

Ils se serrèrent la main dans l'ombre du porche. Roy descendit allégrement sur la pelouse, réprimant un frisson quand les doigts humides du brouillard touchèrent son corps. La rosée, qui descend toujours assez lourdement sous ces latitudes, était fort dense cette nuit et particulièrement froide depuis que la lune avait commencé sa glissade derrière les palétuviers des îlots de l'ouest. Elle s'amusait à illustrer de dessins fantomatiques la pelouse entre les cocotiers, tandis que le sentier allant à la plage et au vivier des tortues était complètement effacé aux regards. Roy se signa et murmura une fervente prière : il spéculait sur ce brouillard pour protéger la première et la plus dangereuse partie de sa traversée.

En dépit de ses meilleures résolutions, il s'arrêta une seconde au porche de côté pour donner un coup d'œil dans la véranda. Mary Grant y était installée, très droite, dans un fauteuil, un enfant blotti sur ses genoux. La lumière de la lampe glissant derrière elle entre les lattes du store vénitien nimbait sa tête d'un or vague. Il resta un grand moment, debout dans l'ombre brumeuse, à contempler cette joue soulignée d'un reflet doré, la tendre courbe de cette gorge, ces cheveux soyeux et noirs. Elle attendait, les yeux baissés ; ses lèvres paraissaient murmurer doucement. Il se demanda si elles faisaient écho à la prière qu'il venait de prononcer et, réconforté par cette pieuse espérance, s'enfonça dans la nuit.

A l'entrée du vivier aux tortues, il s'arrêta pour serrer quelques mains le long de la barricade improvisée. Puis, sans s'arrêter à évaluer les chances de son coup de dé, ouvrit la porte incrustée de sable qui constituait l'unique accès à l'aquarium du docteur Barker et marcha d'un pas ferme au milieu des soupirs de l'eau resserrée dans ce long tunnel de palmettes. Il avait déjà, en d'autres occasions, visité le vivier pour y choisir la pièce de résistance du dîner. En plein jour. A présent, lune couchée et sans nulle lueur pour le guider, il savait qu'il fallait user de précautions. Les tortues géantes, somnolentes le jour, paraissaient en quête ce soir dans leur enclos. Plus d'une fois, il se cabra violemment, s'érafla une épaule, se heurta un tibia contre les piliers de palmette, pour éviter d'entrer en collision avec une carapace couverte de coquillages ou avec une nageoire battante... Des yeux le guettaient de partout — des yeux jaune pâle qui, dans l'obscurité, donnaient de faibles étincelles. Il savait que ces lentes créatures ne lui feraient aucun mal s'il ne gênait pas leur nage, mais il n'en eut pas moins un soupir de soulagement quand, à l'autre bout de l'enclos, escaladant l'extrémité du dock, il sortit enfin du vivier.

Déjà la plage était dépassée d'une bonne centaine de mètres. D'ici, il pouvait examiner l'eau libre en avant de lui et peser vraiment ses chances. Jusqu'à présent, son avance avait été cachée par la clôture du vivier, mais il allait désormais devoir nager à découvert, évitant au mieux les affleurements lorsqu'il approcherait de la passe dans le récif, et priant Dieu que, juste au delà, les guerriers de Chekika fussent assoupis sur leurs pagaies. Tea Table Key était à un bon mille du banc de corail. Il avait plus d'une fois couvert la distance, mais, là encore, en plein jour et aidé par la marée descendante. Ce serait une autre histoire cette fois, par nuit noire et dans le brouillard posé sur la mer comme un couvercle.

Il aspira profondément et plongea sans se donner le temps d'éprouver de frayeur. Descendant profondément et nageant sous l'eau jusqu'à ce qu'il sentît ses poumons sur le point d'éclater, il émergea à deux cents pieds du débarcadère et commença la première partie de sa dangereuse expédition — un long sprint silencieux vers la passe. Là, du moins, il pourrait tant bien que mal s'orienter, d'après la direction des vagues se bousculant dans l'ouverture, sous la poussée du reflux s'efforçant de sortir pour retourner vers la haute mer.

La station navale était presque en plein ouest. Grâce à la forme de Flamingo Key et à l'incurvation du récif lui-même, on ne pouvait l'apercevoir qu'une fois entré dans l'eau libre. Toute la face nord de Flamingo Key — où était, selon toute vraisemblance, massée la flottille de Chekika — était cachée aux observateurs de la station. Par voie de conséquence, on pouvait supposer qu'un nageur isolé, se rendant à la station navale, échapperait aux observateurs séminoles — à moins que le Chat Sauvage lui-même, ou un homme de confiance, fût placé juste à la sortie de la passe pour empêcher toute éventuelle tentative d'appel au secours.

Il voyait à présent le ressac écumer sur les affleurements des deux côtés de l'étroit chenal. Puis, par instinct plutôt que par véritable perception visuelle, il sut qu'il était en eau libre, que tout le corail était derrière lui, qu'il était sorti de la baie et que Tea Table Key se trouvait droit devant. L'obscurité, ici, était à peu près totale ; le lourd brouillard qui commençait à s'étendre sur la mer elle-même était aussi humide et aussi froid que la mort, et il le sentait coller à ses bras chaque fois qu'une coupe — ou une brasse, selon l'alternance dont il usait pour se reposer — les faisait émerger silencieusement. Dans cette obscurité massive, le Chat Sauvage voyait, il ne l'ignorait pas, beaucoup mieux que lui. A tout instant, il s'attendait à ce que résonnât le choc d'une pagaie, ou un appel... qui ne serait qu'un autre nom donné à la mort ! Mais, en dehors du soupir décroissant du ressac, aucun son ne troublait l'air moite.

Peu à peu ses yeux s'accoutumaient au noir opaque, et même, quand, par endroits, le brouillard se déchiquetait en flocons, il parvenait à discerner de vagues repères. Entre ses deux ancres, juste à l'intérieur du banc, le ketch du docteur se balançait ; John et Rachel étaient en paix à bord. Chekika ne leur ferait aucun mal, même s'il saccageait totalement l'île : les relations entre les Séminoles et les noirs étaient plutôt amicales.

Il ne put situer exactement le point où le catboat de Dan s'était échoué, bien qu'il discernât faiblement le grand mât qui se balançait sur le fond de ciel juste au delà de l'écran de palétuviers. Il remarqua que Dan avait quitté le port par une percée éloignée : si son intention initiale avait réellement été d'alerter Tea Table Key, il n'aurait pu choisir route plus détournée !

Loin de la côte à présent, nageant avec régularité, poussé par la marée, Roy se permit de reprendre son souffle. Sa stratégie, jusqu'à présent, avait réussi. La moitié à peu près de son parcours était derrière lui et il se sentait assuré que la flottille de Chekika était effectivement rassemblée sur le bord le plus éloigné de Flamingo Key, dans l'attente de l'aube. Il savait, à n'en pas douter, que tous les yeux éveillés étaient fixés sur la passe ; même dans cette heure de brume, la plus petite embarcation que le docteur Barker eût, en une tentative désespérée de la dernière minute, risqué de lancer vers la liberté n'aurait pu échapper à la surveillance des Indiens. Mais il semblait que la tête couverte de graisse noire d'un nageur isolé avait passé inaperçue... Il semblait... jusqu'au moment où son oreille perçut le bruit de pagaies...

Il plongea aussi profondément qu'il l'osa, et même un peu plus. Le sang lui cognait son avertissement aux tempes et ses yeux s'écarquillaient. Des bulles phosphorescentes se détachaient à son passage, et il se demandait, le cœur battant, si, dans ce mortel jeu de cache-cache, elles ne le trahiraient pas. Il n'osa pas regarder au-dessus de lui quand enfin, n'y tenant plus, il fut obligé de jaillir vers l'air : si les occupants de l'embarcation avaient remarqué sa présence, elle était peut-être exactement au-dessus de lui en cet instant même... Il lui fallut un formidable effort de volonté pour trouer sans bruit la surface et pour ravaler un cri d'exultation lorsqu'il but sa première gorgée d'air...

A présent il voyait nettement le canoë et, sans avoir besoin des symboles peints à sa proue, qu'il ne pouvait d'ailleurs distinguer, il sut que c'était celui de Chekika. Les têtes et les torses des pagayeurs disparaissaient dans la brume qui flottait comme une épaisse couverture à un pied de la surface de l'eau. Le canot allait et venait, le long de la passe ; le chef séminole n'avait pas dû cesser sa surveillance du chenal : bien en avait pris à Roy de franchir la passe en plongée profonde ! Pendant qu'à cent mètres de là le jeune homme, en eau libre, reprenait haleine, le canoë faisant demi-tour, descendit rapidement vers la seconde ouverture, celle par laquelle Dan Evans avait pris le large avant l'arrivée des Indiens.

Roy attendit à peine que le choc des pagaies s'affaiblît dans la nuit. Après sa longue plongée, du sang lui coulait du nez et des oreilles et, s'il flânait sur place, il ne faudrait pas beaucoup de temps avant que l'odeur attirât les « barracudas ». Un seul... ou tout un banc... c'était la même chose... Il préférait encore être pris par les Séminoles que déchiqueté par ces mâchoires voraces.

Il n'osa pas risquer tout de suite une coupe hardie, et ce ne fut qu'un bon demi-mille après la rencontre du canoë qu'il mit toute sa vigueur dans le dernier et long sprint pour Tea Table Key. Le brouillard, cette fois, était installé sur le flot même et, de son éponge géante, avait barbouillé l'horizon entier. Pendant un certain temps, il eut le sentiment d'avoir perdu son orientation et dépassé son but — et, d'ici les Bahamas, aucune terre ne le recueillerait, tandis que l'entraînerait le courant inexorable du Gulf Stream. Puis, comme un vent très léger frémit à l'orient (avant-coureur de la brise qui manquait rarement de rafraîchir ces latitudes une heure avant le lever du soleil), un coin du rideau d'ouate se souleva et il aperçut la ligne familière du dock de la Marine, haut perché sur les pattes d'araignée de ses pilotis.

Conséquence de sa plongée profonde, une guêpe géante bourdonnait encore derrière chacun de ses tympans, effaçant tous les sons normaux. C'est à peine s'il perçut le rauque halètement de triomphe qui s'échappa de ses propres lèvres. Son but était distant encore, mais il était distinct. Même si le brouillard retombait et l'effaçait à sa vue, il ne s'y tromperait pas. Il nageait obstinément, se dirigeant par instinct, sentant le froid pour la dernière fois, l'étreinte de l'Atlantique qui lui serrait les épaules, qui prenait comme en une vis les mollets, la poitrine... Quatre cents mètres plus loin... Les distances, dans l'eau, sont toujours trompeuses, mais il était néanmoins certain désormais que la solidité bénie du quai n'était plus tellement lointaine. Il rendit à son esprit, délivré de la préoccupation de survivre, la liberté de se réfugier dans ces zones silencieuses où il travaillait, calculait, réparait ses plans. Car il savait qu'il devait se concentrer entièrement sur un plan...

Pinckney disposait, au maximum, de quarante fusiliers marins, à moins que, chose peu probable, une partie de sa compagnie fût revenue pendant la nuit. Mais les deux sloops qui étaient à terre pourraient aisément reprendre la mer après une rapide réparation ; les obusiers montés à bord de l'allège, bourrés de mitraille et de poudre, pourraient en peu de volées expédier Chekika et son escorte loin de la surface des flots, les éparpiller dans l'atmosphère — à la condition que le lieutenant pût être persuadé d'emmener au plus vite artillerie et artilleurs en direction de Flamingo Key. Tout cela, Roy l'avait expliqué dans la bibliothèque du docteur Barker tandis qu'il se préparait à sa traversée. Étourdi qu'il était après sa longue immersion, il parvenait encore à se persuader que le lieutenant accepterait sans difficulté de faire ce qu'il demanderait. Et, quand il chevaucha la vague suivante, il en était arrivé à se convaincre que non pas deux mais quatre sloops seraient promptement à même de prendre la mer. Mieux encore, que la dernière étoile avant l'aube luirait sur quatre canons pivotants montés à la proue des sloops, avec un fusilier tout prêt à tirer.

Il ouvrit la bouche en un cri muet, cligna des yeux, mais la vision était toujours là. Elle était là, toutes voiles larguées, fendant la mer matinale, et quatre beauprés fonçaient droit dans la nuit finissante. En cet absurde instant où la folie et la réalité se mélangeaient, il comprit l'apparition et sa cause. Les quatre navires qui se dirigeaient sur Flamingo Key étaient très réels, c'était un groupe rentré avant le gros de la flottille partie la veille en chasse creuse vers Key Largo : Pinckney, qui, sous sa fanfaronade, avait un fond de sens commun, avait décidé que l'exercice du jour serait une patrouille le long de la côte sud de Macumbe — et dans quelques minutes les trente canots de Chekika seraient découverts.

Une lueur brilla à bord du sloop de tête ; Roy vit l'artilleur incliner sa pièce vers l'avant, vit la flamme orangée courir le long de la fusée. Il était trop tard pour avertir ces fous de leur folie, Roy n'en brailla pas moins sa protestation dans le creux de sa vague. Le coup ronfla au-dessus de sa tête. Dans la brève clarté qui suivit, il distingua une douzaine de prunelles sombres et sut que la Marine avait, tout compte fait, visé une cible, car le canoë de Chekika lui apparut, tout cerné de flammes, comme un cauchemar vivant. Et puis l'obscurité reprit ses droits. Le cri de guerre des Séminoles, maigre, aigu, portant loin, lui apprit que l'obus avait manqué son but. Avant de s'étendre, le cri de guerre fut repris tout le long du banc de corail, comme par un écho vivant.

Et, quand le second obus fusa, Roy vit que le canoë de Chekika était déjà de l'autre côté de la passe, dans le port, et que le port était plein de canoës pressés les uns contre les autres. La plupart étaient vides, à l'exception de l'homme à la godille et d'une ou deux squaws. La plage de Flamingo Key était noire déjà de silhouettes dansantes. La pelouse du docteur Barker, la véranda de l'hôtel Evans, jusqu'aux planches du vivier aux tortues, tout grouillait de sauvages dansant, hurlant, tirant, hideux : chair rouge et chair blanche s'affrontaient en un combat inégal.

Un moment plus tard, regardant encore, il sut que ce second coup de canon n'avait révélé à sa vue qu'une petite part de la sanglante débâcle, que l'image qui brûla sa vue et s'imprima dans son esprit attendait depuis le début de prendre forme et vie. Le premier jet de flamme parmi les jardins du docteur Barker, s'élevant comme une réponse à la canonnade de la Flotte, n'était qu'une manière de note en marge au chapitre de son désespoir. Il voyait que la marée sauvage avait reflué à la suite de Chekika, que l'île, en somme, avait été possédée d'un seul élan, prise en une rafale, et il sut qu'il s'y attendait depuis qu'en fin d'après-midi, débarquant à Tea Table Key, il avait trouvé la station déserte. Le quartette de sloops qui le dominait à présent, aboyant ses vaines menaces du fond de ses gorges de bronze, était arrivé trop tard.

Il cria vraiment, à toute force, pendant qu'un bout-dehors fendait l'air juste au-dessus de sa tête, et il entendit sa voix exploser dans son cerveau, parce que ses oreilles, elles, se refusaient encore à entendre. L'étrave fendit l'eau à quelques pouces de sa tête, un choc brutal heurta son épaule, il s'efforça de s'agripper à la coque qui fuyait. Rassemblant toutes ses forces défaillantes, il souleva sa tête et ses épaules par-dessus le plat-bord qu'il avait pu accrocher et laissa son corps traîner inerte dans le sillage. Une lanterne sourde projeta soudain sur lui une lueur inquiétante. Il eut encore un rapide aperçu du visage scandalisé du lieutenant Pinckney, le regardant de haut avec une surprise incrédule, et se souvint qu'il devait ressembler à quelque monstre boueux arraché par hasard aux profondeurs marines.

Il essaya de crier son nom, mais aucun son ne vint de sa gorge brisée. Avant qu'il pût risquer une nouvelle tentative, quelque chose cogna son crâne, derrière une de ses oreilles sourdes, et l'envoya impitoyablement sombrer dans d'obscures et insondables profondeurs.

DEUXIÈME PARTIE

INDIAN MOUND

CHAPITRE PREMIER

LE COLONEL ELIAS MERRICK, rebroussant son tricot de peau sur son estomac proéminent, se gratta pendant un bon moment avec une joie pure, avant de se laisser aller en arrière dans son fauteuil et de fixer sur ses deux subordonnés un œil sans bienveillance. Dans l'appartement du colonel à Fort Everglades, encombré comme à l'ordinaire, aussi étouffant en cette fin d'après-midi que la chaudière même de l'enfer, régnait ce calme inquiétant qui ne se manifeste qu'entre deux coups de tonnerre.

Le capitaine Andrew Winter, toujours au garde à vous devant son supérieur, participait de cette paix temporaire et glaciale. Le docteur Royal Coe aussi, d'ailleurs, obstinément installé, bien à son aise dans un fauteuil de paille, de l'autre côté de la pièce. Il ne bougea pas lorsque le colonel, enfin, parla. Roy avait déjà survécu à bien des attrapades ; celle-ci, étant imméritée, était d'autant plus facile à encaisser.

— Et c'est la dernière chose dont vous vous souveniez, docteur Coe ?

— La toute dernière, monsieur. Il semble que ce soit le lieutenant Pinckney lui-même qui m'ait saisi par la peau du cou après que l'enseigne West m'eut matraqué derrière l'oreille. Je ne saurais le blâmer, je vous l'ai dit. Ils ont dû tous les deux croire que je faisais partie de la ligne d'escarmouche de Chekika...

Le colonel Merrick l'interrompit froidement :

— A mon avis, docteur, vous avez de la veine d'être vivant.

« Beaucoup de veine en vérité, pensait Roy. Mais je n'en suis pas plus heureux pour ça ! Quand j'en aurai fini avec cette épreuve-ci, il faudra que je m'explique avec mon meilleur ami et que j'essaye de lui faire comprendre pourquoi sa fiancée est à présent otage chez les Séminoles... »

Il répondit avec douceur, attendant une nouvelle interruption :

— Vous avez vu le rapport de Pinckney, colonel. Je vous ai expliqué que j'étais passé tout exprès à la station navale et que je leur avais donné un très sérieux avertissement. Pouvez-vous me blâmer d'avoir traversé le chenal pour leur apporter confirmation des faits et stimuler leur intervention ?

— Si je comprends bien ce jeune fils du diable, il avait presque tous les faits à sa disposition. Il était en route pour faire lever le siège quand il manqua vous couler...

— Exactement, monsieur. Mais nous étions trop tard, lui et moi, Chekika était déjà à l'intérieur de la barrière de corail et il attaquait Flamingo Key en force au moment même où le lieutenant Pinckney me hissait à bord. Tout ce que nous pouvons porter à l'actif de cette opération navale, c'est qu'elle créa une diversion et sauva probablement un certain nombre de vies sur l'île en obligeant les agresseurs à regagner leurs canoës plus tôt qu'ils ne l'auraient voulu.

— Mais avec leurs otages.

— Avec leurs otages. L'invasion des keys par Chekika s'est faite absolument comme il l'avait projetée. Il savait aussi bien que moi que nous ne pourrions jamais céder le docteur Barker ainsi qu'il le demandait.

Roy lança un regard désespéré vers Andy Winter et baissa les yeux devant le coup d'œil des grands jours par quoi lui répondit son ami.

— Et moins encore Miss Grant... La question ne se posait même pas ! Sommes-nous d'accord jusqu'ici ?

— Parfaitement d'accord, docteur. Il n'en demeure pas moins que vous auriez dû rester où vous étiez, et vous battre. N'importe quel soldat aurait agi de la sorte. Est-ce exact, capitaine Winter ?

Le capitaine Winter fit claquer ses talons correctement et tint son regard fixé droit devant lui :

— Avis contraire, monsieur. Je considère que le docteur Coe a agi au mieux des intérêts de Flamingo Key. Ce n'est vraiment pas de sa faute si Jim Pinckney est né idiot. Le rapport reconnaît que ses canons auraient pu être en action dès minuit, s'il avait réfléchi avec tant soit peu d'intelligence. Et cela aurait fait toute la différence !

Roy se sentit libéré d'un poids énorme. Du moins Andrew Winter comprenait dans quelle situation abominable il s'était trouvé. Pour ne rien dire du risque qu'il avait couru en nageant vers Tea Table Key.

— Croyez-moi, colonel, notre seule chance était de trouver la Flotte et de frapper à l'arrière. Une fois l'action engagée sur Flamingo Key... (Il étendit les mains, fermant les yeux sur l'image brûlante qui tourmentait encore ses nuits et ses veilles.) ... Vous avez le rapport de la Marine elle-même sur sa durée...

Le colonel prit sur son bureau un manuscrit broché de bleu et le soupesa distraitement. Les coins des feuilles de papier ministre étaient soigneusement cirés ; la signature du lieutenant Pinckney en dernière ligne était ornée d'un ample paraphe.

Roy se tourna, avec un quart de sourire, vers le sergent Ranson, qui, assis à une table de côté, grattait industrieusement un papier analogue et le couvrait d'un rapport du même genre. Tous savaient que, dans la cour, l'aide de camp du général piaffait de long en large en attendant que ledit rapport fût prêt — afin d'apporter à Saint-Augustin les excuses du commandant.

— Dix scalps ! fit le colonel. Ils ont pris dix scalps ! Ils ont enlevé tous les esclaves du docteur Barker à l'exception d'un nègre malade et de son infirmière qu'ils ont laissés à bord d'un ketch dans le port. Dan Evans en a perdu quatre. Un de ses magasins a été pillé, ils n'ont pas laissé un sac de farine ; l'autre a été brûlé au ras du sol. Tous les blancs sont morts et... découpés, sauf ceux qui ont eu le bon sens et la bonne fortune de rester cachés dans les palétuviers ou dans une citerne. Le docteur Barker et la jeune fille sont quelque part on ne sait où dans les Glades, comme otages, si nous pouvons en croire l'ahurissant billet du docteur... Vous êtes sûr que ce n'est pas un faux, Roy ?

Il tenait au bout des doigts un feuillet isolé qu'il considérait en fronçant les sourcils.

— Je reconnaîtrais l'écriture du docteur Barker n'importe où, monsieur, et je ne vois d'ailleurs pas qui aurait pu l'imiter.

Roy s'aperçut que le décrochement était effectué. L'emploi du nom de baptême prouvait que, pour l'instant du moins, la semonce était terminée.

— Diriez-vous que ce billet a été écrit sous contrainte ?

— Il n'en donne pas l'impression.

— Le docteur Barker avait précédemment rendu visite à Chekika, monsieur, dit Andy. Et, d'après ce qu'a déjà exposé Roy, il était tout à fait résigné à se rendre. Il l'aurait même fait immédiatement s'il n'y avait pas eu la question de Mary...

Le colonel Merrick donna un bref regard à son chef d'état-major :

— Asseyez-vous, mon garçon, et détendez-vous. C'est un conseil de guerre et non une cour martiale. En tout cas, pas encore.

Andrew Winter eut un pâle sourire et s'assit à la table où le sergent s'affairait :

— Mon point de vue figure au rapport, colonel. Je n'y reviendrai pas, à moins que vous insistiez.

— Je crains bien de devoir insister. N'oubliez pas que cette discussion est textuellement envoyée à Saint-Augustin. Êtes-vous prêt à partir au premier signe ?

— Ce soir si c'est nécessaire, dit calmement le capitaine.

— Y compris le service de ravitaillement ?

— Dan Evans s'en charge.

— Les effectifs ?

— Deux cents tireurs de première classe. Cinquante charges par homme. Munitions rangées sous toile dans vingt canoës à faible tirant d'eau. Le capitaine Stevens a la responsabilité du camp de base, qui sera établi juste au-dessus des chutes du Miami. Le lieutenant Hutchens me servira de second ; le sergent Ranson a la charge générale de la troupe même. Le docteur Roy est prévu comme éclaireur spécial, sous mon commandement.

— Êtes-vous d'accord sur ce point, Roy ?

Le colonel Merrick accompagna sa question d'un regard noir, que le chirurgien accueillit bien en face.

Roy n'était arrivé à Fort Everglades que le matin même, après deux jours passés à l'infirmerie de Tea Table Key. L'allure rapide de l'enquête le laissait quelque peu étourdi. Mais il attendait depuis longtemps cette campagne. Depuis des mois qu'il voyait Winter entraîner ses vétérans, il savait que son rôle dans l'expédition était prévu. Et, de même, il savait qu'il aurait à prendre des ordres et non à en donner. Il parla en pensant à la plume coureuse de Ranson :

— Je serai heureux de servir l'Armée dans tel emploi que me désignera le capitaine Winter.

— Je crois, Ranson, dit le colonel, que ce sera à peu près tout pour le rapport. Andy partira pour les Glades demain au coucher du soleil.

Il sourit à Roy, comme si un souci lui était subitement retiré :

— Il nous faut donner un jour de plus à la tête de notre

guide pour se refaire. D'ailleurs, Stevens est encore occupé à expédier en amont ses rations de supplément.

Il se remit à parler en vue du rapport :

— Deux cents soldats pleins d'ardeur, dont les haches sont aussi tranchantes que celles des Séminoles. La liaison sera maintenue, via Fort Everglades, avec les forces du général qui, en ce moment, établissent une ligne d'opération à partir de Fort King tout le long du Caloosahatchee. Le groupe du général doit empêcher Chekika de gagner le Nord de l'Okeechobee. Le groupe de Winter a pour mission de forcer l'ennemi à accepter le combat dans les Glades.

Le colonel s'étira puissamment comme s'il sortait d'un rêve :

— Tout est clair dans le rapport, sergent ?

— Tout est clair, monsieur.

— Alors donnez un exemplaire à l'aide de camp du général et qu'il prenne la poste. J'ai trop supporté l'insolence de ce type-là ! A présent, je suis trop occupé pour le recevoir et lui faire mes adieux.

La porte se referma derrière Ranson. Personne ne parla. L'exercice de géométrie qui s'en allait — complet jusqu'à son Q. E. D. (1) patelin — vers la cour et l'aide de camp apaiserait peut-être le général. Peut-être même atténuerait-il la tempête qui, de Washington, allait bientôt s'abattre en grondant. Mais tous savaient qu'il n'y avait, entre cela et la tâche qui les attendait, aucune commune mesure véritable.

Quand le colonel reprit la parole, on eût dit qu'il pensait tout haut, sans précautions oratoires :

— Comme je vois les choses, Andy, nous avons deux atouts pour nous. Premièrement, l' « Armée » se rend en force sur le territoire au nord de l'Okeechobee, envoyée par le général. J'admets qu'elle hésitera peut-être à se mouiller les pieds ou même à se les salir, mais enfin c'est tout de même une petite chance. Deuxièmement, notre opération à nous était préparée avant cet holocauste de Flamingo Key. Si je comprends bien le billet du docteur Barker, ça, c'est quelque chose que le Chat Sauvage n'a pas escompté.

Tout en parlant, il considérait d'un air de profonde sagesse le papier laissé par le vieux botaniste.

— Voyez-vous d'autres faits en notre faveur ?

(1) Q. E. D. : *Quod erat demonstrandum*. Nous employons plutôt, dans ce sens, C. Q. F. D., formule française : ce qu'il fallait démontrer.

Andy soupira et posa sa jambe bottée sur la table, geste que le colonel imita aussitôt :

— Vois rien d'autre pour le moment, colonel.

Le colonel soupira à son tour :

— Alors, Roy ? Le rapport est parti. Dites votre point de vue véritable !

Roy prit son souffle et se jeta à l'eau :

— Avez-vous pensé à accepter les termes de Chekika ?

— Il a brûlé mes moustaches ! N'attendez pas que je lui offre mon scalp en plus !

— Les termes me paraissent assez raisonnables. Le docteur Barker en juge ainsi. C'est tout juste s'il ne les contresigne pas dans ce billet.

— N'oubliez pas où ce billet fut trouvé ! Fixé — par un tomahawk ! — à ce qui restait de la maison du docteur Barker. Chekika aurait peut-être pu nous épargner cette ultime insolence !

Roy prit le billet sur le bureau du colonel et l'étudia comme s'il n'en connaissait pas chaque terme par cœur. Tracé par la main précise du naturaliste, le billet était court, d'une désarmante placidité :

Au docteur Royal Coe, ou
au colonel Elias Merrick,
de Fort Everglades.

Pendant que j'écris ceci, Chekika termine son Invasion de Flamingo Key. Miss Mary Grant, que le Chef persiste à considérer comme ma Fille, est déjà à bord de son canoë comme Otage et je vais, dans un moment, prendre le même chemin, dans le même rôle.

Le Roi des Séminoles désire qu'il soit clairement entendu que Miss Grant et moi-même serons traités comme des Invités d'Honneur dans sa maison.

Il désire ensuite établir une Trêve entre sa Nation et le Gouvernement de Washington et s'engage à ce que notre Sécurité soit son premier Souci tant que la Trêve ne sera pas rompue.

Ses Conditions pour notre retour parmi la Nation Américaine sont doubles.

D'abord, il demande la Garantie formelle, signée par le Ministre de la Guerre, qu'il n'y aura point de Représailles contre les Séminoles, et que nul Homme Blanc ne mettra le Pied dans les Limites actuelles de l'Eau Herbeuse (que les cartographes Blancs appellent les Everglades et le Lac Okeechobee), ni maintenant, ni jamais.

Il demande en outre une Rançon en Espèces, Cinquante Mille

Dollars, en Or. Cette Somme sera acceptée par ses Émissaires sur le « hammock » connu sous le nom de « Pahokee », dans deux Semaines du présent Jour — *pourvu qu'elle soit apportée par le docteur Royal Coe*, ET PAR NUL AUTRE.

Je ne suis pas autorisé à en écrire davantage.

Roy rejeta la feuille sur le bureau du colonel :

— Je crois, monsieur, que je pèserais attentivement les termes de cette proposition.

— Est-ce que vous suggérez que nous devrions accueillir cette... revendication ?

— Le père de Miss Grant est un homme très riche. Et, d'ailleurs, le docteur Barker l'est également. Je suis certain qu'ils rembourseraient volontiers le gouvernement. Ils auraient la vie sauve. Et l'expédition nous coûtera plus cher que cela en argent, sans parler des hommes...

— Le général ne voudrait jamais en entendre parler ! Il n'y a pas que l'argent, Roy, il y a tout le reste. Enfer et damnation, mon garçon, l'Armée n'accepte pas les ordres d'un Indien. Le Chat Sauvage est un criminel, recherché pour meurtre. Il doit être traqué, pris et pendu.

— Ne ferions-nous pas bien d'attendre les ordres de Washington ?

— Si Poinsett était assis à ma place aujourd'hui, il donnerait le même ordre.

— C'est pourtant un grand ami du docteur Barker... Chekika parle d'une trêve. Serons-nous les premiers à la rompre ?

— Pourquoi non, si nous pouvons le prendre par surprise ?

— Très bien, colonel. Supposons que le capitaine Stevens établisse pour demain sa base au-dessus des chutes : supposons qu'il nous soit possible d'amener nos forces à ce camp et d'établir une ligne de communication et d'approvisionnement sans être provoqués. Ne pensez-vous pas cependant qu'il serait plus sage que j'aille d'abord jusqu'à Pahokee, comme le suggère ce billet, et que je voie ce que je puis faire ?

— Ce ne serait pas exactement sain pour vous, mon garçon, si vous vous y rendiez les mains vides, fit sèchement le colonel.

Roy retint à temps sa réplique. Le commandant était dans le vrai, bien sûr. Le Roi des Chats Sauvages avait formulé sa volonté. Il ne restait désormais d'autre alternative que d'accepter ses conditions ou de se lancer contre lui, tête baissée. S'il avait, lui, Roy, suggéré la première solution, ce n'était que pour le rapport, mais sans la moindre illusion d'être entendu. Dès le début, il avait eu la certitude qu'il accompagnerait ce raid, qu'il donnerait au besoin sa vie pour aider à l'instauration d'une paix définitive en Floride si tel était, en fin de compte, le seul moyen qui restât. Le fait que la bien-aimée de son cœur, la fille aux cheveux noirs, était désormais l'un des enjeux de cette partie désespérée n'influait en rien sur sa décision ; celle-ci était prise, et, avant même qu'il eût vu le premier jet de flamme illuminer Flamingo Key, il savait qu'aucun autre choix ne lui serait laissé.

— Il n'y a guère qu'un jour de route des chutes jusqu'à Pahokee Hammock, monsieur, dit-il encore. Andy et moi pourrions explorer la région ensemble, tandis que les transports lourds remonteront le fleuve.

— Excellente suggestion que celle-là, monsieur, intervint alors le capitaine Winter.

Il avait fort peu parlé depuis le commencement de la conférence, et cela aurait suffi à témoigner que son courage voilait un malaise profond. Car le capitaine de dragons était accoutumé à se faire abondamment entendre, où qu'il fût.

— Si Roy se sent suffisamment rétabli, j'aimerais que nous partions au plus vite. Je suis certain que sans autre explication vous comprenez tous les deux mon angoisse...

D'un signe de tête, Roy donna son acquiescement immédiat. Il ne souhaitait pas laisser à Andy Winter le temps de préciser cette crainte en paroles.

— Nous pourrons partir aussitôt que le colonel nous y autorisera. Mon canoë est certainement chargé à présent, j'avais donné les ordres nécessaires en arrivant.

Le colonel pesa silencieusement la suggestion :

— Et si vous trouvez Chekika qui vous attend sur le hammock ? Alors quoi ?

Andrew répondit sans hésiter :

— J'offrirais à l'instant même mes galons en échange de l'occasion de rencontrer ce démon face à face !

— Il est tout à fait possible, remarqua Roy, que la nation entière campe actuellement à Pahokee. C'est l'étape normale et naturelle des canoës et des pirogues, et ils n'ont eu que tout juste le temps de revenir de Flamingo Key.

Andy, qui arpentait le tapis du colonel, fit promptement demi-tour sur la pointe de ses bottes brillantes :

— Crois-tu qu'il oserait ?

— Pourquoi non, s'il se sent assuré que nous ne pouvons agir contre lui en force ?

— Et comment pourrait-il le savoir ?

— Oh !... ce raid secret... c'est un secret à ciel ouvert pour toute la Floride, n'en doutez pas ! En cet instant même, la base de Stevens est minutieusement examinée. Chacune des embarcations que vous mettrez à l'eau sera signalée et minutée longtemps avant qu'elle atteigne les chutes. C'est pourquoi j'avais suggéré d'accepter le payement de la rançon, même si c'est au-dessous de l'honneur de l'Armée ! Au moins, aurait-on ainsi pu sauver des vies, et je ne tiens pas compte en ce moment de celles du docteur Barker et de Mary...

Andy frappa le bureau du colonel à deux poings :

— Je t'en prie, laisse Mary hors de question ! Tiens compte de mes sentiments...

— Par malheur, il est impossible de la laisser plus longtemps hors de question. Nous pourrons peut-être décider Chekika à combattre en quelque point des Glades. Mais ce ne sera sûrement ni à Pahokee, ni en aucun endroit de notre choix. Il nous sautera dessus quand nous nous y attendrons le moins. Exactement comme Osceola nous a sauté sur les épaules à Withlacoachee, avec le résultat que vous savez. Ce que nous pouvons faire de mieux est de considérer notre raid comme une cible vivante — et active — en priant Dieu que nos tireurs soient les meilleurs et les plus prompts.

Andrew Winter eut une grimace de lassitude :

— Tu présentes les choses sous une bien plaisante lumière ! dit-il.

— Si nous amenons deux cents hommes dans les Glades, nous rompons la trêve. Le Chat Sauvage a perdu une douzaine d'hommes — à peine ! — à Flamingo Key, où il avait amené plus de trente canots. Ajoutez-y les renégats de partout qu'il avait laissés à son camp, et tous les esclaves fugitifs qu'il a libérés depuis des années — vous voyez bien que vous êtes débordés par le nombre. Nous pourrions sans difficulté réelle être balayés jusqu'au dernier homme, et, de surcroît, le colonel Merrick ne trouverait jamais nos tombeaux.

— Tu n'es pas inscrit au rôle, Roy, dit Andy. Pourquoi ne démissionnes-tu pas ?

— Parce que je suis engagé dans cette affaire jusqu'aux yeux, exactement comme toi, répondit l'autre, ravalant de justesse la fin de sa phrase.

Depuis que le nom de Mary avait été prononcé, une anxiété qu'il ne pouvait partager avec personne agitait son âme. Moins que quiconque, Andy devait s'en douter.

— Lorsque nous serons dans les Glades, je serai ton éclaireur, rien de plus. A ce moment-là, tu donneras tes ordres et j'obéirai. Avec ta permission — et celle du colonel — je vais à présent te donner quelques avis, tandis que nous sommes encore des amis.

Andy se laissa choir dans un fauteuil à côté du bureau de son supérieur, vers qui il dirigea un coup d'œil prudent. La grosse patte du colonel caressait toujours les muscles durs comme fer de son torse, tout nu à présent, et la cicatrice qu'une flèche y avait creusée à Tampa Bay.

— A vous le tapis, Roy, dit-il doucement. Profitez-en de votre mieux.

— Andy et moi irons, comme convenu, à Pahokee Hammock. A mon avis, nous n'y trouverons rien, mais cela vaut la peine d'y aller voir. Nous retournerons alors à la base et nous disperserons la colonne. Nous nous arrangerons pour faire croire, si nous sommes surveillés, que le plan d'invasion est abandonné. Mais nous ne descendrons pas plus bas que les chutes. A la faveur de l'obscurité, nous nous infiltrerons parmi le carex, par les chenaux de vase...

— En nous servant de quelles cartes?

— Ranson pourra diriger un groupe, monsieur. J'en prendrai un autre. N'importe quel trappeur, pourvu qu'il connaisse le Bourbier des Dix Milles, peut signer son engagement dans la milice. J'en connais une douzaine qui seront tout disposés à signer, si vous payez la prime habituelle pour les scalps. Une fois entrés dans ce marécage principal, nous ne pourrons, et c'est toujours ça, pas être pris en embuscade. Il est aisé de convenir d'un rendez-vous et, forçant notre voie vers le nord avec le lac comme objectif, de nous rejoindre et nous regrouper — deux cents ou davantage préparés au massacre. Nous minuterons notre avance de manière à camper la nuit de ce même jour sur Indian Mound, et à nous y retrancher en prévision de l'attaque.

Andy fut debout d'un bond, les yeux étincelants :

— Sur un terrain sacré — simplement ?

— Le Tertre Indien est sacré depuis l'époque des Caloosas, dit Roy. Et, qui mieux est, nous allumerons au sommet nos feux de cuisines — à l'endroit exact où ils faisaient leur médecine magique. Pouvez-vous imaginer meilleur moyen de rompre une trêve ?

— Ou un meilleur moyen de se suicider ? demanda le colonel avec assez de sérénité.

— Nous avons déjà examiné la question ensemble, monsieur. Il n'est pas une armée qui ait jamais pu choisir son champ de bataille dans les Glades. Ce que nous pouvons faire de mieux, c'est de nous offrir nous-mêmes comme cible, et de prier pour que la chance soit avec nous.

— Et cela alors que vous êtes inférieurs en nombre ?

— Précisément. Une fois le combat engagé, il faut que nous en fassions une action de durée... Jusqu'ici, je ne vous ai montré qu'une partie du tableau. Avec le capitaine Winter comme commandant, nous devons pouvoir tenir deux jours, peut-être davantage. Il faudra, de votre côté, utiliser ce délai pour prendre contact avec les troupes de Saint-Augustin, les amener sur la berge nord du lac, et les transporter en face, où, prenant nos assaillants à revers, vous finirez l'affaire...

Le colonel s'était, lui aussi, mis debout et, en même temps qu'Andy Winter, se penchait sur la carte :

— Vous avez manqué votre vocation, Roy, mon garçon, grommela-t-il. Cette histoire me paraît juste assez abracadabrante pour avoir une chance de réussir !

Il repoussa son compas, s'appuya des deux poings sur la carte et octroya à Roy un sombre froncement de sourcils. Nu jusqu'à la boucle de son ceinturon, le poil hérissé comme celui d'un gorille en chasse, le commandant en chef de Fort-Everglades était, de pied en cap et des épaules au bout des ongles, un homme de Mars — ravi de sa vocation.

— Oui, ça vaut d'être tenté. Si je puis amener le général à penser de même !... Si ces soldats sont vraiment en route...

— Ils feront bien d'y être ! brailla vigoureusement Andy qui avait recommencé à fouler — non moins vigoureusement — le tapis du colonel, dans l'exubérance de nerfs auxquels il donnait enfin la liberté de se manifester. Revenant à la carte, il encercla d'un bras les épaules du colonel qui suivait le tracé de leur route, et ce geste de camaraderie n'attira point de réprimande.

— S'ils ne sont pas en route, il sera inutile de chercher nos os ! Les squaws de Chekika les auront déjà broyés en poudre d'amulettes.

— Exact. Excepté nos crânes, qu'elles enterreront dans le Tumulus, dit Roy.

Il parvenait à rire avec les autres — un peu nerveusement tout de même, — se rendant compte, non sans surprise, qu'ils acceptaient ce projet forcené.

A l'arrière de son cerveau, une image se levait avec une persistance obstinée, celle de Mary Grant balançant ses pieds dans le vide au panache d'un chou-palmiste. Il repoussa fermement cette image. Car, après tout, il avait d'autres projets pour Mary Grant !

Il revint à la réalité de cette pièce étroite, close, surchauffée, et au claquement de talons d'Andrew Winter. Le capitaine avait recouvré son équilibre, son aplomb et son allure martiale. Merrick était à nouveau derrière son bureau, son vieux masque menaçant fermement réajusté : tout était rentré... dans le désordre d'une situation fausse.

— Avec la permission du colonel, dit Andy, nous allons commencer notre tournée d'inspection.

— Un instant, capitaine. M'est avis que nous devrions avoir un bref entretien avec Dan avant que vous partiez. Peut-être ajoutera-t-il quelque élément à cette discussion.

Roy avait déjà bondi à la porte avant que Merrick pût appeler un planton. Il parla vite :

— S'il vous plaît, monsieur... laissez Dan en dehors de nos projets !

— Il est en dehors, bien sûr, et il y restera. Cette manœuvre est un secret entre nous trois. Mais Evans est toujours notre ravitailleur... et il fait, depuis des années, assez de commerce entre les joncs et l'herbe pour que nous puissions lui poser utilement une ou deux questions.

— Sans nul doute, s'il répond sincèrement.

— N'avez-vous pas confiance en Evans, après tant d'années ?

— Et vous, monsieur ?

— Pas l'ombre, répondit sereinement le colonel. Je crois qu'il a fait une fortune dans un commerce qui n'était pas à sens unique. Il a travaillé avec tous les chefs séminoles, sans exception, qui se sont succédé depuis Osceola et Charley Emathla. En ce qui concerne sa conduite à Flamingo Key, elle ne fut certes pas claire. Et même, pour employer une formule charitable, je dirai qu'elle fut opaque. Mais il choisira le côté gagnant quand il comprendra que nous sommes résolus à agir. Peut-être même pourra-t-il préciser l'emplacement du village de Chekika.

— Chekika a plusieurs villages, nul de nous ne l'ignore.

— Certes, mais il est en train de lécher ses plaies quelque

part, en ce moment. En supputant les choses le plus favorablement possible, vous n'aurez pas trop de temps pour atteindre le Tertre Indien. S'il a, d'aventure, établi son camp à l'ouest, vos chances s'en trouveront bien améliorées. Pour ne pas parler des miennes...

— Avec tout le respect que je vous dois, monsieur.

Roy fit taire sa colère et reprit sur un autre ton :

— Comment Dan pourrait-il localiser le village actuel de Chekika sur la carte... à moins d'être avec lui en alliance régulière ?

— Dan ne sera jamais l'allié régulier de personne, Roy. (La voix du colonel n'exprimait qu'une protestation modérée.) L'expression ne saurait vraiment s'appliquer à lui. Je ne nie pas qu'il soit un client assez glissant, je dis seulement qu'il peut être utile. Et, s'il a vraiment partie liée avec Chekika, pourquoi a-t-il perdu deux granges dans le raid sur Flamingo Key ? Et pourquoi aurait-il tué deux Séminoles de sa propre main quand... enfin... il est revenu sur l'île ?

— J'ai dit ce que je croyais devoir dire, monsieur, inutile que je m'étende.

Roy se cala dans son fauteuil, mal à son aise, cependant que Merrick réclamait à grands cris son aide de camp.

C'était vrai que Dan avait joué le rôle d'un héros au petit pied lorsque la Flotte avait débarqué en trombe sur Flamingo Key. C'était vrai aussi que ses deux magasins brûlés et ses marchandises volées étaient assurés au moins pour leur pleine valeur à La Havane.

Dan s'amena dans la conférence, débordant d'une bonne humeur pétillante, laquelle contrastait grandement avec les visages fermés qui l'entouraient, et se tint au garde à vous devant la table du colonel, après avoir salué celui-ci avec une aisance tranquille. Roy fronça les sourcils dans son coin en voyant Merrick se lever et tendre la main au trafiquant.

D'accord, le service de ravitaillement de Dan était une part importante de leurs plans ; d'accord, il avait été un fournisseur accommodant pour ce poste pendant toute la durée de la guerre indienne. Mais il n'y en avait pas moins quelque chose de grotesque — et le docteur Coe pensait même de sinistre — dans la façon qu'il avait de prendre pleine possession de la pièce à peine y était-il entré, avant même d'avoir allumé le cheroot offert par le colonel, refusé le verre de rhum qu'il lui proposait, et pris place dans le meilleur fauteuil.

— Pas d'alcool aujourd'hui, colonel. Trop de chiffres dans ma tête ! 'souhaitez la liste ?

— Non pas, si vous avez fourni une copie complète à Stevens. Quand le rejoindrez-vous au-dessus des chutes ?

— Demain au plus tard. Dès que nous aurons fini le déchargement de la dernière allège de Flamingo. Un coup de chance, pas vrai, qu'elle ait été en route le soir précédant le raid ?

— Un surprenant coup de chance, Dan, fit sèchement Winter. Aviez-vous deviné que ce raid allait se produire ?

— Dieu vous garde, capitaine ! Ça m'a fait vieillir de dix ans, une secousse pareille. Je ne dirai pas que je suis ruiné, mais je l'ai échappé belle.

Avant que le colonel pût parler, Roy s'informa :

— Quand avez-vous vu Chekika pour la dernière fois, Evans ?

Si le trafiquant fut froissé par la question, il n'en laissa rien soupçonner :

— Il y a deux mois, docteur — un peu plus, un peu moins. A Pahokee Hammock. Alors qu'il était encore en paix avec l'Armée.

Les yeux de Dan erraient sur la carte, et sur le tracé au crayon rouge qui représentait la route de marche probable de Winter :

— S'il était alors déjà décidé à me ruiner, il a bien gardé son secret.

— Avez-vous fait affaire à Pahokee ?

— Échangé du sel pour des peaux de loutres, docteur. Rien de plus. Ça n'avait rien d'un grand pow-wow, je vous assure. Ça ne ressemblait pas au Feu du Grand Conseil qu'il a allumé pour vous voici huit jours.

Roy eut un mince sourire : Dan était un homme prompt à retomber sur ses pieds. Sa réflexion impliquait que le voyage commercial du chirurgien dans les Glades, alors que Chekika avait pris le sentier de la guerre, était hautement illégal, et qu'il offrait un sombre contraste avec sa conduite irréprochable à lui, Dan Evans. Mais encore une fois, avant que Merrick pût intervenir, Roy avait renvoyé la balle :

— Bien sûr qu'il n'y avait pas quelques carabines dans vos ballots d'échange, Dan ?

— Vous savez bien que je ne fais pas le trafic d'armes, docteur. Et le colonel le sait aussi.

Dan Evans se redressait dans son fauteuil, face de lune innocente et claire, véritable statue de la vertu offensée.

— Un petit avertissement, je vous prie, la prochaine fois que vous voudrez me traiter d'ami des Indiens : j'amènerai des témoins de moralité.

— Personne ne vous accuse de rien, Évans, dit le colonel. Roy vient de passer par de durs moments et on peut lui permettre une petite plaisanterie. Je n'ai qu'une seule question à vous poser, après quoi vous serez libre d'aller à vos affaires. Avez-vous quelque idée de l'endroit où Chekika peut bien camper actuellement ?

Dan souffla par-dessus la carte une bouffée de havane de luxe :

— Si vous me le demandez, monsieur, je vous dirai que vous ne pouvez mieux faire que de suivre ce trait rouge. Qui donc l'a dessiné, si je puis poser la question ? Le docteur Coe ?

— *J'ai* dessiné ce trait, Dan, répondit Andrew sèchement. Et je ne suis pas plus sûr que cela que vous ayez à regarder par-dessus nos épaules.

— Comme il vous plaira, messieurs.

La bonne humeur de Dan était, cet après-midi, aussi monumentale que sa personne et pareillement inébranlable.

— Le docteur Coe n'a pas plus besoin que moi d'une carte lorsqu'il circule dans les Glades. Nous savons tous qu'il est inutile et vain de relever le tracé d'une région que modifie chaque ouragan, que chaque marée transforme. Mais, *si* vous trouvez Chekika quelque part, ce sera très probablement à l'ouest du Grand Chenal — précisément comme l'indique le tracé rouge. Campé au milieu d'une mer de jonc et de fétuque, sur un des mille hammocks, avec ses squaws et ses chiens. Occupé à faire frire quelque venaison dans ma farine de blé, à rêver des rêves grâce à mon meilleur rhum, et à défier l'Armée des États-Unis de l'enfumer pour le faire sortir.

Dan prit un temps, éleva son cigare devant le visage d'Andy, puis :

— Ça, mon ami, c'est votre affaire. Et je ne saurais dire que je vous envie. Il n'y a qu'un homme que j'envie moins encore, c'est le docteur Coe. Son affaire est de découvrir une surface de terre sèche suffisante pour y livrer votre bataille.

Le colonel releva les sourcils :

— Est-ce tout ce que vous avez à dire, Evans ?

— Je vous aiderais si je le pouvais, monsieur. Vous devez le savoir.

— Absolument, Dan. Et je n'ai pas besoin d'ajouter que j'apprécie hautement votre opinion.

Les sourcils du colonel n'en étaient pas moins menaçants, et Roy, considérant le jeu de scène, ne pouvait qu'applaudir à l'habile feinte du trafiquant. « S'il est vraiment du côté de Chekika, se disait-il, il emploie son temps au mieux. » L'insinuation que le Séminole les avait déjoués jusqu'ici — et continuerait à jouer le même rôle exaspérant — l'avait atteint au vif. La suggestion, faite si candidement, que ni lui ni Andy ne pouvaient fixer Chekika en un point de la carte et l'y trouver et l'y forcer à l'action, avait peut-être donné au colonel Merrick juste ce qu'il fallait d'irritation pour le pousser à lancer toutes ses forces à l'ouest du Marais des Dix Milles...

Roy en était là de ses pensées, lorsqu'il vit briller l'œil du colonel. Merrick pouvait être parfois d'une impétuosité de taureau, mais il n'était certes pas sot. Roy se leva, rassuré, certain que Dan quitterait ce bureau pas plus renseigné qu'en y entrant.

— Si vous voulez bien m'excuser, monsieur ? Je voudrais aller embarquer mon équipement...

— Tout à fait légitime, Roy, dit le colonel. Je ne vous dis pas au revoir. Vous aurez vos ultimes instructions après-demain, à la base.

— Puis-je disposer également, monsieur ? s'enquit Andrew.

— Vous ne pouvez pas. Restez quelques instants encore et battez-vous contre Dan. Vous pourrez sans doute économiser quelque argent de plus à l'Armée.

Andy gagna la porte avec Roy et lui enfonça son poing dur dans les côtes :

— L'équipe tient, docteur Coe ?

— L'équipe tient, capitaine. Je te retrouverai à l'embarcadère.

Dan Evans s'avança également, la main tendue :

— La meilleure chance possible, Roy, pour le cas où nos routes ne se croiseraient pas à nouveau...

« Je donnerais gros pour être sûr de ça », se dit lugubrement le chirurgien, tandis qu'il serrait la main du trafiquant. La poignée de main de Dan était aussi ferme que celle de n'importe quel politicien, sa figure aussi épanouie — et, comme toujours, son sourire était le masque hermétique et parfait de ses sentiments.

Parvenu sur le terre-plein, le jeune homme, cédant à une impulsion subite, descendit la rangée de parapets qui s'étirait vers l'ouest. De ce point d'observation, son regard embrassait l'estuaire du Miami. Une compagnie entière de soldats transférait activement des marchandises de la dernière allège d'Evans dans la flottille de disgracieux canots de fret amarrés à la berge.

Il remarqua que son propre canoë était prêt et attendait, la bâche soigneusement repliée, que son équipement y fût déposé. Pour la première fois de la journée, il sentit son moral remonter. Si graves que pussent être les suites, au moins on en avait fini avec les discussions et c'était déjà quelque chose.

Il suivit son impulsion jusqu'au bout, pénétra dans une guérite vide, appuya ses deux mains à la balustrade en troncs de palmettes et laissa son regard errer longuement vers les solitudes de l'Ouest. A cette heure, le Miami charriait les étincelles d'or du soleil couchant — large et lumineux sentier, mouvant, qui serpentait et divisait sur sa droite et sa gauche la terre noire des marais bourbeux, pour aller se perdre à l'horizon parmi la masse serrée des hammocks couverts de jungle.

De la hauteur où il se trouvait, le docteur Coe pouvait deviner plutôt que détailler l'immense mer de jonc, de fétuque et de carex que formaient les Glades, où flottait une sorte d'interminable rayonnement fauve, exhalaison même de la terre détrempée, et qui semblait l'unir et la mêler à l'incendie du ciel occidental.

Pendant un temps appréciablement long, Roy contempla le coucher du soleil, jusqu'à ce que les larmes lui en vinssent aux yeux. Peut-être venaient-elles aussi, ces larmes, de la pensée que, quelque part dans ce désert qui s'étalait là, comme une immense peau de lion, vivait encore et respirait Mary Grant. Il avait beau raisonner, il ne parvenait point à se faire à l'idée que, pour lui du moins, elle était perdue à jamais...

Il quitta la guérite, répondit au salut de l'artilleur debout à côté du canon de dix livres qui tirait chaque jour sur le terre-plein, à la seconde exacte où le soleil touchait la mer, et sortit du Fort Everglades sans même le voir...

Pour le quart d'heure du moins, il en avait fini avec les défenses construites par la main de l'homme. Les seules réalités tangibles étaient désormais le canoë, qui l'attendait à l'embarcadère, et le fleuve, qui s'étirait en serpentant vers l'ouest comme un ruban d'or souillé de vase, jusqu'au cœur même du désert,

CHAPITRE II

ILS AVAIENT SOUQUÉ dur, s'efforçant de mettre le maximum de milles entre eux et le camp de base qu'ils avaient quitté à l'aube. Tendant régulièrement vers l'ouest, évitant les hautes berges du fleuve dans leur recherche des eaux dormantes, ils avaient du même coup évité la poussée du courant vers la mer, à l'endroit où le Miami se précipite dans le ravin étroit et encombré de jungle connu sous le nom de « chutes ». A l'endroit où ils se trouvaient, cette même jungle se resserrait jusqu'à l'extrême bord des deux rives, et Roy sentait le reflux du courant diminuer à chaque coup de rame. Un quart d'heure encore et ils seraient en eau peu profonde, ce qui lui permettrait d'employer à l'arrière la perche de poussée et de godiller, tandis qu'Andrew pagaierait à l'avant.

Pendant un moment, il s'interrompit de ramer, afin de vérifier la force du courant, et il regarda les grands muscles durs se corder le long du dos de son ami, et les épaules se nouer sous l'effort. « Andy aussi est dans son élément », se dit-il. C'était la première réflexion consciente qu'il se permettait depuis le moment où, nu des épaules à la ceinture de sa culotte de daim, dans le petit matin froid, il avait avalé un bol de café bouillant à la table de mess du sergent Ranson avant de prendre sa place comme rameur de barre dans le canot de Winter.

Tous deux connaissaient parfaitement leur tâche et n'avaient pas eu besoin de paroles pendant les longues heures pénibles qui avaient suivi leur embarquement, juste au-dessus des chutes. Ils avaient promptement laissé derrière eux les bruits somnolents d'un camp qui se réveillait à peine ; la palissade improvisée en troncs de palmiers nains fraîchement abattus et l'au revoir murmuré par la dernière sentinelle de guet sur la rive leur avaient paru curieusement déplacés dans ce calme tropical. Maintenant ce silence sans âge était en eux, faisait partie du sang même qui circulait en eux : après les premiers coups de leurs rames, il leur avait paru entrer dans ce silence à jamais...

Le terrain, le long du Miami, changeait d'aspect : la savane poudreuse remplaçait les déserts plantés de pins, le marécage bordé de mornes cyprès jaunes remplaçait la prairie tropicale, il devenait difficile de dire où finissait au juste la terre, où le fleuve commençait exactement. Bien qu'il n'eût pas plu depuis des jours, l'eau était haute encore autour du pied des cyprès. Par-ci par-là, quand la végétation exubérante devenait plus dense, les arbres fantomatiques semblaient s'étirer plus haut, arquer leurs longs bras par-dessus le chenal, et laisser pendre leur abondante draperie de mousse comme les filaments d'un suaire. Bien que la journée fût avancée déjà, la mousse demeurait lourde de rosée, car le soleil atteignait rarement le fond de cette épaisseur végétale pour y pomper l'humidité. Et tout ceci encore faisait partie de la barrière qui séparait les riches territoires côtiers du vrai royaume des herbes, où ils allaient bientôt entrer. En dépit de cette atmosphère amortie autant que celle d'un cimetière, Roy se sentait ici chez lui ; il propulsait à présent le canoë à vigoureux coups de perche, et lançait un occasionnel avertissement à Andy quand un banc de vase se montrait à l'avant.

Des oiseaux d'eau marchaient, raides et fiers parmi les cyprès, ou bien restaient immobiles, perchés sur l'arche de quelque racine de palétuvier, attendant que le repas de midi se manifestât. Parfois, le marais laissait émerger un hammock en dos d'âne ; alors apparaissaient en même temps le chêne d'eau, l'érable de marais, l'épicéa bleu, le frêne espagnol, tous unis par les tentacules aériennes de la vigne sauvage. Dans la pénombre verte, quelques orchidées brillaient comme des arcs-en-ciel... Autrefois, dans un autre monde, il avait promis à une fille aux cheveux noirs une orchidée pour la piquer dans ses longues mèches — un catleya blanc de préférence... Peu importait présentement qu'elle fût la promise de l'homme installé à la proue de ce canoë indien — à peu près nu comme lui-même, aussi brun que du cuir tanné, les yeux, comme les siens, serrés jusqu'à n'être qu'une fente afin de mieux déceler le plus faible mouvement de vie en avant d'eux.

— Sur la droite, là, est-ce Lost Creek (1) ?

(1) La Crique Perdue.

C'étaient les premiers mots qu'Andrew Winter eût prononcés depuis une heure. Se forçant à manifester une légèreté qu'il n'éprouvait pas, Roy eut un petit rire :

— Ta mémoire est excellente, Andy. Nous devrions atteindre l'observatoire dans dix minutes d'ici.

Il bloqua la perche de godille, arrêtant net le canoë : des touffes de lis, mêlées aux premières touffes de carex et de fétuque qu'il eût vues de la journée, masquaient presque l'étroite embouchure de la crique, un des nombreux cours d'eau qui avaient commencé d'affluer dans le Miami. La Mer Herbeuse n'était plus bien loin. Dans cette embuscade d'un vert malade, un alligator somnolait, plus pareil que nature à une souche à la dérive. Seuls les petits yeux de porc, infiniment rusés derrière le long museau bourgeonnant, rappelaient que cette chose était une créature vivante, qui, elle aussi, attendait son déjeuner, sachant qu'il viendrait nager à portée de ses mâchoires. Le saurien géant ne mesurait pas moins de douze pieds, des narines à la queue, à ce qu'estima Roy :

— Cerbère garde la porte, dit-il. Nous allons lui laisser du champ. Ils n'aiment guère la compagnie au moment des repas, ces oiseaux-là !

Andy regarda sans curiosité l'ombre d'un noir brun qui se fondait si adroitement avec l'eau alentour :

— 'que c'est ? 'gator ou croc' ?

— Un alligator, cette fois. Si près du flux maritime, le crocodile disparaît.

L'animal continuait à les regarder avec méfiance, comme ils entraient dans la crique en longeant la rive opposée à la sienne et passaient respectueusement au large de sa tanière. Ils l'avaient dépassé d'une douzaine de mètres lorsqu'un bruit pareil au claquement d'un revolver fendit le calme du marais, faisant s'envoler au loin les échassiers guetteurs, tandis qu'une spatule couleur de flamme jaillissait hors de son nid sur la rive. Roy rit à nouveau en regardant Andy qui, dans sa hâte de dégager un fusil d'entre les bancs avant, faillit lâcher sa rame :

— Vous avez vraiment mené une vie de mollesse, capitaine Winter ! C'était notre ami qui s'octroyait le plat d'entrée.

L'eau de la crique était plus claire encore que celle du Miami. Seul l'alimentait le courant qui débordait des vastes hauts-fonds des Glades. Retenue dans sa coupe de corail et de chaux, la Mer d'Herbes déversait vers le sud son flot principal, qui allait se perdre dans le golfe au-dessus de Cape Sable. Ici, où le Miami s'était foré un lit vers l'est, une centaine d'affluents apportaient le trop-plein des chenaux proches, creusés bien avant la première croisade.

Dès qu'ils eurent dépassé la boucle initiale et pénétré dans le chaud tunnel vert tissé de chênes d'eau et de vignes folles qui traversait l'extrémité du marécage, Roy compta ses poussées sur la perche, ainsi qu'il le faisait toujours en cet endroit. Cent poussées sur la godille, cent poussées qu'accompagnait la rame vigoureusement manœuvrée par Andrew, et ils seraient en vue du hammock où croissait ce chêne qu'ils nommaient l' « observatoire » et qui ressemblait à un phare au milieu de la mer.

Les poussées et les coups de rame se faisaient plus courts à présent. De temps à autre, la perche grattait une des masses irrégulières de corail que l'on apercevait en transparence — le fond en cet endroit était abominablement traître quand le niveau des Glades était vraiment bas.

— Peux-tu croire que les joncs et les carex des Glades ne sont qu'à une centaine de mètres au delà ?

— Une fois arrivé jusqu'ici, je suis prêt à croire n'importe quoi, dit Andy. Et je remercie le ciel de ce que nous n'ayons pas à rencontrer Chekika et ses guerriers en ce point même !

Pendant qu'il parlait, le canoë, sortant du tunnel végétal, surgissait en pleine lumière, le soleil l'inondait de partout, et il abandonnait derrière lui l'humidité poisseuse du marais, comme un serpent au printemps abandonne sa peau.

Cette poussée fluide fit pénétrer leur embarcation dans un chenal encaissé à gauche et à droite entre de grands yuccas, la « baïonnette espagnole » des Florides. La profondeur, ici, n'excédait guère un pied, et Roy se félicita de leur décision de voyager peu chargés, ce qui réduisait leur tirant d'eau : ils n'avaient sous la bâche, outre leurs fusils et leurs cartes, qu'une ration réduite, la « ration de fer ».

— Lève la tête, Andy, voilà notre observatoire.

Le grand chêne vert les dominait tout à coup, jaillissait comme une tour d'émeraude entre les lances des yuccas. L'ombre des branches basses les enveloppa cordialement. Andy, l'amarre passée autour du bras, prit pied sur la rive et s'arrêta un instant pour permettre à un serpent d'un noir poussiéreux, un *cotton-mouth moccassin* (1) alourdi par ses œufs, de se couler de la berge dans l'eau. Roy donna un dernier élan qui mit le canoë

(1) Serpent aquatique venimeux, des États du Sud.

à terre, puis sauta rapidement à son tour. Le tapis de fenouil sauvage était doux à leurs pieds chaussés de mocassins (1) souples. En se courbant pour décharger leur étui à carte et leur longue-vue, Roy brisa un rameau de l'herbe aromatique et le mâcha pensivement, et cette saveur si particulière réveilla en lui le souvenir de vingt midis pareils à celui-ci.

Déjà Andy était dans les basses branches du chêne et s'élançait vers les suivantes avec toute l'aisance et tout l'aplomb d'un chimpanzé.

— Combien d'hommes pourrions-nous amener dans ce coin ?

— Autant que tu voudras, si une bonne pluie grossit suffisamment la crique. Attends d'avoir relevé le terrain sur ta carte.

Ils avaient échangé ces phrases en un murmure. Et maintenant ils grimpaient silencieusement, veillant à bien demeurer sous l'abri des feuilles. Tous deux savaient que Lookout Oak (2), ainsi que l'appelaient également trappeurs et Séminoles, était un poste d'observation pour les blancs comme pour les Indiens. Roy avait même examiné les risques d'une collision avec l'ennemi au milieu de cette verte tour végétale. Mais, tandis qu'il montait vers le sommet, il se disait que sa crainte était absurde. Chekika, évidemment, prendrait son temps, ne se risquant à aucun acte d'hostilité déclarée avant leur rendez-vous décisif sur Pahokee Hammock.

Au-dessus de lui, il entendit Andy pousser une exclamation de surprise comme il surgissait au sommet de l'arbre et se tenait hardiment debout sur la plate-forme primitive qui s'y trouvait fixée, un peu pareille à l'aire d'un grand oiseau ouverte sur le ciel. Tissée de vigne sauvage et de fibres de bois léger, elle faisait songer au plancher d'une cabane aérienne. Leur faible vertige une fois passé, les amis s'installèrent tous les deux, les coudes à l'aise. Andy, accroupi assez loin du bord, considérait, stupéfait, le brasier tripode installé en plein centre de ce nid perché :

— Ne me dis pas que tu as campé ici ?

— Plus d'une fois, répondit joyeusement Roy. C'est le lit le plus frais des Glades pendant les nuits chaudes, et ce pot à fumée en écarte les moustiques.

(1) Chaussure indienne entièrement faite de peau de daim, semelle comprise.
(2) Le chêne du guet — l'observatoire.

Il s'agenouilla à côté de son ami et inspecta le contenu du brasier :

— Il reste assez de nœuds résineux pour faire un feu, si tu es disposé à le risquer.

— Inspectons l'ouest avant de nous montrer.

A tour de rôle, ils scrutèrent l'horizon au télescope et leur concentration était si vive qu'elle excluait les paroles. De là-haut, Roy vit le mur de cyprès que leur canot avait percé un peu plus tôt : il était à un bon mille vers l'est. Massive comme le bastion d'une forteresse, la ceinture de marécage prenait, vers le nord et vers le sud, une ampleur qui dépassait le champ de la lunette d'approche. De si haut, elle semblait vide de toute existence, immobile comme l'éternité même, désolée comme le bord d'un cratère, comme une vieille lune oubliée. Sous eux, le segment qu'ils venaient de franchir était traversé par une demi-douzaine de petits cours d'eau couleur chocolat au ras de la terre, mais dont l'eau profonde saisissait la lumière au passage et envoyait des flèches d'argent à travers le brouillard. Ils se réunissaient vers l'horizon oriental et, hors de vue, allaient grossir le Miami.

Toujours quelque aimant invisible ramenait leurs regards vers l'ouest. Et, comme toujours, le cœur de Roy battait plus vite à la vue des Glades, de la Mer d'Herbes, étalée à la surface d'un sol si chaud qu'une buée en sortait, se vaporisant au contact de l'air — Mer d'Herbes sans limites apparentes, sauvage et claire, verte plaine ni vraiment liquide, ni tout à fait solide, empire du jonc, ici couleur du blé mûr, là-bas vert-émeraude, atteignant ailleurs le ton malade de la chartreuse, — Mer d'Herbes où flottaient de persistants mirages de chaleur dans lesquels le ciel se mêlait à la végétation, — terre plus vieille que le temps et jamais travaillée ni soumise par la main de l'homme, — palpitante d'une sorte de battement de cœur visible autant que les brillants et lents chenaux qui parcouraient sa surface comme de puissantes veines, un battement de cœur aussi réel que les flamants qui éraflaient sa surface, semblables, selon les angles de leur vol, tantôt à des flaques de neige, tantôt à des nuages sombres, et tantôt à des traînées de vermillon coulées de la palette de quelque dieu artiste...

Roy, regardant les beaux oiseaux se fondre dans la brume, aurait accepté sans sourciller un vol de ptérodactyles, ils y auraient été plus exactement à leur place que la faune d'aujourd'hui. « Ce n'est pas là, pensait-il, un gîte pour le héron et la loutre aux doux yeux ni même pour l'alligator. C'est là un bain pour dynosaures ! »

Andy interrompit sa rêverie :

— Lequel des îlots est Pahokee ?

Le chirurgien redescendit dans le domaine des réalités, avec un sursaut de contentement. C'était réconfortant de savoir toute proche la présence riche en bon sens de son ami, réconfortant de penser que la carte étalée sur le sol de leur aire était, malgré tout, une manière de guide, parmi cette densité verte.

— Regarde plein sud. Tu en verras clairement se dessiner la forme.

C'était toujours une surprise une fois le premier choc passé, et le souffle ressaisi, de voir que des îlots minuscules étaient semés de toutes parts dans cette mer d'un vert jaunâtre, îlots en dos d'âne pour la plupart, sommés de touffes de palmiers, Ces derniers refuges des Séminoles semblaient presque noyés dans le jonc et les herbes, mais, à les regarder plus attentivement, on s'apercevait que c'étaient des oasis émergeant d'un désert fluide. Les uns étaient des sortes de tertres hérissés d'une végétation si violente qu'ils ressemblaient au dos de gigantesques porcs-épics. D'autres avaient presque l'air de parcs, avec leurs magnifiques touffes de palmiers, leurs chênes verts, leurs bouquets de magnolias et de lauriers-roses. De place en place, pour quelque raison ignorée, les arbres étaient rigides, nus et morts, et leurs branches vides, blanchies par les ans et le soleil, trouaient la surface verte comme des cicatrices d'une vieille lèpre.

— Ils nous parlent, en ce moment, de Pahokee!... fit Andy. ... 'veux répondre tout de suite ? Ou si tu décides que nous ne sommes pas ici ?

Roy souleva sa longue-vue pour étudier en détail le trait lointain de fumée : dressé, tel un doigt dans le midi immobile, le signal — allumé très exactement au centre de Pahokee Hammock, où les Indiens avaient taillé une petite clairière au cœur de la jungle — se détachait sur le ciel. En ce lieu même, et en des jours plus pacifiques, Roy avait pris place auprès d'une douzaine de Feux du Grand Conseil ; d'autres fois encore, il avait vu Dan Evans, ou quelques gars de son calibre, se livrer aux interminables marchandages rituels avec Charley Emathla, Coacoochee, et les divers chefs qui avaient précédé Chekika...

A présent, la fumée grise, dressant son panache recourbé comme un approximatif point d'interrogation, semblait abandonnée, solitaire, perdue, apparemment inutile, dans cette immensité silencieuse.

Son bon sens lui disait, sans discussion possible, qu'un Indien au moins entretenait ce foyer à moins de deux milles de lui, déposait sur la braise ardente une couche de mousse humide et surveillait avec patience le Chêne du Guet. Son esprit insistait sur l'idée que Chekika certainement attendait leur venue jour après jour, convaincu qu'ils accepteraient ses termes et qu'il avait mis en conséquence un signaleur à demeure sur Pahokee Hammock. Une autre partie de son esprit, comme toujours troublée par ses incertitudes, reculait à l'idée de prendre contact. Une fois le principe admis que la Mer d'Herbes pouvait nourrir son monde, rouge ou blanc, son envoûtement serait terminé, en même temps que la terreur maléfique qu'elle inspirait.

— Tarabuste-le, si tu veux, dit Andy, mais j'estime qu'il est temps d'en finir.

Roy remit sa longue-vue dans son étui. A l'œil nu, il pouvait tout juste discerner vers le sud un plumet de fumée; le gardien, qui avait, la chose ne faisait aucun doute, des yeux beaucoup plus perçants que les siens, apercevrait leur réponse dès qu'ils l'auraient lancée et d'autant plus aisément que pas un souffle de brise n'agitait l'air.

Déjà Andrew avait empilé dans le trépied du bois résineux, qui prit immédiatement au contact de la première allumette. Le fil clair de la flamme serpenta en sifflant à travers le bois sec et sans donner la moindre fumée. Roy soigna le foyer, l'alimenta, le stimula jusqu'à ce qu'il fût tout en braise et, quand la couche incandescente lui parut assez épaisse, il y laissa tomber les premières touffes de mousse. Une colonne de fumée dense et grasse s'éleva aussitôt, aussi droite qu'un tracé de géométrie euclidienne : un bout de couverture mouillée la coupa net à la base.

— Pahokee répond-il ?

— Il parle en ce moment même.

Le trait de crayon sur fond de ciel qui avait hésité, fléchi, disparu, jaillit à nouveau du fouillis serré de palmiers et de marouettes. Trois courts jets successifs fusèrent sur le bleu, comme si quelque colosse somnolait en fumant sa pipe de maïs.

— *Nok — a — tee*, dit Roy.

— Je les tue, mais je ne parle ni n'entends leur langage, répliqua Winter.

— Il demande ce que nous voulons.

— Mary — et le docteur Barker, évidemment. Et dans cet ordre, je te prie.

Roy se mit à envoyer vers le ciel des hiéroglyphes vaporeux.

— On n'arrive pas si rapidement que ça dans le vif du sujet, dit-il.

— Que racontes-tu, à présent ?

— *Im — po — hitch — caw.*

Roy planquait la couverture sur les braises sifflantes et la retirait selon une cadence convenue.

— Je lui demande s'il m'entend. Et il répond que ses oreilles sont ouvertes aux paroles de Salofkachee.

— Comment pourrait-il savoir que c'est toi qui es à l'observatoire ?

— Même les Séminoles nous font confiance jusqu'à ce point-là ! Je demande à présent au Roi des Tueurs la permission de pénétrer dans les Eaux Herbeuses.

— Ne lui dis pas qu'après-demain l'Armée y pénétrera sans sa permission !

Deux jets de fumée répondirent.

— Demande-lui s'il est seul, ordonna Winter.

Nouvelle réponse affirmative. Il y avait quelque chose de fier et de résolu dans l'envoi de ces deux grands traits rapides. Seul et confiant, le signaleur semblait prêt à faire face à n'importe quelle menace venue du monde blanc, de l'autre côté de son mur de cyprès. Salofkachee, et lui seul, avait le droit de franchir cette barrière.

— 'crois que c'est le Chat Sauvage en personne ?

— Certes non !

Roy secoua la tête : il n'aimait pas l'éclat qui venait de luire dans l'œil de son ami.

— Si Chekika était venu en personne, c'est qu'il se serait attendu à rencontrer le colonel Merrick, ou toi, cela dépend de celui qu'il présume être le plus grand couteau. Il sait que je suis le porte-parole du colonel et le tien. Par conséquent, il envoie son porte-parole.

— Dis que tu arrives immédiatement.

Nouvelle signalisation d'un bout à l'autre de kilomètres d'air vide et propre.

— Il dit qu'il est prêt à entendre ma voix.

— C'est tout ce qu'on lui demande, dit Andrew. Qu'est-ce que nous attendons ?

Le capitaine de dragons descendit de son perchoir en une série de bonds à se rompre le cou, et battit Roy de plusieurs longueurs dans la course au canoë. Il remarqua :

— Il était de faction, en attente. Ça doit vouloir dire qu'ils n'en mènent pas large.

— Les Indiens sont bien meilleurs que nous pour l'attente ! Du simple point de vue de la stratégie, nous n'aurions pas dû bouger avant le dernier jour du délai qu'il nous avait imparti. Si ce n'avait été pour Mary..

Il rougit, s'arrêta et reprit aussitôt, le plus calmement qu'il lui fut possible :

— Bien entendu, je comprends ton impatience. J'espère que Chekika en fera autant. Il peut — lui aussi — avoir l'impression que cette arrivée... précoce... est un témoignage de peur, et doubler ses prétentions en conséquence.

Andy était déjà à sa place à l'avant du canoë.

— Voilà qui n'importe guère, tu sais ! Laisse-moi régler la question avec ce porte-parole, et il retournera vers le Chat Sauvage avec l'« impression » exacte !

— Ce serait beaucoup plus sûr de me laisser aller seul à Pahokee, Andy.

— Je ne veux pas en entendre parler. Vois-tu qu'il leur prenne l'envie de s'assurer un troisième otage ?

— Je suis disposé à courir ce risque. Après tout, tu n'es pas invité à ces pourparlers.

— Il ne s'agit pas de pourparlers. Nous donnons *des ordres*. à Chekika. Il faut qu'il rende Mary et le docteur Barker sans délai et sans rançon. S'il refuse, il lui arrivera ce qu'il mérite. Et crois bien que je ne mâcherai pas les mots.

— C'est moi qui dois parler, Andy.

— Tu ne peux pas aller seul dans les Glades. Tu ne peux plus. Nous sommes désormais en guerre avec Chekika et nous n'en sommes plus à courir des risques. Surtout inutiles.

— Ils seront probablement plus grands si nous y allons à deux.

— Es-tu certain qu'il n'y a qu'un seul guerrier à Pahokee ?

— Tout à fait certain.

— Alors, nous allons ensemble. Et depuis quand sommes-nous stupides au point de ne pouvoir, à deux, damer le pion à un seul Indien ?

Roy descendit dans le canoë. Il était un peu tard pour tenter de faire comprendre au capitaine Andrew Jackson Winter qu'ils allaient fouler une terre sacrée, inviolable, où sa seule présence constituerait une abomination.

Lorsque, enfin, ils se retrouvèrent en eau libre, tout en poussant la godille en direction de Pahokee :

— Promets-moi une chose, Andy, demanda le jeune homme. Laisse-moi descendre seul à terre, pour me rendre compte de ce qu'ils veulent.

— Nous savons ce qu'ils veulent, Roy. Notre besogne, aujourd'hui, c'est de les convaincre qu'ils ont embrassé plus qu'ils n'en pourront jamais étreindre.

— Je puis leur dire cela aussi bien que toi, tu sais !

— Ce qui signifie que tu peux le leur dire beaucoup mieux ?

Andrew grimaçait un sourire à l'adresse de Roy, qui grimaça un sourire en retour à l'adresse d'André.

— Regarde-moi bien ! A moins de vingt pas, tu me prendrais pour un Indien.

— Je suis aussi brun que toi.

— D'accord. Tu pourrais passer pour un des chefs de Chekika aussi aisément que moi... si seulement tu n'avais pas ton toupignard carotte ! Combien de fois ne t'ai-je pas conseillé, demandé même, de te raser le chef avant de partir en campagne !

— N'insiste pas sur mon insuffisance, Roy. Je sais que j'en suis à ma première expédition dans les Glades.

— Tu m'as encore une fois mal compris ! S'il faut que j'aie un compagnon (et je crois que c'est une erreur), il n'est aucune compagnie que je préfère à la tienne. A la condition que tu veuilles bien te souvenir qu'en ce moment tu es comme moi un simple éclaireur et non le représentant d'une race dominatrice.

Andy, qui nageait ferme à la rame de proue, ne répliqua point. Roy, pourtant, sentait que sa petite conférence avait dû toucher juste. Prudemment, il tâta le terrain :

— Tu n'as pas confiance en moi pour mener une simple discussion ?

— De la façon la plus complète. Une fois cet écran de chênes d'eau entre nous, il ne se doutera aucunement que j'ai quitté le Chêne du Guet. Mais je le tiendrai en joue, pour le cas où tu irais droit dans un piège.

Roy haussa les épaules, et le bec de la pirogue heurta les palmiers nains et les chênes d'eau qui, sur la rive nord de l'îlot, formaient barrière contre l'empiètement des herbes aquatiques. Le chenal était étroit en ce point, il enfonça silencieusement sa perche, tous les sens tendus, guettant le premier signe de vie dans les fourrés épais.

— Un cochon sauvage n'y pourrait passer, dit Andrew.

— Il y a un sentier à dix pas.

Ils avaient échangé ces quelques mots en un murmure à peine perceptible. Roy fit reculer l'embarcation, vira très légèrement, puis, d'une poussée vigoureuse, la lança en avant ; le choc déchira un rideau de vigne, et ils se trouvèrent dans une sorte de tunnel moite et tiède, long à peu près comme la moitié du canot qui s'enfonça du bec dans la berge. Devant eux, une piste faiblement dessinée serpentait vers l'intérieur des terres, engloutie presque aussitôt par une masse de verdure frémissante de chaleur et alourdie de silence.

— Je suis toujours d'avis que nous devrions y aller ensemble, dit Winter.

— Et *moi*, je *te* demande de te mettre à couvert et d'y rester.

— Pourtant, si j'insistais ?

— Tu n'insisteras pas, Andy. Tu sais que j'ai raison.

Sans se donner le temps de réfléchir, Roy passa sur la rive : sa mémoire était déjà en avant de lui, sur le sentier qui, tout comme la clairière vers laquelle il se dirigeait, avait été frayé au couteau à trancher les cannes à sucre. Déjà le fenouil et la marouette atteignaient ses genoux, signe évident que l'îlot, autrefois lieu de réunions paisibles, n'était plus fréquenté depuis longtemps.

— Tu es venu assez loin, Andy !

Avant même de se retourner, Roy savait que son ami, armé jusqu'aux dents, avait quitté le canot derrière lui. Les pistolets passés à sa ceinture étaient amorcés ; amorcée aussi, et prête à l'emploi instantané, la carabine qui reposait au creux de son coude.

— Es-tu certain qu'il t'attend ?

— Tu as vu les signaux de fumée, n'est-il pas vrai ?

— Et ils disaient que l'homme est seul ?

— Seul, et pacifique.

Andrew se mit, de mauvaise grâce, à couvert lorsqu'il vit que le sentier débouchait dans la clairière. En se retournant, Roy vit avec satisfaction que son ami disparaissait au milieu du fenouil, deux ou trois fois plus haut ici que sur la piste. Seul, l'éclat de ses yeux et de son sourire était perceptible encore à travers la verdure.

— Et qu'est-ce que je raconterai au colonel, si tu es pris ?

— Tu lui raconteras ce que tu voudras. Il comprendra très bien que c'était la seule façon d'agir.

— A mon idée, c'est toi que veut Chekika. Pas ton scalp, toi. Trois otages valent mieux que deux.

Roy s'arrêta pile, le cœur en déroute. Et si André, après tout, voyait juste ? Dans l'esprit de Chekika, Salofkachee était encore son ami, le dernier ami qui lui restât dans le monde blanc. Peut-être le signal n'avait-il été qu'une ruse pour l'attirer sur le hammock. Seul. Un pas de plus, et il se pouvait que, dûment surveillé, il fût emmené vers le village séminole... Et vers Mary !... Il écarta violemment de son esprit cette folle espérance et rencontra sans flancher le demi-sourire de son ami.

— Rassure-toi ! Je vais faire part de tes... conditions... et je te rapporterai celles de Chekika. Ne bouge pas jusqu'à ce que je revienne.

— Reviens d'ici cinq minutes, sans quoi je bougerai !

A longues enjambées, Roy continua de suivre le sentier, balançant les deux bras afin de montrer qu'il était sans aucune arme. Cinq minutes suffiraient largement, pensait-il, pour transmettre son maigre message. A présent qu'il était dégagé de la belliqueuse présence d'Andrew, il sentait son esprit embrayer, envisager ce qui l'attendait, s'animer au rythme de ses grands pas libres. La mission, il le savait depuis le début, était vaine et futile. Il était cependant indispensable qu'il vît face à face l'interprète de Chekika, ne fût-ce que pour convaincre le Chat Sauvage que, tant que les otages ne seraient pas rendus, aucune négociation n'était même imaginable.

A cinquante kilomètres vers l'orient, là où le Miami dégringolait au fond de son ravin encaissé dans la jungle, le camp de base n'attendait qu'un signal pour se disperser, selon les plans soigneusement établis à Fort Everglades. Ses observations du haut du Chêne Observatoire n'avaient fait que le confirmer dans sa certitude qu'il serait possible de faire s'infiltrer la totalité de leurs forces dans les Glades, de leur faire suivre, par groupes séparés, une vingtaine de petits passages d'eau que Chekika ne pourrait faire surveiller tous à la fois, et d'assigner aux hommes le rendez-vous prévu à l'entrée du Chenal des Dix Milles. Une fois qu'ils seraient rassemblés dans cette large voie navigable, à moins d'une demi-journée de pagaie du lac Okeechobee — en souquant dur — ils pourraient faire fi de la prudence et mettre le cap droit sur le Tertre Indien, ce lieu où nul homme blanc, lui-même, Salofkachee, excepté, n'avait jamais osé mettre le pied, fût-ce pendant les années de paix.

Plutôt que de la stratégie, c'était un jeu de hasard et, comme tous les jeux de hasard, il exigeait du nerf et de l'imagination : deux choses pour lesquelles il pouvait compter sur Andrew Winter, une fois qu'ils auraient repris le large. La nécessité d'un « donnant-donnant », même théorique, en une circonstance telle que celle où ils se trouvaient, était une chose que le capitaine de dragons se refusait à admettre.

Le porte-parole s'entendrait dire qu'il n'y avait de choix qu'entre la soumission et la guerre. Une fois repoussée leur demande de rendre sains et saufs et sans rançon le docteur Barker et Mary Grant, Roy jetterait le gant et annoncerait la bataille. Chekika aiguiserait sa hache et son couteau, et s'attendrait à voir les blancs foncer droit vers le cœur des Glades, dans le vain espoir de le fixer sur place au milieu des marais. Lorsqu'il apprendrait que, pendant ce temps-là, la troupe du colonel Merrick s'était retranchée sur le Tertre Indien, il serait bien forcé d'attaquer selon les plans de l'adversaire. S'il se refusait à chasser l'envahisseur de ce sol sacré, la nation tout entière, jusqu'au dernier homme, se soulèverait contre lui.

Comme cela avait paru simple et facile, tant qu'il ne s'était agi que de prendre ces dispositions, penchés sur la carte, à Fort Everglades ! A présent, tandis qu'il traversait cette île, au bord de la Mer d'Herbes, Roy sentait son esprit s'obscurcir de conjectures différentes Si, alors qu'ils auraient atteint leur objectif, Chekika se rendait compte d'un piège ? Si ses éclaireurs l'avertissaient d'un inquiétant rassemblement de forces au nord de l'Okeechobee, ne pourrait-il refuser de livrer bataille même en terre sacrée ? Ou encore... s'il voyait le piège vite et clairement... et s'il frappait de toute sa force avant que la troupe de Winter ait pu elle-même atteindre son but ?...

Roy refusa de s'arrêter à cette plausible perspective. Les enjeux étaient sur la table ; il était trop tard pour se retirer de la partie.

Pour la même raison, il refusa de réfléchir à ce que serait le sort de Mary une fois la guerre déclenchée. Tant qu'un résultat était encore douteux, les otages gardaient toujours leur utilité aux yeux des Indiens, et leur vie était respectée en conséquence. Il se sentait donc assuré que la jeune fille et le docteur Barker seraient convenablement traités aussi longtemps que Chekika dirigerait les destinées de la nation, pourvu, évidemment, qu'il les supposât encore des pions importants dans la grave partie d'échecs qu'il engageait contre Joë Poinsett à Washington. Mais si Chekika — ou son successeur — se rendait enfin compte que Washington était résolu à ne point céder ? Mais si la bataille engagée était perdue pour lui, Chekika ? S'il quittait Mound Indian, sa puissance à jamais brisée, et s'il fuyait vers les profondeurs sauvages des Gros Cyprès, entraînant, avec ses hommes vaincus, deux blancs inutiles ?

Ne présumant que trop bien la réponse, et la repoussant loin de sa conscience, Roy s'engagea dans la clairière, sous le flot lumineux et chaud du soleil. Là, au milieu d'un cercle de mauvaises herbes, était le feu du signal ; là, sur une plate-forme fixée entre deux choux-palmistes, se voyait l'abri où le signaleur avait étendu sa couverture dans l'obscurité, tandis qu'il attendait un mot de Fort Everglades. Quelques flocons de fumée formaient encore des boucles molles dans l'air immobile. Quelques os de dinde rongés, traînant près du feu, sur le sol, marquaient le lieu de sa dernière vigile solitaire. Il ne restait dans la clairière aucun signe de vie et, sauf le frémissement des ailes d'un oiseau-mouche parmi les jasmins de Virginie, on n'y entendait aucun bruit.

Roy avait fait son premier pas hésitant vers le petit abri couvert de palmes, lorsque tout à coup le cri de guerre frappa ses tympans. Un cri aigu, perçant, furieux, s'élevant du sentier qu'il venait de quitter, suivi tout aussitôt par le claquement d'une carabine... Roy, qui, d'instinct, s'était laissé tomber dans le fenouil, leva prudemment la tête au-dessus des herbes, afin d'examiner le silence revenu. Il se releva sur les genoux en s'appuyant sur les mains — et, dans le même temps, sa main droite cherchait par routine un couteau qui n'était pas là. En deux sauts de lapin, il fut au bord de la clairière, sous le couvert d'un bouquet de palmiers. Puis il s'élança, toujours courbé, au secours de son ami.

Dès qu'il franchit le premier coude de la piste, il vit que nul secours n'était requis. Andy s'amenait à grands pas, serrant toujours dans un poing sa carabine fumante, un Séminole raide mort jeté en travers de ses épaules aussi négligemment que n'importe quel trophée de chasse. De l'endroit où il était, Roy pouvait voir, tout rond, tout net, le trou que la balle avait fait entre les deux yeux à présent vitreux et fixes. Avec un vif soulagement, il constata que la victime n'était point un membre du Conseil de Chekika. Celui-ci ne devait pas avoir espéré grand'chose de cette rencontre, sans quoi il n'aurait jamais envoyé à Pahokee ce jeune mâle efflanqué à la physionomie insignifiante.

Andy, d'un coup d'épaules, balança son fardeau en travers de la plate-forme, entre les palmes sèches. Nu comme quelque Adam de cuivre, empestant l'huile de poisson dont les Séminoles s'enduisent dans les Glades pour écarter d'eux les insectes, le signaleur n'avait guère plus de vingt ans, moins peut-être. La mèche au-dessus de son front se hérissait comme la crête d'un coq furieux. Roy étudia attentivement le visage inconnu, remarquant le mélange de traits indiens et négroïdes, mélange sanguin de plus en plus complexe à chaque génération, à mesure que devenaient plus nombreux les esclaves fugitifs qui trouvaient asile au cœur de la nation.

— Comment est-ce arrivé ?

Le capitaine de dragons eut un gloussement étouffé :

— Crois-le ou non, il a essayé de m'avoir d'un coup de hache, là-bas, dans le fenouil. Tu as entendu le cri de guerre...

— ... *et* le coup de fusil !

— Il ne valait pas cher comme chasseur à l'affût ! dit sèchement Andy. J'avais surpris son mouvement une bonne minute d'avance. J'ai donc feint de le surveiller, et je l'ai laissé approcher.

— J'espère que tu es à présent convaincu qu'il était seul.

— Entièrement convaincu, fit Andrew, placide. Tu ne serais pas vivant maintenant s'il n'était pas seul.

— Tu aurais pu l'avertir. Lui faire dire ce qu'il savait. Winter donna un regard détaché au corps étalé sur le rugueux plancher de cyprès.

— Mort ou vivant, as-tu vraiment le sentiment qu'il pouvait être au courant de quoi que ce fût ?

— Réponds-moi, Andy. Avais-tu déjà l'intention de le tuer lorsque tu es venu à terre ?

— Bien sûr.

— Alors que je venais ici pour parlementer ?

— *Nous* venions ici pour donner un avertissement à Chekika. Comme avertissement, ceci fera l'affaire.

Tout en parlant, Andy enserra d'une liane de vigne sauvage les chevilles de l'Indien mort — cette rude liane verte de la jungle de Floride, plus solide et plus durable que le chanvre. L'autre bout du lien fut aisément lancé par-dessus une forte branche de palmier. Après quoi, tirant avec entrain sur sa poulie improvisée, il hissa le corps qui bientôt se balança grotesquement la tête en bas, dans le vide. Roy regarda sans mot dire (car il eût été vain de protester) le capitaine ouvrir son couteau de poche et, en trois longues estafilades négligentes, détacher du crâne la mèche frontale et son morceau de scalp. De tels trophées étaient on ne peut moins officiels, mais de pratique aussi courante chez les officiers que chez les hommes. Tout aussi peu officielle et tout aussi courante était la prime payée en échange à Fort Everglades.

— C'est donc pour cela que tu as voulu venir, Andy ?

— Demain — ou après-demain — Chekika viendra ici chercher sa réponse. Il la trouvera, flottant à ce chou-palmiste. Et, afin qu'il ne puisse y avoir d'erreur d'interprétation, nous allons préciser par écrit.

Andy ouvrit sa poche à balles et en retira une feuille pliée et soigneusement insérée dans une pochette de toile huilée.

— Ceci est mon dernier mot pour le Père des Séminoles, dit-il. Veux-tu le lire, avant que je l'accroche au cou du camarade ?

Roy déplia silencieusement le billet. L'oiseau-mouche, que le coup de feu avait effrayé, reprit gaîment son pillage des jasmins de Virginie et des chèvrefeuilles-trompettes. Le bourdonnement de ses ailes pénétrait le cerveau du chirurgien comme une vrille, cependant qu'il lisait le billet écrit par Winter en larges capitales imprimées, dans un espagnol alerte mais incorrect :

Au Roi des Chats Sauvages, Salut.

Quand vous lirez ces mots, moi j'attendrai le retour du docteur Jonathan Barker et de la demoiselle que vous avez à tort prise pour sa fille. Mes foyers de cuisine seront allumés pour éclairer le chemin de votre reddition au sommet d'Indian Mound.

Revenez à la sagesse de votre père, Roi des Tueurs, et prenez la résolution justement de ne plus tuer. Et revenez aussi vers votre Grand Père Blanc, qui ne vous a jamais voulu aucun mal. Venez sous sa protection, Grand Chef, tandis que votre propre force est encore intacte, venez et savourez son abondance et sa paix.

Capitaine Andrew Winter,
Commandant le Corps Franc des Glades.

— Je regrette de ne pas avoir vu ceci plus tôt, Andrew.

— Pourquoi ? Cela fait partie de notre stratégie.

— Le colonel Merrick sait-il que tu l'as écrit ?

— Bien sûr. Il en contresigne pleinement chaque mot.

Roy fronça les sourcils et se tut, tout en nouant le lien du sac de toile huilée, qu'il rendit au dragon. Et il ne fit entendre aucune protestation lorsque celui-ci attacha solidement le message sur le cadavre.

— Ne fais pas cette tête-là, Roy ! Il nous faut mettre les points sur les *i* pour Chekika. Tu m'as dit qu'il lit bien l'espagnol.

— Crois-tu sage de lui indiquer d'avance nos futurs mouvements ?

— Pourquoi non, puisque la plus grande partie de mes hommes sont déjà infiltrés dans les chenaux ?

— Il paraît que tu as donné beaucoup d'ordres sans me consulter.

— Tous les hommes étaient là à se ronger ou à se contempler le nombril, en attendant l'heure de l'action. Je n'ai vu aucun mal à décider sans retard le premier bond en direction du Grand Bourbier.

Le sourire grimaçant de Winter était parfois désarmant, il le savait et s'en servait en conséquence.

— Si nous filons vite, nous pouvons encore rejoindre le sergent Ranson ; il nous attendra à l'entrée de la Crique Perdue.

— Et les autres ?

— Ils s'amèneront à l'heure voulue. Compte sur moi pour ça !

Roy s'inclina, jurant et sacrant en silence. Andrew avait dit une chose vraie : tous les hommes de son groupe, jusqu'au dernier, étaient fin prêts, affûtés comme haches de guerre ; chacun d'eux était capable de pénétrer tout seul dans les Glades sans y faire plus de bruit ni déplacer plus d'air qu'un alligator en croisière alimentaire. Se glissant par des dizaines de petites voies navigables aux pirogues et canoës, recoupant et brouillant leurs traces, évitant le lit du Miami, ils parviendraient à convaincre Chekika lui-même qu'ils levaient le camp et rentraient au Fort. Roy détourna son regard du chou-palmiste et du grotesque et lamentable fruit qui s'y dandinait.

— Si je dois te servir d'éclaireur, remarqua-t-il calmement, il faut que je sois d'avance au courant de tes projets.

— Tu auras bien assez d'ennuis plus tard. Pourquoi ne t'aurais-je pas épargné celui-ci ?

— Très bien. Si nous pensions à rejoindre tes hommes avant que Chekika vienne nous chercher ici ?

Andy reprit, avec obéissance et solennité, son sillage le long de la piste qui retournait vers le bord de l'eau.

— Dis-le, Roy. Dis-le puisque nous sommes encore amis. Tu trouves que j'ai abusé de mes atouts ?

« Dieu veuille que ce ne soit pas le cas ! se dit Roy. Si Chekika envoie un messager à Pahokee aujourd'hui même — et qui peut dire qu'il ne le fera pas ? qui peut dire que son intention est de laisser ce guerrier solitaire, livré à lui-même jusqu'à ce qu'il rentre au village ? — il peut encore nous gagner de vitesse dans la course vers le Tertre Indien. S'il a vraiment la chance avec lui, il peut nous sauter sur les reins avant que nous ayons établi un retranchement utile. »

Malgré tout, il ne pouvait pas maudire l'excessive audace d'Andrew. Elle paraissait se placer très exactement dans l'ensemble de leur projet. Jusqu'à la dernière syllabe du billet laissé sur feu le signaleur, sereinement insultante, et calculée de manière à pousser le Séminole au delà de toute prudence.

— Je voudrais avoir ta sublime confiance, à toi, qui te sens assuré d'être encore en vie demain.

— Bien sûr que tu dois l'avoir, toi aussi ! Tu seras certainement en vie demain : comment pourrions-nous finir cette guerre sans toi ?

Ayant dit, Winter gagna lestement le canoë et le stabilisa le long du bord pendant que Roy s'installait à la perche.

— Conduis-moi à la Crique Perdue par le chemin le plus court, et cesse de te tracasser ! C'est moi désormais qui commande. Les tracas, c'est mon rayon !

CHAPITRE III

Le ronflement de deux cents soldats était autour de lui comme l'atmosphère même du bivouac, lorsque le docteur Royal Coe rejeta sa couverture et, d'un pied prudent, afin de ne heurter aucun des dormeurs exténués, gagna le poste des malades. Ils étaient trois, qui ronflaient, eux aussi, emplis de quinine jusqu'aux oreilles et baignés d'une sueur qui disait la victoire de leurs jeunes corps pleins de santé sur les fièvres qui abattaient tant de gens de Floride. Le plus atteint — l'inévitable cas de dengue — était aussi rassurant que les autres. Le non moins inévitable cas diarrhéique était gorgé de thé fort ; il avait bénéficié, en outre, de cinglants reproches du lieutenant Hutchens — lequel lieutenant Hutchens, au bout d'une épuisante journée, avait lancé sa casquette dans le fond du canoë — pour s'évanouir lui-même comme une fillette juste avant que son embarcation émergeât de l'embouchure du Chenal des Dix Milles dans l'espace découvert du grand lac...

Tous les patients du docteur Coe vivraient pour se battre encore. Après s'en être assuré, il continua sa route, répondit au qui-vive lancé à voix basse par la sentinelle de la première enceinte, et passa par-dessus cette solide barricade de rondins de palmiers pour atteindre la ligne extérieure de défense, où il fut interpellé à nouveau, cette fois par un fusilier terré dans un parapet au bord même de l'Okeechobee...

Andrew Winter pouvait, à l'occasion, être absurdement téméraire. Il se pouvait aussi qu'il fût incapable de saisir certains faits fondamentaux, y compris celui, essentiel autant qu'évident, qu'un Séminole peut fort bien avoir une cervelle. Mais c'était un commandant né, et Roy admettait sans rechigner qu'il avait, dans le plus bref délai possible, amené ses hommes à l'objectif assigné.

Au sud de leur camp, juste hors de portée de fusil, la masse du Tertre Indien profilait sur le ciel une disgracieuse pyramide. Il s'y dirigea à pas silencieux, apaisant sur son parcours une série de sommations vigilantes.

Selon la promesse d'Andy, les foyers de cuisines rougeoyaient encore aux flancs du Tertre, et l'observateur du capitaine Winter — le sergent Ranson en personne, — hardiment installé au sommet, un fusil posé tout amorcé, en travers de ses genoux, guettait l'obscurité...

D'heure en heure, la chaîne de sentinelles ferait parvenir un nouvel homme à ce point avantageux — et périlleux. Autant que le cercle insolent des foyers, le volume seul du sergent constituait une manière de provocation. Comme aussi le drapeau de l'Union qui serait hissé à l'aube sur ce même sommet, si l'aube les trouvait encore vivants !

Maintenant qu'ils étaient effectivement en ordre de bataille et qu'ils attendaient l'assaut inévitable, Roy se sentait vaguement content de ce qu'aucune tentative ne serait faite pour défendre le Tertre lui-même : Andy l'avait, finalement, rayé de ses calculs en tant que *point d'appui* (1). L'endroit où ils campaient cette nuit formait un bastion idéal, une pointe de sable enfoncée comme un coin dans le lac et à l'ombre même de la vieille pyramide. Une heure de dur travail avait permis d'établir un cordon de surveillance et une ligne de feu à l'étranglement de ce promontoire. Bien avant que l'obscurité fût tombée, ils avaient préparé les emplacements pour la ligne avancée des meilleurs tireurs, soutenue et renforcée par une crête de rondins de palmiers qui atteignait six pieds de haut et encadrait parfaitement leur redoute.

Du côté du lac, des parapets, plus hauts et plus solides encore, s'élevaient en chacun des points où Chekika risquait de tenter un atterrissage. Pour faire face de deux côtés à une attaque ennemie, le commandant n'était pas contraint de diviser ses forces : les dimensions réduites de leur forteresse, bien ramassée sur elle-même, lui permettaient de déplacer à volonté, par un simple glissement, la force de son feu — aussi vite que ses hommes pouvaient recharger leurs armes. Et, bien qu'ils ne combattissent pas effectivement à partir du Tertre Indien, ils pouvaient, des deux parapets, en interdire l'accès aux Séminoles, que ceux-ci attaquassent par terre ou par eau.

(1) En français dans le texte.

L'invasion des Glades constituait en elle-même une petite saga et, comme toutes les sagas, était faite de plus de sueur que de poésie, de plus de coups de soleil que de coups de lance. Jusqu'alors, ils n'avaient employé d'autres armes blanches que les couperets à cannes qui avaient frayé leur parcours jusqu'au Grand Bourbier et les haches qui avaient assuré la solidité et la sécurité des bivouacs. Il y avait eu des moments où la lutte avec les joncs et les carex avait semblé folie pure — des heures entières de panique pendant lesquelles un groupe isolé de quatre canoës, collés dans un banc de boue au milieu de rafales de pluie, essayait de distinguer le nord du sud. A de pareils moments, il semblait que la boussole et la carte fussent des conseillers pareillement faux et menteurs, et que l'interminable hurlement de la tempête fût la seule réalité subsistante.

Le retour du soleil leur avait rendu la paix de l'esprit, bien qu'il apportât d'autres souffrances. A chaque midi, tandis qu'ils cherchaient l'abri d'un hammock pour grignoter leurs rations froides, Roy avait contraint les gorges parcheminées à déglutir une dose de sel pour réparer l'énergie des corps trempés de sueur. Au bout de la journée, lorsqu'ils avaient installé un bivouac froid de plus (jusqu'aux pots à fumée pour chasser les moustiques étaient interdits tant qu'ils n'auraient pas atteint leur rendez-vous), il avait guetté sans en trouver trace les signes d'une fatigue qui dépassât l'accablement, ou encore cette première lamentation qui est le prélude de la folie chez l'homme le plus robuste. Malgré leur jeunesse, tous ces hommes étaient des vétérans : tous avaient vécu plusieurs années de campagne dans les broussailles de Floride, et, bien que la guerre dans les Glades fût nouvelle pour eux, elle n'était qu'une forme différente de la même aventure, ils accomplissaient leur devoir tout naturellement.

Toujours l'impitoyable soleil entre les impitoyables bourrasques pluvieuses... toujours le silence jaune, fumant, les enserrant de toutes parts aussi étroitement que les dures herbes coupantes comme des rasoirs...

Le soleil leur disait que le Grand Bourbier était plus loin au nord et à l'ouest, et les espaces plus larges du Chenal des Dix Milles et de l'Okeechobee lui-même bien au delà encore. Le silence d'un vert jaunâtre, se resserrant sur chaque cœur, comme un poing menaçant et chaud, était la réponse de la nature à leur faible effort. Le silence avait sa voix propre — qui leur conseillait de virer de bord et de retourner sans mot dire vers leur point de départ, leur affirmant que la chaleur et l'épuisement viendraient à bout d'eux avant que Chekika bandât son premier arc. Et, malgré tout, les quatre canoës, la pirogue de Roy en tête, avaient continué leur avance — avec pour seule préoccupation le prochain coude dans le chenal qu'ils suivaient, pour seul ennemi le prochain banc de boue inattendu, la prochaine masse d'herbes qu'ils rencontreraient là où aurait dû briller l'eau libre.

Occasionnellement, leur chenal les contraignit à traverser une souille à alligators, et l'air était alors empesté des exhalaisons douceâtres d'une centaine de catiches creusées sous l'eau, et les berges grouillantes de jeunes, mous et flemmards. Des yeux, brillants et mi-clos, suivaient sans curiosité leur avance dans l'eau croûteuse d'algues, où ils progressaient avec mille et une précautions, évitant les mâles de douze pieds qui semblaient somnoler si placidement juste sous la surface, et qu'une seule maladroite poussée d'avirons réveillerait avec certitude... Or un seul coup de ces puissantes queues pouvait signifier la mort de tous les hommes à bord... Une fois, ils s'étaient fourvoyés jusqu'à un lac peu profond dont la surface était littéralement couverte par des milliers de canards sauvages — et ils s'étaient retirés silencieusement, faisant un large détour afin de ne pas les troubler, car le bruyant, tumultueux et massif envol dans le ciel de ces migrateurs innombrables aurait signalé leur présence plus sûrement qu'un coup de feu.

Encore que la boussole parût parfois mentir de façon flagrante, ils s'en étaient toujours tenus à une progression vers le nord et l'ouest. Parfois ils entendaient la plainte de l'engoulevent dans les herbes, plus haut et plus bas que leur route, et apprenaient ainsi que d'autres unités d'Andrew Winter (qui se servaient du signal convenu) foraient, elles aussi, leur voie à travers la vase, convergeant comme leur propre groupe vers le rendez-vous commun. Quand ils aperçurent pour la première fois leur objectif à travers la frange d'une pluie torrentielle, ils refusèrent d'en croire leurs yeux. Le Grand Bourbier, large d'un bon quart de mille, et bienheureusement dépourvu d'inconvénients tels que des amas de ketmie ou des alligators assoupis, leur avait semblé aussi tentant que le paradis et deux fois plus éloigné.

Le long de la rive orientale, les cris d'oiseaux se répondaient. L'une après l'autre, les petites unités de milice qui formaient le Corps Franc des Everglades avaient surgi de leur couvert et, en un rien de temps, avaient reconstitué leur formation — une longue double file de canoës de guerre dont la proue était alourdie par sa part d'armes et de munitions. Sur un ordre du capitaine Winter, la double file s'était modifiée en un étroit triangle dont le commandant formait le sommet, ses éclaireurs l'un à sa droite et l'autre à sa gauche, alors que les lourds canots d'approvisionnement constituaient la base. Dans cette formation, ils avaient pagayé six heures durant, jusqu'à ce que le Grand Bourbier débouchât dans l'ampleur du Chenal des Dix Milles, qui, par comparaison, prenait des airs de baie, puis jusqu'à ce que cet estuaire aux eaux couleur chocolat eût à son tour débouché dans l'immense aigue-marine de l'Okeechobee. Ils avaient viré dans Sandy Bay, et, sur le coup de midi, ils tiraient leurs embarcations sur la plage, à l'ombre de l'Indian Mound.

L'habileté manœuvrière d'Andy et son génie du commandement étaient devenus plus évidents à mesure que se déroulait la journée et que chaque minute avant le crépuscule comptait. Roy avait regardé les Rangers se déployer sur la plage de Biscayne Bay et, en peu de minutes, ils avaient pris possession du terrain, installé dans la broussaille une solide rangée de bons tireurs pour protéger les travailleurs, et ceux-ci avaient élevé une palissade — complète, avec créneaux, meurtrières et poterne — qui était terminée moins de deux heures après que le premier canot eut été tiré au sec. Ils avaient employé ce qui restait encore de clarté dans le ciel pour épauler, étayer solidement cette première défense.

Vers le nord, la vaste surface du lac était couverte de blancs moutons dansants, une brise d'est apportant de l'Atlantique vers le golfe la queue d'une tempête de pluie. Vers le sud, la ceinture de cyprès, qui bordait de ce côté l'Okeechobee et le séparait de la Mer d'Herbes des Glades, fumait d'une chaleur malsaine. Dans ce frémissement, pareil à un mirage, l'ombre du Tertre Indien flottait bizarrement et, finalement, s'installait en un triangle d'encre de Chine lorsque la fraîcheur du soir, tombant à la fois sur le lac et sur la jungle, eut arrêté l'évaporation mouvante.

Sur un banc de sable, à bonne distance de la rive, une file de pélicans, pareils à des juges emplumés, regardaient travailler les hommes. En dehors d'eux, rien ne vivait, rien ne bougeait, nul diadème de guerre ne se montrait pour troubler la grande sieste de la nature. Si ce silence de pierre semblait quelque peu narguer leurs efforts, seul Roy s'en était aperçu...

Maintenant, un pied posé sur le flanc couvert de coquilles du Tertre funéraire, il s'arrêta pour respirer à fond ce silence et en évaluer le poids, et l'importance, et le sens... aussi calmement qu'il le pouvait. Il avait la certitude absolue et profonde que, quelque part dans cette obscurité enveloppante, Chekika veillait et surveillait, mesurant ses propres forces de choc pour le lendemain, projetant son assaut avec toute la froideur fataliste de sa race. Lancé avec le maximum de violence, sans nul égard pour les pertes, l'assaut pouvait les écraser en peu de minutes : dès que les Séminoles auraient franchi les parapets de palmettes, les petites dimensions de la forteresse agiraient contre son architecte et pourraient la transformer en un piège mortel... Mais cela encore était un risque calculé, admis. La cible vivante était prête, espérant bien repousser ce premier choc furieux, comptant sur sa volonté de vivre — jusqu'à ce que les secours promis vinssent du Nord...

Le cercle des feux rougeoyait encore à mi-pente du Tertre. Andy avait ordonné à ses sentinelles de les entretenir, d'heure en heure. Cela faisait partie de l'attitude de bravoure et de bravade qui les avait conduits ici. Si Chekika avait lu le message laissé par lui à Pahokee, il constaterait que la menace était remplie. A ces vétérans durs à cuire, il semblait parfaitement logique d'installer leurs popotes en dehors du camp : le bois de pin brûlait aussi bien sur ce tumulus et, d'être réchauffées sur une pyramide de crânes, les fèves au lard n'avaient pas moins bon goût !

Roy, pour sa part, avait trop fréquemment fouillé dans Indian Mound — un des plus anciens tertres funéraires des Glades, peut-être même de la Floride entière, et ceci suivant l'opinion savante et autorisée du docteur Barker, — il avait trop fréquemment fouillé dans Indian Mound pour s'arrêter dans son ascension de cette nuit.

Des squelettes d'Indiens Caloosas et Timucuans avaient été déposés là, pour y dormir, des siècles avant la venue du premier blanc. Les tribus qui avaient suivi avaient progressivement élevé la pyramide à mesure que des générations de chefs s'en allaient vers leur récompense, entourés des ossements de leurs ennemis.

Plus tard, de nombreux corps avaient été placés dans des tombes ouvertes, afin de faciliter l'ascension des esprits vers des climats plus heureux. Les fortunes de la guerre avaient fait glisser la suprématie de l'une à l'autre tribu, et il s'était trouvé des conquérants qui, pour montrer en quel mépris ils tenaient les précédents occupants, avaient réduit leurs squelettes en morceaux qu'ils avaient poussés ensuite dans les profondeurs du tumulus, afin de faire de la place pour leurs propres héros.

Actuellement, l'Indian Mound, dont le plateau se trouvait à trente bons pieds au-dessus des eaux de l'Okeechobee, servait de repère aux rameurs Séminoles et d'objet d'adoration à la nation séminole tout entière, bien qu'il ne servît plus de lieu de sépulture, les rites funéraires des nouveaux tenants exigeant une tombe séparée pour chaque chef. Mais le Tertre était toujours leur lieu de rassemblement lors de chaque pow-wow important, lors aussi des propitiations adressées à leurs dieux. Il avait également, Roy ne l'ignorait pas, servi de lieu d'exécutions quand des ennemis de marque — ou parfois des membres condamnés de la nation séminole même — avaient été expédié selon les formes.

De longues et maigres herbes s'enroulaient aux jambes du chirurgien alors qu'il atteignait le sommet, et son pied délogea un crâne; Roy se retourna pour regarder au flanc de la colline les rebondissements du ballon blanc.

Assis, les jambes croisées, le sergent Ranson occupait le point culminant du Tertre et considérait un autre crâne, qu'il tenait à bout de bras. Roy s'assit auprès de lui, prit sa poche à tabac, bourra sa pipe en épi de maïs et, pendant qu'il l'allumait, se fit la réflexion que tout, en somme, s'accordait fort bien, le crâne ricanant entre eux, et la flamme du « lucifer » éclairant leurs silhouettes d'une brève mais vive lueur.

— *Alas ! poor Yorick !* dit Roy, flambant un second lucifer pour allumer la pipe de Ranson. Nous ne saurions vraiment dire que « nous l'avons bien connu » ! (1).

— A en juger par sa taille, ce pouvait être un « don ». Non que tous les Espagnols aient eu des crânes de grand singe, comprenez-moi bien...

— Il n'est pas douteux que plus d'un brave Espagnol est enterré ici.

— Et plus d'un de nos honnêtes fantassins, monsieur, sûrement !

— Le croiriez-vous ? L'an dernier, j'ai découvert dans ce Tertre, en fouillant un peu, une statuette Inca !

— Une statuette péruvienne, monsieur ?

— Exactement. Regardez-la, si vous ne m en croyez pas.

(1) *Hamlet.*

Ce disant, Roy écarta sa chemise et attira au dehors une figurine de jade attachée à son cou par une lanière de cuir. Il la portait ainsi depuis qu'il l'avait trouvée, car, bien qu'il se déclarât le moins superstitieux des hommes, il se sentait réconforté en sentant juste au-dessus de son cœur la pierre dure — dont le froid tiédissait au contact de sa peau. Elle lui rappelait que le monde est petit et que la mort peut, sans effort et sans avoir besoin de beaucoup de temps, entrer dans son orbite.

— On dirait une manière de divinité diabolique, docteur.

Roy examina la figurine à la clarté de leurs deux pipes dont ils avivèrent un instant la braise.

La tête forte, aux oreilles pointues, surmontait un corps tordu dans une agonie à la fois grotesque et curieusement émouvante. Un des yeux de basilic semblait cligner narquoisement en réponse à leur examen, comme si la bizarre divinité avait sur le bout de la langue un secret qu'elle se retenait de révéler à haute voix.

— Vous ne m'avez rien demandé, monsieur, déclara le sergent, l'air réfléchi, mais je vous dirai tout de même que c'est l'image crachée de Chittamicco.

Chittamicco ! le poignard nu planté entre les Séminoles et la paix. Roy examina les froids yeux gris vert. Ranson avait effectivement raison : le visage de l'antique figurine torturée et tordue représentait déjà celui de l'héritier de Chekika d'une façon aussi frappante que si Chittamicco en personne avait posé pour le sculpteur. Il y aurait donc toujours un Chittamicco pour lutter contre le progrès et pour brouiller les cartes...

— Comment cette statuette a-t-elle bien pu arriver jusqu'ici ?

Roy se posait la question à haute voix ; le sergent répondit :

— Vous pouvez choisir entre deux routes, docteur... Elle a pu être jetée à la côte par le Détroit des Bahamas, ou bien venir de Californie par la terre ferme et sur le Pavé du Roi.

— Considérez-vous qu'elle soit de bon augure pour demain ?

— Pas vous, monsieur ?

Roy sourit derrière sa pipe et remit le petit jade à sa place accoutumée. Ranson, se disait-il, était une manière de poète. Il était né, tout comme lui, avec une cervelle qui exigeait des réponses aux questions. Contrairement au capitaine Andrew Jackson Winter, qui, en ce moment même, dormait du sommeil du juste et ronflait avec autant de conviction que le dernier de ses soldats, le sergent n'avait jamais accepté aveuglément un *statu quo*, ni gaspillé une heure en vaine adoration devant quelque autel déserté.

— Soyez sincère, docteur : croyez-vous que la balance penche en notre faveur ?

— Pas si le Chat Sauvage nous attaque avec toute la force dont il dispose.

— La chance peut être avec nous, monsieur. Pour le quart d'heure, je ne jurerais de rien.

— Vous n'approuvez pas cette expédition ?

— Je n'approuve ni ne désapprouve, docteur. Je reçois des ordres et je m'efforce de les exécuter de mon mieux.

Le sergent n'avait mis aucune humilité dans sa voix. Il souriait en tirant sur sa pipe de maïs :

— L'Armée n'est pas un lit de roses, et vous le savez bien, docteur. Surtout à présent, nous voilà coincés dans l'Est et incapables de nous décider à propos de Mexico.

Ranson cracha dans l'obscurité :

— C'est une existence, bien sûr, mais pas une vie, quand un homme ne peut pas décider ce qu'il désire pour le lendemain.

Roy accepta silencieusement le reproche voilé. Son interlocuteur avait raison, comme d'habitude. L'armée des États-Unis — cette géante à peine sortie des lisières et qui, avant de mesurer ses forces, devait encore assouplir ses muscles — pouvait à peine être considérée comme une carrière. Il se demanda rêveusement pourquoi un homme tel que lui-même, le docteur Royal Coe, avec un avenir assuré sur deux continents et libre de choisir, était assis cette nuit au sommet d'un tas de crânes historiques et préhistoriques, en compagnie d'un simple sergent qui, tout comme lui, avait été destiné à quelque meilleur emploi.

— Je suis venu vous relever, sergent, dit-il enfin. Allez vous reposer, vous ne l'aurez pas volé.

— Au jugé, monsieur, je dirais que vous aurez plus besoin que moi — demain — de vous être reposé cette nuit.

Ranson, soupesant dans sa main le crâne blanchi par le soleil, s'amusait à imiter son bizarre ricanement :

— Si tout va bien, j'aurai droit à du vrai sommeil au Fort, la semaine prochaine — ou la suivante. Si tout va mal, la question du sommeil ne se posera plus...

— Dites-moi une chose, sergent. Avez-vous jamais joué *Hamlet* ?

— Jamais de la vie, monsieur ! J'ai vu Mr. Booth dans le rôle plus d'une fois et, à mon avis, c'est une pièce très surfaite.

— Pourquoi dites-vous cela ?

— Nous sommes un pays jeune, monsieur, et ce siècle est jeune encore, et nous démarrons avec tous les atouts. Nous sommes « le dernier espoir du monde » et nous le prouverons... si nous pouvons durer un siècle ou deux, le temps de terminer notre croissance. Pourquoi quelques-uns d'entre nous ne mourraient-ils pas en cours de route, afin que cet espoir devienne une réalité ?

« Le dernier espoir du monde. »

Roy répéta les mots dans un murmure et regarda Ranson, en clignant des yeux sous le clair de lune :

— Savez-vous qui vous citez ?

— Bien sûr, monsieur. Thomas Jefferson, notre plus grand Américain. Ce n'est pas lui qui perdrait son temps à contempler un crâne en se demandant pourquoi il est né !

Le sergent renforça ses paroles par le geste, en envoyant la tête de mort rouler dans l'obscurité.

— Retournez à votre couverture, docteur Coe. Je suis très bien ici.

— Je prends votre garde, sergent. Quels sont les ordres ?

— Si vous y tenez, monsieur. Gardez l'œil sur cette faille dans les cyprès, là où le Chenal rejoint le lac. C'est le point...

Ranson fit glisser sa carabine sur les genoux de Roy si légèrement que celui-ci sentit à peine la pression de l'acier froid, et, dans l'instant, il disparut, s'évanouit sans faire plus de bruit que le père de Hamlet sur les remparts d'Elseneur.

Roy se déplaça au sommet exact du Mont, respirant l'âcre fumée qui s'élevait des foyers et combattant de son mieux l'obscure conviction qu'il avait été amené en cet endroit précis et à cette heure, par une impulsion non profonde mais extérieure à lui, pour recevoir la première balle que Chekika ne tarderait pas à tirer. Bien qu'il voulût s'en défendre, il obéit aux mouvements spasmodiques de ses jambes et de ses bras qui, rebelles à sa volonté, l'entraînaient de telle sorte que, cessant d'être une cible vivante, il se trouva bientôt le corps calé contre la pente, les pieds solidement ancrés dans le sable et les bras appuyés sur le sommet du Tertre. S'il pouvait combattre la somnolence jusqu'à ce qu'il fût relevé, il tiendrait la faille dans les cyprès sous la mire de son fusil et serait prêt à donner une alerte instantanée si Chekika attaquait par la terre.

Il sentait le morceau de jade inca durement pressé contre sa poitrine et, plus d'une fois, pendant les minutes qui suivirent, il se demanda s'il fallait le considérer comme un symbole de vie — ou de mort. Peut-être Ranson, comme lui, s'était-il accroché aux buffleteries militaires afin de hâter l'heure de son rendez-vous avec la sombre moissonneuse ? Peut-être la figurine — sorte d'image de l'âme humaine en son ultime agonie — était-elle la matérialisation de ce souhait inavoué ?...

« Quoi qu'il advienne, se disait-il, je n'ai aucune raison valable de continuer à vivre. Si demain nous échouons, la fille que j'aime sera toujours captive. Si nous réussissons, elle sera prisonnière d'une manière plus sinistre encore — à moins que Chekika admette sa défaite et accepte les conditions d'Andrew. Dans ce cas, elle retournera évidemment entre les bras de son fiancé. J'aurai droit à un baiser pour la part que j'aurai prise à sa délivrance. Et j'aurai le choix entre deux joyeuses carrières, celle de chef d'exploitation pour le docteur Barker, ou celle de soudard à la droite de Sam Houston (1) dans les terres au delà du Rio Grande.

» Quoi qu'il advienne, se disait-il, je n'ai qu'à mourir demain — ou à vivre seul. Si Mary meurt, je choisis de mourir, sans doute possible. Pas de cette longue stérilité qui n'est qu'une autre forme de la mort et la pire, la mort en vie. Si Mary vit, il faut que je mette — au moins ! — un désert entre moi et son bonheur. »

(1) Samuel Houston (1793-1863), soldat et homme politique américain, gouverneur du Texas.

CHAPITRE IV

Il s'était plus ou moins assoupi avant que commençassent les tambours. Instantanément il se réveilla, instantanément son esprit fut lucide, encore que sa peau demeurât moite d'une sueur de cauchemar. Les tambours s'étaient insérés dans son rêve maléfique, soulignant la vision de Mary Grant, clouée sur cette même pyramide sableuse, nue et hurlante sous le couteau de torture. Le cri continuait de retentir dans sa cervelle éveillée, comme porté sur le tom-tom assourdi des tambours. Or l'un et l'autre étaient réels : les tambours de guerre conversaient au loin, sur le lac ; le cri était celui de l'oiseau moqueur, et son miaulement aigu venait du marécage entre les cyprès, à moins de trois cents mètres du Tertre. Il fut repris et répété en une douzaine de points différents, comme si tous les nids s'animaient dans l'obscurité massive. Seule une oreille exercée pouvait déceler que ces miaulements provenaient non de voix d'oiseaux, mais de gorges humaines.

« L'attaque se produira donc à l'aube, comme je l'avais pensé, se dit-il. Une attaque déclenchée à la fois sur la terre et sur l'eau, un ouragan à double direction, et qui peut nous aplatir sous sa première rafale, nous noyer sous sa première vague... »

A présent que le péril était vraiment là, Roy se sentait calme : ils s'étaient installés sur la position prévue, avaient eu le temps de s'y fortifier hâtivement et se tenaient prêts à recevoir l'assaut. A quoi bon imaginer la suite ?

... Il entendit un faible cliquettement près de son coude et sut que, sans ordre conscient de son cerveau, sa main avait d'elle-même amorcé la carabine. Et dans les trous d'homme, dans les parapets à la base du Mont, une vingtaine de fusils furent pareillement armés, comme si un signal avait effectivement été donné.

De l'intérieur de l'enclos palissadé, nul bruit ne montait, mais Roy savait que là aussi on attendait. On était en alerte, prêt, et sans peur.

Des grives, à présent, se querellaient quelque part, dans la nuit. Il avait entendu déjà de ces concerts simili-ornithologiques et en comprenait la portée. Il sut ainsi que, tout au moins vers l'intérieur des terres, les Séminoles stimulaient leur courage afin de l'amener au plus haut point de tension pour la venue de la lumière. Au dehors, sur le lac, les tambours continuaient leur palpitation monotone, et on sentait que les batteurs enveloppés de nuit se rapprochaient des défenses. A chaque battement, le nombre du rythme augmentait, sans qu'il y eût effet de crescendo dans le frémissement des mains à l'unisson sur la peau de daim tendue : « L'effet, pensa Roy, est délibéré : le ronronnement de la panthère juste avant le bond... »

Il entendit le froissement rapide de pas dans le sable, puis son nom murmuré dans l'ombre, et Andy Winter, grimpant et rampant, vint s'accouder à côté de lui.

— Peux-tu les compter, Roy ?

— A l'oreille, je dirais cinquante...

— De l'enclos, j'en ai compté cinquante-trois, côté terre. Cela présage-t-il autant de canoës ?

— C'est très possible.

Andy rit tout doucement :

— Alors j'ai amorcé correctement mon rapport : je viens d'écrire que la nation entière nous assaille à la première lueur d'aurore.

Il se tendit aussi loin qu'il put en direction du lac, cherchant à percer les traînées gris pâle qui, vers l'Orient, commençaient à flotter dans le noir :

— Cinquante canots ou cent, ce seront surtout des adolescents à la godille. Le choc principal viendra des marais.

Roy acquiesça d'un signe de tête qu'Andy devina sans le voir. Cela ressemblait bien à Winter d'écrire, d'avance, un rapport formel ! Roy imaginait son ami industrieusement occupé à noircir du papier ministre, au centre de sa palissade, un tambour pour table, une lanterne sourde pour éclairage. Napoléon lui-même n'aurait pu avoir le triomphe anticipé plus confiant à la veille d'Austerlitz. Ni de Waterloo.

— La consigne leur viendra du lac.

— Et c'est par le lac qu'ils fuiront si leur tentative échoue.

A nous de les retenir le temps qu'il faut à Merrick pour nous amener les renforts par le nord.

— Crois-tu honnêtement, Andy, que nous durerons plus longtemps que cette journée ?

— J'en suis certain. Tellement certain qu'à leur première vague d'assaut je n'opposerai que la moitié de mon monde. Ranson et une centaine d'hommes sont derrière ce dernier écran de palmiers. Si nous les recevons avec tout ce feu nourri, ils peuvent tourner bride et décamper. Ça s'est déjà vu avant aujourd'hui !

— Le massacre de Dade aussi s'est vu...

— Es-tu toujours aussi lugubre quand tu te prépares à mourir ?

— Et toi ? Toujours aussi hilare ?

— Pourquoi pas ? C'est mon métier de tuer des Séminoles. Et je ne nierai pas que ça m'amuse.

— Comment te proposes-tu de terminer l'action ?

— Quand le renfort arrivera, nous tiendrons encore ici. Merrick enveloppera nos agresseurs de trois côtés à la fois et effacera ce qui en restera. Je sortirai de mes palmiers et j'accepterai la reddition des derniers vestiges de la nation séminole. Ce n'est pas plus compliqué que ça — pourvu que nous tenions jusqu'à demain, évidemment.

— Évidemment.

A l'horizon oriental, la bande grise s'élargissait et pâlissait. De place en place, une sorte de reflet verdâtre en soulignait le bord, promesse certaine d'un brillant lever de soleil sur la Floride : même de petits avantages étaient appréciables ! Roy espéra que la journée serait claire de bout en bout. On ne pouvait, bien sûr, escompter que l'on échapperait au brouillard gluant et glacé qui — pluie plutôt que rosée — allait sortir par bouffées d'entre les cyprès, après le premier véritable feu de l'aurore. Les Séminoles avaient évidemment compté ce brouillard au nombre de leurs atouts. En d'autres circonstances, ils en avaient tiré efficacement parti : il était peu probable qu'ils en négligeassent aujourd'hui les avantages.

— Ne serait-il pas temps que tu retournes auprès de tes hommes, Andy ?

— En aucune manière. C'est d'ici que je commanderai le feu, répondit avec calme le dragon.

— Ils t'auront repéré à la première seconde !

— Jamais de la vie. Je vais baisser la tête et m'enfoncer

habilement. Mais toi, Roy, tu ferais bien de retourner sans tarder. Ça va se décider d'un moment à l'autre à présent. Et dès que cela y sera, ça ira vite.

— Quelqu'un a-t-il pensé à sortir mes instruments ?

— Ranson te donnera deux aides. Il a déjà tout préparé à ton poste de malades. Quand je dirige une guerre, je la dirige convenablement !

— Qui donne les ordres pendant que tu es ici ?

— Hutchens, provisoirement, dit Andy avec bonne humeur. Il est déjà levé et dans l'action jusqu'aux yeux. Je vous rejoindrai si ça se met à chauffer vraiment. Ne désarme pas ta carabine, il se peut que tu en aies besoin avant d'avoir repassé le mur de troncs de palmiers.

— Rentre avec moi, Andy. Ne fais pas l'idiot.

— N'injuriez pas vos supérieurs, docteur Coe. Vous pourriez bien vous retrouver devant un tribunal militaire !

Le rire d'Andy suivit Roy dans l'obscurité, mais le bruit insistant des tambours le noya bientôt, et on n'entendit plus rien d'autre.

Un bandeau d'argent couronnait à présent les cimes des cyprès. Où il se trouvait, dans le creux planté de palmettes séparant Indian Mound des premiers parapets de l'enclos, le noir était total ; Roy leva haut sa carabine pour ne point l'accrocher dans les broussailles et descendit les derniers mètres de pente. A cette seconde même, les battements frémissants cessèrent, la voix des tambours fut muette et, dans les marais, vers le sud, un dernier oiseau moqueur interrompit son babillage rauque et querelleur.

« Ils bougent ! pensa Roy. Ils se glissent en rampant à travers le fenouil et la ketmie, comme une centaine de serpents de cuivre. A cela près qu'ils doivent plutôt être cinq cents. La plupart d'entre eux auront escaladé les défenses avant que Hutchens ait pu faire recharger les armes pour la seconde volée.. Les Séminoles vont cette fois épargner leur plomb et leur poudre et se servir de la hache, du couteau et de la massue de guerre. »

Il pouvait, en un clin d'œil, s'éviter tout cela : il lui suffirait de contourner le Tertre par la droite et de foncer vers le premier chenal. Andy avait caché quelques canoës légers dans l'eau morte, assez loin du camp. Il lui serait facile d'arriver sur les arrières des Séminoles pendant que l'attaque serait au plus fort et d'atteindre le village de Chekika pendant que Chekika lui-même et tout son monde seraient occupés à la tuerie en gros. Jamais il n'aurait meilleure chance de sauver Mary...

Il repoussa ce désir qui lui tirait le cœur — et cette feinte qui masquait son instinct naturel de fuite.

Se déplaçant rapidement sur la gauche, évitant la touffe de yucca qu'Andrew avait fait planter pour camoufler le dernier trou d'homme, il murmura le mot de passe, et, dans l'aube qui, à présent, montait vite, se laissa couler dans la tranchée auprès de la sentinelle :

— Juste à temps, doc ! Dieu me pardonne ; mais je les sens là dehors, dans l'humidité...

— Ne perdez pas de vue le creux dans les cyprès ! Gardez-le en joue : les Indiens y grouillent littéralement parmi le fenouil et ils vont vite.

Il reprit sa course et franchit la palissade d'un élan pour retomber à quatre pattes dans l'enclos, où la main du sergent l'aida aussitôt à se relever : sans mot dire, ils longèrent la seconde file de tireurs et parvinrent au poste des malades ; c'était à l'extrémité de la clôture, une petite construction en troncs de palmettes, nette, soignée, capitonnée de couvertures. Sur une table improvisée, la trousse était ouverte. Deux « assistants » — des jeunes costauds nouvellement enlevés à la charrue, avec de patientes figures de mules de labour et des nerfs assortis à leurs visages — attendaient placidement les premiers blessés. D'un coup d'œil, il dénombra les bandages et les compresses : selon son habitude, Ranson avait, d'un maigre équipement, tiré une installation quasi complète.

— Avec votre permission, sergent, je vais m'installer en observation à cette poterne.

Il gagna, ce disant, l'angle en saillie de la palissade et prit place à côté du lieutenant Hutchens, qui, l'œil soudé au télescope, regardait avidement le brouillard comme si la lentille de verre avait le mystérieux pouvoir de percer cette épaisseur cotonneuse. Le silence, au delà du parapet, participait de cette blancheur humide qui bouillonnait à froid entre les troncs, s'insérait par les moindres fissures et touchait les cerveaux d'une sorte de morne prémonition.

Hutchens mâchouillait un cheroot éteint et ses jurons s'enroulaient en un murmure continu autour du tabac froid ; son profil de cuir tanné se creusait de plis soucieux ; il se souleva jusqu'au faîte de la clôture et y appuya les coudes afin de s'assurer tout à la fois une meilleure vue et un équilibre stable.

Roy se préparait à le suivre, lorsque le premier trait lumineux du soleil, passant par-dessus les arbres détrempés de rosée du marécage, se brisa en éclats sur le tube de cuivre de la longue-vue et auréola d'une vapeur dorée les traits du lieutenant. Quelque part dans le brouillard, une sorte de corde à violon fit vibrer une note unique que suivit aussitôt, sur la gauche, une seconde et stridente vibration. Roy sentit son chapeau, soulevé par une main invisible, quitter sa tête et s'envoler dans l'air matinal. A côté de lui, le lieutenant toussa et retomba en avant, plié en deux sur le parapet : la laide pointe d'une flèche — une esquille d'os pareille au croc d'une sorcière — tremblait, toute rouge sous le soleil levant, derrière le cou du lieutenant et dépassait de quatre bons pouces la vertèbre qu'elle venait de sectionner avec précision.

En dehors de la palissade, du côté où le parapet dévalait en pente pour rencontrer à l'orient le jour tout neuf, le télescope heurtait bruyamment un tronc de palmier contre lequel il s'immobilisa, toujours serré dans le poing du lieutenant. Le poing qui pendait sans vie...

Déjà, s'abritant adroitement parmi les herbes, Roy s'était glissé derrière la principale ligne de défense et notait les détails. La première volée, il s'en rendit compte, avait été tirée dès que le soleil avait allumé quelques cibles. Son propre sombrero militaire était cloué par un de ces traits mortels au tronc d'un chêne vert, à l'intérieur de l'enclos : eût-il levé la tête deux pouces plus haut, la pointe de la flèche trouvait l'orbite de son œil...

Les Séminoles avaient profité du brouillard qui les enveloppait encore et utilisé pour leur première attaque l'arme ancienne, pratiquement invisible et silencieuse, évitant ainsi de préciser leurs positions comme l'eussent fait des armes à feu.

Il regarda le long de la clôture, à présent en pleine lumière, pour dénombrer leurs pertes. Dans la poterne suivante, le corps du caporal Wood, qui s'était imprudemment soulevé au-dessus du parapet, était embroché en plein cœur. Ailleurs, un dragon, à qui la douleur faisait un masque de cire, venait d'arracher une flèche de son épaule et faisait de son pauvre mieux pour arrêter le jet de sang qui la suivait. Un autre encore perdait sa vie à grands flots et à grands cris sur le sable de l'enclos, un trait enfoncé sur la moitié de sa longueur dans l'abdomen. Les « assistants » du chirurgien n'avaient pas perdu une minute pour bondir à l'ouvrage. Il se précipita vers eux, se baissant d'instinct quand une seconde volée fit rejaillir un peu partout dans l'enclos des éclats de bois.

Le garçon qui se tordait sur le sable mourut avant que la flèche pût être extraite de sa chair torturée. Le dragon au bras transpercé se soumettait au scalpel, témoignant d'autant de sang-froid qu'un vétéran, et se trouvait bientôt installé dans le poste des malades avec une artère ligaturée et deux chances sur trois d'être sous peu envahi par la gangrène à laquelle les plaies de ce genre échappaient rarement.

« Jusqu'à présent, se disait Roy, nous n'avons pas vu la couleur de leur foie ni le sang de leur cœur. Ils n'ont du moins pas osé tenter un assaut sur notre ligne de défense... »

Il leva les yeux vers Ranson et lut sur son visage une manière d'assurance :

— Comment vont les choses, sergent ?

— Pas trop mal, monsieur. Avec la clarté qui augmente régulièrement, ils vont devoir employer le plomb désormais.

— Vous vous rendez compte, j'espère, que c'est vous à présent qui commandez ?

— Je m'en rends compte, monsieur. J'attends, du Tertre, le signal du capitaine Winter.

Roy, ayant longé complètement la palissade d'enceinte sut qu'il n'y avait aucun autre blessé.

Au dehors, le brouillard s'effilochait sous la lumière et la chaleur naissantes ; même dans la pénombre plus dense des cyprès, il parvenait à discerner quelques repères.

Au nord, le lac s'étalait, tout ouaté encore par endroits ; une touche de rose vif faisait sa trouée pour aller se poser sur un banc de sable ou sur quelque hammock. Aucun signe d'hostilité ne s'était encore manifesté dans cette direction, et le chirurgien ne pouvait qu'applaudir à la stratégie d'Andrew qui avait massé temporairement son monde vers le sud.

Une voix absurde, idiote, s'élevait des profondeurs des terres marécageuses. Une voix qui ressassait une sorte de musique de son cru, torturante pour les nerfs, désespérée peut-être, sûrement désespérante. Habitué qu'il était cependant à cette trompe guerrière, Roy sentit se hérisser les poils de sa nuque. Il avait vu la conque géante dont les Indiens se servaient pour produire cet abominable bavardage sans inflexions, et le long tuyau de roseau qui arrondissait d'une interminable lamentation la fin de chaque période. Et, bien que rien ne fût nouveau pour lui là dedans, cette plainte perçante faisait toujours couler un filet de glace le long de sa moelle.

Les cris de guerre, à présent, se multipliaient dans tous les coins et montaient du fenouil, des herbes coupantes le long de la rive, et même du lac, bien que la silhouette du moindre canoë ne fût pas encore discernable vers le nord.

Montant en accord avec le gémissement de la conque et le contrepoint de la flûte de roseau, ces voix, qui n'étaient que trop humaines, commençaient à s'envelopper de formes, à prendre corps. Des corps qui s'élançaient d'un tronc à l'autre, et qui semblaient étreindre le sol pendant qu'ils rampaient, aussi vite qu'un oiseau vole, d'un abri au suivant. Il y en eut une douzaine d'abord, puis cinquante, puis un cent, puis une marée rouge où les calculs et les supputations se noyaient. Une avalanche qui déboula au travers du terrain déblayé à la hache, puis s'organisa en une troupe vivante et mobile pour gravir les pentes sableuses jusqu'aux trous d'hommes où étaient les tireurs, jusqu'aux remparts en troncs de palmiers.

Roy s'aperçut qu'il avait empoigné une carabine sur le tas appuyé contre le parapet et qu'il s'était installé à une meurtrière ; il sentit que son souffle s'exhalait en un long soupir tandis que sa joue s'aplatissait contre la crosse de noyer, que son œil cherchait une cible dans ce fantastique fleuve de cuivre et que son doigt se glaçait contre la détente parce qu'un instinct plus profond que l'esprit de conservation — une volonté née du souvenir de circonstances similaires — le contraignait à attendre.

Il eut tout le temps de constater que l'attaque avait été lancée de main de maître : leur position avait été attentivement reconnue. L'ennemi était arrivé trop tard pour frapper un coup mortel pendant que la fortification se construisait, c'était un fait ; il n'en avait pas moins, et c'était un autre fait tout aussi certain, calculé minutieusement ses chances. L'assaut était préparé pour emporter l'enceinte du côté sud, où le terrain était découvert, où nulle puissance terrestre ne pouvait empêcher les assaillants d'en venir aux mains avec les défenseurs, et sur le terrain même de ceux-ci. Ainsi, du moins, avait raisonné le Roi des Panthères lorsqu'il avait jeté ses braves contre l'enceinte de palmiers en trois coins compacts, destinés à pénétrer d'un élan dans les défenses, trois coins hérissés de haches brillantes.

Le doigt de Roy était toujours figé sur la détente. Comme

chaque défenseur du fortin, il savait que ces coins de cuivre étaient trop serrés à présent et qu'ils étaient presque à bout portant. Comme tous les autres vétérans, il attendait l'ordre qui rendrait la première volée efficace :

— FEU !

C'était Andrew Winter, évidemment, qui, du sommet de l'Indian Mound, braillait son commandement. Andy qui, s'étant fait tout petit dans le brouillard, appréciait le rythme de l'assaut. Son ordre, lancé à la seconde précise qu'il fallait, fit tomber un rideau de flamme orangée entre le parapet et les Séminoles. Roy, sentant le choc de recul de la crosse contre son épaule, regardant son homme bouler comme un lapin, fut certain que presque chaque tireur de sa rangée avait, tout comme lui, atteint sa cible.

— FEU !

La deuxième volée, envoyée avec une furie égale, suivit la première de si près que leur bruit se mélangea : les hommes, avec l'exactitude d'une machine bien réglée, avaient pris un second fusil calé, tout amorcé, sous la meurtrière. Avec toujours la même régularité, cent mains noircies de fumée avaient empoigné cent carabines toutes prêtes.

Le troisième commandement, tonné au-dessus des volutes de fumée, parut tomber du ciel. Les fusils à canon court, soufflant leur vague rouge tout au long du parapet, semblèrent foudroyer l'ennemi sur place. Attendant, la crosse en l'air comme les autres défenseurs du fortin, Roy vit les envahisseurs flotter, tournoyer, les uns s'affaisser, les autres effectuer une retraite précipitée.

Quelques audacieux, une douzaine peut-être, parvinrent à franchir l'enceinte, et les haches bien lancées touchèrent leur but, répandant, sur le sable trempé déjà de rosée, de la cervelle et du sang. Une volée diffuse, désordonnée, jaillie tardivement d'entre le fenouil, s'écrasa, inoffensive, contre les épais troncs de palmettes auxquels elle arracha quelques éclats — en accompagnement au choc de la crosse de fusil que Roy laissa choir sur le crâne du dernier Séminole encore vivant dans l'enclos, et qui, dès lors, cessa de vivre. Le silence descendit sur le fortin presque avant que l'âcre nuage de poudre se fût élevé dans l'air propre et pur du matin — un silence que rompit peu après le gémissement d'un dragon qui achevait de perdre sa vie avec son sang sous le scalpel du docteur Coe.

Pendant une demi-heure, le bistouri travailla vite. Le dragon, une hache d'acier anglais plantée dans la gorge, était au delà des secours chirurgicaux. Il en allait de même pour neuf corps écroulés au parapet, le lieutenant Hutchens parmi eux. Comme il arrive souvent dans ces rencontres où les adversaires s'abordent de front, il y avait peu de blessés véritables. Roy sutura une plaie au crâne, ligatura une autre artère, assez à temps pour sauver une vie, s'agenouilla dans le sable saturé de sang à côté d'une poterne et adoucit de son mieux l'agonie d'un garçon qui portait une blessure de flèche juste au bas du cœur...

Tout le temps que cela dura, ses mains agirent par routine, guérissant du mieux qu'elles pouvaient. Son cerveau vivait une vie séparée, attentif à tous les sons qui se produisaient en dehors de l'enceinte.

Le premier assaut n'avait duré que peu de minutes. Grâce à ces trois volées à bout portant, il devait bien y avoir une centaine d'Indiens étendus pour ne plus se relever sur les pentes et en travers des tranchées. Aucun indice ne permettait de supposer qu'une seconde attaque fût en préparation, aucune vie ne bougeait entre les palmettes, on n'entendait d'autre bruit que le froissement des herbes au passage de quelques Séminoles blessés qui parvenaient à traîner leurs corps brisés en direction du marécage. De temps en temps s'élevait un cri perçant, à tordre les nerfs : bravant la fureur certaine de Ranson, des soldats s'étaient glissés hors de l'enceinte pour enlever autant de scalps qu'ils pourraient...

Le soleil était déjà haut par-dessus les cyprès lorsque Roy, ayant lavé les dernières taches de sang de ses mains et de ses avant-bras, se retourna pour répondre à un appel du sergent. Debout sur la banquette de tir du côté nord, la tête prudemment penchée vers une des meurtrières face au lac, Ranson s'exclamait :

— Vous devrez le voir pour le croire, docteur. Moi, je ne le crois même pas en le voyant.

Roy gagna la meurtrière suivante et poussa un cri étouffé : à première vue, on eût dit que l'Okeechobee se couvrait d'une génération spontanée de canoës — éclos, comme des crapauds géants, dans le brouillard qui bloquait encore l'horizon. Pendant qu'ils regardaient, la ouate se replia en arrière sous la morsure du soleil, et son recul révéla d'autres éléments de la flottille séminole. A Flamingo Key, Roy avait compté un peu plus de trente canots ou pirogues ; il y en avait près de soixante aujourd'hui, disposés en un arc, face à l'enceinte, et qui flottaient prudemment hors de portée de fusil.

En dépit des morts qu'ils avaient laissés parmi le fenouil et sur le sable des pentes, les Indiens faisaient un bel étalage de leur force qui, d'ailleurs, grâce aux effets d'optique dus à l'eau et au brouillard, paraissait illimitée. Bientôt, pourtant, la brume s'évapora tout à fait, et le cœur de Roy reprit son allure normale. Vues dans la pleine clarté du matin, la plupart des embarcations n'avaient qu'une perche à godiller et point de rames, pas davantage d'armes à feu, plusieurs étaient aux mains de vieillards ou d'adolescents — ceux-ci trop jeunes et ceux-là trop vieux pour la bataille. Aux deux bouts de l'arc, des canots — il y en avait bien une douzaine en tout — n'étaient que des chalands à vase, haut chargés de matériel de campement. C'était bien, en effet, la nation séminole *in toto*, moins les squaws et les chiens. Elle était descendue en masse vers le Tertre Indien, préparée à un massacre de première classe ou à un siège prolongé. A en juger par sa disposition présente, ses chefs avaient opté pour la seconde solution.

— Ils sont sortis depuis que leur attaque a échoué, dit Ranson. Et si vous voulez mon avis, monsieur, je vous dirai qu'il ne reste pas un mâle dans le marécage, en dehors de ceux qui sont déjà trop morts pour être tirés à bord.

— Pensez-vous qu'ils vont attaquer par la rive ?

— Ce serait un suicide collectif, docteur. Un suicide pur et simple. Je pense que nous avons dû les en convaincre voici une heure.

— Il serait vraiment temps de rappeler dans l'enceinte le capitaine Winter.

— Donnez un coup d'œil à la pyramide, monsieur. Son observatoire est bien meilleur que le nôtre.

Pour la première fois depuis le début de l'action, Roy osa regarder le Tertre. Ruisselante de soleil, la colline faite de main d'homme avait, à distance, toutes les apparences d'une œuvre de la nature. Les quelques crânes qui avaient roulé, détachés de la masse, au long de ses pentes, les blanches échardes d'os qui trouaient par-ci par-là le manteau végétal dont se couvraient ses flancs prenaient dans la candeur de l'aube un curieux aspect d'innocence. Aucun signe visible ne dénotait la présence d'Andy.

— Êtes-vous certain qu'il soit là, sergent ?

— Regardez mieux, docteur.

Roy abrita ses yeux contre la clarté crue et vit un œil de verre lui cligner une salutation du haut du plateau sommé d'herbe. C'était la lentille du télescope de Winter, braqué sur le lac, exactement au ras du sable, comme si le dragon était, d'une façon ou d'une autre, parvenu à faire partie du Tertre.

— Il s'est fait un trou, monsieur. Il est ensablé jusqu'aux favoris. Et il a couvert de gazon son toupet carotte. Rien de surprenant à ce qu'il n'ait pas attiré le feu de l'ennemi !

— Je n'en pense pas moins qu'il devrait rallier son propre commandement.

— Laissez la décision au capitaine Winter, monsieur. Il surgira de son embuscade au bon moment, vous verrez ce que je vous dis !

Une sentinelle, du côté du lac, lança un avertissement qui les ramena dans cette direction à toute allure. Un des plus grands canoës venait de se dégager de l'arc immobile et s'avançait hardiment vers l'enceinte. Il était presque à portée de fusil déjà, mais le rameur isolé semblait ignorant du péril, ou indifférent, et approchait toujours, à longs coups d'avirons doux et réguliers, la tête penchée sous un important turban blanc. Il y avait, dans cet homme solitaire qui allait vers une mort certaine, quelque chose d'imposant, d'irrésistible, quelque chose qui empêchait cent hommes d'armer cent fusils, bien qu'ils eussent tous les yeux fixés sur l'arrivant.

— Des plumes à la proue, sergent, cria la sentinelle.

— Ne tirez pas, Simpson. Je les vois aussi.

Ranson adressa un rapide sourire à Roy :

— Pas des plumes de flamant, monsieur ! De l'aigrette. Cela signifie qu'ils ont perdu assez de sang pour aujourd'hui.

— D'ici, je parierais que c'est Abraham.

— Et vous gagneriez, monsieur : c'est, en effet, Abraham. Le porte-parole numéro un du Chat Sauvage.

Le rameur se leva fièrement dans son canoë, les pieds écartés entre les bancs de nage. A part son turban et les deux demi-lunes d'argent qui pendaient sur sa poitrine, il était nu comme une statue d'ébène. Le soleil fit briller son épaule huilée lorsqu'il enleva de la proue la lance sommée d'une touffe d'aigrette et la lança par-dessus la bande d'eau. L'arme monta puis redescendit en chantant, le long d'une courbe parfaite, pour venir se ficher au sommet de la palissade. Une acclamation vigoureuse salua ce geste de paix, avant même que Ranson eût lancé un fusil par-dessus l'enceinte, invitant ainsi le porte-parole à s'approcher.

Abraham, un nègre qui avait servi sous tous les chefs séminoles depuis le début de la longue guerre, prit une perche sur le plat-bord et se mit à godiller avec force, pour amener le canoë sur les hauts-fonds, encombrés de roseaux. Roy sentit une détente unanime et subtile à travers tout le fortin : quand Abraham franchissait la ligne de démarcation, un compromis ou à tout le moins une trêve était à l'ordre du jour.

L'embarcation s'échoua dans un banc de boue à cent pieds du rivage, Abraham en descendit, la perche de poussée toujours à la main. S'avançant avec toute la grave préciosité d'un dandy en représentation, il grimpa sur la terre sèche, enfonça profondément sa godille dans la plage de Sandy Bay et s'assit à côté, les bras croisés.

C'était au tour de l'homme blanc de faire le mouvement suivant.

— Parlez-lui, sergent.

— Le capitaine doit parler, pas moi.

— Prenez la lance à plumes. Allez l'offrir au capitaine Winter. Il faut absolument faire quelque chose pour remplir le temps mort avant qu'ils s'énervent.

Ranson fit un signe d'acquiescement et enjamba la palissade. Nul ne bougea dans aucun des deux camps, tandis qu'il cueillait la lance de paix et la couchait en travers de ses bras. Le masque d'Abraham demeura imperturbable quand ils se rencontrèrent sur la plage. L'arc formé par les canots de guerre conserva sa formation quand le sergent fit une douzaine de pas en direction du Tertre, pivota correctement, et, dans le plus pur séminole, questionna d'une voix assez forte pour être entendue du dernier canoë :

— Viens-tu en paix, Abraham ?

— En paix, *amigo*.

— Le Père des Séminoles a-t-il suffisamment saigné ?

— Plus que suffisamment pour le moment.

— Désire-t-il causer avec le capitaine qui nous commande ?

— Le Roi des Panthères est loin d'ici. Il est dans sa maison, il ferme son esprit et ses oreilles au bruit des pieds blancs qui foulent le sol de son royaume.

— Parles-tu, néanmoins, en qualité de porte-parole du Chat Sauvage ?

— Aujourd'hui, je suis le porte-parole de Chittamicco, le frère du Chat Sauvage.

« Jusqu'ici, pensait Roy, tout est conforme aux instructions qu'il a reçues. » Il sentait cependant que chaque parole prononcée était l'expression de la vérité. Après tout, il était logique que l'attaque d'aujourd'hui fût dirigée par Chittamicco. Chekika, le général qui se battait jusqu'au bout, était probablement aujourd'hui avec ses squaws, à établir un projet de retraite si l'action engagée aujourd'hui tournait mal.

— Exprime en anglais ce que tu veux dire, Abraham. Le capitaine qui nous commande n'a pas le don des langues, il n'a qu'un cœur compréhensif.

— Alors pourquoi profane-t-il notre sol ?

— Il n'avait pas la moindre intention de profanation. Nous ne sommes venus sur votre terrain de chasse que pour un seul motif. Dois-je le formuler ?

— Nous savons pourquoi vous êtes venus. Vous vouliez discuter la question des otages. Avez-vous apporté l'argent de la rançon ?

— Nous ne sommes pas venus pour discuter d'une rançon.

— Alors vous n'avez pas le droit de venir du tout ! Avez-vous lu le message du Roi des Panthères ?

— A-t-il lu le message que nous avons laissé à Pahokee ?

— Retirez-vous du Mont Indien. Jurez que toute violation de notre territoire sacré cessera immédiatement.

« L'éloquence du nègre, se disait à part lui Roy Coe, est à la hauteur de la nôtre — jusques et y compris les métaphores ampoulées. » Et il s'aperçut que, sans l'avoir prémédité, il avait élevé sa voix dans la discussion :

— Dis-moi ceci, Abraham. Si Chekika s'indigne de notre présence ici, pourquoi envoie-t-il un bourgeon de sa souche pour défendre son propre honneur ?

Il avait parlé en séminole, faisant tonner les dernières paroles par-dessus le lac, espérant qu'elles atteindraient l'oreille à laquelle il les destinait. Un grondement menaçant qui montait de la brune rangée des canoës fut sa récompense. Sans tarder, il renforça son avantage :

— Si Chittamicco a reçu l'ordre de pousser l'attaque, pourquoi retarde-t-il le moment de sa mort ? Il n'est point d'homme immortel — pas même le poussin d'un roi !

Avant que le clabaudage qui s'était soudain élevé derrière lui se fût calmé, Abraham répondit paisiblement en anglais :

— Je suis le porte-parole du roi, Salofkachee. Je voudrais parler à ton commandant, pas à toi.

Il avala le reste de la phrase ornementée qu'il avait sur le bout de la langue, se rejeta en arrière et se cala sur ses hanches, véritable statue vivante, cependant que, derrière lui, un murmure montait du long demi-cercle de canoës et retombait, se perdant parmi le bruit de trois cents avirons ou pagaies : l'arc se détachait du rivage, et, pêle-mêle bien que d'un seul mouvement, les canots se hâtèrent vers le brouillard qui s'accrochait encore à la surface des eaux profondes. Abraham était abandonné, par un peuple terrifié, abandonné tout seul, pour faire face au volcan qui venait de faire éruption au sommet du Tertre et pour étendre les deux mains, paumes en dehors, tandis que le capitaine Andrew Winter, en grande tenue, son shako tranchant comme une sombre couronne de gloire sur l'éclat translucide du matin, dévalait la pente de la colline à l'allure de la foudre.

Sa voix était douce comme de la soie quand il s'adressa au noir — le ronronnement qu'il réservait pour les grandes occasions sur le terrain de manœuvres :

— Le capitaine du Corps Franc est à ton service, Abraham. Nous allons causer quelques instants de bonne amitié. Loin des oreilles de ta nation et de la mienne.

Il salua, sa courtoisie tenue devant lui comme un bouclier ; le geste par lequel il indiquait à Abraham le sentier qui longeait la plage était le charme et la perfection mêmes. Plus d'une fois déjà Andy avait eu à discuter avec le nègre sur des terrains dangereux ; il savait la valeur du protocole.

Du rempart, où il s'appuyait des deux coudes sur l'enceinte, le sergent Ranson offrit l'hommage d'un sifflement silencieux à son commandant et, plein d'admiration, le regarda s'installer avec Abraham à l'ombre d'un laurier-rose, ouvrir sa tabatière et offrir une prise au nègre.

— Que vous disais-je, monsieur ? Le capitaine aurait-il pu choisir un meilleur moment et une meilleure manière de manifester sa présence et de montrer son visage ?

CHAPITRE V

A L'OMBRE DU LAURIER-rose, la tabatière passait encore de main en main que midi déjà flamboyait dans les hauteurs du ciel. Sur les remparts, le plus excité des guetteurs somnolait comme les autres à sa meurtrière. Ranson lui-même avait disparu au cœur de l'enceinte pour surveiller la distribution des rations et du précieux gobelet de rhum qui colorait le milieu du jour d'un optimisme passager. Le docteur Royal Coe — et lui seul — guettait, veillait, attendait et maudissait cordialement le capitaine Andrew Winter, cependant que coulaient les heures au sablier du temps. Il n'était peut-être pas très bien fondé à envoyer ainsi le dragon à tous les diables : cela ressemblait tellement à Andy, de formuler ses conditions et de s'y accrocher avec entêtement tout au long d'une journée de discussion et de compromis suggérés...

A un bon mille de la rive, la flottille de canoës et de pirogues dansait sur l'eau dorée...

Lorsque, enfin, Andy souleva une main négligente et, avec un salut courtois à l'adresse d'Abraham, quitta sa position accroupie, Roy dut faire appel à tout son esprit de discipline pour ne pas s'enlever d'un bond par-dessus la palissade et se lancer au galop à la rencontre de son ami. Au lieu de quoi, ainsi qu'il convenait à l'homme-médecine d'une puissante nation en guerre, il se contraignit à gagner avec nonchalance la première issue dans le mur de palmettes, puis à attendre à l'ombre même de l'enceinte et sans rien perdre de son air distrait et placide — assez loin d'Abraham pour marquer ses distances et souligner son propre rang, assez près pour que l'oreille de Ranson pût cueillir n'importe quelle indication utile.

Avec la même apparente sérénité, Andy parvint à la hauteur de son ami, s'arrêta pour enfoncer — dans sa poche — une tabatière désormais vide et — au coin de ses lèvres — un cigare neuf, puis parla, tout autour du tabac, en un murmure si réduit que Roy devait tendre l'oreille pour le saisir :

— Ils nous sauteront dessus à nouveau avant le crépuscule, à moins que nous acceptions leurs conditions.

— N'était-ce pas ce que tu souhaitais ?

— Je ne suis plus tellement sûr de le souhaiter encore. Je me demande si nous pourrons résister à une seconde attaque. Imagine-toi qu'ils connaissent notre effectif à un homme près. J'ai été plutôt idiot d'imaginer que je les avais dupés sur ce point.

Le capitaine de dragons admettait son erreur de jugement avec un geste d'insouciance.

— Leur premier assaut n'était qu'une... épreuve d'entraînement... Rien de plus. Je devrais préciser qu'il fut en outre, cet assaut, l'idée de Chittamicco. Abraham, lui, aurait voulu commencer par des pourparlers, avant qu'une balle eût été tirée, qu'une flèche eût été lancée...

— Crois-tu que ce soit réellement Chittamicco qui commande ?

— Jusqu'à présent, je me suis assuré qu'Abraham n'a exprimé que l'absolue vérité.

— Durant cinq heures d'horloge ? Est-ce que cela n'a pas représenté pour Abraham un effort plutôt épuisant ?

— Bien au contraire ! rétorqua le capitaine en grimaçant un drôle de sourire. Ce diplomate noir est habile à ce jeu. Moi aussi.

— Et quelles sont ses conditions ?

— Simples, en somme. Avant tout, il veut que tu ailles avec lui au village de Chekika. Il semble qu'une tâche t'y attende, une tâche que nul en dehors de toi ne serait de taille à accomplir.

— C'est tout comme précision ?

— Il affirme qu'il sera plus précis avec toi. Bien entendu, j'ai refusé de t'appeler jusqu'à ce que nos propres conditions fussent formulées. Je pense que nous pourrons nous y tenir.

— Ne ferions-nous pas bien de retourner vers lui à présent ?

Andy lança un rapide coup d'œil vers Abraham, toujours accroupi à l'ombre du laurier-rose.

— Laissons-le attendre ! Il y est habitué. S'il est exact que ta présence est indispensable à Chekika — et je suis sûr qu'il a vraiment besoin de toi — nous sommes en excellente position. Je crois que nous pourrons rester ici même, à la condition de promettre que le territoire du Tertre ne sera plus violé. Avec un peu de chance, nous pourrons faire durer la trêve jusqu'à l'arrivée des renforts. Et je crois qu'ils nous rendront Mary si tu es disposé à la remplacer.

— Dois-je comprendre que Mary est là, sur le lac ?

— S'il faut en croire Abraham, elle est dans un canoë derrière une de ces îles de cyprès.

— Et le docteur Barker ?

— Il est auprès de Chekika, prêt à t'aider lorsque tu arriveras au village.

Roy prit une ample respiration et détourna son regard tout à la fois du lac et du messager qui attendait si patiemment sur la rive. Tout au long de cette lourde et chaude matinée, les événements avaient marché au train d'un escargot. A présent, ils allaient trop vite pour que son esprit pût les suivre et en saisir le déroulement. Une partie de son cerveau se refusait à admettre que Mary fût réellement à portée de voix.

Et pourtant... la chose était logique... Bien que Chekika — pour des raisons qui lui étaient propres — se fût tenu jusqu'ici au-dessus de la mêlée, sa nation entière était en cause. Et c'était de bonne stratégie que d'amener un otage sur le champ de bataille : c'était une carte maîtresse à jouer, si tout le reste échouait.

— Ils ne te permettront pas de rester dans les Glades, pas après l'ultimatum que nous a adressé Chekika !

— Je promettrai de me retirer dès que tu nous auras été rendu en bon état. (A présent, Andy souriait pour de vrai.) Peut-être ferais-je bien de te demander d'abord si... tu es volontaire ? Même si Abraham ne ment sur aucun point, tu courras évidemment un risque...

— Tu sais fort bien que je courrais n'importe quel risque pour sauver Mary.

— Dans ce cas, je crois que nous pouvons aller retrouver Abraham sans que notre conscience proteste.

Mais ce fut au tour de Roy de retenir son ami :

— Attention ! Et s'ils remettent effectivement Mary entre tes mains, qu'elle soit dans l'enceinte — et que les renforts n'arrivent pas ? Chittamicco est capable de rompre la trêve à n'importe quel moment...

— Je crois que nos chances sont bonnes de tenir le coup indéfiniment.

— Tu n'étais pas aussi affirmatif voici quelques minutes ?

— J'ai dit que je préférerais ne plus subir de pertes *jusqu'à l'arrivée des secours.*

— Pourquoi ne fais-tu pas embarquer dans tes canoës et piquer droit au nord ?

— Comment le pourrais-je ? Toute mon action est basée sur notre position ici même. Il faut que je m'y maintienne jusqu'à demain ou après-demain. Une trêve est ce qui me conviendrait le mieux. Mais je me battrai s'il le faut.

— Et tu risqueras la vie de Mary dans la lutte ?

— Laisse-*moi* m'inquiéter de Mary. Elle est *ma* préoccupation et non la tienne.

Bien qu'une réplique frémît au bout de sa langue, Roy se contraignit au silence : il ne pouvait pas nier qu'Andrew eût le droit de son côté. Dans cet enclos, même assiégé, Mary serait encore plus en sécurité sous la protection des fusils de la milice qu'aux mains des Séminoles. Et, sans nul doute, il devait laisser à Andy le soin, la responsabilité et l'honneur de la défendre par tous les moyens dont il disposait.

— Et à supposer que tu sois débordé, écrasé ?

— Dans ce cas, Mary et moi mourrons côte à côte, répondit Winter, souriant de plus belle. Nous serons alors un couple de héros, et tu pourras planter des poinsettias tout autour de nos tombes.

« Tu ne l'aimes pas vraiment ! pensa Roy. Si tu l'aimais, tu ne ferais pas si bon marché de sa vie. Le métier militaire est ton métier, et il est parfaitement de ton droit et même de ton devoir de considérer ta mort comme une des possibilités de ta carrière. Mais il est à peine admissible d'inclure dans le bilan de ce jeu désespéré celle qui doit devenir ta femme... »

Et pourtant, se disait-il encore, quelle autre alternative restait-il à Winter ? Il se contenta de répondre :

— Allons discuter avec Abraham.

— Parfait. Seulement tu me laisseras poser les conditions.

Côte à côte, ils descendirent jusqu'à la berge. Ensemble, ils rendirent son salut au noir avec une correction toute militaire. Nul ne dit mot avant qu'ils fussent accroupis en un solennel cercle de trois autour du bambou sommé de pacifiques plumes d'aigrettes, et dont Abraham avait refiché le fer en terre, là même où le sol rejoignait l'eau du lac. Lançant un coup d'œil par-dessus l'épaule d'Abraham, Roy constata que l'arc des canoës attendait toujours, prudemment étalé à bonne distance : on eût dit un trait de fusain sur l'horizon...

Comme le voulaient les règles de la bienséance et de la tradition, le regard du grand nègre rencontra, bien d'aplomb, celui de Roy. Abraham était un homme au beau visage ouvert et intelligent, visage de savant aux yeux tristes, qu'emplissait une trop grande sagesse, visage qui appartenait à la civilisation. Sa fierté indomptable, sa noblesse constituaient un ahurissant contraste avec les pendeloques faites de morceaux d'os qui lui descendaient le long des joues, étirant sous leur poids le lobe de ses oreilles, avec le double cercle de dents de requin qui lui enserrait le cou, avec son barbare turban alourdi de plumes d'aigrette et d'ibis. Les croissants d'argent martelé qui ornaient ses pectoraux tintèrent faiblement quand il s'inclina pour saluer son ancien ami Salofkachee.

— Bienvenue, docteur !

L'anglais du nègre était aussi pur que le langage du chirurgien, et celui-ci se rappela les multiples et diverses légendes qui couraient la Mer d'Herbes au sujet d'Abraham. Les vétérans de Fort Everglades affirmaient que l'interprète était le fils naturel d'un homme politique des États du Sud, qu'il avait tenté de fomenter une rébellion parmi les esclaves de son État natal et qu'il n'avait pu fuir vers la Floride que bien juste à temps pour sauver sa peau. D'autres affirmaient qu'il était le propre fils d'Osceola et d'une princesse africaine, et qu'il avait été élevé à Londres dans le dessein de lui faire recueillir la succession du chef indien. L'opinion personnelle de Roy faisait d'Abraham un affranchi qui s'était élevé trop au-dessus de sa situation pour se trouver encore à l'aise dans le monde blanc qui jamais ne lui consentirait l'égalité et qui, en conséquence, avait préféré la bénigne tyrannie des Séminoles, parmi lesquels il était un personnage important.

Ainsi donc, c'est sur un plan d'égalité qu'il rencontrait aujourd'hui Andrew Winter, et il s'efforçait d'adopter le ton d'autorité indiscutée du capitaine de dragons.

— « Bienvenue » en vérité, Abraham ! répondit Roy. « Bienvenue » alors que tu te présentes précédé de flèches et de balles !

— Chekika défend son domaine. Ainsi ferais-tu si nous franchissions la frontière.

— Tu sais pourquoi nous sommes ici ?

— Le Roi des Panthères a votre message.

— Et cette attaque est sa réponse ?

— J'ai dit « bienvenue, docteur ». Je ne m'adressais pas à ton armée.

Cette fois, Abraham eut un petit salut ironique à l'intention du capitaine.

— Notre attaque, le capitaine le sait fort bien, était un avertissement. Je veux croire que son cœur l'a ainsi compris.

Andrew intervint alors dans la discussion avec une sorte de lassitude courtoise. Sa voix était d'un calme détaché, comme s'il récitait une litanie.

— Ma présence ici est, elle aussi, un avertissement. Ton chef oublie-t-il qu'il avait envahi Flamingo Key ? La centaine de morts tombés ici devant mes fusils suffira-t-elle ? Ou Chekika en demande-t-il davantage ?

— Le Chat Sauvage se repose dans son gîte, capitaine. Je parle aujourd'hui avec sa voix. Et je vous commande à tous de quitter son terrain de chasse — ou de mourir ici.

— Mais le docteur Coe, lui, est prié de demeurer ?

— Chekika désire faire appel à son habileté.

— Le docteur est ma main droite. Pourquoi donnerais-je ma main droite à mon ennemi ?

Avant qu'Andy pût en dire plus long, Roy intervint. Il savait que ces arguments avaient déjà été échangés *ad infinitum* pendant toute la longue matinée que Winter avait adroitement utilisée à gagner du temps. S'il les répétait actuellement, ce n'était que pour la forme.

— Que désire le Père des Séminoles ?

— Petite Aigrette est sur le point de mourir, docteur. Sûrement, tu te souviens d'elle ?

— La femme du chef était déjà bien avancée en grossesse la dernière fois que je l'ai vue. L'enfant du chef doit être né aujourd'hui ?

— Il n'y avait pas d'enfant en elle. La grossesse venait de mauvais esprits. Seul le couteau de Salofkachee peut faire sortir le mal.

— Chekika aurait-il si haute opinion de moi ?

— Chekika, de tout temps, a eu foi en la magie de ton couteau et l'adresse de tes mains. Mais c'est le docteur Barker qui lui a conseillé de m'envoyer vers toi. Ses mains à lui auraient pu enlever le mal autrefois, mais à présent elles sont vieilles. Et craintives.

Roy s'efforça de garder un visage impassible, tandis que, derrière ce masque, son esprit pensait vite. Le docteur Barker avait résumé le cas en une image assez précise : la squaw favorite du Chef se mourait d'une tumeur, peut-être bien inopérable. Pourtant le vieux botaniste n'aurait jamais demandé son aide s'il avait eu la certitude que le cas était désespéré. Roy répondit en pesant ses termes, un œil sur Andy.

— Comment pourrais-je venir ? Je suis à présent sous les ordres du capitaine Winter.

— Le capitaine peut t'envoyer.

Andrew permit au silence d'agir. Et, quand il le rompit, ce fut d'une voix très indifférente :

— Te serait-il agréable de faire cette magie, Roy ?

— Pourquoi non ?

— Je te relève donc de tes devoirs envers moi. Mais le Père des Séminoles doit, de son côté, accepter mes conditions.

— Formule-les, dit Abraham. Et je te prouverai que je parle avec sa voix.

— Tout d'abord, il faut que j'attende, dans mon camp actuel, le retour du docteur Coe.

— C'est beaucoup demander, capitaine ! Vous êtes entrés illégalement dans les Glades, c'est assez grave déjà. Nous ne saurions vous permettre de rester en territoire sacré.

— Notre bivouac est à bonne distance du Tertre.

— Hier soir tu as fait allumer vos feux de cuisine le long de ses pentes.

— Nous ne recommencerons pas si cela vous navre. Mais je veux attendre à son ombre le retour du docteur Coe.

— Et si nous te le défendons ?

— *Défendre* est un mot bien étrange, adressé à des Américains. Nous n'en connaissons pas le sens.

— Tu es vivant aujourd'hui, et tes hommes vivent, parce que nous le voulons, capitaine. Toi et eux mourrez à notre gré, à moins que tu les emmènes hors des Glades.

— Viens à moi quand tu voudras, Abraham. Tu marcheras sur un tapis de morts, un tapis de « tes » morts.

Le porte-parole, comme s'il était las des insultes rituelles, déplaça son centre d'attaque.

— Deux cents hommes ne peuvent vivre sans nourriture. Le docteur Coe peut être absent longtemps.

— Nous sommes largement approvisionnés.

— Tu t'engages à ce que vous ne débordiez pas le territoire de Sandy Bay ?

— Parole d'honneur. Tu peux placer des observateurs si tu y tiens.

— J'accepte ta parole. Et je placerai tout de même des observateurs.

— Et tu respecteras la trêve ?

— A moins que tu la rompes, oui.

— La trêve durera jusqu'au retour du docteur Coe. Et nous devons avoir la pleine assurance qu'il reviendra.

Roy écoutait, l'esprit absent, les voix qui continuaient... Il avait beau s'y efforcer et se ressaisir de temps en temps, il lui était impossible de fixer sa pensée sur ce que disait Andy. A présent que la victoire de son ami lui semblait assurée, il savait qu'il aurait besoin de toutes ses forces pour faire face à l'épreuve qui l'attendait, celle de voir Mary, indemne et sans crainte, marcher droit dans les bras de Winter. Il ne supposait pas qu'elle serait le moins du monde affaiblie par sa brève captivité, et moins encore qu'elle aurait tremblé, si peu que ce fût, devant ses ravisseurs. Roy savait qu'il lui faudrait la voir rendue à Andrew Winter sans témoigner d'aucune émotion.

Ce qui arriverait par la suite n'aurait vraiment plus d'importance, dès qu'il laisserait derrière lui Mary saine et sauve.

Peut-être n'atteindrait-il jamais le village du Chat Sauvage, car, avec Chittamicco pour chef de flottille, n'importe quoi pouvait se produire en cours de route. L'opération qui l'attendait était assez périlleuse par elle-même : une tumeur ovarienne selon toute probabilité. Déjà, dans sa propre clinique, la réussite tiendrait à un cheveu. Quelles seraient — à supposer qu'il parvienne jusqu'au village ! — ses chances sur la plate-forme de la hutte de Chekika ?

Si son scalpel n'assurait pas la guérison attendue — voire exigée — de lui, il n'avait aucune illusion à se faire sur son avenir. La nation réclamerait son exécution et Chekika, quels que pussent être ses sentiments personnels, se verrait contraint de céder. Il avait vu plus d'un homme-médecine disparaître sans laisser de traces dès que sa magie cessait de satisfaire les intéressés. Dépouillé de sa dernière amulette, barbouillé du sang des cochons sauvages, le magicien déchu était ligoté au tronc d'un jeune arbre dans quelque marais à moustiques. Habituellement son corps était, en un seul jour, drainé de toute vie. Mais, vivant ou mort, il était en tout cas, dès le matin suivant, pendu au plus proche chou-palmiste, offrande aux vautours, avertissement à ses collègues d'avoir à pratiquer plus efficacement leur dangereux métier.

Il repoussa cette image. Ce n'était pas la première fois qu'il affrontait semblable risque, dans le même wigwam monté sur pilotis. En une précédente occasion, il s'était si brillamment tiré de l'aventure qu'il avait, en récompense, rapporté vers la civilisation des peaux de loutres, les fourrures d'un ours et d'une panthère, une fortune en plumes d'aigrette, signes visibles de la faveur de Chekika. Cette fois-ci (il formulait en silence cette promesse) il ne demanderait que la liberté de Mary. Il n'avait aucun titre à demander en même temps son bonheur. Cela, c'est Andrew Winter qui s'en chargerait.

Derrière l'écran que ses nerfs tendus plaçaient entre le monde extérieur et lui-même, il entendait, sans saisir les paroles, le son des deux voix qui continuaient leur marchandage. Il ne fut pas surpris quand Abraham se leva enfin et les salua tous les deux d'un geste de son pacifique sceptre emplumé.

— Hilolo sera votre garantie. J'ai dit. Je vais à présent prouver la vérité de mes paroles.

— Qui donc est Hilolo ?

Il posait machinalement la question, car la chose allait de soi. Hilolo, Ibis Blanc, était un nom qui appartenait tout naturellement à Mary Grant. Sans savoir pourquoi, Roy se sentit vastement rassuré de ce que les Séminoles lui eussent si promptement octroyé une dénomination tribale, bien que ce fût leur habitude de donner, mais à la longue, un nom nouveau à tous ceux de leurs captifs qu'ils laissaient vivre.

— Hilolo, c'est la fille-de-qui-le-docteur-Barker-dit-qu'elle-n'est-pas-sa-fille, répondit Abraham. (Pendant un court instant, le doux et triste visage noir se plissa en un sourire.) Une femme contre un homme !... j'aurais cru que l'Armée aurait demandé davantage !...

— J'aurais bien exigé le docteur Barker en même temps, riposta Andrew. Mais tu me dis qu'il est indispensable pour aider Salofkachee.

— Tu connais notre prix pour le docteur Barker, capitaine.

— D'ici huit jours, je le prendrai sans conditions. Et vous ne serez que trop contents de me le rendre.

— Mes oreilles sont lourdes de tes menaces, dit Abraham.

Qui, dans le même temps, enjambait le bastingage de son canoë.

— Pas plus que les miennes des tiennes, remarqua le dragon. Quand reviendras-tu ?

— Dans cinq minutes. Hilolo sera assise à la proue. (Déjà Abraham manœuvrait son aviron.) J'aurai quatre canots d'escorte.

— C'est entendu.

— Le docteur Coe attendra ici dans son propre canoë. Il aura sa trousse et la tiendra bien visible aux yeux de tous. Inutile de préciser qu'il ne sera pas armé.

— Cela, également, est entendu. Tu es encore la voix de Chekika.

— Tu entreras à pied dans l'Okeechobee pour prendre ta dame dans tes bras. Elle n'adressera pas la parole au docteur Coe pendant que tu la ramèneras à terre. Le docteur Coe, alors, fera exactement ce que nous lui dirons de faire. Est-ce toujours entendu ?

— Toujours entendu. Le docteur Coe est un ami d'Hilolo. Pourra-t-elle lui souhaiter bonne chance, au seuil de l'aventure ?

— Cela aussi est défendu. Pour ma part, je ne vois aucun mal à ce qu'une amie salue un ami, mais Chittamicco en décide autrement.

Andy interrogea du regard Roy, qui acquiesça d'un haussement d'épaules. Tous deux comprenaient fort bien la petite insolence supplémentaire, cette arrogante preuve de domination d'un tyranneau. Pour sa part, Roy était presque heureux de la décision de Chittamicco. Qui pouvait savoir ce que Mary s'écrierait, si elle devinait où il se rendait, et pourquoi il s'y rendait ?

— Reviens avec Hilolo, Abraham, répondit-il. Et tu me trouveras prêt à rendre visite au Chef dans sa maison.

Abraham les salua successivement, puis vira de bord et dirigea son canoë vers le centre du lac.

Roy sentit sur son coude la main d'Andy et sourit mélancoliquement tandis que son ami le reconduisait le long de l'étroite plage, car l'instinct l'avait poussé à marcher dans l'eau presque aux genoux pour suivre du regard le canoë qui disparaissait parmi les îles aux cyprès, vers l'ouest. Jusqu'à ce qu'il vît Mary Grant de ses propres yeux, tout ceci lui paraîtrait un rêve né de la profondeur de son désir et de ses vœux, et dont il craignait de se réveiller.

— C'est un gros sacrifice à te demander, ami ! fit à son côté la voix du capitaine. T'ai-je remercié pour ton acceptation ?

— Pas un mot là-dessus, vieux ! Tu en aurais fait autant.

Un silence timide, gauche, gêné, se glissa entre eux là-dessus, mais ils se rappelèrent que leur dignité exigeait une attitude impeccable. Et ils se tinrent ensuite en un rigide garde à vous. La flottille de Chittamicco était encore presque imperceptible au fond du lac, où le soleil faisait à présent lever une forme nouvelle de brouillard, le brouillard de chaleur, mais ils savaient que, de l'écran de cyprès, des yeux attentifs les observaient anxieusement :

Andy finit par rompre le silence qui leur pesait par trop :

— Je vais chercher ta trousse.

— Laisse, que j'y aille moi-même.

— Non. Il est préférable que tu demeures bien en vue. Ils pourraient s'imaginer que nous revenons sur les conditions de notre marché.

Lorsque Winter se fut éloigné, le laissant seul sur la plage, Roy eut à lutter contre l'impulsion qui remontait en lui de marcher dans l'eau à la rencontre du canot, afin d'avoir, pour lui tout seul, la première vision de Mary, qu'il attendait comme une gorgée d'eau fraîche dans un désert de sable. Son esprit refusait de se concentrer sur ce qui viendrait ensuite. L'épreuve qui l'attendait au village de Chekika était, d'un certain point de vue, moins redoutable que la joie bouleversante, plus imminente à chaque seconde, et que la terreur panique qu'il éprouvait de se trahir aux yeux d'Andrew.

Il entendit, venant de l'enceinte, des acclamations dispersées et comprit que le mot « trêve » circulait parmi les hommes. Lorsqu'un drapeau américain, déployé sur une hampe rapidement improvisée à l'aide d'une branche de pin, se mit à flotter dans l'air chaud de midi, étalant ses étoiles à la face du soleil et du marécage, les acclamations se rassemblèrent en un cri d'enthousiasme. Il comprit aussitôt que c'était un salut adressé à la fois à l'emblème national et au risque que lui, Roy, acceptait de courir pour le bien de tous. Et il s'obligea à un garde à vous impeccable, puis à un salut tout aussi impeccable face au drapeau.

Le canoë d'Abraham n'était encore qu'un flocon noir entre les îles, mais un flocon qui se déplaçait avec vitesse à la surface du lac. En éventail, deux de chaque côté, les canots d'escorte étaient là, eux aussi, tout hérissés de bonnets emplumés, et chaque proue ornée du plumet blanc qui indiquait une mission pacifique.

Derrière lui, Roy entendit claquer des détentes, mais le capitaine était beaucoup trop avisé pour laisser paraître un seul canon de fusil à travers les troncs de palmiers nains de la palissade. Deux soldats la longèrent extérieurement, portant un canoë sur leurs épaules. Arrivés au bord de l'eau, ils y déposèrent l'embarcation sans aucun bruit et sans la moindre éclaboussure, placèrent une rame en travers des plats-bords, une perche en godille à l'arrière, et remontèrent dans l'enceinte silencieusement comme ils en étaient descendus.

Roy se rendait vaguement compte de ce remue-ménage ordonné. Il entendit les bottes d'Andrew fouler le sable, sentit le dur et le lourd de sa trousse que l'autre lui calait avec soin sous le bras, puis, marchant comme un homme en transe, installa la trousse à l'avant du canoë, où il monta, s'assit et tint la rame à la verticale entre ses deux mains afin que les arrivants pussent constater sans équivoque possible qu'il était prêt et non armé.

Puis tout s'effaça aux yeux qu'il tenait fixés sur le canoë d'Abraham, tout, sauf la haute silhouette en mousseline blanche debout à la proue, ses cheveux noirs coulant sur ses épaules... Et tout s'effaça de son esprit, tout, sauf l'exaltante certitude que Mary Grant était là, saine et sauve, et visiblement sans aucune crainte...

La vision était devenue une présence. Une présence qui portait cette même mousseline à pois de leur première rencontre, sur le bord — et dans les flots — du Miami, au pied de Fort Everglades. Il vit aussi qu'il y avait une boîte sur le banc de nage, à côté d'elle, et un gros carton à dessins. A cette distance, elle semblait aussi sereine que si elle rentrait d'un pique-nique, d'une garden-party, ou de quelque longue séance de dessin dans la campagne. Il la regardait, morne, sans expression sur un masque derrière lequel se bousculaient mille sentiments. L'un, absurde en cette minute, était particulièrement frivole et c'est pourquoi il lui donnait le pas sur les autres, graves ou pathétiques : « Cela ressemble bien à Mary, de s'être habillée avec tant de soin pour cette circonstance, et de tenir avec tant de perfection son rôle de femme du monde. Mais comment a-t-elle pu obtenir de Chekika, en ce soir de meurtre et d'incendie, qu'il embarquât ses bagages ?... »

La pirogue d'Abraham fut bientôt sur les hauts-fonds, et alors Roy vit que Mary le regardait avec des yeux immensément ouverts et tout pleins de larmes. Il ravala, violemment, le cri sauvage qui lui était monté à la gorge, et, non moins violemment, plongea sa rame dans l'eau couleur chocolat. Sans se retourner, il sut qu'Andy Winter avait rejeté ses bottes et s'avançait derrière lui, marchant dans le sillage du canoë.

— *Roy !*

Elle avait crié ce nom d'une voix qui se brisait, comme s'il lui avait été arraché du cœur. Il n'en durcit que davantage tous ses traits et, quand les deux embarcations se croisèrent, presque flanc contre flanc, il garda les yeux lointains dans un visage de pierre.

Insoucieux de ce que son meilleur uniforme fût trempé au delà de tout espoir de retrouver son chic, Andy, dans l'eau presque jusqu'à la taille, disait :

— Viens, Mary.

— Roy ne peut-il au moins parler ?

— Viens, chérie, viens. Nous avons donné notre parole.

Roy tenait les yeux fixés en avant de lui ; s'il se tournait un instant vers elle, il serait perdu à jamais. Du coin de l'œil, il vit la robe blanche soulevée dans les bras robustes du dragon. Il vit Abraham se pencher et tendre la boîte, puis le gros carton à dessins — et il sut qu'Andrew avait fléchi, oh ! rien qu'un instant ! sous ce poids supplémentaire et imprévu.

Et puis on entendit le bruit de l'eau que fendaient et foulaient ses pas tandis qu'il s'éloignait, regagnant la plage...

— *Anda, Señor Medico !*

Cette fois, Abraham avait parlé espagnol pour le bénéfice des braves qui attendaient aux flancs du canoë, rames en arrêt. Le chirurgien parcourut du regard ce demi-cercle de visages de cuivre, intenses et tendus, inexpressifs pourtant. C'étaient des guerriers, après tout, que ces hommes, et ils n'étaient pas chargés de transmettre de profonds messages. Ils avaient éloigné d'eux toutes les émotions. Le masque de Mars n'a pas de places prévues pour y loger la haine ou l'amour.

Il s'éloigna de la rive aussi lentement qu'il l'osa, sentant le mur de chair cuivrée se refermer sans un bruit derrière lui.

Au bout de quelques instants, il se risqua à lever les yeux ; la flottille s'était considérablement rapprochée et ramassée pendant l'échange ; elle formait à présent un arc serré — et qui se resserrait davantage, comme une griffe paresseuse, pour le recevoir...

« Peut-être mon heure est-elle venue, se dit-il. Car voici ceux qui prennent leurs ordres de Chittamicco, ils sont prêts à toute éventualité. A former la haie, à dresser des fourches caudines, pour, au passage, me réduire progressivement en lanières... Chittamicco est là, lui-même, et cela le démange de donner l'ordre... Mais non ! je n'ai pas le moindre motif d'inquiétude... C'est toujours le Chat Sauvage qui commande et, pour l'heure, je suis l'otage de Chekika... Tant que le Roi des Panthères aura besoin de moi, je vivrai ! »

— Lève-toi, Salofkachee. Il faut à présent te bander les yeux.

Une douzaine de poings stabilisèrent les plats-bords pendant qu'il se tenait debout, face au chef de la flottille. Chittamicco avait parlé assez doucement, mais jamais l'étincelle du meurtre n'avait flambé plus vive sous ces paupières encapuchonnées.

« Il faudra bien que l'un de nous tue le second un jour ou l'autre ! » pensa Roy.

Quand Abraham entra près de lui dans son canoë, il leva la main pour arrêter son geste :

— Je me laisserai bander les yeux de bonne grâce, mais toi, laisse-moi d'abord regarder en arrière.

Avant même qu'il eût découvert Mary, il savait qu'il avait tort, que c'était une erreur... Le bras d'Andy l'encerclait. Debout l'un près de l'autre, au bord de l'eau, ils regardaient ensemble s'éloigner la flottille. Derrière eux, la masse du fortin paraissait ridiculement petite, et les rames des Séminoles activaient leur mouvement, élargissaient la distance. Le drapeau rayé pendait mou contre sa hampe à présent que le vent était tombé. On ne voyait plus ses étoiles, rien que le marécage immense sur lequel il se détachait à peine... Le spectacle n'était plus du tout glorieux...

Roy sentit ses yeux s'emplir de larmes et le bandeau qu'Abraham lui nouait autour de la tête, effaçant à sa vue brouillée les dernières images de son bonheur, fut le bienvenu.

TROISIÈME PARTIE
FAKAHATCHEE HAMMOCK

CHAPITRE PREMIER

Le docteur Barker, penché sur la malade, expliquait :

— Elle est trop saturée de soporifique pour souffrir. C'est une bonne chose, certes, car elle endurait un supplice abominable, mais son cœur ne supporterait pas une prolongation de ce régime. Il nous faut opérer immédiatement.

— Avec le village entier qui regarde ?

— Tu t'y attendais bien, je pense ?

— A vrai dire, je ne sais pas du tout à quoi je m'attendais. Mais il est évident que nous n'avons rien à gagner à retarder le moment, car elle ne peut désormais que s'affaiblir.

Le docteur Royal Coe s'écarta du lit de sangle où reposait la malade : plus que jamais il enviait l'olympienne tranquillité du botaniste. S'il s'était trouvé dans son propre cabinet, occupé par une consultation banale, le docteur Barker n'aurait pu faire preuve d'une sérénité plus complète. Malgré le toit en claie de palmes, un terrible soleil d'après-midi répandait une clarté dure sur les visages : celui du vieux savant était calme, autant que sa voix. Jusqu'à ses mocassins indiens, jusqu'à ses pantalons décolorés, tout lui composait une silhouette familière et paisible. Tout cela, et Roy le savait, était purement extérieur, constituait un bouclier nécessaire. Plantés bien en vue d'une centaine d'yeux, sur la plate-forme de la maison de Chekika, les médecins blancs se devaient de paraître sûrs d'eux, et même de sembler imperturbables comme des dieux. Leur conversation à voix basse faisait partie de la représentation... c'était une sorte de bravade indispensable à leur prestige...

— Depuis combien de temps est-elle sous l'effet des opiats ?

Le docteur Barker consulta en séminole une squaw hors d'âge, accroupie au pied du lit de Petite Aigrette, armée d'une palme en guise de chasse-mouches. La femme grommela une réponse qui lui fit froncer les sourcils :

— Une semaine, tu l'as entendue. Voilà toute une semaine qu'ils la bourrent de somnifères, espérant ainsi chasser les diables de son corps !

— Pourquoi ne vous ont-ils pas consulté plus tôt ? Ils vous avaient sous la main...

Le botaniste haussa les épaules :

— Il paraît que le cas était confié à Chittamicco — lequel ajoute à ses autres fonctions celle de « faire médecine ». C'est lui, sans aucun doute, qui a placé ici cette image. Et lui aussi qui a mis cette infirmière près de Petite Aigrette, avec ordre formel de garder ici, jusqu'à ce qu'il revienne, le panier du serpent... Je n'ai été informé de son état qu'après le Conseil d'avant-hier. En somme, juste avant que l'armée prît la mer...

Roy hocha la tête, inquiet et sombre. C'était bien de Chittamicco ! Assumer sans hésiter une aussi lourde responsabilité — et, lorsque le cas lui semblait désespéré, s'en décharger sur un chirurgien blanc ; cela mettait du même coup la vie du chirurgien blanc en grave péril : l'héritier présomptif de Chekika n'était pas homme à négliger cet avantage.

Ni aucun autre avantage, d'ailleurs, et Roy eut tôt fait de s'en rendre compte. Dans un coin de la hutte, enroulé dans un panier aux mailles lâches, un serpent à sonnettes dormait, les losanges grisâtres de son dos étaient visibles à travers les interstices du jonc. Béni par le Conseil Médical de la nation, il représentait la solution héroïque, l'ultime ressource. Une fois épuisée la série des autres horreurs, on le plaçait dans le lit du patient, et on le tracassait jusqu'à ce qu'il plantât ses crocs juste au-dessus de la partie malade : remède décisif, qui guérissait ou tuait. Pas de milieu. Vérité toujours confirmée par les faits.

Posée sur un piédestal près du lit, une poupée, qui, censément, était l'effigie de Petite Aigrette, témoignait d'une thérapie bien plus ancienne encore et plus chargée encore d'antiques et sombres magies : une longue écharde d'os, imprégnée d'un poison mortel et qui transperçait le ventre de cire et de boue, avait pour mission de chasser l'infection déjà installée. Comme le scalpel de Salofkachee (mais moins sûrement !), l'écharde ne blessait que pour guérir. Subitement, Roy se décida à une exécution dangereuse mais nécessaire : prenant à deux mains « l'effigie » et la tenant élevée devant lui, il gagna le bord de la plate-forme. Un long murmure s'éleva de la foule, qui, bientôt, se transforma en une protestation clamée à pleine voix.

Roy avait prévu que toutes les squaws du village, et jusqu'à la dernière, que tous les guerriers qui l'avaient escorté depuis le Tertre Indien, et jusqu'au dernier, seraient là, assis sous un soleil impitoyable, autour du foyer rituel qui ne s'éteindrait ni de jour ni de nuit, tant que la femme préférée du Chef n'aurait pas quitté son lit de douleur. Guérie ou morte. Il savait que Chekika lui-même serait parmi ces observateurs patients, avec Abraham accroupi à ses pieds comme un mât infidèle, et, chantant une mélopée, l'un à sa droite, l'autre à sa gauche, deux hommes-médecine.

Face à leur colère massée, Roy força ses lèvres à sourire ironiquement et, de toute sa force, lança la poupée tête la première dans le brasier.

Pendant un bref instant, il crut que la plate-forme allait être envahie par une marée rouge et furieuse. Les deux hommes-médecine, oubliant le protocole, se précipitèrent vers le foyer en un vain effort pour récupérer l'image et reculèrent déconcertés quand, d'un coup de pied, Chekika les écarta l'un après l'autre. Le tumulte des voix s'apaisa lorsque le chef des Séminoles s'avança vers l'ombre de sa propre maison, s'arrêta au pied de l'échelle, seul moyen d'accès à la plate-forme, s'inclina deux fois comme l'exigeait l'usage et questionna d'une voix claire :

— Offenses-tu nos dieux, Salofkachee ?

— Ce n'était pas un dieu des Séminoles, Chekika. C'était un charme de ton frère. Il s'est débarrassé du cas et m'en a chargé. Il est juste et sage que je commence, moi, par me délivrer de ses sortilèges.

— Et le serpent, le tueras-tu aussi ?

— Il faut que le serpent soit rapporté dans la hutte de ton frère. Envoie quelqu'un pour veiller sur le panier si tu veux. Mais le docteur Barker et moi devons être seuls et ensemble sur la plate-forme quand nous ouvrirons le corps de ta femme.

Du groupe massé sur la place, un sombre murmure s'éleva de nouveau. Et, cette fois encore, Chekika, d'un geste, fit taire tout le monde.

— La plate-forme sera débarrassée. Salofkachee doit pouvoir opérer en paix et comme il le juge bon.

Roy accepta l'intervention avec un salut et retourna vers le lit où s'éteignait Petite Aigrette. Il saisit au vol le coup d'œil du docteur Barker et faillit grimacer un sourire à son adresse.

— Initiative hardie, Roy ! Mais heureuse...

— C'est notre représentation, docteur Barker. Il faut que nous l'assurions seuls. Acteurs, texte, jeu et décor compris. Vous souhaiterai-je le plus vif succès dans votre rôle, docteur ?

CHAPITRE II

Il s'écarta vers la maison tandis que le botaniste s'employait de son mieux à préparer la patiente en vue de l'épreuve qui l'attendait. Cela aussi était rituel : le docteur Royal Coe, principal artisan de cette magie blanche, se devait, en cette qualité, de rester distant, sans contact avec les détails serviles qui précédaient le premier coup de scalpel.

D'où il se tenait, il pouvait rassembler dans un seul regard le long chenal de vase verdâtre qu'ils avaient traversé à l'aube de ce jour même, au bout du long voyage depuis le Tertre Indien — l'étendue fauve du champ de maïs bordant le médiocre renflement du « hammock » où s'élevait le village de Chekika, et, partout ailleurs, jusqu'aux extrêmes confins de l'horizon, la Mer d'Herbes dures, soulignée au sud et à l'ouest par la végétation plus sombre du Grand Palud du Gros Cyprès, interminable lacis d'eaux mortes, de chenaux et de bourbiers qui, très loin vers le sud, s'ouvrait au flux du golfe du Mexique.

Le silence s'appesantissait sur le village et sur les lourdes mares qui l'encerclaient. Juste à l'endroit où commençait le Palud du Gros Cyprès, assez loin vers l'ouest, il remarqua un trait de lumière argentée. Tout intrépide explorateur qu'il fût, il ne s'était jamais aventuré à cette distance. Mais — il avait les yeux bandés en passant par là — son odorat vint au secours de sa mémoire. Vue d'ici, cette flaque si nette de vif-argent paraissait douée d'une vie propre. Sans aucun doute, c'était là Big Sulphur, cette étrange source sulfureuse qui jaillit de sa caverne de pierre calcaire à l'endroit même où les Glades et le Palud du Gros Cyprès se touchent et se confondent. Ses narines retrouvaient la vapeur d'acide sulfhydrique suspendue dans l'air calme du petit jour, juste avant que le bandeau fût retiré de son visage. Et, peu après, ils avaient pris vers l'est un tournant assez aigu qui les avait menés au village de Chekika.

Le village de Chekika. A présent qu'il s'y trouvait, il ne retrouvait dans son souvenir que peu de détails de son voyage. Il en avait effectué la majeure partie allongé au fond du canoë d'Abraham, le visage enfoui dans un nid de peaux de daim, s'efforçant de ne penser à rien.

Ils avaient traversé l'Okeechobee à toute vitesse, accompagnés par les mouettes criardes qui viennent en toutes saisons s'y nourrir. Ils avaient longtemps vogué dans un dédale de joncs et d'herbes qui froufroutaient sous leur quille, un dédale qui ne paraissait pas avoir de limite précise, et, alors qu'il commençait à croire que le frôlement des herbes contre le bois des coques durerait toujours, il avait tout à coup senti la profonde, l'enveloppante atmosphère miasmatique du grand, du vrai marécage, et deviné que le groupe d'embarcations dont la sienne faisait partie avait, depuis le départ, effectué un large virage vers l'ouest. Le passage de la source sulfureuse ne s'était produit que plus tard, alors, sans qu'il le sût encore, que le village était déjà proche.

Même sans son bandeau, il eût été bien en peine d'enregistrer des repères possibles sur la piste liquide qu'ils suivaient.

Libre en ce moment de chercher sa première orientation, il nota les limites de la source sulfureuse à l'ouest et la courbe stagnante du bayou qui baignait l'île de Chekika. Au delà, pas de repères visibles et, sans eux, il ne pourrait jamais retracer la route qu'ils avaient suivie.

Le hammock sur lequel s'élevait le village s'étalait bien sur vingt hectares. C'était une île allongée, qu'un épais écran de chênes maritimes séparait du bayou, et que bordait à l'ouest une plage sablonneuse sûre et pratique pour y garer les canoës — la masse terrestre la plus importante, sans aucun doute, qu'il eût rencontrée dans les Glades, et dont l'éloignement faisait une retraite sûre pour la nation. Chekika devait l'avoir choisie avec la certitude qu'aucune force d'invasion ne pourrait s'aventurer à pareille distance sans une carte — et il n'en existait pas — ou tout au moins sans un guide assez familier avec ce labyrinthe d'herbes et d'eau pour y reconnaître une voie navigable. Les Séminoles n'avaient même pas pris la peine superflue de masquer ou de camoufler les quelque cent maisons montées sur pilotis et couvertes de palmes qui se groupaient entre les chênes maritimes.

Après avoir exploré le cercle de l'horizon, les yeux de Roy revenaient avec lassitude à ce confortable petit établissement. Le docteur Barker l'avait appelé Fakahatchee Hammock. C'était visiblement un petit monde indépendant, capable de vivre sur lui-même, en circuit fermé, aussi longtemps qu'il le faudrait. Et Roy aussi bien que le botaniste étaient à l'heure actuelle prisonniers de la géographie au moins autant que de Chekika.

La minute n'était pas à broyer du noir. L'eau bouillait dans la marmite du docteur Barker, les spectateurs qui entouraient la maison du chef commençaient, eux, à bouillir d'une impatience hostile. Le moment était venu de marcher au danger et Roy l'accueillait avec satisfaction. Dans une heure, plus tôt peut-être, il connaîtrait les chances de survie de Petite Aigrette — et les siennes en même temps. L'enjeu de cette partie était réel et immédiat. Il ne pouvait s'attarder à se demander comment Mary appréciait son séjour au camp d'Indian Mound, et pas davantage s'abandonner à la folle espérance qu'un jour plus ou moins prochain il conduirait Andrew Jackson Winter jusqu'à Fakahatchee pour y remporter la victoire finale.

Les appels à voix basse du docteur Barker ramenèrent son attention vers sa patiente. Les instruments, ce qu'il y en avait, étaient préparés à côté du lit ; s'il pouvait faire une incision réduite, il aurait assez de sutures. Il prit le pouls de la jeune femme, mettant en valeur cet acte de pure routine, opposant aux regards farouches de cent prunelles un calme inébranlable. Comme il s'y attendait, le pouls était filiforme, assez soutenu néanmoins pour laisser une faible espérance, et le front de la malade était frais. Elle dormait toujours sous l'influence du somnifère. Il lui suffit de retourner une paupière et de vérifier le rétrécissement de la pupille pour deviner la nature de la potion, probablement des grains de *coontie*, cette marante dont les racines fournissent un gruau nommé *sofkee* alors que ses graines sont un narcotique puissant.

— Croyez-vous que nous puissions risquer un examen interne ?

Le docteur Barker secoua la tête :

— N'y compte pas. Même une sage-femme n'oserait pas s'y hasarder. Nous serions descendus d'une balle avant presque d'avoir commencé.

Roy acquiesça sombrement, d'un signe, et rabattit la couverture de daim blanc étendue sur le corps de Petite Aigrette. Il retint son souffle au moment où la chair nue apparut : on entendit claquer des détentes, mais la balle attendue ne partit pas. Elle ne partit pas non plus, tandis que ses doigts attentifs palpaient l'abdomen, délimitant le champ opératoire, essayant de découvrir la cause de l'enflure qui transformait le ventre en une sorte de monstrueux tambour.

— La région sensible est nettement à droite, dit le docteur Barker ; et elle s'étend au delà de l'ombilic.

Dans son sommeil, Petite Aigrette frémit et tressaillit sous la palpation, qui ne révéla aucune masse dure, d'où improbabilité d'une tumeur solide. Presque certainement, il s'agissait d'un kyste ovarien — un sac plein d'eau, pendant et oscillant, déjà entortillé, sans doute, autour de la trompe de Fallope, qui joint l'ovaire à l'utérus. Insoupçonnée par le médecin-sorcier de la tribu (il avait attribué le phénomène à quelque sous-produit de grossesse), la poche avait causé dans toute la région une pression qui coupait l'afflux sanguin vers les organes vitaux. Déjà distendue à l'extrême, elle pouvait éclater d'un instant à l'autre, et, même si le sac d'eau résistait dans le corps de la jeune femme, les organes, privés de circulation sanguine, ne tarderaient pas à se gangrener : la mort suivrait de près...

En ce temps qu'un siècle seulement sépare du nôtre, rares, très rares étaient les chirurgiens qui avaient osé ouvrir un ventre. Roy ne s'y était d'ailleurs pas encore hasardé, mais il l'avait vu faire, avec un succès total, dans des cliniques d'Édimbourg et de Paris. Là, il est vrai, la panoplie du chirurgien avait été complète, les aides compétents et en nombre suffisant. D'autre part, les mouches bleues ne voletaient pas sur le corps malade, les chiens affamés ne grognaient pas aux chausses des physiciens, les cochons sauvages ne trottinaient pas sous la table d'opération, une foule poussiéreuse ne menait pas son tintamarre tout autour, deux sorciers n'exécutaient pas des cabrioles d'aliénés sous les regards mêmes de l'opérateur, et des guerriers au masque farouche, aux yeux pleins de meurtre, ne s'étaient pas massés aussi près que possible de la plate-forme, n'attendant qu'un signe du chef pour transformer le chirurgien en pièces désassorties.

Roy, tournant le dos à ces menaces, à ces gênes, à ces ennuis, vérifia le contenu exact de sa trousse. Trois scalpels aiguisés comme des rasoirs. Deux forceps aux dents élimées, ébréchées, pour avoir arraché du fond de certaines blessures des centaines de balles. Des crochets plats, en métal, usuellement employés pour séparer la chair de l'os comme prélude à une amputation, et qui allaient devoir faire office de rétracteurs et d'écarteurs. De primitives aiguilles à suture avec leur maigre provision de fil à fouet... Du moins le docteur Barker était-il parvenu à réunir une quantité convenable de linge à pansement et la plate-forme de bois avait-elle été récurée à fond, débarrassée de toute vermine — exception faite pour les mouches qui tournoyaient au-dessus des têtes, comme si elles attendaient un jet de sang.

Le chirurgien prit un scalpel, en fit jouer l'acier au soleil de manière à capter un rayon — geste mélodramatique mais indispensable : tous les yeux, dans ce compound où la poussière humide collait aux êtres comme un ciment, avaient vu luire le couteau guérisseur auquel Roy devait son surnom.

D'un salut, il envoya le docteur Barker à sa place au chevet de la table — si le lit en natte de corde méritait le nom de table. Il aurait donné gros pour la simple table à tréteaux, en bois blanc, de son infirmerie de Fort Everglades, et plus encore pour la ferme vigueur de ses assistants. Mais il savait que demander des assistants parmi les Indiens eût été la plus fatale des imprudences. Du moins la narcose de la jeune femme paraissait-elle complète. Le docteur Barker la maintiendrait de son mieux lorsque le couteau pénétrerait la chair.

Roy avait déjà décidé d'inciser le long de la ligne centrale, sous le nombril, car, bien que l'enflure s'étendît surtout à droite et au-dessus de ce point, l'abdomen entier était engagé. Au moment de commencer, il se rappela — juste à temps — les exigences du protocole et du rituel, retourna vers le bord de la plate-forme, leva le bras en un salut adressé à Chekika, en prenant soin de laisser le scalpel bien en vue, puis demanda :

— Le Père des Séminoles nous octroie-t-il la permission d'entrer dans le corps de sa bien-aimée ?

— Entre à ta volonté, Salofkachee. Et chasse les démons.

La voix de Chekika avait résonné comme un cri. Le village entier fit écho. A la frange de la foule, Roy vit la vieille femme qui emportait la corbeille du crotale s'arrêter, traînaillant afin de voir le début du spectacle. Elle écarta le couvercle, le reptile géant souleva par-dessus le bord le triangle plat et méchant de sa tête, et, même dans le tohu-bohu qui sévissait, le grelottement de sa queue s'entendait, mêlé au bruit des gourdes solennellement agitées par les médecins-sorciers. Pendant cet instant, Roy sentit sur lui, à travers la distance, le regard hypnotique du serpent. Et, même quand le silence descendit enfin sur les spectateurs et le couvercle sur le crotale, le grelottement sourd continua.

De retour à la table, Roy brandit une dernière fois dans le soleil le couteau guérisseur, puis, se penchant sur le tambour cuivré de l'abdomen, y plongea la lame — qui fit une incision longue de trois pouces précisément sur la ligne centrale où se joignent les muscles.

La première goutte de sang affleura, les spectateurs exhalèrent un soupir et se rapprochèrent, leur intérêt vivement surexcité. Des tampons de linge, adroitement plaqués par le docteur Barker, arrêtèrent le sang avant qu'il pût attirer le pullulement des mouches bleues. Le bistouri se déplaça, n'osant pas allonger la première incision hardie, mais l'élargissant afin de trouver réponse à leur plus pressante anxiété : s'il s'agissait effectivement d'un kyste, Roy en reconnaîtrait le contour dès qu'il aurait ouvert la plaie à la profondeur du péritoine. Les fibres musculaires, se séparant doucement sous la pression de la lame « affûtée comme un rasoir », révélèrent le chatoiement nacré du péritoine, cette mince membrane qui se place sous la jonction fibreuse des tissus. Roy respira à fond — élargit l'ouverture... et, au moment de savoir, s'arrêta... S'il ne s'agissait réellement que d'un kyste ovarien, simple poche au pédoncule enroulé autour de la trompe de Faloppe, il y avait une bonne chance de réussite. La poche une fois perforée, la pression détendue, il serait facile de la désentortiller du tube, et bientôt tous les organes environnants reprendraient leur fonctionnement normal. Il ne faudrait pas de manipulation, dans ce cas : le sac serait attiré au bord de la plaie, le liquide dont il était gonflé serait épanché au dehors, et, si nul signe de gangrène ne se manifestait, la poche vidée se guérirait toute seule.

La couche blanchâtre du péritoine était à présent visible sur toute la longueur de l'incision. Jusqu'ici, grâce à la prompte dextérité du docteur Barker, il y avait eu très peu d'effusion de sang : Roy pouvait se permettre de lâcher brièvement le scalpel pour explorer la plaie en profondeur. Le souffle qu'il avait retenu, dans son anxiété, s'échappa normalement dès qu'il eut senti sous ses doigts quelque chose qui appuyait contre la membrane, quelque chose de tendu et de résistant. *Mais non de dur.* Quelque chose qui cédait sous son doigt et, sitôt la pression relâchée, reprenait sa forme et son contour.

— Un kyste, docteur.

— Prie le Ciel que ce ne soit pas un kyste fibroïde.

Tout en parlant, Roy avait pris des forceps et tenté de saisir une pincée de la membrane mince et tendue du péritoine, mais le tissu éluda les mâchoires de l'instrument, élimées qu'elles étaient par les balles. De son côté, distendue par l'enflure qui, de l'intérieur, la repoussait, la membrane était, de quelque angle que l'on s'y prît, difficile à manipuler. Pourtant, il serait imprudent de hasarder une incision directe, le couteau pourrait — c'était un risque — pénétrer en même temps dans l'enveloppe du kyste et permettre ainsi à son contenu de s'épancher à l'intérieur de la cavité abdominale et de l'empoisonner.

— Passez-moi une aiguille, je vous prie.

Le docteur Barker tendit, par-dessus le monticule de chair cuivrée, une aiguille à suture, dont la courbe s'adapta aussitôt à la paume du chirurgien — qui, prudemment, en fit pénétrer la pointe dans la membrane tendue, manœuvrant à petits coups jusqu'à ce qu'elle y fût bien ancrée. Il recommença avec une seconde aiguille. Puis, priant le docteur Barker de les soulever ensemble, d'un seul trait de scalpel, allant sans danger de l'une à l'autre pointe d'acier, il ouvrit le péritoine.

Les deux médecins, penchés, examinaient, avec une attention qu'égalait leur anxiété, le fond de l'incision, inquiets de la nature du corps qu'ils y voyaient battre et palpiter doucement. C'était là, enfin, la cause de tout le mal, l'élément qui allait décider de leur avenir, de leur vie.

— Un sac non fibreux, Roy. Et qui ne paraît pas hémorragique.

— Mieux vaut pas ! répondit l'autre avec ferveur et concision. Je n'ose pas le retirer complètement, je n'aurais pas assez de sutures pour fermer la plaie.

Le kyste battait toujours, comme une chose vivante, bleu pâle quant à la couleur, évoquant vaguement un chou quant à la forme. Étudiant sa texture d'un doigt prudent, Roy céda, pour la seconde fois de la matinée, à une impulsion subite. S'écartant de la table, il alla jusqu'au bord de la plate-forme, et, d'un geste impérieux, appela Chekika. La prompte obéissance avec laquelle le Roi des Panthères répondit à son appel était extrêmement flatteuse. Très flatteur, le recul immédiat et terrifié de l'Indien quand, au fond de la chair torturée de sa femme, il vit la protubérance pareille à un œil gigantesque, qui semblait cligner vers lui, entre des paupières sanglantes.

— Le démon te regarde, Père des Séminoles. Recule-toi que je le chasse.

— Elle vivra donc ?

— Si Dieu le veut.

Chekika salua et regagna sa place près du brasier propitiatoire.

Les médecins-sorciers qui s'étaient amenés en hurlant dans son sillage s'éclipsèrent furtivement, comme des chiens apeurés. Les guerriers, si hardis à s'avancer un instant plus tôt, reculèrent à prudente distance. Roy ne put s'empêcher de sourire lorsqu'il reprit le scalpel et le fit scintiller bien haut dans le soleil. Le désir de meurtre, clairement lisible tout à l'heure sur ces visages d'oiseaux de proie, s'était fondu devant cette effroyable chose que nul homme ne pouvait nommer et que Salofkachee seul était capable d'exorciser.

— Avant d'ouvrir la poche, nous allons y passer deux sutures.

— La détacheras-tu, une fois vidée ?

— Je ne crois pas que l'ablation soit recommandable : drainée à fond, elle se détruira d'elle-même.

Roy étudiait la structure du kyste et constatait que, bleu au premier coup d'œil, il était tacheté de jaune aux endroits où le fluide intérieur menaçait de rompre l'enveloppe. Il comprit que l'opération n'était faite que juste à temps : ce n'était plus qu'une question d'heures, de peu d'heures, avant que le tissu tendu à éclater laissât échapper le pus. Cependant, il n'y avait nulle part de traces d'infection, et, malgré sa surface marbrée, la poche semblait saine :

— Voici la première ancre, docteur. Dieu veuille qu'elle tienne !

L'aiguille courbée pénétra profondément dans la masse bleue marbrée et ressortit tout aussi facilement de l'autre côté, entraînant sa corde de crin. Une gouttelette jaune d'œuf coula, mais, la corde à peine nouée, le fluide s'arrêta. A l'autre extrémité, Roy refit une suture pareille. Le docteur Barker, d'un même mouvement, souleva les deux nœuds, amenant l'excroissance palpitante jusqu'au bord de l'incision.

— Hémorragique ou non, nous avons une chance de trouver le pédoncule une fois la poche fendue.

Agissant avec toute la solennité d'un acolyte à la grand'-messe, Roy contourna la table, le bistouri toujours haut levé vers la lumière, puis s'arrêta le long du bord le plus éloigné, de manière à laisser l'abdomen de la patiente bien en vue du village tout entier. L'acier s'abaissa, s'arrêta une seconde cependant que s'accrochaient les regards des deux médecins :

— Si du sang jaillit, penchez-vous en avant : je vous trancherai aussitôt l'artère carotide et j'en ferai immédiatement autant à la mienne. J'en aurai le temps, avant qu'ils nous sautent dessus.

Cette fois encore, le botaniste acquiesça d'un grave salut. Les mains qui tenaient les nœuds de crin étaient aussi calmes que son regard : ni lui ni elles ne flanchaient. Si le prochain coup de bistouri révélait un désastre, la mort sur-le-champ serait en effet une miséricorde, leur épargnerait de pires horreurs... Le couteau hésita une seconde encore, à peine une seconde, puis descendit comme une flèche...

— *Regarde, Chekika !*

Le scalpel entré à pointe droite avait plongé à profondeur d'un pouce : un geyser jaune pâle, sans la moindre trace de rouge, en jaillissait. Et en même temps un braillement de stupeur jaillissait de la bouche des guerriers, un braillement en basse profonde, faisant contrepoint au hurlement suraigu des squaws. Chekika se leva d'un bond, oublia pour une fois sa dignité, et ses braillements firent chorus à ceux de ses sujets. Déjà Roy avait rejeté le scalpel et, tous ses doigts étalés comme ceux du docteur Barker, il brassait et malaxait furieusement la chair de l'abdomen, envoyant toujours de nouveaux jets de topaze vers le soleil, comme le kyste crachait son contenu.

Lorsque les deux médecins s'éloignèrent de la table, la plaie, vidée, épongée, nettoyée, était recousue avec des points serrés comme les cordons d'une bourse, et le ventre de Petite Aigrette — qui dormait toujours, mais avait à présent le visage détendu de quelqu'un qui rêve agréablement — était plat comme une planche.

Le chirurgien et son assistant, les bras croisés, vinrent jusqu'au bord de la plate-forme et saluèrent à l'unisson le chef et chacun des deux médecins-sorciers qui ne s'en aperçurent pas, aplatis dans la poussière qu'ils étaient encore sans oser lever les yeux.

Puis, marchant toujours à l'unisson, comme des marionnettes bien manœuvrées, ils retournèrent auprès de Petite Aigrette et, sans décroiser les bras, s'installèrent en tailleur chacun d'un côté de son lit. Du coin de la bouche, Roy parla — c'était le premier murmure qu'il se permettait depuis que l'opération avait atteint son point culminant :

— Nous avons fait de la grande médecine aujourd'hui, docteur !

— Ainsi fîmes-nous en vérité, répondit le botaniste sur le même ton. Puisse Hippocrate nous pardonner notre charlatanisme !

Ils ne bougèrent pas lorsque les mocassins de Chekika firent craquer le premier échelon de l'échelle. Le Chef s'avançait sur la pointe des pieds, comme s'il hésitait, même à présent, à franchir le cercle magique tracé par les deux médecins autour de ce lit de souffrance, puis il tendit une main hésitante et palpa le corps de la jeune femme, son contour redevenu normal.

— Le démon est parti !

— Comme tu vois, Père des Séminoles.

— Par un simple coup de ton couteau ?

— C'est toi qui m'as donné le nom de Salofkachee. Ai-je mérité cet honneur aujourd'hui ?

— Ta magie passe toute compréhension, dit Chekika.

Il parut disposé à en dire davantage, mais une ombre passa sur sa face et il demanda :

— Petite Aigrette vivra donc ?

— Si Dieu le veut.

— Ce soir, nous festoierons en ton honneur. Viendras-tu te joindre à nous, près du Feu du Conseil ?

— Ce temps est passé, Père des Séminoles. Nous sommes en guerre. Rappelle-toi comment je suis arrivé ici — et rappelle-toi pourquoi.

Une fois encore Chekika eut envie de parler, en décida autrement, puis, d'une voix curieusement humble :

— Veux-tu à présent que j'envoie la sage-femme ?

— Notre désir est que, toi seul excepté, nul autre que nous deux ne monte sur cette plate-forme, jusqu'à ce que ta femme puisse quitter son lit.

— Ton désir est notre loi, Salofkachee.

— Le Roi des Chats Sauvages dormira cette nuit avec ceux de son Conseil — ce soir, et beaucoup d'autres soirs à venir. Cela aussi doit être entendu ?

— Le Roi des Séminoles a maintes autres épouses pour l'aider à attendre. Si Salofkachee, lui, désire une épouse — ou plusieurs — pour cette nuit, il n'a qu'à parler.

Roy sentit un certain trouble envahir son esprit. Une offre de ce genre n'était pas du tout dans la manière de Chekika, même pas sous l'émotion du moment. Peut-être essayait-il de compenser ainsi quelque manque de parole par ailleurs, à présent que la menace cessait de peser sur Petite Aigrette ? Peut-être Chittamicco était-il en cette minute en train de massacrer ce qui restait du Corps Franc d'Andy, à l'ombre du Tertre Indien ? Une décision de ce genre n'était pas pour dérouter l'esprit séminole, car, nourrissant pour tous les blancs — sauf pour le docteur Barker et pour le docteur Roy Coe — une haine égale, Chekika pouvait fort bien considérer comme normal de remettre Mary à la garde de la Milice — puis la Milice et Mary, ensemble, au couteau à scalper de son propre frère.

— La seule chose que je désire, Roi des Panthères, c'est de soigner moi-même ta Reine et de rester à son chevet avec le docteur Barker jusqu'à ce qu'elle soit complètement rétablie.

— Soigner une femme est besogne de femme.

— Doutes-tu de ma sagesse ?

— Non, certes non, Salofkachee. Je veux simplement alléger ton fardeau.

— C'est un fardeau dont je me charge de bon cœur.

Chekika leva le bras, paume en dehors, et, d'un bond, regagna le sable de la place, au-dessous de la plate-forme. Un unique geste impérieux renvoya tout le village vaquer à ses affaires. Lorsque le compound fut vide, le Chat Sauvage lui-même en gagna lourdement la limite et s'arrêta au bord du lac, debout, les bras croisés, dans l'ombre d'un chêne vert :

— Si tu veux, je viderai complètement le village. Il faut que tu aies la paix pour pratiquer ton art.

— Non. Fais en sorte que la plate-forme soit toujours libre. Nous n'en demandons pas plus, mais pas moins.

— Chittamicco rentrera ce soir même du lac. Il n'est que juste qu'il puisse voir ta médecine magique.

Ainsi donc Chittamicco avait quitté le Tertre Indien. Cela signifiait-il que tous les assaillants s'étaient retirés avec lui, avant d'être saisis dans les tenailles de l'Armée venant du Nord ? Ou, tout au contraire, cela signifiait-il que le commando du capitaine Winter était effacé de la surface du monde et que les guerriers rouges rentraient au bercail pour lécher leurs plaies et chanter leur triomphe ?

— Dis-moi, Père des Séminoles : Chittamicco parle-t-il avec ta voix quand tu es présent ?

— Jamais, tant que je vivrai, Salofkachee.

— Dans ce cas, il n'a aucun droit à mettre même un pied sur cette plate-forme. Tu as donné ta parole. Je sais que tu ne manques pas à la parole donnée à tes amis. Seulement à tes ennemis.

Chekika prit tout naturellement cette réflexion philosophique:

— Petite Aigrette est sa sœur par mon mariage. Permets-tu qu'il constate son état de loin ?

— Seulement s'il ne pénètre pas un seul instant dans la maison du Chef. Nous devons faire notre médecine seuls et en paix, sans quoi Petite Aigrette pourrait encore mourir.

— C'est ton dernier mot, Salofkachee ?

— J'ai dit.

Le visage de Chekika se rembrunit considérablement, mais il ne présenta aucune objection. Après que le chef eut disparu entre les huttes au toit couvert de palmes, Roy demeura un très long moment sans bouger. Il entendit derrière lui le sifflement admiratif du docteur Barker :

— C'était là encore une chose bien risquée, fils !

— Chittamicco ne souhaite que la voir mourir. Nous le savons tous les deux. Il le souhaite d'autant plus qu'il m'a passé la responsabilité de cette vie. Il le souhaite assez pour rentrer en toute hâte, afin de constater au plus tôt notre déconfiture. Pouvez-vous imaginer son état d'esprit lorsqu'il nous verra ici, montant la garde auprès d'une patiente en convalescence ?

— Comment comptes-tu le tenir à distance ?

— Chekika a donné sa promesse. Si la chose semble utile, je demanderai qu'une garde soit postée sur la place. Il est de toute nécessité que nous veillions auprès du lit de Petite Aigrette jusqu'à ce qu'elie soit debout et d'aplomb sur ses deux pieds. Nous nous relayerons pour prendre la garde.

Il avait parlé sans quitter du regard la solennelle enfilade des demeures indiennes. Le village, maintenant que les habitants s'étaient éclipsés sous la colère de Chekika, semblait inexprimablement désolé, presque abandonné. Au grognement près d'un cochon isolé qui revenait d'une expédition alimentaire sous leur plate-forme, on aurait pu, tant le silence était pesant, se croire dans une cité des morts. Le petit rire saccadé du docteur Barker réconforta puissamment Roy. Ce vieux philosophe était capable il ne l'ignorait pas, de trouver un brin d'humour dans n'importe quelle circonstance et fût-ce dans la plus lamentable des situations.

— Nous sommes encore en vie, Roy, dit-il, mais, pour exprimer les choses comme je les vois, je ne suis pas plus sûr que ça de m'en réjouir !

Ils se souriaient mutuellement lorsqu'il regagnèrent le chevet de leur patiente et entreprirent de fignoler leur tâche. L'heure était peu propice à formuler les doutes terribles qui les envahissaient — la crainte, par exemple, de voir Chittamicco rentrer à Fakahatchee Hammock avec le scalp d'Andy accroché à sa ceinture. Il refusait de concentrer sa pensée sur le sort de Mary, si un tel soupçon devenait une affreuse réalité.

Épuisé comme il l'était, il ne se sentait pas capable, s'il songeait à Mary, ou à l'avenir de Mary, de garder en même temps son sang-froid.

Leur rôle était un rôle de survivants. Il allait s'appliquer à le jouer de son mieux.

CHAPITRE III

IL SE TENAIT ASSIS AU bord de la plate-forme, le cahier d'esquisses ouvert sur ses genoux, mais les yeux occupés par les gambades d'une douzaine de bambins cuivrés lâchés en liberté sur la place. A nouveau, le village était assoupi dans la sieste d'une interminable après-midi ; à nouveau les maisons sur pilotis auraient paru vides de toute vie s'il ne s'en était élevé la plainte d'un enfant malade.

Il avait peine à croire qu'une semaine déjà s'était écoulée depuis l'opération de Petite Aigrette, il avait plus de peine encore à croire que le visage couleur d'acajou qui l'avait regardé dans le miroir du docteur Barker, devant lequel il venait de se raser, était le visage du docteur Royal Coe.

Du centre d'observation qu'il occupait, il découvrait la plus grande partie de Fakahatchee Hammock. Il pouvait notamment suivre des yeux le docteur Barker qui explorait la vase fumante, afin d'y découvrir des nids de spatules. L'intérêt si vif que manifestait son collègue pour les mœurs amoureuses d'un oiseau quasiment préhistorique et qui, d'après certains savants, descendait d'échassiers du Nil — échassiers lointains dans l'espace et dans le temps — lui demeurait peu compréhensible.

Il regardait le chapeau de palmes du vieux botaniste monter et descendre parmi les joncs comme un insecte satisfait d'exister et admirait que les botanistes pussent s'occuper la journée entière à ne rien faire et, le soir venu, avoir toujours quelque découverte à montrer. Plus préoccupés par la terre stable et sans fantaisies que par les imprévisibles humeurs des hommes, ils peuvent, dans leur recherche de connaissance, oublier la plupart des autres choses.

Quant à lui, Roy Coe, il lui devenait presque intolérable de respirer et de vivre dans les limbes moites où s'écoulaient ses jours...

Il tourna un feuillet et regarda une des esquisses que Mary Grant avait laissées derrière elle — un grand ibis blanc, au sommet d'un palétuvier, dans la pose de l'oiseau prêt à prendre son vol. L'ibis blanc. *Hilolo*. Le gracieux oiseau dont les Indiens lui avaient donné le nom. La main qui avait tracé ces lignes fermes était peut-être inerte aujourd'hui.

Roy ferma le cahier, souhaitant une fois de plus pouvoir fermer avec autant de facilité les portes de sa mémoire, et se leva pour aller regarder dormir la squaw de Chekika. L'état de Petite Aigrette s'améliorait rapidement. Elle avait, ce même jour, fait ses premiers pas en s'appuyant au bras de son sauveur. Demain, elle se lèverait pour une bonne partie de la journée, et il pourrait alors, en toute sérénité de conscience, rappeler à Chekika le marché qu'ils avaient conclu.

Les deux médecins prisonniers s'étaient relayés au chevet de l'opérée pendant cette angoissante semaine. Chekika, pour des raisons qui lui étaient personnelles et au sujet desquelles il ne fournissait point d'explication, demeura invisible, en dehors de la visite quotidienne qu'il faisait à son épouse. Aurait-il été offensé par le refus de Roy d'assister aux réjouissances données pour célébrer l'exorcisme du démon qui torturait Petite Aigrette ? Partageait-il avec Chittamicco un secret qui le faisait hésiter à regarder son ami blanc dans les yeux ?

La plupart des habitants modelaient leurs manières sur celles du Roi des Chats Sauvages et, bien qu'aucune hostilité ne fût ouvertement déclarée, il ne faisait pas de doute que les jours de camaraderie facile avec les Séminoles étaient révolus. Roy s'approchait-il d'un foyer ? Les dos se tournaient ostensiblement vers lui. L'apercevait-on à portée de voix ? Les rires se taisaient, les conversations s'interrompaient. Tout homme-miracle qu'il fût à leurs yeux, il était désormais avant tout et par-dessus tout un ennemi blanc. Il avait d'abord supposé que cette attitude générale provenait de quelque machination due à Chittamicco. Mais il sentait à présent que la cause en était plus profonde.

Le frère de Chekika était partout à la fois, ces temps-ci, bombant le torse, prenant des allures de héros et faisant résonner sa poitrine à coups de poing durant les interminables pow-wows qui se déroulaient à grand renfort de braillements, de vacarme et de gestes, autour des Feux du Conseil où Salofkachee avait cessé d'être un conseiller écouté. Dans sa solitude, le docteur Royal Coe avait disposé de plus de temps qu'il ne lui en fallait pour se demander qui, de Chikeka ou de son foudre de guerre de frère, déciderait de l'avenir de la nation. Si les pertes subies au Tertre Indien avaient suscité des lamentations, aucun écho ne lui était parvenu.

Traditionnellement, une pause aurait dû suspendre l'activité du village au retour des cadavres, avec ou sans chevelures. Lorsque les premiers canoës rentrèrent, il ne vit ni cadavres cuivrés ni scalps de blancs. Peut-être les Séminoles tombés avaient-ils reçu, loin de ces yeux étrangers et curieux, les honneurs funèbres. Même Chittamicco n'aurait pas été assez impulsif pour lui laisser connaître les résultats d'un nouvel assaut sur Indian Mound.

Un fait, un seul, semblait certain : la stratégie préparée avec un si confiant enthousiasme dans le bureau de Merrick, à Fort Everglades, avait échoué. Et il maudissait cette unique certitude. Il avait compté trop de guerriers dans les canoës à leur retour pour espérer un seul instant que Chittamicco eût été coincé par le détachement de secours attendu de Saint-Augustin. Les héros cuivrés affectaient une attitude plus que jamais provocante, et, Roy avait beau s'y efforcer, il ne parvenait pas à croire qu'ils avaient abandonné Indian Mound sans porter un ultime coup à ceux qui l'occupaient. Puisqu'ils étaient si promptement revenus à Fakahatchee, c'est donc qu'ils avaient esquivé — et même assez largement esquivé pour que la poursuite s'avérât impossible — le contact avec les Réguliers venant du Nord. S'ils étaient décimés, leurs rangs étaient assez adroitement reformés pour que les blancs ne se rendissent compte de rien.

Le pow-wow se tenait aujourd'hui à Big Sulphur, et, à en juger par les beuglements lointains dont l'écho parvenait au village, il durerait jusqu'à la chute du soleil et même au delà. Le docteur Barker lui avait expliqué la croyance des Séminoles en la vertu de la source sulfureuse — censée rendre la vigueur aux vieillards et accroître celle des jeunes gens. Comme la queue d'un alligator mâle ou le cœur d'un ennemi légitimement tué en combat, cette source argentée donnait aux bras du guerrier la force de l'acier. Plus longtemps on plongeait et plus profondément on restait sous ses froides eaux bouillonnantes, plus longtemps on vivrait pour anéantir les ennemis de la nation et plus sûrement on y parviendrait. Ainsi le voulait la légende de ce coin hanté par les seuls oiseaux.

Le pow-wow d'aujourd'hui devait être d'importance, car le village était déserté par tous ses habitants : même les gamins qui n'en étaient pas sortis jusqu'alors, même les vieillards qui ne l'avaient plus quitté depuis les jours d'Osceola avaient pris place dans les longs canoës de guerre qui descendaient à la godille le canal de vase. Les squaws seules demeuraient au logis, avec les « papooses », — les bambins — qui se traînaient encore dans la poussière. Il n'avait même pas fallu laisser de gardes puisque aucun moyen d'évasion ne demeurait, aucun canot, aucune pirogue ne restant sur la plage.

Roy, qui aurait dû depuis longtemps aller retrouver le docteur Barker de l'autre côté du hammock, ne se décidait pas à quitter l'ombre relative du toit de palme et, par la force de l'habitude, il écoutait le souffle de Petite Aigrette en rageant mollement contre la léthargie qui l'avait envahi avec le déclin du jour. L'entre-chien-et-loup est la plus mauvaise heure pour le moral du prisonnier, se disait-il, la plus mauvaise après, toutefois, celle des rêves éveillés qui envahissent l'esprit vers la minuit.

Il voyait se rapprocher le chapeau vert du botaniste, tantôt masqué par les joncs et le fenouil, tantôt surgissant d'entre cette végétation herbeuse, à la manière d'un ludion qui remonte à la surface à chaque fois que l'eau l'a recouvert.

Avec un vague sentiment de culpabilité, Roy se secoua — moralement — et se leva — effectivement — pour prendre la température et compter les pulsations de la patiente après sa première matinée d'efforts, et dans l'intention de lui faire absorber le nourrissant ragoût de viande qui mijotait dans un poêlon au coin de la plate-forme.

Somme toute, l'isolement avait de bons côtés : depuis sept jours, ils n'avaient pas été tracassés même par une puce errante, grâce au vigoureux récurage de la maison du chef : le plancher dessus et dessous, les piliers de bois qui le supportaient, les marches d'accès, tout avait droit, après nettoyage, à la couche quotidienne de chaux. Il constatait avec une satisfaction amusée que les mouches bleues elles-mêmes avaient abandonné le terrain à ces envahisseurs inconnus et tenaces.

Un sombrero de palme tressée vola gaiement à travers l'espace et atterrit à ses pieds, presque en même temps que, d'un bond qui démentait son âge, le docteur Jonathan Barker atterrissait à son côté.

— Tu aurais dû me rejoindre sur la boue, là-bas, fils, je t'y ai longtemps attendu, dit gentiment le docteur.

— Navré ! Le départ de tous les hommes m'a incité à relâcher là surveillance, et je crois bien que j'ai somnolé à mon poste...

— Un homme est excusable de s'assoupir par une température comme celle-ci. Tu es donc toujours convaincu que Chittamicco entend détruire le résultat que nous avons obtenu ici ?

— J'en suis plus que jamais certain, si nous lui en donnons la chance ! Il ne me laissera pas libérer de gaieté de cœur.

— Dans ce cas, nous veillerons tous les deux cette nuit. Tu t'es reposé, toi, et moi, à mon âge, je puis fort bien me contenter de deux heures de sommeil sur vingt-quatre.

Le docteur Barker alla jusqu'à la gourde et versa de l'eau sur son visage et sur ses mains :

— Tu devrais sortir davantage, Roy. Ne serait-ce que pour observer les mœurs et coutumes de la spatule rosée. L'activité est le premier devoir du prisonnier vis-à-vis de lui-même.

— J'ai travaillé sur place ! Plus ou moins. J'ai recopié, comme vous le souhaitiez, le croquis que Mary a pris de cette même spatule.

Installé auprès de leur malade endormie, le botaniste l'examinait très attentivement.

— J'ai eu le temps de me lasser moi aussi, garçon, depuis que je suis ici. C'est une morne occupation que de se demander si demain à la même heure on sera encore en vie. Elle peut même devenir si morne qu'elle décourage complètement de travailler... Et le travail d'un homme est chose importante — quel que soit le geôlier...

— Vous avez plus de chance que moi, monsieur. Vous pouvez continuer *votre* travail ici. En partie du moins. Le *mien* a cessé lorsque j'ai noué mon dernier point de suture dans la chair de Petite Aigrette.

— Tu crois ? Tu ne pourrais cependant nier que nous avons continué à lui sauver la vie, jour après jour, depuis lors, ne fût-ce qu'en la débarrassant de vermine — et en lui évitant les soins des sages-femmes !

— Je ne le nie pas un instant, monsieur. Je dis seulement que c'est une piètre besogne pour deux hommes.

Le botaniste eut un petit rire :

— Mary n'a pas trouvé le temps de s'ennuyer une minute à Fakahatchee. Il est vrai que ce n'est qu'une femme, et qu'elle aime dessiner. Bien plus que toi, à ce qu'il me semble.

— Suggérez-vous que je suive son exemple ?

— Sans l'ombre d'un doute ! Ne serait-ce que pour tromper ton ennui. Je suis très content d'avoir pu t'emmener avec moi hier, et la veille, de sorte que tu avais l'air beaucoup plus naturel aujourd'hui en copiant le croquis de Mary.

La voix du docteur Barker était parfaitement placide, mais le regard qu'il plongeait dans les yeux fatigués de Roy brillait d'un éclat particulier. Encore qu'il ne comprît pas exactement la pensée du botaniste, le jeune homme sentit son esprit s'enflammer au contact de cette flamme.

— Ne me dites pas que les croquis de Mary font partie... *d'un complot* ?

— Tu pourrais l'appeler comme ça...

— Pourquoi ne me l'avez-vous pas dit plus tôt ?

— Pas osé. Peur de la surveillance. D'être épiés sans nous en douter. Tu as bien constaté qu'il y a toujours eu à portée de voix quelqu'un comprenant l'anglais, Abraham la plupart du temps. Aujourd'hui, ils ont été négligents... je ne saurais dire pourquoi... Peut-être la fièvre de la guerre...

— Tant pis pour leur fièvre de guerre. Parlez-moi des esquisses de Mary ?

— Tu dis que tu as copié soigneusement ?

Roy ravala son impatience et s'en fut retirer du carton à dessins la feuille sur laquelle il avait peiné depuis midi. Le docteur Barker rechercha l'original et compara les deux esquisses côte à côte. Comme toujours, Mary Grant avait saisi la spatule rosée dans une pose caractéristique — une patte tendue, raide, l'autre pliée de côté pour assurer l'équilibre tandis qu'au bout du long cou de nacre rosée le bec happait un gros poisson distrait.

— Excellente copie, Roy. Si tu avais employé des couleurs à l'aquarelle, on pourrait à peine la distinguer de l'original.

— Mary aurait-elle apporté ces tableautins de Flamingo Key ?

— Ce fut un des termes de mon accord plutôt précipité avec Chekika. Mary aussi aime nos étendues désertes, vois-tu.

— Où voulez-vous en venir, monsieur ?

— J'y arrive, fils, j'y arrive à ma manière. Au début de notre captivité, Mary a beaucoup dessiné, tracé un nombre considérable de croquis. Cela aussi était sur mon conseil. Tu comprends, aux yeux de Chekika, elle n'est qu'une squaw et ce qu'elle fait n'a guère d'importance. Comment l'aurait-il soupçonnée d'avoir un sens très vif de l'orientation ?

— Je continue à ne pas vous suivre...

— Tu y parviendras, si tu études attentivement ce dessin.

Nous sommes arrivés à Fakahatchee *via* le grand lac — *et* Indian Mound. Chekika lui-même n'aurait pu retrouver son camp sans repères et sans orientation.

— Êtes-vous en train de m'expliquer que ce croquis... zoologique... est également une carte de la route suivie par Chekika ?

— Regarde plus attentivement, et tu comprendras. Non, ne t'inquiète pas de l'aquarelle de Mary, étudie ton propre dessin. Il est simplifié... plus primitif... l'essentiel s'y détache plus clairement... C'est bien pourquoi je t'ai demandé de le faire.

Roy examina son esquisse en détail, le long bec spatulé de l'échassier géant, le cou infléchi en S retourné, les pattes écartées dont l'une semblait ployer sous le poids du poisson dans le bec distendu...

— Examine une fois de plus Petite Aigrette, dit le botaniste. Je suis certain qu'elle dort, mais il vaut mieux être sûr deux fois qu'une. Et regarde sous la maison pendant que tu y seras. Un des « papooses » pourrait être pupille d'Abraham — et comprendre l'anglais.

— Nous sommes seuls, monsieur.

— Parfait, Roy, je ne te tracasse pas plus longtemps. Comme tu t'en doutes, j'ai eu les yeux bandés dès la sortie du Chenal des Dix Milles et le passage dans l'Okeechobee. Chekika savait que j'avais déjà exploré cette région — trop longuement pour la tranquillité de son esprit. Il n'a jamais eu l'idée de soupçonner Mary...

— Ce qui signifie que cette spatule est une carte ?

— Tu l'as dit. Mary avait la permission de rester assise à côté de moi et de dessiner à cœur joie. Elle ne s'en est pas privée. Tout le long du chemin depuis Sandy Bay jusqu'au Gros Cyprès.

— Chekika ne s'est pas rendu compte qu'elle relevait une carte ?

— Déguisée sous le plumage d'une spatule rosée ?

Le docteur Barker, tout en parlant, retourna le croquis et suivit de l'index l'inflexion du cou :

— Les Séminoles sont intelligents d'une certaine manière. Ce sont tout de même des primitifs. Et ils en sont encore à ignorer que la femme est douée d'un cerveau...

Roy, à son tour, se remit à étudier le croquis : non, vraiment, il ne voyait pas autre chose qu'un échassier au cou contourné par le poids du gros poisson qu'il tenait à plein bec. Et puis, comme si un voile tombait subitement de ses yeux, le dessin commença de s'éclairer... Le poisson (esquissé assez grossièrement) était le terminus de Sandy Bay. Les brins d'herbe qui l'entouraient étaient les îles aux cyprès où la flottille de Chekika s'était abritée. La longue courbe du cou était la rive de l'Okeechobee, et, à l'endroit de sa jonction avec le corps, l'aile légèrement étalée, c'était le dédale de chenaux et de bourbiers qui conduisait vers l'ouest, au Palud du Gros Cyprès. Il était venu jusque-là une douzaine de fois pour son propre compte et par ses propres moyens. Au delà, c'était le domaine inconnu, inexploré, du jonc, du carex, de la fétuque et des herbes dures — une étendue immense qu'aucun blanc n'avait encore visitée.

Les yeux de Roy questionnaient le botaniste, qui souriait de son effarement.

— Tu as l'esprit lent ce soir, Roy, dit-il. Tu n'as certainement pas oublié que ces spatules ont des traces d'albinisme dans le plumage ?

— Certainement pas, en effet. Est-ce à dire que c'est la plume blanche de l'aile qu'il faut suivre ?

— Observe que c'est la quatrième plume en partant de l'articulation de l'aile au corps. Observe également la façon dont elle s'étale en arrière pour rejoindre à nouveau le corps vers la naissance de la queue. Cette ombre, c'est le marécage où les eucalyptus bleus forment l'écran qui sépare la Mer d'Herbes du lac. Mais tu vois qu'une autre plume blanche le coupe qui te permettra de le traverser — par un chenal libre — en ce point-là, à l'articulation du corps et de la patte.

— Une plume beaucoup plus importante que la première. Est-ce à dire que ce chenal est plus large ?

— Tu commences à mieux traduire, fils. Ces points noirs sont de faux îlots, des amas de joncs et d'herbe coupante. La ligne blanchâtre qui, de la plume, souligne le tracé même de la patte, c'est le chenal qui continue. Important : ne pas négliger le grand coude... que fait le genou... et te voilà dans la ligne droite qui finit le parcours.

A mesure qu'il suivait, avec le doigt patient du docteur Barker, tous les détails du trajet, Roy sentait son cœur battre de plus en plus violemment.

— Les doigts sont les chenaux de moindre importance qui ouvrent en direction de Fakahatchee Hammock, à trois bons milles au nord et à l'ouest. Même si, par un pur hasard, un pur coup de chance, tu avais pu parvenir jusque-là, tu ne saurais pas lequel prendre. Peux-tu le choisir sur... la carte ?

— Bien sûr ! C'est celui de l'extrême-gauche. Celui dont l'appui sur le sable suscite un tourbillon blanc. Qui doit représenter Big Sulphur, je présume ?

— Exact cette fois encore. Ils coupent tous la jungle et convergent vers la source, mais celui de gauche est de beaucoup le chemin le plus court. Celui qui y a pénétré n'a plus qu'à suivre son nez. Pas d'erreur possible.

Roy comprenait à présent pourquoi le docteur Barker avait insisté afin qu'il recopiât minutieusement le croquis tracé par Mary. Depuis que les « endroits-clefs » lui avaient été révélés, le dessin entier était littéralement gravé dans sa mémoire.

— Elle a emporté tout un carton d'aquarelles à Indian Mound, dit-il lentement. A-t-elle remis un double de celle-ci à Andrew ?

— Non. Elle avait la conviction que tu rentrerais bientôt. Une conviction si solide qu'elle m'a laissé ce croquis, afin que je puisse te l'expliquer en détail : nous connaissons bien mieux la région qu'Andy Winter, toi et moi.

Roy, acquiesçant d'un signe de tête, priait le Ciel pour que le docteur Barker ne remarquât point la rougeur qui venait, sous le hâle, d'envahir ses joues. C'était réconfortant, cette foi qu'avait Mary, cette conviction qu'il survivrait, et qu'il ne pouvait manquer de regagner le G. Q. G. du capitaine avec la carte dans sa poche.

Peut-être avait-elle eu un motif plus grave pour ne pas emporter la carte et la remettre à Andy ? Connaissant le risque qu'il allait courir au chevet de Petite Aigrette et connaissant aussi l'aveugle hâte de Winter à traquer le Roi des Séminoles dans sa tanière, elle avait dû — il en était certain à présent — laisser de propos délibéré la carte à Fakahatchee.

— Maintenant que vous m'avez expliqué la route, monsieur, je crois que je pourrais m'y retrouver dans le noir.

— En repartant, Mary a noté d'autres repères qu'elle inscrira dans le diagramme lorsque tu rentreras. Elle estime — et je suis bien d'accord avec elle — que tu es le seul à pouvoir guider le détachement de secours vers Big Sulphur.

Roy acquiesça encore d'un simple hochement de tête, sans quitter l'aquarelle du regard. La poussée spontanée d'allégresse déjà s'était éteinte dans son cœur : il venait de se rappeler que le Corps Franc du capitaine Winter pouvait, à l'heure présente, avoir disparu totalement ou en grande partie, et que ses survivants, s'il en restait, devaient être trop terrifiés pour penser à autre chose qu'à gagner n'importe comment un lieu de sécurité.

— Je donnerais beaucoup pour partir tout de suite !

— C'est bien ce que je prévoyais. C'est pourquoi je ne t'ai remis ce croquis qu'au dernier moment.

— Au dernier moment ? Je serai donc « réexpédié » ce soir ?

— Ce soir — ou, au plus tard, demain. Chekika me l'a presque promis au moment de partir pour le pow-wow de la source. Si je ne me trompe, ils rentrent. De bonne heure, après tout. Peut-être t'expédiera-t-il tout de suite...

Ils se levèrent ensemble et regagnèrent le bord occidental de la plate-forme. Le soleil était, à présent, une rouge splendeur derrière les lances rugueuses des hautes herbes coupantes et les tiges des joncs. De loin, et dépassant cet écran jaunâtre, on distinguait, glissant comme des oiseaux fantômes, les diadèmes empennés du chef et de ses porte-parole. Chekika et ses officiers se tenaient, ainsi que l'exigeait leur rang, debout dans les canoës, tandis qu'une douzaine de rameurs suaient sur leurs pagaies. Roy savait qu'ils allaient rentrer au village rafraîchis physiquement par leur plongeon dans les eaux de Big Sulphur et moralement remontés par la rhétorique flamboyante de Chittamicco.

— A mon idée, ils ont formé le projet d'une nouvelle attaque contre la côte, dit le docteur Barker. Andy devra se hâter de frapper s'il ne veut pas les manquer encore une fois.

— Le croyez-vous vraiment, monsieur ? Chekika ne compte sans doute pas quitter cet îlot avant que son maïs soit moissonné.

— On ne sait jamais. Il est bien certain que Chekika se sent en sûreté ici. Néanmoins il peut estimer prudent de déloger — surtout après un nouveau raid. Il doit y avoir, au delà du Palud du Gros Cyprès, des îlots plus vastes que Fakahatchee.

« *On ne sait jamais*... Cela, se disait Roy, résume tous les rapports avec les Séminoles. Rapports brouillons, tâtonnants. inutiles. »

Pourchassé par l'avance constante du blanc, l'Indien s'est retiré plus profondément dans ses terres marécageuses, et bien plus profondément encore dans l'impénétrable mystère de son propre cœur. Contraint de mener la double existence du chasseur et du gibier, protégé par l'immensité des eaux herbeuses, et rien que par elle, il demeurerait jusqu'au bout lettre close pour l'esprit du blanc. Contraint du fait de cet envahisseur à vivre par le bec et les ongles, il ne signerait plus de traités, il ne demanderait plus aucune merci. Ses seuls porte-parole seraient la carabine arrivée en fraude de Cuba, le tomahawk forgé en Angleterre...

« D'une manière ou de l'autre, pensait Roy, je dois retourner auprès d'Andrew — ou de son successeur. Il faut que nous fassions sur Fakahatchee une prompte descente en force et que nous effacions à jamais la puissance et l'autorité de Chekika. »

Tandis que son esprit se durcissait sur cette amère résolution, les canoës avaient atterri sur le sable de la plage. Plus de deux cents guerriers déjà encombraient la place, leurs corps nus encore scintillants du bain dans Big Sulphur, leurs bouches arrondies autour d'un silencieux cri de guerre. Roy s'aperçut que cette avance sur la maison du roi avait quelque chose de menaçant, d'organisé, qu'une nuance assez nette de défi marquait tous les visages. Il en sentit la force et le sens lorsque les guerriers commencèrent à défiler un par un devant la plate-forme, levant le poing en un salut hostile et dérisoire. Et toujours le cri de guerre silencieux déformait ces masques tordus par la haine et qui demeuraient tels bien après que le dernier vaillant eût défilé sur la place et se fût installé dans le vaste demi-cercle qui se forma bientôt autour du Feu du Grand Conseil.

— Ils ont décidé un prochain raid, dit-il.

— Voici venir Chittamicco. Autant dire que voici venir la réponse aux questions que nous posons.

Jamais le frère de Chekika n'avait été plus resplendissant ni plus menaçant. Drapé du cou aux pieds dans une robe entièrement faite en plumes de flamants, de larges touffes de même plumage parant ses poignets et ses chevilles, semblable à quelque empereur païen, il monta depuis le bord de l'eau jusqu'à la maison du Chef et se planta devant, les bras croisés sur la poitrine. Dans chaque poing, il tenait une « gourde à médecine » ; sous la robe, une douzaine de colliers d'amulettes s'entrechoquaient. Roy conclut que son ennemi avait ce jour même repris ses fonctions de médecin-sorcier. Trois pas en arrière de Chittamicco, un petit esclave noir — qui respectait prudemment sa distance — nu, à l'exception d'un pagne et de deux cartouchières militaires, blanches et vides, — portait, haut levé sur ses paumes, le panier du serpent. Le froissement des étuis de sa queue était le seul bruit que l'on entendît dans le silence, pendant que Chittamicco crachait délibérément dans la poussière — crachait quatre fois aux quatre points cardinaux. Puis, levant le poing comme avaient fait les autres, il alla prendre sa place au Feu du Conseil.

Quatre des sous-chefs vinrent après lui, les yeux durs comme pierre, et, dressés de toute leur hauteur, menacèrent du poing, d'aussi près qu'il leur fut possible, les deux médecins, qui, toujours debout au bord de la plate-forme, refusaient de flancher devant cette haine en masse.

Tout à la fin parut Chekika, suivi à pas respectueux par Abraham. Le Roi des Panthères marchait le front courbé par quelque souci, mais non par humilité. Parvenu au pied de sa propre demeure, il releva le menton et fit signe au noir d'approcher : à cet instant, il n'était pas un pouce de sa personne qui ne se revêtit d'une dignité royale. Il était visiblement le Roi, le Maître et le Seigneur de toute la nation. Monarque non apprivoisé, en culottes de daim éclatantes de blancheur, il portait bravement sa destinée et, pour aujourd'hui du moins, paraissait même heureux de son fardeau.

Le porte-parole vint jusqu'au bord de la plate-forme, y appuya hardiment les mains et parla d'une voix qui retentit d'un bout à l'autre de la place. Comme il se servait du langage séminole, Roy en déduisit que le message de Chekika était aussi — surtout peut-être — destiné aux oreilles du Conseil.

— L'épouse du Chef est-elle guérie de ses démons ?

— L'épouse du Chef est rétablie, répondit Roy, qui s'aperçut tout à coup qu'il braillait, lui aussi, par pure détente nerveuse, et que sa voix également défiait la nation tout entière.

» Demain, continua-t-il, elle se lèvera pour de bon.

— Si elle va bien, Salofkachee, pourquoi ses yeux ne sont-ils pas ouverts ?

— Elle dort aujourd'hui, parce que nous le voulons ainsi. Les beuglements qui montent de votre Conseil la fatigueraient. Tant que résonnent vos tambours de guerre, le sommeil est ce qu'il y a de mieux pour elle.

— Ainsi donc tu lui donnes encore de la médecine de blanc ?

— Un comprimé qui procure un sommeil reposant et pro fond. Rien de plus. Rien d'autre.

— Demain il te faudra la rendre à ses propres médecins.

— Demain il ne faudra plus qu'aucun médecin la touche.

— Je parle avec la voix de Chekika. Défies-tu ses ordres ?

— C'est la voix de Chekika qui m'a mis ici. Tant que je suis ici, et je suis juge du temps qu'il faut à la malade pour guérir, personne ne mettra le pied sur cette plate-forme à l'exception du Roi des Panthères. Telles sont les clauses de notre accord.

— Petite Aigrette sera debout demain. Peux-tu le jurer ?

— Je l'ai déjà juré. Pourquoi faudrait-il que je répète mon serment ?

« Il y a quelque chose derrière ces simagrées, pensait Roy. Chittamicco essaye encore de semer le doute dans ces esprits simples. Ils peuvent à présent voir de leurs propres yeux que la médecine-de-blanc a guéri la jeune femme. Ils ne comprennent pas pourquoi elle dort en plein jour. Le repos réparateur au lit, sous un somnifère léger, cela ne se traduit pas en séminole. Jusqu'à ce qu'elle sorte de ce sommeil, jusqu'à ce qu'elle se lève et marche, ils ne croiront pas tout à fait à la vérité de sa guérison. »

— Demain, dit-il, vous verrez comme elle marche bien, car demain son long sommeil sera terminé.

— Nous attendons demain, Salofkachee. Si ta voix dit la vérité, tu nous quitteras à l'aube.

— Le Roi des Panthères dira-t-il qu'il est reconnaissant ?

— Le Roi des Panthères n'a aucun mot pour toi à présent. Sauf qu'il se souvient de sa promesse. Il dira ce qu'il voudra lorsque sa squaw à nouveau se lèvera pour le saluer.

Sur ces dernières paroles solennellement prononcées, Abraham leva la main. Et, comme si c'était sa réplique, un tambour résonna, accompagné par une mélopée en sourdine qui fit le tour du cercle, gagnant de proche en proche, ainsi que font les feux follets. Trois cents paumes frappaient à l'unisson la terre rôtie par le soleil, suivant la cadence lente et triste du tambour. Roy savait que cette lamentation augmenterait en volume à mesure qu'avancerait la nuit. Stimulée par les deux tonnelets de rhum qui venaient d'être mis en perce dans le cercle, elle atteindrait son point culminant à minuit, et s'éteindrait, d'épuisement, à l'aube. Depuis une semaine il vivait avec cette mélopée ; elle faisait partie de ses rêves.

Le chirurgien ne quitta pas sa place au bord de la plate-forme qu'Abraham ne fût assis au Conseil. Sans baisser les yeux, il avait regardé Chekika traverser la compound, en tournant ostensiblement le dos aux blancs, avant de prendre au Conseil le siège d'honneur entre ses braves. Alors, et alors seulement, Roy osa tourner le dos à son tour. Non moins délibérément. Non moins ostensiblement. Et même insolemment. Et, ensemble, le docteur Barker et lui regagnèrent les côtés du lit où Petite Aigrette continuait son somme.

— Qu'est-ce que tout cela peut bien vouloir dire ?

— Je n'oserais pas me risquer à le deviner, Roy. Mais je crois plus que jamais que nous devons rester éveillés cette nuit.

Le vieillard parlait lentement, suivant le fil d'une pensée qu'il n'avait pas exprimée encore. Après une courte pause, il conclut sans joie :

— Vois-tu, garçon, je sens que j'aimerais mieux accueillir la mort en face... Cela me déplairait de la savoir là, à ramper autour de mon sommeil... oui, cela me déplairait bigrement...

CHAPITRE IV

En dépit de ses meilleures résolutions, Roy s'était assoupi à plusieurs reprises depuis minuit. Maintenant, comme il se réveillait en sursaut une fois encore, il s'aperçut que le docteur Barker, de l'autre côté de la plate-forme, s'était profondément endormi. Le doux ronflement du botaniste semblait étonnamment haut et fort dans le silence obscur qui enveloppait l'île. Peut-être était-ce ce silence même qui avait réveillé Roy ? Lorsqu'il avait glissé dans la somnolence, les tambours vibraient encore autour du Feu du Conseil, et des danseurs étrangement vêtus cabriolaient parmi les reflets mouvants. A présent, le dernier derviche devait, après son dernier tourbillonnement, s'être laissé glisser dans le sommeil, près des restes noircis du foyer. Le Conseil lui-même s'était semblablement abandonné, par groupes agglutinés, ronflant avec une puissance et sur un rythme qui n'avaient rien à envier aux effets sonores du docteur Barker. Et les tambourineurs dormaient, leurs mains posées sur les peaux tendues. Seuls Chekika et Chittamicco manquaient à cette fin d'orgie au rhum. Flottant encore entre le sommeil et la veille, le chirurgien constata le vide des sièges d'honneur et conclut que le Roi des Panthères s'était retiré avec son frère dans la maison de ce dernier, de l'autre côté du compound, pour y passer avec les squaws ce qui restait encore de nuit.

Du moins, décida-t-il, il resterait, lui, éveillé jusqu'à l'aube, permettant ainsi au docteur Barker de continuer son repos et ses rêves. La nuit, à vrai dire, n'avait pas été plus inquiétante qu'à l'accoutumée. Heure après heure, ils avaient regardé cabrioler les danseurs, les avaient entendus hurler, plus ou moins abrutis à la longue par l'insistante monotonie de leurs rythmes. Ils avaient toutefois écarquillé les yeux quand Hamlet avait bondi au milieu du bastringue, pareil à une noire cigale, pour gambiller avec une Ophélie de blanc vêtue, un Othello rutilant comme un coucher de soleil à Venise, un Macbeth dont le moins qu'on pût dire était que son tartan produisait un assez curieux effet sur des jambes cuivrées... Tous ces costumes étaient ceux que Chekika avait volés à la compagnie des Avon Players, du temps que Mary appartenait à cette troupe itinérante — ces costumes que le Séminole considérait comme partie intégrante de la magie de l'homme blanc, ces costumes qu'il entendait bien faire revêtir un jour par ses braves dans une bataille contre le vieil ennemi...

Les réjouissances avaient eu une fin, comme toute chose. Le roi Lear, et Juliette, et Roméo dormaient à présent, joue contre joue, flanc contre flanc, mêlés à de valeureux guerriers nus et frottés d'huile de poisson, et leurs aromes conjugués montaient comme un encens dans l'air calme d'avant l'aube. Un calme presque suffocant, pensait Roy, car la pluie qui ne s'était pas décidée à tomber semblait peser de tout son poids de vapeur sur le toit de palmes. Au delà de la demeure du chef, l'obscurité se trouait des derniers rougeoiements du Feu du Conseil. Ici, sur la plate-forme, le brasier n'était plus guère que braise, et Roy, se répétant qu'il devait ranimer et entretenir ce faible reste de foyer, n'en trouvait pas en lui-même l'énergie nécessaire, ne parvenait pas à s'arracher au rêve éveillé qui l'alourdissait.

Pour l'instant, il lui suffisait de constater qu'ils avaient passé vivants une nuit de plus, de se dire que, sa part du marché dûment remplie, il pouvait attendre sans inquiétude la venue de Chekika... Bientôt, émergeant de la maison de son frère, le Chef se présenterait pour tenir à son tour la parole donnée. Roy sentait qu'il pouvait faire confiance à Chekika jusqu'à ce point-là... sinon, peut-être, plus loin...

Il entendit un halètement étouffé et sut qu'il avait dû s'assoupir une fois de plus, car le docteur Barker ne ronflait plus, et c'était lui qui venait de lancer ce curieux appel. Maintenant, les yeux grands ouverts et rendus vitreux par la terreur, il regardait l'étroite ouverture — on pouvait à peine l'appeler une porte — qui partageait le treillis de bois bordant le côté nord de la plate-forme et donnait accès à l'échelle par quoi elle était réunie au sol de la place.

Une braise éclata sans bruit dans le foyer, projetant une faible lueur sur le plancher en caillebotis. Jusqu'alors, les paupières de Roy, encore appesanties, ne lui avaient pas permis de rien distinguer de précis. Mais ce qu'il n'avait pas vu — et qu'il vit — l'éveilla d'un seul coup. La chose se dirigeait vers le lit de la convalescente. La chose, en même temps qu'elle l'arrachait pour de bon au sommeil, paralysait son cerveau. La chose se coulait de l'échelle à travers la porte et de la porte vers le lit. Elle se coulait d'un mouvement souple et sans effort sur le caillebotis de pin fendu. Pendant un moment, le cerveau fatigué de Roy lui suggéra que c'était l'obscurité elle-même qui revêtait cette forme perceptible et sinueuse. Mais, quand la chose entra dans le cercle rougeâtre, non de lumière mais de lueur, il vit onduler sur son dos les gigantesques losanges... La chose n'était ni brune ni noire, elle accrochait au passage de livides clartés... Roy compris subitement pourquoi le docteur Barker était figé contre le mur le plus éloigné — et pourquoi lui-même se sentait comme enchaîné dans son propre coin...

C'était bien le roi des crotales, le plus formidable de tous les serpents à sonnettes, le *chittamicco* auquel le frère de Chekika devait son nom. C'était ce même immense reptile qui, une semaine plus tôt, dormait dans un panier à côté du lit de Petite Aigrette. C'était la même furie lovée qui avait sifflé sa menace au crépuscule de ce jour, à la fin du pow-wow. Le serpent revenait à la maison du Chef, obéissant à sa propre logique, ou, beaucoup plus probablement, à un ordre de son propriétaire.

Roy avait vu, déjà, d'autres hommes-médecine diriger de semblables monstres par la pensée aussi bien, sinon mieux encore que par la parole. Plus d'une fois, il avait vu un crotale se redresser, reculer la tête pour se préparer à frapper sa victime cependant que son maître, assis à l'écart, dirigeait l'action de ses crocs avec autant de précision que, dit-on, les fakirs de l'Orient guident un cobra.

Si fantastique que pût sembler cette idée, Roy en avait la confirmation vivante sous ses yeux : le serpent exécutait devant lui la volonté de Chittamicco. L'échine parcourue de frissons glacés, Roy comprenait la portée des questions qu'Abraham lui avait posées en fin d'après-midi et pourquoi le porte-parole lui avait rappelé avec une insistance si marquée son marché avec Chekika. *Petite Aigrette était toujours sous sa responsabilité.* La nation entière avait pu constater combien profond était son sommeil. Si elle mourait cette nuit — ce qui ne saurait manquer si ces crocs atteignaient leur but — il serait considéré comme un assassin.

Si les médecins avaient véritablement dormi, et dormi jusqu'au matin, le crotale aurait fort bien pu frapper en silence et regagner son panier sans que nul l'eût remarqué. Et certainement personne ne se serait avisé de soulever la couverture et de chercher sur le corps les deux trous d'épingle bleu rouge par où la mort était entrée. Le couteau de Salofkachee, la médecine de Salofkachee auraient été tenus responsables, et Salofkachee aurait payé le prix. Chittamicco n'aurait pu mieux choisir son heure. Aussi bien que l'horreur à losanges qui s'avançait sans bruit pour le servir, il savait quand et comment frapper !

Le serpent souleva le premier segment de sa monstrueuse longueur ; Roy vit sa tête en forme de coin plat, triangle d'écailles délicatement imbriquées. Elle était noire comme poix jusqu'au bord des yeux fendus, et la poche qui marquait sa jonction avec le corps était livide comme la chair d'un cadavre.

Le mouvement de glissement en avant s'interrompit. Pendant quelques secondes, la bête sembla troublée, jeta de vifs regards vers les angles éloignés de la plate-forme, parut attendre un nouveau commandement avant de se remettre en route vers le lit. Puis l'éclat jaune du regard, rencontrant les yeux de Roy, ne les lâcha plus. L'homme, souffle coupé, eut l'impression qu'une éternité s'écoulait avant qu'il vît la tête et le cou se balancer doucement. Et alors, comme si quelque mystérieux courant — courant de haine ? — les reliait, Roy sentit son corps semblablement se balancer. Et, comme s'il n'avait attendu que cette preuve rassurante de sa force, le reptile s'était remis en marche vers le lit, se redressant plus haut encore.

Roy sentit la sueur littéralement jaillir de sa nuque et de ses épaules dans l'effort violent qu'il fit pour briser la communion entre lui et ces yeux impitoyables. Et, sans savoir comment ni pourquoi, il se trouva à demi dressé, sur les mains et les genoux, et il se sentit attiré vers le reptile comme une aiguille vers un aimant. Peut-être, s'il pouvait agir assez vite, parviendrait-il à jeter son propre corps entre le lit et ce dangereux coin noir haut cabré. Son cerveau était comme envahi de brouillard à cause de l'intensité de son effort et, pour chasser cette brume, pour éclaircir sa vision, il secoua la tête, aveuglément. Ce mouvement coupa le courant invisible et il fut debout sur ses pieds et il marcha sur le monstre avec résolution et prudence, et c'étaient ses yeux à présent qui dominaient l'ennemi, qui le maintenaient en place sur le plancher, bien que l'arc hideux de sa tête et de son cou fût encore en suspens au-dessus du lit.

A sa droite, il entendit le docteur Barker, lui aussi libéré, se dresser non sans peine et s'arrêter un instant hors du cercle de faible clarté des braises. Tout comme lui, le botaniste savait qu'un mouvement soudain pourrait être fatal. La seule espérance de Roy était d'approcher le reptile, pas à pas, jusqu'à se trouver entre ses crocs et leur but.

Il parvint à la clarté, les genoux tremblants. Un pas de plus, et lui aussi serait à portée de la mort : il fit ce pas, et puis un autre encore, et son esprit s'affairait à toute allure, cherchant frénétiquement un moyen d'attaque. Un couteau à cannes subitement lancé, aurait pu arrêter la morsure à temps : il avait, au cours de sa vie, abattu ainsi déjà un serpent à sonnettes et un « cotton-mouth ». Mais aucun couteau à cannes ne se trouvait sur la plate-forme. Pas même une canne ! Ses yeux avisèrent sa trousse sur une table de côté, et aussitôt il chercha le moyen d'avoir un scalpel dans la main. Mais il n'osait pas détacher une seconde son regard des yeux du serpent. Alors, espérant que l'attention du docteur Barker était portée sur lui, il tendit le doigt vers la trousse et comprit aussitôt que son ami n'avait pas eu besoin d'explication et s'écartait du brasier.

A travers l'obscurité, le couteau, jetant un éclair au passage dans les reflets de la flamme, aboutit à sa main et il en fut aussitôt réconforté. Que c'était bon de sentir, s'adaptant à sa paume, le scalpel familier ! Roy se rendait compte pourtant qu'en soi c'était une arme bien pitoyable. Pouce par pouce, osant à peine respirer, faisant passer toute son énergie dans le regard qui maintenait le crotale immobile, rivé au sol, il parvint à glisser son corps entre la bête et le lit. Sa main libre, tâtonnant derrière lui, dans le vide de l'air, finit par rencontrer la couverture qui entourait Petite Aigrette de sa chaleur, et, la sentant aussi tendue sous ses doigts qu'une bâche ou une toile de tente, il maudit le soin minutieux et attentif apporté le matin à border la jeune femme en vue de son sommeil de tout le jour. Il finit par trouver un bord, l'attira dans son poing, et, tandis qu'il dégageait la couverture, il sentit que la convalescente se remuait doucement. Il prit une peine infinie pour libérer la couverture de telle sorte qu'il pût la retirer ensuite d'un seul mouvement souple, sans que le serpent eût le temps d'être stimulé à l'action.

L'écart entre l'homme et la bête n'atteignait plus deux pieds.

Le premier cliquettement de queue s'entendit comme un avertissement dans la pénombre silencieuse et le cœur du chirurgien ne fit qu'un saut dans sa poitrine. Lové comme il l'était, alarmé enfin par cet étrange adversaire imprévu, le reptile pouvait toucher n'importe quelle cible jusqu'à une distance égale au tiers de sa longueur totale. Roy regarda s'ouvrir les mâchoires, la langue se darder rapide, les crocs briller dans la salive, délicats, effilés à la pointe comme deux aiguilles courbes, renflés à la base où l'os touchait aux sacs à venin enfermés dans le crâne. Déjà les premières gouttes blanches mettaient leur humidité au bout des pointes creuses, le corps entier du reptile vibrait, frémissant comme une corde de harpe que les doigts viennent de lâcher, et le bruit des étuis se choquant à la queue ressemblait à présent à une plainte furieuse. Pour l'homme, il était grand temps d'agir.

Roy lança tout son corps en avant, d'un seul élan, cognant fortement le sol de ses deux pieds. Le serpent frappa aussitôt cette cible facile à atteindre, mais dans le même instant que la couverture de daim tombait entre eux. Ensaché dans cet écran inattendu qui retombait sur lui, son coup amorti, l'éclair noir se replia sur lui-même, usa sa vigueur en de furieux sursauts, se débattit frénétiquement parmi les plis de la couverture, qu'une telle véhémence arracha presque des mains de Roy, de qui l'équilibre, déjà précaire lors de son élan initial et désespéré, se trouva rompu. Il tomba sur la masse gigotante, mais, par bonheur, sans lâcher les bords de la couverture que ses poings avaient agrippés comme pour l'éternité !

Le crotale, momentanément pris au piège, continuait à lutter pour tenter de sortir de l'espèce de caverne obscure où il se trouvait confiné. Roy, luttant à son tour pour tenter de reprendre pied, tirant sur les bords rassemblés de la peau de daim comme si sa vie en dépendait — et tel était bien le cas en vérité ! — poussa une sorte de rugissement de triomphe lorsqu'il sentit avec certitude qu'il avait bien en main l'enveloppe où son ennemi s'épuisait en vaines secousses et faisait entendre des stridulations de cascabelle furieuses et affolées.

Plus tard, lorsqu'il repassa en esprit les détails de ce match effarant, Roy comprit que seule l'articulation très spéciale des crochets à venin lui avait sauvé la vie ce matin-là. Tombant, comme ils le faisaient, de la mâchoire supérieure du reptile, les crochets se tendaient fortement en avant quand la bête frappait, obliquaient vers le bas et, au moment où ils pénétraient dans leur proie, ils étaient prêts et le poison déjà s'égouttait de leur pointe.

Cette nuit, la morsure des puissantes mâchoires s'était perdue dans la peau de daim où s'enchevêtraient les pointes d'aiguilles empoisonnées.

Tout en jouant des pieds et des mains pour s'assurer une prise ferme sur le plancher, Roy était parvenu à former un nœud avec les coins de la couverture qui, il le vit tout de suite et en tint prudemment compte, était souillée d'une tache d'un blanc de lait — la décharge automatique des poches à venin. Accoutumé à tuer du premier coup, le crotale avait gaspillé, en cette morsure aveugle et inutile, la plus grande part de son poison. Maintenant, ses crochets articulés coincés dans l'épaisseur du cuir, le serpent était fermement ancré, si bien que Roy, évitant d'instinct ces aiguilles mortelles, vit que son ennemi était provisoirement pris, et que, pourvu qu'il parvînt à empêcher ces crochets de se dégager, la lutte pourrait tourner à son avantage.

Il entendit — à une distance qui lui parut prodigieuse — le docteur Barker se précipiter au bord de la plate-forme et clamer de tonitruants appels au secours, mais il n'avait pas le temps de regarder autre chose que l'adversaire puissamment musclé qui n'était pas encore réduit à merci et restait menaçant. Les crochets, tout entravés qu'ils fussent, continuaient à frapper, et le mortel liquide blanc exsudait toujours de leur pointe.

Roy parvint à fixer et à retenir la tête dans le nœud serré de la couverture : le scalpel qui n'avait pas quitté sa main droite descendit; le premier coup, au lieu d'entrer d'aplomb, déchira la peau de daim, exposant à la vue les girations du cou écailleux que, cette fois — l'objectif étant bien en vue, — le bistouri atteignit avec violence à l'endroit exact où la moelle épinière se soudait au cerveau. Encore et encore et encore, la lame arrachée à la masse frémissante y retomba, jusqu'à ce que le grand tronc nerveux fût perforé en une douzaine de points. Le venin coulait en flot blanchâtre des crochets et, après une série de contractions d'agonie qui convulsaient l'immense corps, depuis les étuis sonores de la queue jusqu'au crâne, le roi des serpents à sonnettes s'immobilisa dans les plis de la couverture.

La bataille une fois terminée, Roy s'aperçut que, dans ses efforts pour maîtriser le monstre, il avait longé la plate-forme assis sur son derrière et heurté le mur du nord de l'habitation, faisant un grand trou dans ce treillis de palmes, et qu'il avait présentement la tête et les épaules saupoudrées de chaume desséché.

Le tumulte croissant au dehors n'atteignait encore que vaguement ses sens. Il se trouva sur pied sans mémoire précise de ce qui s'était passé au cours des dernières minutes, conscient seulement de la froide horreur qui palpitait encore sous sa main.

Pressé de se défaire de son hideux fardeau, il le tenait toujours à bout de bras quand il rejoignit le botaniste au bord de la plate-forme. Au premier coup d'œil, il eut l'impression que la nation tout entière avait reflué sur la place aux cris du docteur Barker, qu'avaient tardivement suivis les appels des sentinelles postées sur la plage.

Partout, des torches flambaient, tandis que l'une après l'autre toutes les familles du hammock répondaient à l'alerte. Et Roy se rendit compte que, imbibés de rhum comme ils l'étaient, les guerriers de Chekika ne s'étaient pas moins portés sans retard vers la plage pour défendre le village contre l'attaque présumée. Les squaws et les enfants, se massant d'instinct au centre de l'île, prenaient la maison du Chef comme point normal de ralliement. Le Chef lui-même, émergeant du wigwam de son frère, se dirigeait en courant vers sa propre résidence, Chittamicco sur ses talons. Roy distinguait clairement son ennemi à la lueur des torches et le vit étouffer un bâillement si ostensible que ce petit intermède de comédie suffit à convaincre le chirurgien de la culpabilité de Chittamicco.

Il mit son scalpel dans sa poche et, la couverture en peau de daim toujours nouée à son poing, attendit, sombre, au côté du docteur Barker. Chekika reprenait, en arrivant sur la place, une allure autoritaire et digne; Roy, regardant par-dessus son épaule, perçut un éclair de triomphe dans les yeux de son frère. A peine fut-il surpris de le voir poser hardiment le pied sur le premier barreau de l'échelle qui donnait accès à la plate-forme. Répondant avec hardiesse à cette provocation, il gagna en une longue enjambée le haut de l'échelle dont il barra le passage :

— Reste où tu es, Chittamicco. La maison du roi a été suffisamment profanée cette nuit.

Ces paroles lancées à pleine voix retentirent jusqu'au bout du compound. Alors il descendit rapidement un échelon et se trouva en pleine vue de tous. Les guerriers, ayant compris que le trouble provenait non de la plage, mais de l'habitation même du chef, rejoignaient les squaws. Quand Chekika, repoussant son frère, s'avança et posa son mocassin sur le premier barreau de l'échelle, Roy demeura ferme sur place.

— Est-ce toi qui as appelé, Salofkachee ?

— C'est le docteur Barker qui a donné l'alarme. Comme tu peux le voir, j'étais occupé par ailleurs.

Il leva la couverture nouée et son volumineux contenu que parcouraient encore des spasmes intermittents. Jusqu'au dernier papoose, tout le village se recula en frissonnant. Chittamicco lui-même, devinant ce qui gonflait la couverture, s'était en hâte retiré du premier rang des spectateurs. Seul Abraham, dernier arrivé sur la plage et de qui le turban de cérémonie se trouvait posé quelque peu de guingois, se poussa aussitôt au côté de son maître, mais, d'un geste péremptoire, Chekika réduisit son porte-parole au silence :

— Cette nuit, je serai moi-même ma voix. Que caches-tu dans cette peau de daim, Salofkachee ? Est-ce encore de la magie d'homme blanc ?

— Certes non, Père des Séminoles. Notre magie blanche est terminée, ainsi que je te l'avais promis. Voici le dernier des démons qui menaçaient Petite Aigrette : tu constateras que j'ai pu le capturer juste à temps !

— Ce démon est-il venu dans ma maison cette nuit ?

— Cette nuit, pendant que ton peuple dormait. Pendant que tous dormaient, sauf, sur cette plate-forme, tes serviteurs fidèles.

— Le démon vit-il encore ?

— Il se meurt devant tes yeux. Il fut abattu par la main de Salofkachee.

— *Qui* a envoyé cet ennemi dans ma maison ?

— Ce n'est pas à moi qu'il appartient de dire d'où viennent les démons.

Roy espaçait les mots, permettant à la cadence de la langue séminole d'envelopper de sa musique propre le mélodrame qu'il présentait de façon si expressive.

— Je ne puis que lui donner son nom.

— Parle donc, Salofkachee.

— Son nom est — *chittamicco.*

Tout en parlant, il avait lâché la couverture : il saisit à deux mains la queue du gigantesque crotale, fit tournoyer autour de sa tête le corps de huit pieds de long, comme un joueur qui va lancer le poids ou frapper la balle Au troisième tour, il expédia la monstrueuse dépouille à la volée dans le compound, où elle retomba au milieu d'un jet de poussière aux pieds de l'homme qui portait son nom. Le village entier poussa une longue lamentation en reconnaissant le serpent mort et, d'un mouvement spontané, se porta vers Chittamicco, plutôt par curiosité que par hostilité. Chekika, un pied toujours posé au bas de l'échelle, arrêta d'un mot ce mouvement :

— Halte ! Cela suffit. Comment mon frère explique-t-il cette chose ?

— Salofkachee m'accuse injustement ! clama l'autre. C'est lui qui est venu voler le serpent dans son panier pendant que je dormais.

— Cette plate-forme est gardée, et tu le sais. *Comment* Salofkachee aurait-il pu la quitter et pénétrer chez toi ?

— Le garde s'est endormi cette nuit.

Immédiatement, une voix sortit de la foule pour se mêler à la discussion :

— Chittamicco ment ! C'est moi qui parle, moi, Matto. J'ai veillé et surveillé cette échelle depuis le coucher du soleil, ainsi que Chekika m'en avait donné l'ordre. Le médecin blanc n'a pas quitté la plate-forme.

Le guerrier s'avança hors de la masse tandis qu'il lançait sa protestation, et il secoua farouchement son poing à la figure de Chittamicco. Une furieuse querelle s'ensuivit, à laquelle Chekika tourna le dos, restant les bras croisés au bas de l'échelle. Sur la plate-forme, Roy et le docteur Barker imitèrent son attitude—attitude mêlée d'indignation et de dédain, et qui marquait un détachement volontaire des chicanes entre inférieurs. Sous son masque impassible mais attentif, Roy supprimait une vive envie de sourire, car, pour une fois, son ennemi intime avait sans le savoir proféré la vérité du Bon Dieu : Matto s'était assoupi, à la minute même où Chittamicco avait libéré le serpent de son panier.

Finalement, Chekika leva la main, et les voix hargneuses et criardes se turent aussitôt.

— Assez de chamailleries de commères ! Le serpent s'est échappé — cela, nous le savons, Salofkachee l'a tué à temps, — et pour cela nous lui sommes reconnaissants.

— Qui peut affirmer que ce fut à temps ?

Chittamicco s'avança, précisant son insinuation :

— Petite Aigrette dort toujours ! Sans doute ne s'éveillera-t-elle plus jamais.

— Elle *est* éveillée.

C'était le docteur Barker qui, retiré dans l'ombre profonde derrière les restes du brasier, venait de parler. Même les yeux de Chekika s'écarquillèrent lorsque la jeune femme s'étira sur le lit de sangles, puis s'assit tout à coup, comme une dormeuse qui sort d'un long repos rafraîchissant. Le silence tomba comme un couvercle sur la place, pendant que Petite Aigrette posait les deux pieds par terre et, sans prendre la main tendue du docteur Barker, qui voulait la soutenir, se dressa et partit en direction de son royal époux. « Si elle tombe, ou si seulement elle trébuche, pensait Roy, je suis un homme mort ! » Mais les pas de la jeune femme étaient assurés, et elle marcha droit dans les bras que Chekika étendait pour la recevoir.

— Le Roi des Panthères me fait un trop grand honneur, dit-elle, en un murmure ardent et bas que seul Roy entendit, outre le Chef. Ai-je troublé le repos de mon maître ?

Avant de desserrer son étreinte, Chekika toucha solennellement et rituellement de son front le front levé vers lui. Pendant un long instant, ils restèrent debout l'un contre l'autre et la main dans la main, face aux spectateurs stupéfaits et silencieux. Puis Chekika leva la main, mais cette fois pour libérer de toutes ces gorges le cri d'enthousiasme qui, bientôt, emplit l'air comme d'un volume tangible, et le Chef s'en réjouit. La vie triomphait des ruses de la mort, mais seules les simagrées spectaculaires de Roy donnaient à l'événement son importance aux yeux des Séminoles, et nul ne savait comme le chirurgien quelle part revenait à la chance dans le résultat final.

L'important, c'était que le résultat fût acquis. Roy se retira dans l'ombre pour laisser le couple seul, face à son peuple : s'il avait sauvé la vie de Petite Aigrette, elle lui rendait le même service en cet instant, intérêt et capital.

— Retourne à ton lit à présent, dit Chekika. Tu es guérie, mais tu as encore besoin de repos.

— Le contact de la main de mon maître est le seul repos dont j'ai besoin.

— C'est donc bien vrai que Salofkachee a chassé tes démons ?

— Il les a chassés deux fois, Père des Séminoles. D'abord avec son couteau... et aujourd'hui... encore...

Elle leva sur Chekika un regard confiant, puis tendit les mains vers son sauveur et l'attira doucement à son côté.

— Je ne dormais qu'à moitié lorsque le *chittamicco* est venu, dit-elle.

— Toi aussi, tu accuses donc mon frère ?

— Je parle du serpent, Seigneur, et non de l'homme. Bien que je fusse à demi assoupie, je sentais sa présence. Et puis j'ai vu Salofkachee le capturer dans la couverture de mon lit...

— N'en dis pas davantage pour le moment : je vois que cela te fatigue. Repose-toi sur ton lit, je veillerai à ton côté jusqu'au matin.

Nul ne bougea sur la place pendant que Chekika conduisait la jeune femme jusqu'à son lit et la bordait tendrement dans une couverture. Un murmure s'éleva et mourut quand, d'un geste indifférent, il renvoya les assistants qui regagnèrent aussitôt leurs huttes, tout en se retournant à maintes reprises comme s'ils ne parvenaient pas à croire à l'étonnant miracle dont ils venaient d'être témoins. Chittamicco seul resta, masque de pierre, menton encore orgueilleusement relevé.

Attendant des ordres, Abraham s'attardait au pied de l'échelle et, lorsque le Chef revint jusqu'au bord de la plate-forme, se laissa tomber sur les genoux et sur les mains comme si c'était lui et non Chittamicco qui méritait le fouet.

— Rentre dans ta maison, mon frère, nous causerons demain matin, dit Chekika.

Mais alors Chittamicco :

— Salofkachee m'a publiquement accusé sans preuve. J'exige des excuses...

Roy ne perdit pas de temps pour répondre :

— Je n'ai accusé aucun homme ce soir. J'ai tué un serpent. Ni plus, ni moins.

— Le serpent portait mon nom. Je te ferai rentrer tes paroles dans la gorge. Ou bien je les trancherai, et ton jabot avec, en un combat loyal.

Ainsi donc, tous les autres moyens ayant échoué, la provocation venait enfin. La mémoire de Roy se retourna vers cette chaude après-midi, il y avait des semaines de cela, quand, à l'embouchure du Chenal des Dix Milles, Chittamicco l'avait traqué, avec, dans le regard, la même froide lueur de meurtre. Une fois lancé, un défi de cette nature ne pouvait être refusé — surtout Chekika étant présent. Si Chekika endossait la sommation, Roy, il le savait, devrait quitter Fakahatchee le scalp de son ennemi accroché à sa ceinture, ou ne pas le quitter du tout.

Le sachant donc, et durci par cette certitude, il prononça les paroles rituelles :

— La nation n'ignore pas que jamais je n'ai refusé de me battre loyalement. Si telle est la volonté du chef, je te rencontrerai aux premiers feux du jour, avec telle arme qu'il plaira au chef de désigner.

Ses yeux rencontrèrent ceux de Chittamicco et soutinrent fermement son regard : ce fut le Séminole qui se détourna et descendit vers le compound. Mais Chekika le rejoignit en quelques longues et rapides enjambées et, cependant que le cœur du chirurgien tapait contre ses côtes à les rompre, le roi frappa violemment son frère sur la bouche.

— Salofkachee est notre hôte honoré. Tant que je vivrai, tu ne le menaceras pas une fois de plus. Et maintenant, *rentre dans ta maison* !

Un mince trait de sang coulait de la lèvre que Chittamicco essuya de la main, considérant ensuite d'un air absent la tache rouge au creux de sa paume, puis l'homme pivota sur lui-même, et, sans un mot, se fondit dans l'ombre.

Lorsque Chekika reprit la parole, sa voix avait perdu tout mordant et ses yeux refusèrent de rencontrer ceux de Roy.

— Veux-tu nous quitter à présent, Salofkachee ? Ou désires-tu attendre l'aurore ?

— J'aimerais partir sans délai, Père des Séminoles.

— A ta volonté. Ton propre canoë est au bord de l'eau. Abraham et deux payageurs te conduiront jusqu'à l'Okeechobee. Quand tu seras là, tu pourras par tes propres moyens rejoindre les tiens.

— Oui, Roi des Chats Sauvages.

De son lit, Petite Aigrette parla doucement :

— Va en paix, Salofkachee. Tu es le dernier ami qui nous reste.

— Je fus votre ami à tous, répondit Roy. Notre amitié se termine aujourd'hui, parce qu'ainsi le désire Chekika.

Le pied sur l'échelle, il s'arrêta, souhaitant en dire davantage et sachant en son cœur que tout était dit. Si, néanmoins, il parlait encore, ce ne serait que par fidélité aux rites :

— Va en paix, Père des Séminoles.

Tristement il pensait : « Malheureusement, tu n'iras pas en paix. A compter de cette heure, tu es condamné. Peu importe que le coin tombe à présent ou plus tard, il tombera... »

S'emparant alors de sa trousse et du carton à dessins — qui enfermait peut-être la condamnation à mort de la nation — il descendit les degrés sous le regard en apparence impassible du Chef. Il entendit un unique sanglot échappé à Petite Aigrette et sut qu'elle devinait bien ce que représentait cet adieu...

Le docteur Barker le suivait à distance, portant le sac qui contenait le poncho de Roy et les quelques vêtements qu'il avait emportés du Tertre Indien.

— J'ai eu chaud ! murmura-t-il. Il pourrait encore te retenir, même à présent.

— Chekika ne manquerait pas à un accord conclu. Je voudrais seulement que vous puissiez partir à ma place.

— Tu aurais pu lui tendre la main. Vous vous êtes quittés comme des ennemis.

— Nous *sommes* désormais ennemis.

Au bord de l'eau, une ombre se leva, se précisa, prit forme et densité : la maigre et haute silhouette d'Abraham fit entendre un sifflement bas et doux, et une paire de pagayeurs émergèrent d'un des canoës qui flottaient sur les hauts-fonds. Celui de Roy fut avancé, le docteur Barker entra dans l'eau jusqu'aux genoux, mit le sac sous un banc de nage et, s'adressant au jeune homme :

— Passe-moi ta trousse, garçon, et ton carton de dessins, que je les gare à l'avant.

— Un instant, docteur, dit Abraham. Nous devons voir par nous-mêmes ce que Salofkachee emporte en quittant la maison du Roi.

— Prends un brandon au brasier et regarde. Qui te crois-tu pour nous traiter de voleurs ?

— La torche arrive...

Ils se tenaient en un groupe serré autour du canoë pendant qu'un gamin descendait en courant le sentier du compound, un nœud de bois léger flamboyant au bout des doigts.

Tour à tour, Roy regarda les visages impassibles et inexpressifs des pagayeurs et celui d'Abraham : si derrière ces masques se cachait quelque soupçon, rien n'en paraissait au dehors. L'air indifférent, il s'installa vers la proue, cependant que le grand noir, attentif, comptait les instruments et, l'un après l'autre, examinait les croquis.

— Tu es un bon artiste, Salofkachee. Ta main est presque aussi sûre que celle de Hilolo.

— Si tu as terminé...

— Entièrement. Je vais ranger tes objets à l'avant. La pluie vient vite. Nous devrions être à Big Sulphur avant qu'elle nous rattrape...

Déjà un autre canoë avait surgi dans la lueur orangée. Abraham saisit l'aviron de queue, envoya les pagayeurs à leurs places respectives, puis, s'adressant au chirurgien :

— Lance-moi ton amarre, Salofkachee. Tu t'en tireras aisément dans ton canoë tant que nous serons dans les basses eaux. Et, quand l'heure sera venue de te bander les yeux, je te prendrai près de moi.

Roy serra la main du docteur Barker : il ne s'était pas attendu à ce que leur séparation fût aussi totalement dépourvue de solennité. L'amarre crissa en se tendant ; le léger canoë bondit avec aisance à la suite de la grosse embarcation, quelques gouttes tombèrent du ciel de plomb et, quand Roy se retourna pour un dernier coup d'œil vers la rive, il vit le docteur Barker toujours debout, sur la plage, les deux mains levées en un geste d'adieu. Sous l'averse commençante, la torche crépita, illuminant la sombre surface du bourbier. Roy se retourna et, malgré l'obscurité qui s'étendait devant lui, il s'efforça de distinguer les premiers repères...

— Couche-toi, Salofkachee. Nous entrons dans un tunnel de branches.

Les premiers brins pendants de mousse frôlaient déjà sa joue ; la voix d'Abraham semblait curieusement proche. Les chênes maritimes, enlacés au-dessus de sa tête en une voûte serrée, effacèrent les derniers reflets de clarté. Roy se demanda s'il était exact que les Séminoles voient dans le noir comme les chats. Lui-même, en tout cas, ne possédait pas ce don, et Abraham n'avait enfreint aucune consigne en ne lui bandant pas aussitôt les yeux. Il obéit et se coucha...

Le tunnel débouchait brusquement dans le Grand Bayou, qu'il avait cent fois étudié pendant son semi-emprisonnement dans le wigwam de Chekika. L'irisation de cette étendue verte de vase se devinait, malgré la pénombre pluvieuse. C'était le point le plus bas du marécage, une eau morte qui crevait la longue étendue d'herbes dures et que n'agitait jamais aucun courant. Un alligator invisible toussa quelque part : nul autre bruit n'éveillait l'air lourd, en dehors du battement régulier des avirons et du gémissement de l'amarre contre le bastingage. Oppressés par l'étouffante menace de l'orage, les habitants des Glades se taisaient.

L'aube commençait à percer faiblement cette moite couverture d'ombre qu'était le ciel, lorsqu'ils approchèrent de l'épais fouillis de jungle qui encerclait Big Sulphur vers l'est. Roy se pencha vivement en avant et remarqua que ce lacis inerte de racines, palmiers et chênes maritimes, était parcouru d'innombrables ruisselets par lesquels le trop-plein de la source se répandait entre les joncs et les carex tranchants. Il se dégageait de tout cela, de cette eau dont la chaleur envahissait l'air du matin, une odeur puissante qui lui montait à la tête comme une drogue.

Les canoës filèrent dans un nouveau tunnel de feuilles et de branches. Roy sentit sous sa quille la poussée d'un bouillonnement intense et distingua, sur la terre et sur les troncs, la trace laissée au passage par l'écoulement du trop-plein. On voyait s'étaler au loin un dépôt d'un blanc argenté qui faisait l'effet d'une immense toile d'araignée tendue sous cette voûte, et sa vague phosphorescence avait quelque chose d'un peu fantastique, quelque chose comme le reflet de la clarté aqueuse qui déjà pâlissait l'horizon vers l'est.

Avant que les canoës eussent débouché dans le grand bol calcaire qui contenait la source, il entendit s'écraser sur l'eau le tambourinement de la pluie. Ce déluge allégea les nuages et bientôt Roy put voir que Big Sulphur affectait la forme générale d'une ellipse, large peut-être d'un quart de mille, enclose des quatre côtés par la même épaisse muraille de palmiers et de chênes verts. L'eau y était d'une pureté si cristalline qu'elle se remarquait même dans cette piètre lumière. Il y plongea ses deux mains jointes en coupe et but à larges traits, regardant, ce faisant, les bulles qui troublaient la surface et sentant les embarcations bondir sous la constante poussée qui provenait de la fissure profonde. Peut-être était-ce ici cette fontaine de Jouvence qu'avait si longtemps et si vainement cherchée Ponce de Léon ?

Ces nonchalantes rêveries se dissipèrent quand Abraham, ses épaules nues brillantes et ruisselantes de pluie, se dressa de toute sa hauteur sur le plat-bord de son canoë et, visiblement attentif, scruta vers l'occident le mur végétal.

Pour autant que Roy s'en souvînt, c'était à ce point même que commençait la carte dressée par Mary Grant.

Réglant avec soin son regard sur celui d'Abraham, il sentit son cœur bondir d'allégresse, car, sillonnant la jungle de traits blanchâtres, et leurs rives couvertes du même pâle dépôt, les sillons étaient là — les doigts et la jambe de la spatule... Et, si la cartographie de Mary était exacte et précise, ils allaient pénétrer dans l'ouverture sur la droite en direction du retour...

— Passe à notre bord, Salofkachee : voici le moment de te bander les yeux.

Il se soumit avec résignation, s'installa au fond de la grande barque, acceptant sans mot dire qu'un morceau de tissu descendît sur ses yeux et ne protestant pas davantage quand Abraham étala sur lui son poncho comme une toile de tente, effaçant ainsi jusqu'aux plus faibles vestiges de clarté.

Il n'essaya même pas de surprendre les ordres que le porte-parole murmurait aux rameurs : il s'était arrangé pour s'installer visage tourné vers l'ouest et sentit parfaitement le brusque coude à droite. Pour l'instant, il en savait assez. Son séjour à Fakahatchee aurait servi à quelque chose. Grâce à Mary, bien sûr.

Grâce à elle, il pourrait désormais retourner à volonté au village de Chekika.

Cette certitude l'emplit d'une sorte de paix sereine qui, jointe à sa fatigue, alourdit ses yeux bandés... Sous la tiédeur de son poncho, le docteur Royal Coe s'endormit...

CHAPITRE V

TU POURRAS TE LEVER quand tu voudras, Salofkachee.

Roy entendit ces paroles à travers une épaisse brume de somnolence ; il se redressa entre les peaux de daim qui lui faisaient une sorte de nid tiède et tourna son regard vers l'ombre debout derrière lui, et qui était Abraham. Son bandeau lui avait apparemment été retiré pendant qu'il dormait. Avant que le brouillard se dissipât en son esprit, il eut l'illusion absurde de se trouver à bord d'un navire de haute mer dont le porte-parole et lui-même étaient les seuls passagers. Puis il entendit le grognement d'effort des pagayeurs, le frottement de deux quilles l'une contre l'autre pendant qu'Abraham tirait dur sur l'amarre pour amener le canoë léger bord à bord avec le sien.

— J'ai dormi longtemps ?

— Et c'est une excellente chose, car tu vas avoir un long voyage à faire seul.

— Où sommes-nous, à présent ?

— Je ne suis pas autorisé à te répondre, dit le porte-parole. Tu le verras bien toi-même, dès le matin. Plus tôt peut-être, si l'ouragan s'apaise.

Tout en parlant, le noir se penchait vers Roy pour l'aider ; déjà une main sous son coude assurait son équilibre et lui permettait de passer sans dommage d'un canoë dans l'autre. Les deux embarcations voguaient malaisément sur une houle longue et huileuse. Une nuit vide d'étoiles, lourde de cumulus orageux aux deux bords de l'horizon, pesait sur les eaux — mais Roy sentait que ces eaux devaient être celles de l'Okeechobee. Évidemment, les hommes avaient ramé pendant de longues heures tandis qu'il dormait ; il « savait » qu'en cet instant il se trouvait au large sur le lac, loin de la terre, hors de vue d'aucun rivage.

NOIRS SONT LES CHEVEUX...

Tout le long du jour, ils avaient filé à pleine allure à travers les bourbiers et les chenaux de l'Eau Herbeuse.

Tout le long du jour, il avait, lui, joué le dernier acte de son rôle de prisonnier, content d'être à l'abri de son poncho, protégé des rafales de pluie qui les avaient poursuivis depuis Big Sulphur. Plus tard, lorsque le soleil au zénith avait fait évaporer la pluie, il avait somnolé sous ce même abri, avec une tranquillité que berçait la mélopée des pagayeurs, se refusant à sortir de cette chaude torpeur pour se préoccuper de géographie. Quand des branches, une fois de plus, effacèrent le soleil et qu'une puanteur familière de végétation pourrissante envahit ses narines, il sut qu'ils étaient arrivés dans le marais des Épicéas bleus. Puis, quand les joncs bruissèrent tout le long des plats-bords, il présuma qu'ils longeaient les petites voies coudées qui, se raccordant l'une à l'autre, conduisaient aux cyprès encerclant l'Okeechobee.

Voyage qui ne présentait guère d'intérêt pour lui, depuis qu'il avait la possibilité de retracer la route à sa guise. Comme il devinait qu'Abraham le laisserait à bonne distance du Tertre Indien et qu'il lui faudrait souquer longuement et péniblement pour atteindre ce but, il obligeait son esprit et ses membres à une détente complète.

Lorsqu'il se retrouva installé dans son propre canoë, le tonnerre roulait à nouveau sous l'horizon. Machinalement, il fouilla, cherchant le pot à écoper, puis se rendit compte que le canoë était sec comme un os oublié. Il s'y trouvait une rame de supplément ; sa trousse et le précieux carton à dessins étaient à l'abri sous un banc de nage, solidement attachés par les habituelles sangles en peau de daim. Abraham n'avait eu aucune componction à le laisser seul sur un lac ouvert, et que des bancs de sable, des lises, des bourbiers, où l'eau et la ketmie semblaient rouler et flotter ensemble pour le désespoir du voyageur, paraient de traîtrises diverses. Mais, du moins, il avait fait soigneusement écoper l'embarcation de son captif et lui avait assuré les moyens de rester à flot — pourvu que les orages opposés et jumeaux qui s'agitaient aux deux bords de l'horizon comme des armées ennemies ne se rejoignent pas au-dessus de lui pour l'anéantir.

— Va avec Dieu, Salofkachee.

C'était curieusement approprié, cette idée d'Abraham de

lui adresser son dernier adieu en langue espagnole, cependant que leurs canoës s'éloignaient l'un de l'autre. Il répondit dans le même langage, prenant soin de ne pas laisser passer dans sa voix une note de frayeur. L'adieu rituel avait résumé de façon très adéquate sa situation présente : il était bien, en effet, entre les mains de son Créateur, et l'éclair violacé qui, d'une flamme éblouissante, déchiquetait le ciel était un plus puissant rappel de sa propre insignifiance.

— Sois bon pour le docteur Barker, Abraham. Et tu seras plus tard récompensé par la bonté.

— Tu as pleinement le droit de te servir de ce mot, Salofkachee. Même à présent que tu as cessé d'être l'un d'entre nous.

Roy sourit tristement dans l'ombre. Intelligent comme il l'était, le nègre avait dès longtemps compris qu'il leur faudrait finir ennemis.

— Nous sommes toujours frères à la vue du Seigneur, dit-il avec mélancolie.

— Non point, dès que nous sommes nés pour nous entretuer ! Mes prières vont à un dieu bien différent du tien, et tu t'en rendras compte quand je t'aurai dit que je le prie... pour que nous ne nous rencontrions plus jamais !...

Abraham lança les derniers mots par-dessus la bande d'eau qui s'élargissait entre eux, puis il cria un ordre en séminole à ses rameurs épuisés. Appuyé sur sa propre pagaie, Roy regardait le grand canoë se fondre dans l'obscurité enveloppante. Deux fois encore, quand des éclairs écartèrent l'horizon, il aperçut l'embarcation soulevée par la houle. Et puis il fut seul. Seul dans la nuit, avec la peur pour compagne.

Abraham nageait évidemment vers le sud. S'il avait osé mesurer ses forces à celles de trois paires de bras aux muscles d'acier, il aurait pu les suivre jusqu'à la plus prochaine terre. A quoi bon ? Une telle course, il le savait, eût été futile même en plein jour.

A présent, la pluie se remettait à tomber si serré que c'est tout juste si elle ne lui cachait pas la proue de son propre canoë. S'il s'était laissé distraire, fût-ce par la plus brève poursuite, il aurait instantanément perdu le sens de la direction et, d'un éclair à l'autre, aurait désespérément tourné en rond, pour se trouver à la fois épuisé et perdu au jour levant.

Bien que la veillée qui commençait dût être fantomatique, il lui fallait attendre — autant qu'il le pourrait — sur place la fin des orages successifs et prier pour que le jour se lève ensoleillé. Une fois qu'il pourrait diriger sa route, ce serait chose relativement simple que d'atteindre la rive sud et de la suivre jusqu'au Tertre Indien. Si, par erreur, il nageait vers le nord, il pouvait s'attendre à mourir de faim avant de toucher terre.

Les deux orages se rapprochaient dangereusement au-dessus de lui. Il n'osait plus espérer une inoffensive rafale de pluie qui s'arrêterait presque avant d'avoir commencé. Les éclairs devenaient une menace terriblement précise, car la flamme de l'un se confondait avec le craquement de l'autre : lumière et foudre mélangées. La plupart du temps, la foudre tombait dans le lac même ; plus d'une fois, il sentit le picotement du souffle et eut le sentiment net que le canoë n'avait été raté que de quelques mètres !

Et puis la pluie se mit à tomber avec une si furieuse violence que c'était comme un hurlement continu qui déchirait l'air, et ce déluge fut précédé par une boule d'un feu vert qui le traqua et le poursuivit méchamment sur le flot d'encre, tel un feu follet venu tout droit de Brobdingnag. Il se dit que les cataractes allaient se déverser dans son canoë plus vite qu'il ne pourrait écoper. La houle huileuse commençait à se couvrir de moutons blancs qui se rattrapaient, se fondaient et retombaient en une longue vague écumeuse qui secouait son faible vaisseau et parfois le soulevait pour, au bout d'un instant d'angoisse, le laisser retomber dans un creux écumeux où l'attendait la crainte. Le lac se mit de la partie et emplit le canot beaucoup plus vite que ne faisait la pluie. Trois fois en une heure, il fut obligé de se laisser rouler, de « faire cuiller » pour sauver sa vie, faisant passer, en même temps que lui, assez d'eau par-dessus le plat-bord pour que la coque fût à nouveau en état de flotter, puis y regrimpant une fraction de seconde avant que s'y écrasât la vague suivante.

De temps à autre, un éclair, en fendant le ciel, lui révélait la proximité d'un banc de sable tout auréolé d'une écume de ressac, et il lui fallait redresser au plus vite sa situation pour éviter un naufrage. Il lui arriva d'entrer droit dans une interminable étendue de boue couverte d'une si mince couche d'eau que le canoë n'y flottait qu'à grand'peine. Quand une vague s'élevait, il avait une peine extrême à garder le bec de sa nef dans le sens du vent. Quand elle se coulait entre deux lames, l'embarcation tout entière claquait d'un seul coup sur ce traître fond, avec un tel choc qu'il en perdait presque connaissance.

Puis, cependant que la tourmente atteignait le maximum de sa violence, il se trouva une fois de plus avec de l'eau jusqu'à une hauteur inquiétante et un vent si furieux que, cramponné à ses deux avirons qu'il avait sanglés ensemble — ce qui en faisait un balancier improvisé grâce auquel le canoë maintenait encore un certain aplomb, — il n'osait pas les lâcher pour écoper. Il avait perdu le sens de toute réalité autre que ce vent mordant, et fouettant, et cinglant. Durant toute l'heure qui suivit, son existence ne fut plus qu'une bataille pour survivre, livrée, les dents serrées, sous l'impact des hautes vagues ennemies, sous les coups de lanières d'une pluie glacée qui le poussa, en le fouaillant jusqu'à complet épuisement. Tant et si bien que, n'en pouvant plus, il s'endormit, tout en restant, par un miracle qui dépassait la compréhension, accroché à son balancier...

Il n'entendit même pas que le vent était tombé, ne sentit pas que l'Okeechobee, retrouvant son calme, s'organisait (si on peut dire) en une longue houle paisible. Quand la conscience lui revint avec les premières lueurs du jour, il constata vaguement que l'eau autour de lui était lisse comme un miroir. Un peu plus tard, un rayon qui s'y réfléchissait lui blessa les yeux par sa violence crue. Plus tard encore, une soif furieuse s'éveilla en lui et le réveilla complètement. Il vit que l'horizon était toujours vide de partout, aucune terre ne se devinait même. Des eaux bleues l'encerclaient de toutes parts comme s'il eût été un naufragé solitaire en plein milieu de l'Atlantique. Le canoë, plein d'eau jusqu'au bordage, se vautrait dans le lac comme un manatee. Une fatigue indicible le tenait tout entier.

Sans même se redresser, toujours accroupi, il passa la tête par-dessus bord et but, but longuement, à grandes gorgées, et il sentait, à chaque fois qu'il avalait, son corps redevenir de fer. Bientôt, il fut en état d'écoper et, une fois le canoë vide, il constata que son bagage était toujours là, intact dans son enveloppe de peau de daim et solidement arrimé. Pour toute nourriture, il ne disposait que de quelques languettes de venaison séchées au soleil, le reste d'un bol de *sofkee* : il engloutit le tout, sans même s'installer, là, comme il était, et sut qu'il pouvait désormais compter sur sa force revenue pour le ramener sain et sauf au rivage.

Dieu merci, le soleil était encore très bas sur l'horizon oriental, et, grâce à lui, il allait être facile au voyageur de fixer sa direction.

Après une heure de pagayage obstiné, l'horizon était toujours vide et bleu, l'Okeechobee toujours bleu et vide, mer perdue au milieu de terres invisibles, miroir parfait pour un ciel qui s'embrasait peu à peu.

Puis, comme ses bras commençaient à devenir vraiment douloureux, il discerna vers le sud une tache légère, une manière de fumée grise qui, en un point, abîmait ce cercle impeccable... Alors il baissa la tête et se jura de ne point la relever avant le millième coup de rame... tremblant, même alors, de découvrir que ce qu'il avait cru voir n'était qu'un mirage...

Mais non, aucune erreur n'était plus possible, un plateau se précisait dans les lointains, et il se prit à rire tout haut pendant que ses lèvres parcheminées esquissaient un nom, la Pointe du Promontoire, immense langue jaunâtre couverte d'herbe dure qui s'enfonçait comme un coin dans le bleu laiteux de l'Okeechobee. L'une après l'autre, des îles émergeaient à présent, élevant au-dessus de l'eau leur écran de cyprès, et, derrière elles, à l'est, il le savait, s'élevait la molle courbe de Sandy Bay, sa destination.

A partir de ce point, il aurait pu souquer avec le bandeau d'Abraham sur les yeux. Longeant à grandes brassées sûres le mur d'un jaune verdâtre, il négligea les premières baies qui n'étaient plus que de petits culs-de-sac, puis il découvrit le repère qui le confirma dans sa certitude que la route était droite devant lui. Lorsqu'il eut traversé l'étranglement de Promontory Bay par un court canal qui débouchait dans la courbe occidentale de Sandy Bay, il se sentit trembler à la fois d'allégresse, de hâte et de crainte, et se contraignit à faire une pause dans l'ombre de la première île aux cyprès. De là, il pouvait voir la pyramide tronquée du Tertre Indien se détacher hardiment sur fond de ciel, au-dessus de l'écran de marécage. Même à pareille distance, cette éminence nue, tapissée d'herbe, avait quelque chose de formidable et d'inquiétant. Il se dit sombrement qu'Indian Mound présidait depuis des siècles à toute la désolation ambiante : pourquoi donc avait-il espéré y voir ce matin flotter le drapeau américain ?

Tout fatigué qu'il fût, il savait qu'il ne pourrait contenir plus longtemps son impatience. Il libéra sa godille et, maintenant qu'il était parvenu sur les hauts-fonds, envoya son embarcation (aussi fatiguée et en plus mauvais état que lui) voler sur l'eau entre les îles aux cyprès. Lorsqu'il eut dépassé la dernière, il s'appuya pesamment sur la perche, et, pendant quelques écœurantes secondes, se sentit tout à fait certain d'avoir dépassé son but. Puis ses yeux découvrirent la pointe en forme de coin où le Corps Franc des Everglades s'était installé et il sut que son sens de la direction ne l'avait pas trompé. Il ne s'était montré que trop précis...

Neuf jours s'étaient écoulés depuis qu'il avait quitté ce camp dans une aube ouatée de brouillard. Il le revoyait sous la clarté cruelle d'un soleil sans ombres : des restes noircis semblaient se fondre dans la ligne de la côte, comme s'ils n'avaient jamais eu d'existence réelle, jamais de masse solide. Pour celui qui arrivait de face, il était probable qu'une manière de camp avait jadis été érigé en ce lieu, mais Roy se rendait fort bien compte que, si son approche s'était faite par l'un ou l'autre côté, cette coquille vidée et noircie par le feu lui aurait complètement échappé.

Il en était assez près maintenant pour en distinguer les détails : en direction du lac, les parapets en troncs de palmiers, brûlés au ras du sable, disparaissaient déjà sous le léger voile vert du fenouil ; en direction du marécage aux cyprès, là où s'élevaient les fortifications principales, les troncs, dégringolés dans la vase, faisaient ressembler cette partie du camp à un boqueteau de palmiers fauché par un ouragan. Et pourtant... et pourtant — son cœur battait en le remarquant, — pourtant ni ses regards ni son odorat ne lui signalaient l'abominable spectacle ni l'affreuse pestilence de cadavres en putréfaction... Il n'y avait pas de morts parmi ces ruines... Les corps des Indiens abattus, ceux des blancs tombés avaient pareillement disparu... Jusqu'aux foyers de cuisine dont la cendre s'éparpillait dans la broussaille environnante... Un mois encore, et l'Okeechobee, en débordant, réclamerait son bien, la jungle effacerait le camp de bataille d'Andrew Winter comme l'éternité efface le temps...

Il descendit sur la plage, tira le canoë au sec et se mit prudemment en marche à travers les ruines, où nul signe de mort n'apparaissait. La vie, elle, purement végétale, foisonnait de toutes parts, si bien qu'il cherchait vainement les limites exactes entre le camp de naguère et la nature sauvage de toujours. Il finit par trouver de vagues repères : une poterne, du côté de la terre, celle où Hutchens était tombé, une flèche plantée entre deux vertèbres... la sortie camouflée où Andy avait garé ses canoës rang après rang, en bon ordre pour assurer l'évacuation rapide si tout le reste échouait... Il s'arrêta en ce point et, pendant un long moment, étudia les sillons qui creusaient la berge : une conclusion surgit indiscutable de cet examen, Andy avait pu emmener son monde du Tertre Indien avec le minimum de pertes. Ce qui s'était passé ensuite, on ne pouvait que le présumer, s'efforcer à le déduire, à le deviner...

Chittamicco avait enterré ses morts loin d'ici ; Andy avait, par canoës, dirigé ses blessés vers quelque destination inconnue. Ce qui semblait évident aussi — et hélas ! — c'est que le principal groupe de Réguliers venant du Nord (et se déplaçant avec une magnifique lenteur depuis les forts en rondins le long du Kissimee) n'avait pas atteint Indian Mound dans le délai prévu. Chittamicco aurait-il eu la sagesse de permettre au capitaine Winter de quitter paisiblement les Glades — et, au lieu du récit d'un combat triomphal, avait-il apporté au village de Chekika la preuve de cette couardise ?

Roy, qui s'attendait à voir le corps de Mary se balançant dans les branches d'un palmier, avec celui d'Andrew tout à côté, pareillement tordus dans les douleurs de l'agonie, se sentait à présent assuré qu'aucun meurtre n'avait été perpétré à l'ombre du Tertre : le ciel était libre de vautours, et les sauvages exhalaisons du sol et de la vase, encore que lourdes de puanteurs diverses, ne comprenaient pas l'écœurante odeur de la chair décomposée... Tournant le dos à cette énigme, Roy regagna son canoë. Il regagna aussi une certaine dose de calme lorsque son poing se ferma sur la godille, et cependant il ne parvenait pas à imaginer le lieu de sa prochaine destination. Il lui suffisait provisoirement de laisser derrière lui ces ruines calcinées... Hardiment, et tout en réfléchissant sur la marche qu'il devait suivre, il mit le cap sur les îles aux cyprès.

Une chose lui apparaissait tout ensemble comme indubitable et incompréhensible : Andy, le fougueux, le bouillant, le batailleur Andy, avait abandonné sa position sans la défendre — tout ce qu'il voyait en témoignait de façon évidente. Peut-être le capitaine était-il déjà en sécurité à Fort Everglades (avec l'épouse de son choix), y préparait-il un second raid et comptait-il sur son éclaireur attitré pour revenir à temps et lui servir de guide ? Peut-être avait-il provisoirement fait bon marché de son orgueil et s'était-il hâté vers le nord à la rencontre des Réguliers demandés à Saint-Augustin pour renforcer la Milice du colonel Merrick ?

De quelque façon qu'il tentât d'interpréter cette curieuse retraite — qui ressemblait si peu à tout ce qu'il savait d'Andrew Winter, — une chose était évidente pour Roy, la Mer des Herbes était redevenue le domaine incontesté de Chekika. Le Séminole pourrait s'y engraisser à loisir et, de là, piller la Floride selon sa fantaisie.

Il nageait vigoureusement, le canoë glissait entre les îles serrées comme fleurs en gerbe, et, tout en tirant sur sa rame, Roy s'efforçait de lutter contre la dépression d'un retour si peu conforme à ses prévisions. Mais, en somme, qu'avait-il attendu de cette minute ? A présent que les restes carbonisés du camp étaient loin derrière lui, il ne se sentait pas tout à fait sûr de sa réponse... Voyons ! il n'avait pas espéré — tout de même ! — que Mary Grant, debout sur la plage dans l'attente de son arrivée, l'aurait acclamé et se serait profusément réjouie de le voir échappé des geôles ennemies d'où il rapportait, en outre, la clef de la future victoire !...

— *Yohohee !*

Le cri de guerre des Séminoles, jaillissant sur sa droite d'un fourré de vigne sauvage, gelait la moelle dans ses os. De la masse confuse des cyprès, en avant de lui, le même cri haut perché, longuement tenu, répondit instantanément. Et un troisième, du chaud mur vert que les chênes aquatiques formaient, juste le long de sa quille. Derrière ces voix hurlantes, il entendit une bonne douzaine de cris d'oiseaux, qui signalaient la fin de l'embuscade et sa capture imminente. Des mocassins glissaient parmi les feuilles. Tandis qu'il méditait sur les problèmes d'Andy Winter et ne pensait qu'à eux, il avait d'une main distraite signé son propre arrêt de mort. Si, plutôt que d'aborder aux îles pour réfléchir en paix, il avait souqué vers le large, il aurait pu regagner Fort Everglades sans être molesté par quiconque. Au lieu de quoi il était allé se jeter la tête la première exactement sur l'île où Chittamicco avait installé ses observateurs neuf jours plus tôt.

Plus fort que la panique même, son instinct le poussa à mettre toute sa force, toute son ardeur dans ses bras, et à faire filer son embarcation à folle allure au long de l'étroit estuaire qui divisait ses ennemis. Une volée entière d'oiseaux moqueurs bavardaient à présent dans la broussaille ; en avant et en arrière de lui, il sentait se resserrer le filet tendu par les Peaux-Rouges : une capture de ce genre était un jeu d'enfant pour les Séminoles, et, comme des enfants, ils s'amusaient à ce jeu, laissant à leur proie déjà traquée, encerclée, l'illusion d'une minute encore de liberté, tandis qu'ils affûtaient allégrement leurs couteaux.

L'étroit chenal s'incurvait, embrassant la plus petite des

deux îles, au delà de laquelle on revoyait le lac. Un ultime cri de guerre lui donna le sentiment que ses tympans étaient d'ores et déjà crevés, cependant qu'il parvenait à l'air libre, surgissant de son piège enfeuillé.

D'un nid de verdure émergea le premier de ses ennemis. Puis survint un autre, puis un autre encore, jusqu'à ce qu'une douzaine de guerriers nus — badigeonnés de marne jusqu'aux yeux, le corps comme vêtu de peinture de guerre, noir et vermillon — se trouvassent alignés sur les hauts-fonds. Le soleil accrochait ses éclats sur le métal d'autant de haches, tandis que lui, avec une précipitation haletante, tentait de retracer sa route en arrière... Lancé de cette distance, un tomahawk aurait aisément pu s'enfoncer dans son crâne. Mais il n'y eut aucune tentative de couper sa retraite par la violence. Une seule hache passa insolemment au large de son oreille pour aller s'enfoncer dans le tronc d'un cyprès en avant de lui : elle frémissait encore quand il passa devant... Un clapotis nonchalant lui dit que les guerriers, pataugeant sur les hauts-fonds, le poursuivaient sans fièvre, mais des appels d'oiseaux moqueurs lui interdirent tout espoir d'échapper : à l'autre bout du chenal, des ennemis invisibles le guettaient, l'attendaient.

« Ils ont la consigne de me prendre vivant », pensa-t-il. Et il conclut, mélancoliquement : « C'est toujours ça... à moins que ce soit pire... Peut-être, après tout, Chekika veut-il s'assurer deux otages plutôt qu'un. Peut-être a-t-il compris ou appris que j'ai les cartes à bord et est-il résolu à empêcher leur livraison ? »

Une étroite voie navigable s'ouvrait sur sa droite : il s'y engagea à l'aveuglette, sans savoir le moins du monde où elle le mènerait. Pendant une folle minute, il se sentit assuré d'avoir semé ses poursuivants, et puis il s'aperçut que ce qu'il croyait une issue d'évasion était en réalité un cul-de-sac, se terminant, sitôt commencé, en un bayou sans profondeur, tout engorgé de nénuphars et obscurci par une voûte de luisantes feuilles de magnolia. Les cris d'oiseaux devenaient de plus en plus nombreux et il comprit, en se dressant de toute sa hauteur dans le canoë, que les Séminoles l'avaient, sans y paraître, délibérément conduit vers cette poche, et qu'il s'y trouvait cerné, bloqué, tandis que les Indiens se rapprochaient pour la capture, ou pour le meurtre.

— *Yohohee !*

Les visages de cuivre, à présent, se pressaient en cercle autour de lui. Il en surgissait par grappes de l'obscurité verte, inquiétants comme des masques diaboliques, les yeux cerclés d'ocre, les mèches noires hérissées sur le crâne.

Roy laissa dériver le canoë parmi l'enchevêtrement des nénuphars et, juste avant qu'il s'échouât, se saisit d'une branche de magnolia et entreprit de disparaître dans le feuillage. De là-haut, il vit des poings de cuivre s'accrocher aux platsbords, un couteau à cannes trancher les sangles qui retenaient son bagage, n'attendit pas plus longtemps, car, de toute manière, il était trop tard pour sauver le croquis de la spatule, et se crut enfin en relative sécurité contre le tronc de magnolia. A ce moment précis, une paire de bras se referma sur lui :

— *Anda, Señor!*

La voix gutturale lui parut étrangement familière, mais il n'eut pas le temps de se retourner, car, lâchant mains et pieds, il dégringola sur le sol avec son vainqueur étalé, bras en croix, par-dessus lui. Le visage enfoncé dans la fange spongieuse, la main de l'autre enfoncée dans ses cheveux, il attendit le coup de hache qui trancherait ses vertèbres aussi facilement et aussi simplement que celles d'un bœuf dans un abattoir, avant que le couteau à scalper entrât à son tour dans le mouvement. Au lieu de quoi il sentit se détendre la dure pression des deux genoux contre ses flancs, bien que la main de son adversaire fût toujours nouée à ses cheveux. Il entendit l'autre grogner, rouler de côté, se trouva libéré du poids, se redressa lentement à quatre pattes sans oser se retourner.

— *Arriba, muchacho!*

Au commandement, il se redressa tout à fait et l'ombre de celui dont il était captif le dominait de haut. Il avança conformément aux ordres, et le tranchant de la hache lui caressait le cou. Du coin de l'œil, il constata que son canoë avait été soigneusement vidé et que des mains de bonne volonté, l'enlevant du bayou, l'emportaient vers l'intérieur : tout ce monde le suivait en file par un. Le sentier (qu'il foulait avec une soumission rendue plus certaine par la contrainte) serpentait à gauche dans le sous-bois, puis grimpait vers l'échine même de l'île.

Pour l'heure, ce qui dominait en lui, c'était la certitude d'être encore vivant. Elle fermait la porte de son esprit à toute constatation extérieure et amortissait le choc. Il lui parut tout naturel qu'une longue file de canoës fût à l'abri dans la petite anse couverte qu'ils côtoyaient, qu'un arsenal complet de fusils fût soigneusement garé sous un hangar juste au delà, il ne se posa aucune question au sujet des tentes qui alternaient sur la hauteur avec les huttes aux toits de palmes, non plus qu'au sujet des vapeurs de fèves au lard et du fumet aussi peu indien que possible qui se dégageait d'une centaine de foyers de cuisine.

Ce ne fut que lorsque le sergent Ranson, les deux mains tendues, se précipita hors d'un abri de toile, que son cerveau reprit subitement contact avec la réalité, car, bien que le sergent fût teint d'un cuivre aussi soutenu que celui de Chekika lui-même, son corps en forme de tonnelet appartenait incontestablement à l'Armée, y compris les colombes amoureuses tatouées sur sa poitrine. A l'Armée aussi, le poing qui repoussa le tomahawk appuyé à la nuque de Roy, à l'Armée le braillement de terrain de manœuvres qui figea sur place ses gardiens :

— Enfin, vous voilà, docteur ! Si vous saviez avec quelle inquiétude nous vous attendions...

— Qu'est-ce que tout cela signifie ?

— Le capitaine vous l'expliquera, monsieur. C'est *son* histoire, et je m'en voudrais de la lui gâcher.

— Vous voulez dire que le capitaine Winter *est ici* ?

— Nous y sommes tous, docteur. Le Corps Franc au complet, plus un certain nombre de Réguliers qui ne connaissent pas votre visage. Par exemple, le caporal Poore que voilà, sous sa peinture de guerre. C'est lui qui vient de vous faire prisonnier...

— Et Miss Grant ?

— Levée, docteur, après une légère attaque de dengue. Elle nous a été fort utile pour nos déguisements. Mais je gâche l'histoire du capitaine...

— C'est effectivement ce que vous faites, sergent.

Tous deux se retournèrent d'un seul mouvement vers le pan relevé de la tente. Le guerrier séminole qui se tenait devant eux riait d'une oreille à l'autre. Et ce large rire seul détruisait l'illusion de se trouver en présence d'Osceola revenu en ce monde. La peau sombre était identique, et le fier regard de faucon, et le croissant d'argent sur le poitrinal en daim blanc. Puis, comme d'un coup de main le chef faisait choir son turban emplumé, Roy vit paraître le toupet couleur de brique et de flamme, et, au-dessus des pommettes vigoureusement teintées, il retrouva les yeux rieurs d'Andy Winter.

— Fais-toi une raison, mon vieux ! dit son ami. Ou veux-tu que je me teigne les cheveux en noir pour te convaincre que je suis un Indien ?

QUATRIÈME PARTIE

BIG SULPHUR

CHAPITRE PREMIER

CELA VA DE SOI ! J'AURAIS dû teindre mon toupignard ! Mais Mary n'a jamais voulu en entendre parler. Elle tient à ce que je sois *au naturel* (1) pour le mariage.

Andrew Winter regardait son ami avec un petit air guilleret qui lui était assez habituel, mais il se trouvait qu'en cette minute Roy, lui, ne se sentait pas guilleret du tout. Il laissa passer l'allusion, attendant la suite :

— Entre parenthèses, n'as-tu pas envie d'aller la saluer ? Elle dort tard ce matin, conformément à mes ordres. Mais elle souhaitera sûrement te voir dès qu'elle s'éveillera.

— J'ai envie de voir Mary, c'est tout naturel — si elle a été vraiment touchée par la fièvre. Mais, pour l'instant, c'est toi qui es le plus important.

Andy bâilla voluptueusement et se versa un second bol de café. Le soleil était déjà très haut, et Roy appréciait l'ombre de la tente du Q. G. ; son corps fatigué jouissait de cette relative fraîcheur, comme aussi du prodigieux déjeuner qu'il venait de faire disparaître pendant qu'il écoutait le récit auquel son ami apportait son pittoresque habituel, et son habituel manque d'ordre et de cohérence. Quand Roy reposa le bol vide, le capitaine de dragons souriait toujours largement. Grâce au turban qu'il avait remis, grâce à la pénombre de la tente, grâce aussi à sa façon de se prélasser à demi allongé dans son fauteuil, il avait en ce moment plutôt l'air d'un sultan que d'un Séminole. Un sultan suprêmement sûr de soi et capable de mettre en valeur n'importe quel costume.

(1) En français dans le texte.

— Tu n'as pas besoin de m'inspecter indéfiniment, vieux ! Cela fait deux jours que je porte ces culottes en peau de daim, histoire de m'habituer à leur contact. Et de même tout mon monde est resté, par ordre, orné de peintures de guerre. Tu peux voir que leur rôle ravit mes miliciens.

— C'est, je l'avoue, une idée assez brillante que de donner la chasse aux Indiens en costume d'Indiens ! Comment diable l'avez-vous eue, d'abord, puis réalisée ?

— La trouvaille n'est pas de mon cru. L'honneur en revient à notre général. Je l'en ai déjà remercié dans mon rapport.

— Si bien que tous ces travestissements arrivent tout droit de Saint-Augustin ?

— Y compris les peintures de guerre, les haches et les turbans. Le tout, d'ailleurs, a été en grande partie prélevé sur les prisonniers indiens de Fort Marion. Et je ne m'étonne pas si tu as pu croire en me voyant qu'Osceola en personne se dressait devant toi : ce turban coiffait sa propre tête. Pris en 38 — une semaine avant sa mort.

— Quand je suis parti pour la Mer Herbeuse, tu te préparais à livrer devant Indian Mound le dernier engagement de cette guerre. D'où ce changement de tactique et cette mascarade ?

— J'y viens, Roy, j'y viens. N'oublie pas que tu as neuf jours d'absence. Ça fait un long retard, dans n'importe quelle guerre.

— Tu as bien été relevé au jour voulu ?

— On ne peut plus exactement ! Par un courrier ! Un simple courrier. Qui m'apportait l'ordre d'évacuer ma position considérée comme intenable.

— Je comprends déjà pourquoi tu as brûlé la palissade d'enceinte.

— Ça, c'était une assurance que je prenais. Pour le cas où Chittamicco serait demeuré assoupi à son poste. Il me paraissait tout à fait essentiel de le convaincre que nous avions détalé pour sauver nos peaux. Que nous nous étions tirés des Glades sans les honneurs de la guerre ; mais sans retard, comme Chekika nous en avait fait intimer l'ordre.

Roy hocha la tête. Approbativement. C'était bien dans le style d'Andy de tourner à son avantage un acte qui pouvait apparaître comme dicté par la frousse.

— Pourquoi cet ordre d'abandonner le Tertre ?

— On estimait en haut lieu que notre petit plan avait fait long feu. Que Chekika s'était rendu compte de notre stratégie.

Qu'il avait en conséquence attaqué immédiatement, avant que le renfort pût nous parvenir. Et qu'il s'était ensuite retiré à prudente distance lorsqu'il avait estimé l'arrivée de ce renfort comme imminente.

Telles étaient bien les conclusions auxquelles Roy avait abouti à Fakahatchee Hammock : le retour de la flottille de Chittamicco faisait partie du plan séminole tel qu'il était prévu dès le premier moment. Le Chat Sauvage était trop avisé pour permettre à son lieutenant de s'attarder au bord d'un piège bien amorcé.

— Chekika était donc au courant depuis le début ?

— Et en détail. Par les soins de notre excellent ami Dan Evans. Dan a, paraît-il, abattu ses cartes depuis notre départ de Fort Everglades. Sitôt que l'assurance eut réglé le montant de sa grange brûlée et de son dépôt pillé à Flamingo Key, il s'est trotté au plus vite. Il n'a fait ni une ni deux, a traversé les détroits, gagné La Havane et s'est installé comme trafiquant d'armes. Fusils anglais livrés sur l'heure — comptant ! — au plus offrant.

Andrew cogna vigoureusement du poing le tambour qui leur servait de table :

— Tu n'as pas idée du plaisir que j'aurais à effectuer à moi tout seul un raid sur Cuba pour appréhender le monsieur. Je te le dis, j'ai plus encore envie de pendre Dan que Chekika.

— Ne t'occupe pas de Dan pour le quart d'heure. Tout le mal qu'il pouvait faire, il l'a fait. Si je comprends bien, dès que tu as appris que Chittamicco avait regagné la Mer Herbeuse, tu as dirigé ton monde droit sur l'île où nous sommes ?

— La palissade brûlait encore que c'était déjà chose faite. Entre minuit et l'aube. L'ennemi avait vidé les lieux depuis si peu d'heures que nous avons trouvé tièdes les cendres de ses feux de camp.

» Jusqu'au matin, pourtant, l'opération demeurait hasardeuse et je m'attendais à demi à une nouvelle attaque. Mais on n'a pas revu la mèche d'un seul Indien dans le quartier depuis plus d'une semaine. Rien que les puces qu'ils ont laissées derrière eux. J'ai idée qu'ils ont regardé flamber l'enclos et tous les travaux d'art, à distance respectueuse — et qu'ils sont rentrés chez eux pour se vanter d'une victoire gagnée les mains dans les poches.

— C'est ce que j'avais cru comprendre à Fakahatchee. Car Chittamicco avait toutes les apparences du héros qui t'avait mis au ventre une peur telle que la fuite restait ton seul espoir.

— Nous nous sommes donné du mal pour lui procurer cette impression ! Que dis-je ? cette certitude ! Sois honnête : n'est-ce pas celle que *tu* as éprouvée en atterrissant au pied du Tertre Indien ?

— Je suis honnête. C'est exactement ça.

Le sourire hilare de Roy faisait pendant à celui du dragon. La stratégie de ce genre — mélodramatique, drame et vaudeville mêlés — était tout à fait dans les goûts et les aptitudes d'Andrew. Sa spécialité, en somme. Indubitablement, c'était un risque que de brûler toutes ses défenses, ostensiblement, pour, dès que possible, se lancer au large. A présent qu'il était solidement établi sur l'île, il n'avait rien à redouter d'une attaque par surprise — même si Chittamicco était assez téméraire pour reparaître sur l'Okeechobee : la longue file de canoës était prête à tout. Prête à l'action immédiate, qu'il s'agît d'envahir la Mer d'Herbes et de Joncs — prête, si la situation l'exigeait, à fuir vers le nord.

— Ce n'est pas une chose aussi simple que tu pourrais le supposer de transformer en Séminoles bon teint le Corps Franc des Everglades accru d'un bon nombre de Réguliers (1). Mais je crois vraiment avoir réussi ça — avec l'aide de Mary.

— Ranson m'a dit qu'elle était malade ?

— Ces derniers jours seulement. J'avais résolu de l'envoyer vers le nord avec le premier convoi. Quand elle s'est trouvée abattue par la fièvre, ce qu'il y avait de mieux à faire, c'était de la garder ici. Dieu merci, ce n'a pas été un cas grave...

— Tu les as donc finalement reçus, tes convois du Kissimmee ?

— Renforcement quotidien, mon cher. Toutes les nuits. Soixante et un Réguliers nous sont encore arrivés la nuit dernière, au plus beau de la tempête, sans avoir perdu une seule embarcation. A l'heure qu'il est, nous comptons plus de six cents hommes, chacun plus résolu que son voisin à tailler des croupières à l'ennemi.

« Six cents soldats de l'armée permanente ! pensait Roy. C'est bien la force la plus importante qui ait opéré dans cette région depuis la malencontreuse bataille d'Okeechobee ! »

(1) Les « Réguliers » étaient les soldats de l'armée *permanente* de la jeune République, armée de métier. La Milice, les Rangers, les Corps Francs sont les noms donnés aux soldats détachés en commandos, ou formés en groupes spéciaux en vue d'opérations déterminées.

Il avait attentivement examiné le village de Chekika et confronté sa propre évaluation avec les notes prises par le docteur Barker. Même en comptant les esclaves et la poignée de renégats demi-sang qui servaient sous ses ordres, le Roi des Panthères ne pourrait pas aligner la moitié de cette troupe pour défendre Fakahatchee. Après les pertes subies à Indian Mound, et si la chance ne lui était pas donnée de rassembler le ban et l'arrière-ban de ses guerriers, Chekika se trouverait débordé à trois contre un. Une attaque par surprise ne rencontrerait donc qu'une faible opposition.

— Tu peux partir ce soir même si tu veux, dit calmement Roy. Laisse-moi dormir quelques heures, et je serai prêt à te conduire.

Les yeux d'Andy brillèrent de leur éclat familier. Le revenant s'enfonça plus profondément dans son fauteuil, à côté du tambour, regardant son ami aller et venir dans l'étroite tente ; chien de chasse, plein de nerfs et de sang, presque surentraîné, et que depuis trop longtemps exaspérait l'attente. Roy pensait tristement : « En cette minute même, il tue en esprit ! Il organise, aussi minutieusement que possible, la pendaison de Chekika, sans omettre le plus sinistre détail ! »

— Tu es sûr de connaître le chemin ?

— Oui. Grâce à Mary.

— Comment diable aurait-elle bien pu t'aider, alors qu'elle était ici, en sécurité, près de moi ?

Tiens ! Mary avait donc gardé le silence sur le croquis de la spatule, jusqu'à son retour à lui. Roy posa sur le tambour son carton à dessins, en sortit l'esquisse faite par Mary et sa copie, et les étala :

— Tu peux me croire ou non, je n'ai pas besoin d'autre carte, dit-il.

Andy laissa échapper un sifflement admiratif, tandis que, point par point, il suivait du doigt le trajet avec son ami.

— Pourquoi n'as-tu pas crié, hurlé, clamé, braillé cela, en arrivant ?

— Tu ne m'en as pas laissé le loisir.

— C'est un détail. J'aime entendre ma propre voix, je ne fais pas de difficulté pour le reconnaître. Mais tu aurais dû m'obliger à écouter...

— Tu écoutes à présent, c'est tout ce qui compte.

Mais Andy n'en avait pas fini avec ses investigations.

— Mary a fait ce croquis à Fakahatchee. Pourquoi a-t-elle couru le risque de l'y laisser ?

— Parce qu'elle te connaît encore mieux que je ne fais. Tu serais aussitôt, et toute affaire cessante, descendu en trombe sur Fakahatchee. Bien avant d'être prêt.

Andy, tout bêta, passa la tête hors de la tente et appela Ranson.

— Nous allons examiner ceci avec Mary dans un moment. Et je ne vous ferai passer en Conseil de guerre ni toi ni elle. Seulement, veillez à ne plus me faire de cachotteries dans l'avenir !

« Il y a un secret que je garderai toujours, je te le garantis bien, promit Roy tout bas. C'est que j'aime Mary Grant — et que je ne cesserai pas de l'aimer sous prétexte qu'elle sera Mary Winter. Que je l'aime au point de trembler à l'idée de devoir prononcer son nom. »

— Garde son aquarelle pour te diriger, répondit-il. Je garderai mon propre croquis pour m'en servir le moment venu. Tout ce qu'il te faut, ce sont quelques lueurs précises. Nous allons les rechercher tout de suite...

Il s'interrompit quand Ranson entra rapidement dans la tente et se mit aussitôt au garde à vous. La peinture du sergent était complète à présent. Il portait même une bande-culotte ornée de perles et une douzaine de scalps à la ceinture. Tout cela ne lui retirait pas une allure vaguement militaire.

— Les Séminoles ne se mettent pas au garde à vous, Ranson, lui fit remarquer Andy. Examinez-moi cette œuvre d'art et dites-moi en combien de temps vous pourrez vous l'inscrire dans la mémoire ?

Le sergent appuya ses solides phalanges sur le tambour, cependant que Roy lui expliquait les symboles cachés sous l'image.

— Si vous voulez mon avis, Messieurs, œuvre d'art est bien le mot propre. Et Miss Grant aurait droit à des galons pour avoir trouvé ça.

— Cette observation vous fait le plus grand crédit, sergent. Il est bien regrettable, en vérité, que Miss Grant ne puisse accompagner le docteur Coe lorsqu'il nous conduira.

Andy étudia le dessin les sourcils froncés :

— Es-tu sûr de pouvoir jalonner le parcours, Roy ?

— Je pourrais suivre ces chenaux, ces canaux et ces bourbiers les yeux fermés !

— C'est bien, j'en ai peur, ce que tu devras faire. Il faudra que tu te déplaces très en avant de nous et que tu disparaisses dans les joncs et les herbes pendant les heures du jour.

Roy fit silencieusement un signe d'accord.

Le succès de leur manœuvre dépendait — et dépendait uniquement — de la précision cartographique de Mary et de sa propre habileté à interpréter le croquis levé par la jeune fille. La pointe d'un îlot négligée ou inaperçue dans l'obscurité, et toute la troupe pouvait s'enfoncer dans un dédale aqueux ou dans une lise ou une vasière, dont aucun soldat ne sortirait vivant...

— Nous aurons cinq heures entières de clair de lune : cela me suffira pour traverser le marécage des Épicéas bleus. Demain la lune sera presque pleine. Si je pars au crépuscule, je dois atteindre Big Sulphur bien avant la seconde aurore.

— Il faudra que tu te terres quelque part par là et que tu nous attendes.

Roy s'éloigna de la carte. L'esprit d'Andrew fonctionnait à présent à plein rendement, intervenir était inutile. Il attendit en silence, pendant que le capitaine et le sergent, penchés ensemble sur le croquis, l'examinaient en détail. Il pensait : « Ranson pourrait tout aussi bien que moi servir d'éclaireur à l'expédition. Si Mary est désormais en état de voyager, je pourrais me retirer complètement de cette aventure et l'escorter jusqu'à un lieu où elle serait en sécurité... »

Il dut faire — et fit — un effort pour repousser cette trop séduisante tentation. Afin de ne s'y point laisser aller à nouveau, il se réintroduisit dans la discussion :

— J'emporterai trois haches pour être assuré d'avoir toujours une lame bien tranchante. Tu connais l'entrée de l'Okeechobee : j'y tracerai ma première indication, au point où le bourbier, devient le marécage des Épicéas bleus.

» Il y a quantité de grands arbres au bord de l'eau. Une entaille triangulaire est ce qu'il y aurait de plus simple — la pointe dirigée vers le sud-ouest.

— Ce n'est pas la première fois que tu jalonnes une piste pour nous, Roy. Je retrouverai tes indications et les suivrai, et Ranson de même.

— Ne serait-ce pas plus simple si le sergent venait avec moi ?

— C'est à toi d'en décider. Moi, je te dirais plutôt de partir seul, si cette perspective ne te semble pas... hallucinante. J'aurai besoin de Ranson pour conduire notre avant-garde.

Roy eut un mince sourire. Il n'avait posé la question que pour la forme. Il savait parfaitement qu'Andy n'atteindrait jamais le village de Chekika sans un vétéran-coureur-de-marais dans son canoë de tête.

— Fais les entailles, jalonne, et attends-moi à Big Sulphur. Si tu sens la viande rouge, replie-toi et fais ton rapport à Ranson : il ne sera jamais à plus de cinq milles en arrière de toi.

— Pourquoi faut-il que je t'attende à la source ? Je préférerais considérablement traverser le canal de vase et aller chercher le docteur Barker pour me tenir compagnie.

— Je comprends très bien et je voudrais que ce fût possible, Roy, mais c'est un risque qu'il ne nous est pas permis de courir.

— Vraiment ? Et le risque qu'il court, lui, ne compte pas ? Comment veux-tu qu'il reste en vie dès que tu auras marché à l'assaut du village ?

Andy fit claquer son poing gauche sur sa paume droite.

— Je compte frapper Chekika vite et fort. Si vite qu'il aura la corde au cou avant même d'avoir ouvert les yeux. Tu seras avec nous, cela va de soi, et ta seule tâche sera de sauver le docteur Barker...

— Poinsett te cassera si le docteur Barker est tué — peu importe le nombre de scalps que tu lui enverras par ailleurs.

Le dragon médita lugubrement cette perspective, dont la vérité ne lui échappait pas. Son regard ne quittait pas la carte.

— Comment pourrais-tu entrer dans le village sans être vu ?

— Aisément. J'ai étudié chaque pied de cette côte. La plage principale, où ils tirent leurs canoës à terre, est orientée à l'ouest et masquée, aux deux extrémités, par d'épais écrans de chênes maritimes. On y arrive tout droit du bayou par un tunnel : je pourrais entrer dans les joncs et faire le trajet depuis Big Sulphur à la nage en une demi-heure. Quand bien même ils auraient posté un garde sur la plage, je pourrais contourner l'île et entrer par un des champs de maïs...

— En éveillant tous les chiens du lieu.

— Ils me connaissent tous, j'ai pris grand soin à m'en faire des amis. Le docteur Barker n'est prisonnier que... nominalement... Il n'est ni enchaîné, ni enfermé. Je sais également où trouver sa hutte et comment me frayer passage à travers les palmes.

— Tu ne pourrais pas le sortir de l'île. Il est trop vieux pour nager aussi loin.

— Tout à fait exact. Mais je pourrais du moins le cacher et le mettre à l'abri de la bagarre.

Andy examina rapidement ce projet :

— Je dirais non à n'importe qui d'autre que toi. Croyez-vous que le docteur Coe puisse risquer un coup pareil, sergent, et s'en tirer avec sa vie et ses cheveux ?

— C'est un jeu de hasard, monsieur, et je suis assuré que le docteur s'en rend fort bien compte. Mais, à mon avis, l'enjeu vaut le risque.

Andy roula le croquis :

— Très bien. Nous étudierons les détails au mess. A moins que vous désiriez tout mettre au point sans retard, messieurs ?

Il engloba Ranson dans un geste courtois, en se rasseyant une fois de plus à côté du tambour.

— En fait, il y a fort peu de choses à discuter. Le docteur Coe et ma fiancée nous ont procuré la carte. Pour une fois, Chekika sera contraint à combattre.

— S'il se trouve au hammock quand nous y parviendrons, rectifia Roy. Souviens-toi qu'il a formé le projet d'un autre raid.

— Il n'y aura plus de raid jusqu'à ce que Dan arrive avec une nouvelle livraison d'armes et de munitions, dit Andrew.

— Ce qui pourrait bien se produire plus tôt que tu ne penses.

— Mille regrets, mais je refuse de me tracasser présentement au sujet de Dan Evans. Je t'ai accordé la permission d'entrer seul au village de Chekika. Admettons donc que tu atteindras le docteur Barker sans donner l'éveil. Que fais-tu ensuite ?

— Nous nous mettrons à l'abri et attendrons ton attaque.

— Comment établirons-nous l'heure ?

— Je réglerai ma montre sur celle de Ranson avant de partir, ce soir. Tu me suivras — lentement : sommes-nous d'accord sur ce point ?

— C'est mon idée, répondit Andy d'un ton vexé. Ne doute pas de mon jugement .

Roy rit sous cape : le fait que le dragon était piqué lui suffisait présentement comme assurance. Grâce à quelques arguments adroitement choisis, il avait tourné l'esprit de Winter exactement dans le sens qu'il avait voulu et prévu dès son arrivée — dans la seule voie qu'ils pourraient utiliser avec quelque chance de réussite.

— Ranson sera... le chaînon... qui nous réunira si quelque chose tournait mal. Il restera très près de moi jusqu'à ce que nous atteignions le marécage des Épicéas bleus. A compter de là, il attendra une bonne heure à chaque entaille. Cela maintiendra entre nous un écart régulier.

— Assez bien calculé, admit Andy. Si le temps se gâte, tu seras juge. Tu tailleras un second triangle au-dessus du premier, et Ranson saura qu'il doit s'amarrer.

— Quel que soit le temps, j'aurai une heure d'avance sur le sergent. Si nous marchons selon les prévisions, je serai prêt à entrer dans le village avant qu'il fasse clair. Si tout va bien, une aurore après-demain. Deux, s'il fait mauvais ; c'est la saison des ouragans. Il nous faut nous déplacer de nuit. Et il faut que tu frappes à l'aube. Ma tâche est d'être sur l'îlot une bonne demi-heure avant que toi tu entres à Big Sulphur. Et tu dois attendre avant d'ordonner l'attaque.

Andy lança un vif coup d'œil à Ranson :

— Êtes-vous d'accord sur tout cela, sergent ?

— Le docteur Coe est notre éclaireur, capitaine. Si j'étais à votre place, je le laisserais agir en conséquence.

Le dragon haussa les épaules :

— Très bien, Roy. Ça va. Je suis aussi désireux que toi d'être couronné de lauriers par Joël Poinsett. Tu peux entrer à Fakahatchee Hammock — et faire de ton mieux pour sauver le docteur Barker. Si tu échoues, nous enterrerons ce que nous pourrons retrouver de vous deux — avec tous les honneurs militaires. Si tu réussis, tu pourras donner le signal de notre attaque.

— Il n'y aura pas la moindre chance pour que je puisse donner un signal. Si je suis pris, il faut que tu leur laisses le temps de... de faire ce qu'ils voudront de moi... C'est toujours une question de calcul de temps. Entre sur cette plage par les deux côtés à la fois et frappe au premier rayon du jour. Si le docteur et moi sommes vivants, nous nous cacherons du mieux que nous pourrons.

— Bien entendu, tu sais le risque que tu cours ?

— J'ai l'habitude de courir des risques.

Andy se leva lestement.

— Parfait. Tu peux aller saluer Mary à présent. Il me semble que je ne lui raconterais pas grand'chose de tout ceci.

— Il vaudrait beaucoup mieux que je ne la voie pas du tout.

Mais déjà Andy avait emmené Roy au soleil :

— Ne me dis pas que tu *continues* à éviter ma fiancée ! Je ne veux pas de cela.

— Jamais eu l'intention de l'éviter.

— Tu as émis tout à l'heure le souhait de la voir. En qualité de médecin, il est vrai. Si tu y tiens, fais de ta visite une visite professionnelle. Excellente idée, d'ailleurs. Je te demanderai même de lui certifier qu'elle est encore très malade — c'est important.

— Naturellement, tu la laisseras ici jusqu'après la bataille ?

— Telle est ma ferme intention, dit Andy avec autorité. Nous avons déjà « eu des mots » à ce sujet.

— Tu ne peux pas la blâmer de vouloir regagner le fort !

— Justement ! il n'en est pas question, elle s'y refuse et prétend nous accompagner à Fakahatchee.

— Tu lui as bien dit que c'est impossible ?

— Elle affirme que nous avons besoin d'elle. Quand elle a pour la première fois manifesté l'intention de faire partie de l'expédition qui se dirigera sur le hammock, j'ignorais encore, il est vrai, l'existence de la carte. Je présume qu'elle sent que tu ne te tireras pas d'affaire sans son aide.

— Viens avec moi, Andy. Nous allons vivement lui ôter ça de la tête.

— J'ai comme une petite idée que tu réussiras mieux tout seul.

Roy se tourna brusquement vers son ami, mais les yeux d'Andrew étaient innocents du moindre doute. « Tu as toujours eu confiance en moi ! pensait-il avec amertume. Pourquoi donc, en effet, ne compterais-tu pas sur moi pour remettre ta fiancée à sa place ? » Il parvint, non sans mal, à répondre avec froideur :

— Tu aurais dû la renvoyer au Fort depuis longtemps.

— Je ne pouvais vraiment pas faire voyager un cas de fièvre par le Chenal des Dix Milles. L'eau est basse ; il aurait fallu un portage sur le Haut-Miami, un second portage aux chutes.

Un soupçon envahit soudainement l'esprit de Roy, mais il le garda pour lui :

— Quand est-elle tombée malade ?

— Voilà cinq jours, pour être précis. Je suis certain que c'était la dengue. En tout cas, elle se plaignait de tous les symptômes de la dengue.

Roy hocha silencieusement la tête : Andy venait de préciser tout ce qu'il avait besoin de savoir :

— Je vais l'examiner, si tu veux bien. Et je suis toujours d'avis que tu devrais venir.

— Pourquoi ? Tu crains qu'elle t'embobine ?

— Elle ne m'embobinera jamais. S'il y a une chose dont tu peux être certain, c'est bien de cela !

A longues enjambées rapides, il grimpa jusqu'au plateau où, sous une double tente de toile et de branches de cèdre, Mary coulait sans le secours d'Andrew les heures de sa convalescence.

CHAPITRE II

AVANT D'OSER SOULEver le pan de toile, il s'arrêta et prit lentement, profondément, son souffle. Mary dormait sur un lit de branches de pin frais coupées, drapée jusqu'au menton par une couverture légère, qu'il rabattit avec précaution : là-dessous la jeune « malade » portait le pantalon de nankin blanc qui, avec le rude blouson de daim, constituait la tenue régulière de l'armée. Dans l'ombre de la tente, les cheveux de la bien-aimée, aussi noirs que la nuit, entouraient un visage d'une trompeuse innocence, remarquable de fraîcheur pour un visage de patiente à peine sortie d'une violente attaque de dengue. Avant de lui prendre le poignet et de compter ses pulsations, il se pencha et, très doucement, la baisa sur la joue : il avait le sentiment qu'en toute justice cette rapide caresse représentait une récompense bien gagnée.

— Voulez-vous vous réveiller, Miss Grant, et converser avec votre médecin ?

Il avait bien tenté de mettre dans sa voix le maximum de détachement et de légèreté, mais ce fut un effort lamentable et dont on ne saurait dire qu'il atteignit son but. A présent, Mary s'agitait sur son lit plein d'aromes : envahi d'un sentiment de culpabilité, Roy lâcha son poignet, cependant que, les paupières battantes, elle le regardait, comme sans croire à la réalité de sa présence. Parmi le sombre écroulement de ses cheveux, elle était plus suavement exquise que jamais ; il ne bougeait pas, tout gonflé de joie silencieuse et d'angoisse ; alors elle tendit les bras, accrocha ses deux mains aux épaules qui auraient voulu résister et, lentement, craignant presque de vérifier ce que lui montraient ses yeux, elle attira vers sa bouche la bouche de Roy pour lui offrir ce baiser de bienvenue qu'il désirait et redoutait avec une égale intensité.

— C'est vraiment vous, enfin ! dit-elle. A présent, je le crois.

— Vous saviez que je reviendrais, Mary.

— Je priais pour que vous reveniez ! Andy est immortel, je n'étais pas certaine que vous le fussiez.

Elle le serrait toujours aux épaules, il sentait l'étreinte brûlante de ses doigts, puis, quand enfin elle le laissait aller, la caresse de sa bouche encore, lui frôlant la joue...

— Ne nous quittez plus jamais. Je ne le permettrai pas.

Il se répétait, malgré cette explosion d'ardeur, que Mary n'était encore qu'à demi éveillée, que l'ardeur n'était qu'une cordialité tout amicale, rendue plus vive par son retour après la périlleuse séparation. Mais il savait que son propre cœur battait une effarante chamade, qui devait sûrement s'entendre au dehors, et il se sentait rougir d'une rougeur qui lui parut si cuisante qu'elle le couvrait sûrement de la tête aux pieds. Heureusement, l'ombre était épaisse sous la tente. Jamais, non jamais, Mary ne saurait à quel point elle le torturait, d'une torture que pourtant il bénissait.

— Asseyez-vous, Mary, dit-il d'une voix sévère. Vous ne rêvez pas.

Elle repoussa la couverture et s'assit parmi la piquante senteur du pin, fraîche et tiède à la fois. Elle souriait pour de bon et il s'efforçait d'imiter ce sourire, n'arrivant qu'à une grimace. Elle restait là, enlaçant ses genoux, et lui tremblait encore de l'effort qu'il avait dû faire pour ne pas se trahir entre les bras de Mary. Le danger paraissait désormais passé, mais il importait de faire entendre sans retard à cette fantasque que la conversation avait eu son temps et que le tour était venu des choses sérieuses. Ce fut elle qui reprit la parole, répondant à sa dernière phrase :

— Je serais heureuse si tous mes rêves étaient aussi bons que cette réalité, que ce réveil, dit-elle.

Et les grands yeux sombres ne quittaient pas le visage du garçon, comme s'ils ne pouvaient se rassasier de sa vue. Elle continuait :

— De toute la semaine, je n'ais pu m'endormir sans que cet affreux canoë m'apparût... Et vous... vous semblable à une statue de vous-même... debout à l'arrière... échangeant votre vie pour la mienne, et pour ma liberté donnant la vôtre...

— Ce n'était pas si dramatique que tout cela, Mary !

— Vous auriez pu mourir. Vous aviez de grandes chances de mourir.

— Je recommencerais sur l'heure : il y avait une vie à sauver à Fakahatchee, et c'est là mon devoir constant. Le fait que cela vous a permis de revenir auprès d'Andy n'était qu'un corollaire.

Mary voulut ignorer la réprimande :

— Bien sûr. André m'a expliqué tout cela. Ses explications n'ont rien changé à mes rêves. C'est dommage, peut-être, mais c'est ainsi. Elles ne changeaient rien non plus à mon inquiétude...

— Était-ce avant votre maladie, tout cela ou après ?

— Je n'ai pas été malade un seul instant, dit-elle, tranquille et sereine. Quel autre moyen aurais-je pu trouver de rester sur l'île, avec le Corps Franc ? Il *fallait* bien que je fusse ici au moment de votre retour...

Sa réponse lui échappa, presque malgré lui :

— J'avais deviné tout cela. Mais c'est honnête à vous de l'admettre.

— Promettez de n'en rien dire à Andy ! Je l'ai déjà bien assez mis en colère comme ça...

— Laissons Andy hors de cause pour un moment. Vous avez fait plus que vous racheter en dessinant la carte qui va lui permettre tout ce qu'il voulait réaliser, sans avoir le moyen d'y parvenir.

D'un geste, Mary écarta ces louanges, puis, se penchant gravement en avant, elle couvrit de ses deux mains les mains brunes du jeune homme :

— Assez parlé de moi, fit-elle. Racontez-moi tout ce qui est arrivé. Dites-moi si le docteur Barker est sain et sauf. Tout, dites-moi tout.

Alors il raconta l'histoire entière, redevenu aisé, naturel, une fois échappé au péril des effusions. Il n'omit rien et, quand il eut terminé, les yeux de Mary brillaient.

— Oh ! ce que j'aurais donné pour être là ! assura-t-elle avec ferveur.

— Et j'aurais, moi, donné bien plus que je n'ai fait... pour vous garder en dehors de tout ça. Ici même.

— Vous reconnaissez pourtant que je vous ai un peu aidé ?

— Vous nous avez énormément aidés ! Et Andrew déborde de gratitude.

Son sourire devenu énigmatique, Mary enlaçait toujours ses genoux. Elle fixait au loin un point qu'il ne voyait pas :

— Il vous a dit, évidemment, que nous nous sommes querellés.

— Il me l'a dit. Vous pourriez même considérer que je suis ici en ce moment tout exprès pour faire la paix.

— Cela signifie-t-il que je puis rester, sans discussion, avec le Corps Franc ?

— Cela signifie que vous devez rester à ce camp de base, où vous accueillerez le retour des héros.

— Vraiment, je ne croyais pas que vous auriez pris le parti d'Andrew.

— Il n'y a même pas de question à se poser ! Le feu d'une bataille n'est pas celui près duquel on doit trouver une femme.

— Je pourrais fort bien ne pas être mêlée à la bataille, me tenir à l'écart du danger, vous conduire tout droit à Chekika. C'est bien ce que vous vouliez, n'est-ce pas ?

— Vous nous guiderez, mais grâce à votre carte. Nous n'en demandons pas plus.

— Personne, pas même vous, n'a traversé ce marais de jour sans avoir les yeux bandés. Moi seule... Qu'arrivera-t-il si vous perdez votre route ?

— Vous pouvez me faire confiance à ce point-là, Mary !

Elle répondit, piquée au vif :

— Dans ce cas-là, Andy n'a pas non plus besoin de vous. Si c'est tellement facile, n'importe qui peut prendre la carte et le guider. Le sergent peut le faire. Un éclaireur quelconque peut le faire.

— Je ne crois pas qu'on puisse simplifier à ce point. N'oubliez pas que j'ai déjà accompli à plusieurs reprises une bonne partie du parcours. Je connais la plupart des repères importants.

— Ce n'est pas vrai. Voici la première fois de toute ma vie où je sens que l'on a réellement besoin de moi — et vous me dites de rester hors du jeu parce que je suis une femme. Il n'y a évidemment qu'un homme pour être injuste à ce point !

— Est-ce que, nous aussi, nous allons nous quereller ?

— Bien au contraire.

Mary eut un profond soupir.

— Je me contente d'exposer mon cas féminin avec mon point de vue de femme. Évidemment, je comprends qu'il n'y a rien à faire.

— Alors, vous promettez de ne pas empoisonner davantage Andy ?

— Merci pour votre choix du verbe, dit-elle. Non ! j'ai fini d'empoisonner. Complètement fini.

— Dans ce cas, je vous déclare guérie et je vous octroie la liberté dans les limites du camp.

— Grand merci pour la *petite* faveur, dit-elle en se levant et en lui tendant la main. Je ne m'étais pas rendu compte que j'étais consignée au quartier !

Roy prit la main tendue et la serra solennellement. Il voyait bien qu'elle jouait un rôle romantique, qu'elle était ravie de le jouer et ravie de la façon dont elle le jouait. De quelque incroyable façon, tout le sang versé dans les deux camps, tout le labeur, toute l'angoisse — tout l'exténuant ennui de cette chasse à l'Indien — tout cela lui avait totalement échappé. Et même tout naturellement échappé. A y réfléchir, il n'y avait rien d'incroyable ni de damnable dans cette inconscience. Ce qu'il fallait, c'était la laisser ici, à la base, avec ses illusions, en sécurité sous la garde de la Réserve, jusqu'à la fin de l'opération en cours. Après cela, elle pourrait s'en aller vers le nord, épouser Andy et emporter un carton de souvenirs aussi plein que le carton de croquis ramené des Glades.

— Dans un moment, j'irai trouver Andy et je lui dirai que je regrette, promit-elle.

Tant de bonne volonté était-elle suspecte ? Mais non ! pourquoi douter de la bonne foi de cette jeune femme qui se lançait avec fougue dans le seul sujet lui tenant vraiment à cœur ?

— Au moins, racontez-moi comment vous avez, tous les deux, projeté de mener l'attaque. Votre cartographe a droit à cette récompense.

Il la regarda, le sourcil inquiet, se souvenant des avertissements d'Andrew... qui la connaissait bien. Et puis, une fois de plus, il effaça tous ses soupçons. C'était vrai, en somme, que la compagnie tout entière était débitrice de Mary Grant. Et il était bien normal de penser qu'elle aurait l'âme plus tranquille pendant leur absence si elle avait une idée claire de l'action, de ses avantages et de ses risques.

— Soit, dit-il, mais il faut que ce soit notre secret. Andy m'a averti que vous essayeriez d'en savoir trop long.

— Je veux savoir « tout », dit-elle. Est-ce un crime ?

— Vous avez dû naître quelques siècles trop tôt, Mary.

— Nous sommes nés trop tôt tous les deux ! s'exclama-t-elle.

Et la soudaine passion de sa voix fit à Roy l'effet d'un choc violent.

— Vous nous avez aidés plus que je ne saurais dire, Mary ! En vérité, c'est vous qui avez rendu cette opération possible.

Sans vous, le commandement n'aurait d'autre alternative que de se retirer des Glades.

— Ce ne sont pas des compliments que je demande, dit-elle. Ce que je veux, c'est être l' « associé d'un homme », sa partenaire. Pas simplement l' « épouse de monsieur » ! Et je ne puis vraiment pas attendre un siècle ou deux...

— Je crains bien que vous ne puissiez éviter cette attente-là, dit-il avec gravité.

— Donnez-moi tout de même une idée du projet d'attaque. Et vous pourriez aussi me dire si vous espérez vous en sortir vivant !

Sa voix, à présent, était triste et des larmes tremblaient dans ses yeux.

Alors il parla en se surveillant, et, cependant qu'il essayait de lui fournir une idée exacte du plan de bataille, les mots lui venaient plus aisément et il sentait son moral remonter. Jusqu'alors il avait envisagé l'action avec l'espèce de fatalisme émoussé qui est celui du vétéran, sans vouloir penser à un avenir plus éloigné que l'élan initial de la nuit prochaine... Et voilà que, tandis qu'il décrivait comme un ensemble, comme un tout, l'attaque projetée, la part qu'il y devrait jouer lui apparaissait tout à coup en pleine clarté. Pour la première fois il se rendait compte du rôle essentiel qui était le sien, de son importance dans le succès d'Andrew Winter — jusqu'à l'arrivée à Big Sulphur. A partir de ce point, il jouait cavalier seul.

— N'y songez pas ! dit Mary. Vous ne pouvez pas entrer seul dans ce village. C'est trop demander à un homme, quel qu'il soit.

— Quelqu'un *doit* joindre le docteur Barker avant que se déchaîne la bagarre.

— Et pourquoi faut-il que ce soit vous ? Vous avez fait plus que votre part déjà. Vous en avez fait plus qu'assez.

— Nous ne discuterons pas ce point, si vous le permettez. Il se trouve que ni Andy, ni personne sous ses ordres, n'a jamais vu le village — pas même l'île.

— Personne, sauf moi, rectifia Mary.

— Vous, vous avez promis d'être sage.

— Enchaînez ! je ne vous interromprai plus.

— Il n'y a rien à ajouter, excusez-moi. Mais il faut que je conduise Andrew à son but, je dois le faire, et je dois effectuer seul le sauvetage du docteur. Il n'y a pas deux façons d'agir. Il n'y en a qu'une, celle-là.

» Je ne saurais toucher trop tôt le docteur Barker ; plus vite j'y serai, moins Chekika aura de temps pour prévoir nos mouvements et m'empêcher d'agir ; si j'étais découvert sur ce hammock, ce serait, et pour de bon ! la fin de l'aventure.

» Par ailleurs, je ne puis participer à l'invasion générale de l'île : si le docteur Barker n'était sauvé avant qu'elle ait lieu, il n'aurait plus aucune chance de l'être ! »

Mary profita d'un silence pour glisser :

— Êtes-vous en train de penser tout haut, docteur Coe. Ou si vous sollicitez mon opinion ?

Il s'arrêta et grimaça une manière de sourire :

— Il y a probablement des deux. Traitez-moi d'idiot si vous voulez, ça doit être vrai d'ailleurs.

— C'est vrai. Et pour plus d'un motif, dit-elle.

— Ce qui signifie ?

— Si vous l'ignorez ou ne le comprenez pas, ça ne servirait à rien que je vous l'explique, répondit Mary, d'un air prude et modeste. Je ne vous plaindrai même pas si vous préférez ça ! Mais vous avez de sérieuses chances de mourir à la tâche, sans plus, si vous allez seul.

— J'ai été seul presque toute ma vie et pour presque tout ce que j'ai fait, répondit Roy, obstiné. M'est avis qu'il n'est que logique et convenable de mourir comme on a vécu.

— Supposez que j'aille trouver Andy sur l'heure, que je lui dise mon désir de regagner Fort Everglades, mais que je demande à y retourner sous votre escorte, croyez-vous qu'il nous laisserait partir ?

— Et croyez-vous qu'en même temps qu'idiot je suis lâche ?

— Nul, vous connaissant, n'oserait rien dire de pareil. Mais il est possible d'exagérer même le courage, même la bravoure.

— Soyez assurée que je n'ai pas la moindre envie de crâner ni de me vanter, répondit-il lentement. Mais cette expédition ne peut guère réussir sans moi.

Il venait de repousser une ultime tentation, et quelque chose de morne et de grisâtre s'abattait sur lui : après tout, il était fort possible qu'Andrew Winter, aspirant à recueillir seul l'honneur d'avoir capturé le Chat Sauvage, préférât continuer les opérations sans l'aide de son ami, en n'utilisant que le subalterne Ranson, et qu'il écoutât d'une oreille favorable, voire enchantée, sa fiancée qui lui suggérerait de la faire rentrer à Fort Everglades sous escorte compétente...

Mais lui, Roy, savait qu'il resterait au côté de Winter jusqu'à la fin de l'affaire, quelle que pût être cette fin. Il avait rencontré Mary Grant à l'ombre de la guerre indienne, il lui adresserait son dernier adieu pendant que cette ombre planait encore.

— Comme il vous plaira, Roy, dit Mary, la voix résignée. Si vous tenez à devenir un héros, comment une simple femme pourrait-elle vous en empêcher ?

Il ne bougea pas, tandis qu'elle traversait la tente, venait glisser un bras sous le sien et, s'y appuyant, se dressait sur la pointe des pieds pour lui poser un baiser léger sur la joue. Le regard fixé à trois pas en avant, il parla entre ses dents serrées, ne parvenant à garder un ton indifférent et léger qu'au prix d'un effort moral et physique qu'il maudissait farouchement :

— Qu'était cela ? La récompense du héros ?

— Quoi d'autre ? Allons, conduisez-moi vers mon maître. Je suis entièrement préparée à demander son pardon à genoux !

— Andy est entièrement préparé à l'accorder, même sans l'agenouillement, répondit Roy.

Il souleva le pan de la tente, salua Mary au passage et s'attarda quelques secondes dans l'ombre. Mary aurait-elle vu ses yeux humides lorsqu'elle lui avait baisé la joue ?

Carrant ses épaules, il la suivit, pesamment.

CHAPITRE III

TRÈS LOIN, AU LARGE, tout au bord de l'horizon nocturne où le lac s'enveloppait d'un rideau violet, un éclat mourant de lumière pénétra dans l'eau comme une lame d'argent. L'île, elle, était depuis longtemps absorbée par l'obscurité ; les lignes du canoë de Roy en étaient amorties et celles de la rive sud littéralement avalées. Il semblait qu'un voile tangible enveloppât tout le monde visible. Les soixante et quelques canoës, étirés en file unique tout au long de la plage, devaient bien s'y trouver encore, mais l'œil ne les découvrait plus. Et, sans la calme respiration de six cents braves, le frôlement occasionnel d'une pagaie sur les hauts-fonds, Roy aurait pu jurer qu'il était seul dans tout ce noir. Seul et abandonné, et prêt à foncer tête basse dans un au-delà d'encre et de poix...

Puis il entendit les jambes nues et piétinantes d'Andy agiter le lac derrière lui, et il attendit, tendu à sa godille, le dragon qui pataugeait pour venir lui dire quelque parole finale. Agacé, il pensa : « Le temps des répétitions est passé. Nous n'avons plus rien à nous dire maintenant. » Mais, par la force d'une longue accoutumance, il se pencha vivement quand Andy, les deux mains en rond autour des lèvres, murmura tout près de son oreille — comme s'ils étaient à quelques encablures du village de Chekika et à la minute même de l'assaut :

— Tu nous conduiras par Promontory Point jusque dans les joncs. Prends soin de ménager tes forces jusqu'à ce que nous tournions vers le sud.

— *Oui, mon capitaine* (1). Mais nous avons tout précisé déjà.

— En effet. Dis-moi donc ce qui arrive si une tempête s'élève du Golfe ?

(1) En français dans le texte.

Exaspéré mais résigné, l'éclaireur récita sa leçon :

— A la première pointe de key, je m'abrite...

Au bout de plusieurs minutes de questions et réponses, Roy, qui sentait dans l'ombre monter l'impatience des hommes, finit, bien qu'il n'eût aucune intention de se montrer hargneux, par rappeler :

— L'heure tourne, Andy...

— Trop juste ! Ça va, Roy. Je sais que tu es capable de t'en tirer au mieux. Vas-y donc, quand tu voudras !

— Dis au revoir à Mary pour moi, marmotta l'autre, se demandant si, vraiment, cette rudesse de ton était suffisante pour masquer la profonde douleur qui palpitait au-dessous. D'un certain point de vue, il comprenait que Mary se fût tenue à l'écart de leurs derniers préparatifs. Après tout, ils s'étaient fait leurs adieux quelques heures plus tôt dans la tente. Malgré quoi il ne parvenait pas très bien à éteindre le ressentiment que faisait naître en lui son absence. N'eût-ce été que pour la forme, elle aurait dû se trouver sur la rive pour saluer le départ des guerriers.

— Mary, répondit Andrew, te prie de l'excuser. Elle espérait que tu comprendrais que...

Roy leva sa pagaie :

— Trop juste en effet, capitaine Winter ! Je ne te souhaite pas bonne chance. Tu as assuré ta chance toi-même, pour commencer.

— Toi de même, docteur. Démarre — et nous suivrons.

Ce n'était qu'un murmure, c'était tout de même un commandement. Et, renforcé par une dure poussée sur l'arrière du canoë, Roy se laissa dériver sur le lac assombri et n'enfonça son aviron qu'au bout de son erre. Il entendit un ordre chuchoté courir au ras de l'eau et, sans détourner les yeux, sut qu'une vingtaine de canoës glissaient dans son sillage — Ranson conduisant l'avant-garde.

Andy et le Corps Franc nageraient à leur suite, plus tard — solide et massif triangle de destruction, mais prêt à se disperser et à gagner un abri au moindre signal du groupe précédent, alerté lui-même par l'éclaireur solitaire.

A présent que l'expédition était réellement en route, Roy pouvait à peine croire que cette mise à l'eau s'était effectuée avec une aussi simple aisance. Il se risqua une seule fois à tourner la tête pour étudier le profil noir de l'île qu'ils laissaient et qui avait, sur fond de ciel abondamment étoilé, l'air d'une très ancienne gravure sur bois.

Son balancier intérieur le conduisait tantôt à se réjouir que Mary eût été trop fière pour se livrer à une dernière manifestation au bord de l'eau, ou peut-être trop blessée pour un dernier au revoir, et tantôt à se désoler que ce ne fût pas un au revoir mais un adieu, et qu'il fût déjà dit. Par instant, il se l'imaginait, roulée dans le dur cocon de sa fureur rageuse, au fond de son abri sur le plateau, et aussitôt après il se demandait si elle se sentait aussi tristement solitaire que lui.

Il fallait échapper à ce perpétuel va-et-vient de son esprit : il mit son canoë plein cap sur Sandy Bay. C'en était fini des supputations, des retours sur lui-même... et sur elle. Il allait employer tous ses moyens, physiques et moraux, pour la tâche dont dépendait la réussite et même la sécurité de l'expédition. Poussant à pleine force sur la godille, il se mit en devoir de gagner la longue pointe de l'autre côté de laquelle commençait la mer de joncs et de carex.

Roy s'était attendu à tressaillir au moindre bruit pendant ces premières heures. Et, parmi les bruits, il prévoyait un bavardage de coups de feu plus ou moins désordonnés s'échappant des canoës, ou, en mettant les choses au mieux, une hâte panique pendant la traversée de Promontory Point : il leur fallait , pour l'effectuer, suivre un étroit chenal coupant l'isthme de part en part et en zigzag, et au bout duquel ils aboutiraient dans le dédale de la Mer d'Herbes. La réalité fut tout autre. Une nuit de sueur, une épuisante bataille contre la montre, la nécessité de faire du kilométrage à tout prix, avec, pour seuls ennemis perceptibles, la barrière perpétuellement renouvelée des grandes herbes coupantes et la menace de la lise où l'on risquait de se coincer.

Grâce au sens de la direction qui l'habitait jusqu'au bout des doigts, grâce aussi à sa longue familiarité avec la première partie du parcours, il put nager d'une façon continue, à peu près sans pause qui comptât.

Quand le chenal de vase que les autres suivaient après lui, avec une si totale confiance, fit son premier coude brusque, il leva sa pagaie à bout de bras, dans la lueur qui commençait à naître au ras de l'horizon, et la file des canoës de Ranson fit halte en un grincement vingt fois répété, tandis qu'il profitait du répit pour respirer un peu, car ses poumons demandaient grâce.

Plus tard, lorsque la lune, flottant en plein ciel, baigna d'argent tout ce que contemplait sa large face ronde, toute cette rivière d'herbe et de silence noir bleuté, il fit se plaquer la flottille au plus près de la rive où subsistait en partie l'ombre des chênes verts. Pendant les trois heures qui suivirent, ce fut par instinct qu'il chercha l'eau profonde. Et quand, enfin, la dernière parcelle de clarté se fondit à l'ouest, ils se reposèrent à nouveau sur leurs rames, jusqu'à ce que, du côté de l'Orient cette fois, les premières lueurs apparussent, permettant de distinguer quelques repères dans cette immense caverne de velours sombre.

Pour la première fois depuis qu'ils avaient quitté leur base, Roy Coe se permit le luxe d'un soupir. Un petit soupir. Si sa mémoire et le croquis de Mary se montraient également fidèles, ils étaient parvenus au bout du marécage des Épicéas bleus — excellent abri diurne pour y garer la flottille. Le long et large chenal à peine visible en cet instant — la jambe de la spatule dans le croquis de Mary — serait sans aucun doute la portion dangereuse du trajet, et Roy aurait besoin de toute son habileté pour jalonner la route que suivrait le commando de Winter.

Même dans cette piètre lumière, il discernait exactement le courant qui, entre des bords définis, coulait doucement vers le sud. Il connaissait trop bien la Mer Herbeuse pour espérer que le chenal serait jusqu'au bout un chenal aussi nettement marqué, aussi distinct de la terre. Inévitablement, il y aurait des endroits où pas la moindre piste liquide ne serait discernable entre les hautes flèches de joncs, des carex et de toutes les herbes coupantes. Inévitablement aussi, il y en aurait d'autres où une douzaine de voies parallèles les inviteraient.

Déjà il souquait dur, sans plus se préoccuper des autres canoës : Ranson, à présent, allait s'arrêter, car l'aube était proche. Bien que la chose ne fût pas sans péril, Roy décida de continuer d'un seul élan pendant cinq milles encore, et de camper près de son premier jalon.

La lumière se dégageait lentement de ses voiles et, pour une fois, il bénissait le lourd troupeau de nuages qui, bien qu'aucune pluie ne s'annonçât, semblaient brouter les lances d'herbes dures. Peu à peu, il vit émerger des repères qui aideraient Ranson à trouver son chenal : une paire d'îles flanquaient le courant, pareilles à des baleines endormies ; un long banc de vase tout frangé de palmiers se fondait avec le vert jaunâtre de la Mer d'Herbes, étreignant, à l'ouest, le courant paresseux dans une courbe molle et douce.

Le canal, lisse comme un miroir dans l'humidité matinale, luisait d'un bizarre brillant opalin, et ces reflets aqueux permettaient d'en suivre aisément le cours, entre deux rives prises dans une ombre opaque. L'avant de son canoë plongeait assez lourdement sous le poids de ce qui s'y trouvait arrimé et semblait vouloir résister à l'aviron, se refuser à aller plus loin sur ce liquide ensorcelé.

Ainsi Roy constata qu'il se fatiguait, et de plus en plus vite, car, tout chargé qu'il fût de matériel militaire, le canoë s'était montré docile et maniable dans le marécage.

Cette pluie qui n'était pas tombée empêcha qu'il y eût un véritable lever de soleil. Un coup d'œil à sa montre, et Roy sut qu'il avait nagé pendant plus d'une heure depuis le moment où il avait décidé de couvrir encore cinq milles. Le terme qu'il avait assigné à son effort n'était pourtant pas atteint ; un autre coup d'œil, à la berge cette fois, et il sut qu'il allait bientôt devenir une cible parfaite. Sans doute les guerriers de Chekika ne s'aventureraient-ils pas à cette distance. Un entraînement qui gouvernait même sa pensée le poussa cependant à chercher sans retard un abri le long de la rive ; son regard y découvrit bientôt une cache dans un bouquet de chênes maritimes tout barbus de mousse. C'était, au milieu de tant de vase, un coin de vraie terre dont les tempêtes elles-mêmes avaient respecté la paix ancienne.

Il amena le canoë dans une manière de petite crique qui s'incurvait vers l'intérieur, entre des touffes de grands carex. C'était un petit port naturel, aussi bien conditionné que s'il eût été fait sur commande : un solide mur de verdure le cachait à la vue de ceux qui passaient sur le lac, aucun signe n'y révélait la présence d'alligators, et, sous sa quille, il y avait huit pieds d'eau claire. Le fût des chênes le séparait du chenal. Il titubait quelque peu en prenant pied sur l'épais tapis de mousse sous un dais de feuillage, mais c'était moins de lassitude que de soulagement. De bienheureux soulagement après douze heures pratiquement ininterrompues d'un pagayage qui le laissait plein de crampes et de vertige.

Ayant solidement coincé son embarcation dans la berge, il se fraya un passage entre les branches très vertes d'un gros figuier, descendit sur la berge du chenal et vérifia sa position par routine. L'îlot de terre ferme sur lequel il se mouvait était grand comme un mouchoir de poche, solidement amarré contre les vents et les flots et profondément maintenu par ses milliers de racines profondes contre l'incessant écroulement de l'eau vers le sud. Roy jugea que l'îlot devait être tout ce qui restait d'une terre plus grande que l'eau avait peu à peu désagrégée, minée, usée patiemment, dont les ouragans avaient entraîné les débris, et dont la véhémente multiplication des grandes herbes avait dévoré les bords.

Il décrocha de sa ceinture une hachette en forme de croissant et marqua l'endroit, haut placé sur le tronc du plus grand chêne, où il ferait son entaille, assurance triangulaire que le sergent Ranson était sur la bonne voie.

Un regard en direction de l'aval lui fit comprendre que sa tâche allait devenir plus difficile. Déjà le courant se divisait en une quantité de minimes ruisselets. Mais ce qui le préoccupait le plus, c'était ce couvercle de nuages, massif et bas, et il priait le ciel de le dissiper pour le lever de la lune. Si cet amas, de la couleur et apparemment de la densité du plomb, demeurait suspendu sur les Glades, jamais Ranson ne se risquerait au delà du marécage, et lui-même, Roy, serait forcé de passer non seulement la journée, comme il était prévu, mais sans doute la nuit entière dans ce douillet nid de feuillage — qu'il aurait tout le temps de prendre en horreur.

Il décida qu'un plongeon et quelques brasses dans la crique aiguiseraient son appétit et le rendraient plus accueillant aux « rations froides » placées avec sa trousse et tout le reste sous le plat-bord à l'avant du canoë.

Il grimaça un sourire en considérant son corps aux muscles durs qu'il n'avait pas fallu teindre pour lui donner un beau ton d'acajou, puis abandonna la bande-culotte qui était son seul vêtement. Pendant une bonne partie des dernières années, il n'en avait pas porté d'autre, et c'est pourquoi sa peau, brûlée à fond par le soleil, était aujourd'hui aussi foncée que celle d'un Séminole... ce qui avait causé l'erreur et la panique de Mary Grant, lors de leur première rencontre près du — et dans le — Mississipi.

Sous le soleil du matin, l'eau devait habituellement être tiède comme un bain de baignoire. Aujourd'hui, à cause du dais de nuages, elle était d'une délicieuse fraîcheur et eut tôt fait de le détendre et de le délasser. Il nagea deux fois tout autour de la petite crique, heureux de sentir ses membres libres et décontractés après l'interminable voyage depuis Sandy Bay, puis il se laissa couler sans bruit et revint, à la manière des tortues, le long de la proue... Alors qu'il se promenait encore au fond de l'eau, quelque chose dans la position du canoë lui avait fait écarquiller les yeux. Quand il était remonté à la surface, il s'en était fallu de peu que sa tête allât donner contre la quille renforcée de cuivre. Il s'accrocha au bastingage et s'aperçut que, secoué par un mouvement léger, mais continu et nettement perceptible, le canoë s'était délogé de la berge où il l'avait enfoncé en débarquant. Petit à petit, il était parti à reculons vers l'intérieur de la crique, comme si une main invisible l'écartait de la rive.

Il vit immédiatement l'origine du mal et maudit sa folie. Sans arme et nu au milieu de la crique, il regardait prudemment par-dessus bord la masse qui occupait tout l'avant du canoë — et qui lui avait paru si lourde au bout de douze heures à l'aviron. Quelque chose bougeait sous cette bâche en peaux de daim. Il entendit un faible bruit, comme si une main ou un pied tâtonnait, cherchait les joints, essayait de dénouer les lanières. C'était ce doux balancement qui avait délogé la quille de son nid de terre et avait averti Roy qu'un ennemi se tenait blotti dans son embarcation.

Il s'enleva par-dessus l'eau jusqu'à mi-corps et vit, avec un joyeux battement de cœur, enroulé dans une toile et posé au fond du canoë sous le banc de nage, un fusil qu'Andy l'avait prié d'emporter, en plus des munitions déjà installées à l'avant par les soins de Ranson. D'un coup de main, il saisit la crosse, la dégagea de la toile, qu'une secousse fit tomber, libérant le canon. Il posa le fusil sur le banc de nage, pointé vers la masse mouvante où la forme d'un poing se dessinait à présent de façon précise. Puis, reprenant son couteau, il trancha le nœud qui serrait les lanières, et l'enveloppe en peaux de daim se divisa sans bruit : Mary Grant, les épaules encore prises à l'intérieur, s'assit tranquillement sur le plancher du canoë, dédiant à Roy le plus implorant de ses sourires.

— Ne tirez pas, monsieur, s'il vous plaît, dit-elle d'un ton d'une petite fille bien sage. Je suis toujours votre amie !

Toujours cramponné au plat-bord, mais à deux mains désormais, Roy se laissa couler dans l'eau jusqu'aux épaules :

— Comment êtes-vous arrivée là ?

Il s'entendit poser cette question magnifiquement inepte, cependant que le soulagement et la fureur se partageaient en son esprit. Mais la jeune fille, son sourire plus ensorcelant que jamais, achevait de se dégager et, comme toute femme qui se respecte, se préoccupait aussitôt de l'ordre de ses cheveux. Il vit qu'elle portait toujours la culotte militaire de nankin, mais elle avait remplacé la chemisette — militaire — par une bande de daim sanglée autour de son corps et qui, plutôt qu'elle ne comprimait ou ne dissimulait ses seins, en soulignait les aimables rondeurs. Son visage et les parties de son corps que cette tenue révélait généreusement étaient d'une teinte aussi foncée que celle de sa propre peau.

Ses deux longues nattes noires étaient attachées à la mode indienne par une bande de daim incrustée de petits morceaux de miroirs et ornée d'oiseaux stylisés en traits de couleurs vives. Le garçon notait involontairement ces détails, tout en cherchant l'attitude à prendre, et pendant que ses pieds battaient l'eau au milieu — profond — de la crique.

— Ne croyez pas que je sois immodeste, je vous en prie, dit-elle enfin. Ce serait un jugement téméraire. J'ai là une très respectable Mère Hubbard (1), mais il faisait si chaud là-dessous que je m'en suis débarrassée. Après quoi, Dieu merci, j'ai pu dormir tant soit peu...

— *Comment êtes-vous arrivée là ?*

— Cela ne tombe-t-il pas sous le sens ? Quelqu'un m'a fort obligemment désigné votre canoë, tandis qu'Andy et vous-même discutiez à perte de vue autour de ma carte. Après m'être assurée que son chargement officiel était entièrement terminé, j'ai fait la passagère clandestine. Comme vous avez pu vous en apercevoir, j'étais parvenue à serrer les sangles par l'intérieur et j'avais laissé à portée de ma main le nœud... que vous avez tranché...

Il l'interrompit d'une voix rageuse et enrouée :

— Vous n'aviez aucun droit...

— J'avais *tous* les droits. Je fais partie de cette expédition, même s'il ne vous plaît pas de le reconnaître. C'est à cause de moi qu'elle a pu être organisée.

— Vous aviez promis de rester en arrière.

— En aucune façon, Roy. J'avais simplement promis de ne plus ennuyer Andy — empoisonner, aviez-vous dit, je crois ? *Lui* présume que je suis restée là-bas, sur l'île. Il ne se tracassera donc pas le moins du monde.

Roy poussa d'une main ferme et assurée le canoë contre la berge et se préparait à y grimper quand il se souvint, à la dernière seconde, qu'il avait laissé à terre son unique vêtement.

(1) « Mother Hubbard » est un personnage folklorique qui tient sa place dans les rondes enfantines. On donne ce nom aux amples robes d'indienne que portent les négresses aux États-Unis.

— Andy, répliqua-t-il, sera extrêmement tracassé dans une heure d'ici quand il me verra reparaître. Car je vais sans délai vous reconduire auprès de lui.

— C'est tout à fait impossible, Roy. Vos ordres sont formels et il n'existe aucun moyen pour vous de vous y soustraire. Vous *devez* rester ici jusqu'à la nuit tombée, après quoi vous *devez* reprendre la route vers Fakahatchee. Et j'irai avec vous.

Les yeux dans les yeux, et se déplaçant à l'aide des mains le long du plat-bord pour s'approcher d'elle et la tenir sous son regard, il dit :

— Même dans votre présent état d'esprit, vous *devez* vous rendre compte, *vous vous rendez compte,* que c'est une chose impossible.

— Et pourquoi, je vous prie ? Je suis ici exactement à ma place, comme je vous l'ai expliqué hier. D'ici jusqu'à Big Sulphur, vous aurez cent occasions d'utiliser mes services.

Il fronça les sourcils d'autant plus sévères que, dans le fond de son cœur, il admettait que Mary avait raison. Tout accoutumé qu'il fût aux particularités de la Mer Herbeuse, il avait senti sa gorge se serrer et son entrain faiblir lorsqu'il avait regardé vers le sud le chenal qui s'effilochait dans les joncs. Pour l'avoir parcourue en plein jour, Mary connaissait cette rivière molle et vaseuse. Pour peu qu'il y eût de la lune, elle pourrait lui épargner de longues, d'épuisantes et coûteuses erreurs dans sa course vers Big Sulphur.

— Ne vous est-il pas venu à l'esprit que nous pourrions, l'un comme l'autre, et d'un moment à l'autre, arrêter une balle avec notre chair ?

— Seriez-vous ici, Roy, si la chose ne valait pas de courir un tel risque ? Et pouvez-vous nier que ma présence vous évitera peut-être quelques-uns des risques que vous courriez seul ? Il y a quelque chose encore que vous ne savez pas : je manœuvre la rame et la godille aussi bien que la plupart des hommes, Andy lui-même le reconnaît, et il m'a laissée m'entraîner avec ses soldats chaque jour — avant que je tombe malade...

— Avant que vous ne *fassiez semblant* d'être malade, rectifia-t-il, le ton acide.

— Cela valait la peine de « faire semblant », non ? puisque nous voilà ensemble et que je tirerai mon poids ! (Vous l'avez tiré pendant toute la nuit, pardonnez-moi...) Voyez-vous, Roy...

— Restez où vous êtes ! dit-il avec fermeté cette fois. Et

tournez-vous de l'autre côté. Je vais prendre mes vêtements sur la berge, *et* je vous ramène, ordres ou non !

— Vous n'oseriez pas, répondit Mary, imperturbable. Pensez à « sa » fureur s'il apprenait que j'ai passé une nuit entière seule avec vous, dans votre canoë...

— Il saura parfaitement qui doit en porter le blâme.

— Vous auriez tort d'en être trop certain. A votre place, je ne m'y fierais pas. Il est déjà bien assez jaloux de vous... sans ce motif supplémentaire...

Roy la regardait, bouche bée, l'air si stupéfait qu'elle éclata d'un rire sans contrainte.

— Il s'est mis dans la tête, voici quelque temps déjà, que vous êtes amoureux de moi. Je lui ai, naturellement, déclaré que c'était folie pure. Mais comment pourrions-nous le convaincre, à présent, si hier, déjà, il doutait ?

— Ce n'est pourtant pas ma faute si vous êtes ici !

— Pourtant pas, en effet. Toute la difficulté sera d'en persuader Andrew.

— Ce sera bien pire encore si je vous garde avec moi jusqu'à Sulphur Spring. Cela implique une autre nuit parmi les chenaux. Une autre nuit au moins !...

Il ravala la fin de sa phrase, se rendant compte, tout à coup, de l'importance des paroles qu'il prononçait... Mary, elle, riait toujours, quand, enfin, pour obéir à son injonction, elle lui tourna le dos et s'assit, les bras croisés.

— Grimpez à terre, Salofkachee ! ordonna-t-elle. Arrangez-vous pour être aussi décent que possible. Et ne discutons plus ce qui ne supporte pas de discussion.

Comme elle sentit qu'il allait protester, elle ajouta, conciliante :

— N'en discutons plus, en tout cas, jusqu'à ce que nous ayons déjeuné.

Roy se précipita furieusement hors de l'eau et s'inséra en moins de rien dans son unique vêtement... pas beaucoup plus que rien. Pendant ce temps-là, il suspendit la discussion : il se rendait parfaitement compte que Mary avait presque tous les atouts dans sa main, et il n'avait pas encore trouvé d'argument autre que sentimental à lui opposer.

Le repas se composait de fèves froides, de pain de maïs, d'une copieuse tranche de bacon et de deux onces de rhum pour faire descendre ces nourritures réconfortantes, mais dépourvues de légèreté. Ils partagèrent le tout, et Roy, de son propre flacon versa une ample ration dans un gobelet qu'il tendit à Mary, sans commentaire. Sa rage non apaisée ne l'empêcha pas de se sentir choqué lorsqu'il vit avec quelle nonchalante sérénité elle s'envoya d'un seul coup dans la gorge l'ardente liqueur.

— Ne vous faites pas de souci, Roy, dit-elle, toujours paisible. Depuis une semaine, Andy m'a mise au régime quotidien de deux onces de rhum : il assure que cela prévient la plupart des fièvres.

— Sauf, évidemment, celle dont vous étiez atteinte ces derniers jours ?

— Sais pas ce que cela signifie.

— Le désir de tous les humains, désir vieux comme le monde, de sortir de sa compétence, de nager au delà de sa profondeur...

— Croyez-moi, Roy, vous retirerez ces paroles avant que nous ayons atteint Big Sulphur.

— Et qui donc a dit que nous irions si loin ensemble ?

— Soyez donc honnête ! Vous savez bien que nous sommes déjà beaucoup trop « loin ensemble » pour pouvoir retourner en arrière.

Il la regarda jusqu'au fond des yeux, essayant de démêler le sens caché derrière ces paroles, et il ne vit qu'une franche offre de camaraderie. Une franche tentative pour jeter un pont par-dessus le pénible silence qui les séparait. Il parla sévèrement, refusant de faire la moitié du chemin à sa rencontre.

— Andy n'est guère à plus de cinq milles en arrière de nous. Comme je l'ai déjà précisé, nous pouvons le rejoindre en moins d'une heure, et sans dommage.

— Comment pouvez-vous dire « et sans dommage » ? Imaginez l'effet sur les hommes s'ils vous voyaient quitter votre tâche d'éclaireur et revenir en arrière avec une femme dans votre canoë ?

— Vous auriez vraiment pu y penser avant de vous cacher à bord.

— J'y *ai* pensé, voyons ! Et très attentivement, même. Ayant tout pesé, j'ai conclu que *vous* auriez trop de bon sens pour retourner, si *moi* j'avais d'abord assez de courage pour étouffer en silence sous cette bâche de daim pendant douze heures d'horloge.

Il fronça les sourcils devant cette logique insolente et ne fit pas l'effort de répondre. Elle avait, d'un seul coup, fait appel à trois sentiments indéniables : le besoin qu'il avait d'elle (et jamais elle ne saurait quel était ce besoin, ni combien il était poignant) — *l'esprit de corps* (1) — et la tendance naturelle au moindre effort. Tendance non moins universelle que la tendance à se fourrer dans des situations sans issue. Il se leva pour se débarrasser des déchets de leur repas et, comme il traversait le minuscule îlot en trois longues enjambées, il savait d'avance qu'elle serait aussitôt sur ses traces. Pendant un long moment, ils demeurèrent sans mot dire parmi l'enchevêtrement des feuilles de figuier qui bouchaient l'extrémité du chenal au flot sombre et brillant. Tout tendu qu'il fût, il ne pouvait s'empêcher d'admirer l'aisance avec laquelle elle examinait la perspective que révélait la trouée : nulle femme sous le ciel ne pouvait être plus assurée d'avoir éternellement raison !

« Si je te ramène, se disait-il, le commando d'Andrew sera complètement désorganisé, pour exprimer modérément les choses. On ne voit pas comment, s'il arrive, ce qui est peu probable, à Fakahatchee, et s'il en revient, ce qui est moins probable encore, il pourra regagner l'Okeechobee sans mon aide ou celle de Ranson. Par ailleurs, tu serais peut-être plus en sécurité avec le groupe qu'ici, mais cela non plus n'est pas une certitude, surtout quand l'assaut sera donné... »

Il s'interrompit brusquement, pour maudire ses propres sophismes, puis se replongea dans sa discussion intérieure. De toute évidence, une unique femelle de l'espèce serait plus en sécurité parmi six cents hommes qu'en compagnie d'un seul, à moins que ces six cents hommes tombent dans une embuscade, et elle avec eux. Mais, de toute évidence aussi, l'état de tension difficilement supportable qu'elle avait introduit dans son canoë serait multiplié par six cents !... Quel droit avait-il de faire passer un tel fardeau sur les épaules des Everglades Rangers, alors que Mary Grant s'était de son plein gré glissée dans son embarcation à lui, à ses risques et périls ?

— Avez-vous gagné la bataille avec votre conscience ? demanda-t-elle doucement. Ou faut-il parler d'intérêt personnel ?

— Peu importe le vocable. Et peu importe aussi le motif. Vous pouvez rester où vous êtes, si vous mettez votre force et votre poids contre cette godille quand nous naviguerons.

— Au contraire, Roy. Il faut me dire le motif. Cela importe beaucoup.

Il répondit brièvement :

(1) En français dans le texte.

— C'est plus simple. Plus simple et plus propre. Les femmes passent pour porter malchance aux bateaux : je ne peux pas vous envoyer à d'autres. Je ne puis que prier le ciel pour que vous soyez une exception.

— Alors vous ne voulez même pas admettre que je puisse être utile ?

— Vous serez diablement utile. Et je ne me pardonnerai jamais si vous êtes blessée. Cela vous suffit-il pour l'instant ?

Il retourna vivement au canoë, où il entreprit des rangements tout à fait superflus, évitant de rencontrer ses yeux :

— Ça va très bien comme ça, dit Mary. Et même je vous pardonnerai bien des choses si ces mots-là partent du cœur.

— Je suis content que vous soyez avec moi, Mary. Content et navré, est-ce clair ?

Mary, qui était restée à terre, mit un pied nu dans la fourche basse d'un chêne maritime et s'enleva dans le nid de feuilles. De cette position avantageuse, elle commandait une vue complète du chenal et du dédale où il se perdait vers le sud.

— Vous êtes pardonné, Roy, dit-elle. Allez à présent, et dormez — vous avez bien mérité votre repos.

— Qu'est-ce que vous fabriquez dans cet arbre ?

— Je gagne ma matérielle en prenant la première garde.

— Descendez tout de suite ! Vous ne ferez rien de tel.

— C'est mon tour. Souvenez-vous que j'ai eu douze heures de sommeil, ou à peu près...

Il hésita, refoulant une violente tentation d'étreindre ces deux longues jambes vêtues de nankin et d'attirer la jeune fille à lui...

Il s'était proposé de dormir tout le jour dans cet asile, et tant pis si Chekika lui faisait une visite surprise, il en courrait le risque en faveur du repos dont il avait terriblement besoin. Le risque, évidemment, serait moindre avec une sentinelle sur le rivage. Ce qui ne l'empêchait pas d'hésiter à y laisser Mary, bien que le canoë ne fût qu'à deux pas.

— Qui me dit que vous resterez éveillée ?

— Vous pouvez bien me faire confiance à ce point !

« Je te fais confiance, pensait-il. Ai-je le choix ? »

— Si vous y tenez, dit-il froidement. Mais n'oubliez pas de m'éveiller à midi.

— Prêtez-moi votre montre que je sache l'heure.

Il ouvrit le sac de toile huilée pendu à son cou et en retira une montre à savonnette qu'il lui tendit entre les feuilles, sans un mot. Il allait s'en retourner vers le canot, quand Mary se pencha et saisit entre les siennes sa main encore à demi tendue.

— Serrons-nous la main pour confirmer notre accord, commanda-t-elle. Je vous promets que vous ne le regretterez pas.

— Je voudrais pouvoir le croire, fit-il, ne se rendant compte qu'après coup qu'il avait spontanément répondu à la chaude pression de ses doigts.

Il s'écarta aussitôt, ce qui, dans leur minuscule domaine, n'impliquait qu'une faible distance, et se donna tout entier à la tâche de se faire un lit dans le canoë. Son pouls battait encore fiévreusement, au rythme de son désir, mais il allait s'apaiser à présent que Mary Grant était perdue parmi le feuillage. Tant qu'il tournerait le dos à la tentation, il pourrait même prétendre que cette histoire n'était qu'un rêve absurde.

La bâche en daim, étalée au-dessus de l'avant, constituait une manière de tente. Lorsqu'il eut repoussé les munitions sous le plat-bord avant, il eut assez de place pour étaler sa couverture. (Il avait, cette fois, pris la précaution de tirer le canoë bien au sec avant de s'installer.)

— Dieu la garde saine et sauve ! murmura-t-il avec une ferveur qui ne s'adressait à personne en particulier, à moins que, peut-être, ce fût à sa conscience.

» Que Dieu lui pardonne ce qu'elle me fait subir à présent en toute innocence... »

Il se détourna, se cala sur le côté pour échapper à cette tantalisante vision parmi les feuilles de chêne, se sentit assuré que le sommeil ne viendrait pas le visiter ce matin-là, et qu'il allait rester à s'agiter, les yeux grands ouverts, en maudissant sa faiblesse et ses suites.

Avant qu'il eût exhalé deux fois son souffle, il était mort au monde et à ses attraits.

CHAPITRE IV

UNE LUMIÈRE BLANCHE, éclatant dans son cerveau, le fit instantanément se soulever sur un coude. Malgré tout son entraînement, il lui fallut dix bonnes secondes pour se rappeler où il était. La pluie tambourinait dur sur la peau de daim tendue au-dessus de lui ; le ciel, aperçu au delà de son abri, était noir comme la nuit, et pourtant les branches torturées par le vent restaient vertes, même dans cette obscurité fantomatique. L'éclair qui l'avait éveillé fut suivi presque aussitôt par un craquement de tonnerre qui résonnait encore dans ses tympans que déjà un nouvel éclair, d'un blanc cru comme le premier, illuminait l'île d'un jour brutal et faux. Les yeux de Roy allèrent à l'instant même chercher Mary dans le chêne où elle était en vigie et ne virent que l'observatoire vide et nu. Et il sut qu'il avait rêvé !...

Éclata alors, plus violent que le premier, le second coup de tonnerre, et il s'aperçut qu'il n'était pas seul dans son abri :

— Vous ai-je réveillé, Roy ? J'en suis navrée. Honteuse. Car, tout bien pesé, je suis une couarde.

Il n'avait aucun moyen de savoir depuis combien de temps elle était étendue de tout son long à côté de lui — la seule position dans cet espace mesuré qui pût lui donner une véritable protection contre l'orage. En cette minute confuse de son réveil, tout ce qu'il savait, c'est qu'elle était aussi réelle qu'est réel le péché, et dangereuse autant qu'il est dangereux. Le coup de tonnerre suivant retentit avant qu'il pût rassembler ses esprits — et changer de place — et il lui parut que la foudre était tombée à quelques pieds de l'avant de leur canoë que fouettait férocement la pluie. A peine avait-il eu le temps de serrer les dents, faute de pouvoir maîtriser les bondissements affolés de son cœur, que Mary Grant lui jetait ses deux bras aux épaules, se cramponnant désespérément à lui.

— C'est l'éclair, murmura-t-elle, et sa voix, encore qu'agitée, était plus calme que son comportement. C'est la seule chose à quoi je n'ai jamais, au grand jamais, pu faire face seule. Vous ai-je réellement réveillé en sursaut ?

— Vous auriez dû me réveiller plus tôt ! (Il se contraignait à une froideur d'acier — au prix de Dieu sait quel effort.)

Encore un éclair qui l'interrompit, et, en un sursaut, Mary écrasa son visage contre l'épaule nue du garçon :

— Vous voulez bien que je reste comme cela ? Maintenant que vous êtes éveillé, je n'ai plus peur.

— Il vaudrait mieux, peut-être, que je monte la garde.

— Ne me quittez pas, s'il vous plaît !

Il se rapprocha donc en faisant entendre ce qu'il considérait comme un murmure apaisant :

— Restez autant que vous voulez. Ça se dissipera dans un moment. Ça se dissipe toujours.

— Vous ne me trouvez pas lâche ?

— Bien sûr que non.

— J'ai vu arriver l'orage quand j'étais dans l'arbre. A midi, le ciel était presque clair après le gris du matin. Et puis ces coups de foudre sont venus du sud...

Une langue de feu violet lécha le bord de la tente et le corps entier de Mary se plaqua, arc palpitant, contre celui de Roy. La foudre, tombant dans les joncs, juste en travers du chenal de vase, réunit le ciel à la terre en un flamboyant pilier blanc, et Mary poussa un cri étouffé. Roy sentit l'électricité vibrer dans ses doigts et dans ses orteils comme si les éléments eux-mêmes conspiraient contre lui. Ses bras, à présent, encerclaient fermement Mary en un geste d'instinctive protection, sans rapport avec le désir ardent qui menaçait de le consumer.

— Vous aussi, vous avez peur, murmura-t-elle. Je sens battre votre cœur.

— Bien sûr, j'ai peur. Qui n'aurait peur ?

Il se garda bien d'expliquer que sa terreur n'avait pas grand'-chose à faire avec les rafales qui se déchaînaient au dehors.

— Demeurez en paix, Mary. Ce sera bientôt fini...

A la seconde précise où il émettait cette opinion, un craquement formidable lui infligea un démenti... retentissant... Cette fois, le trait de lumière était bifide — une décharge fourchue qui fit siffler la terre spongieuse en aval : une des pointes se perdit dans le chenal de vase sans causer aucun dommage, tandis que l'autre, fendant un chou-palmiste de façon aussi nette que l'aurait fait une hache monstrueuse, envoya un jet de feu gronder vers le ciel, où il se fondit presque aussitôt dans la masse de nuages qui effaçait tout à la fois la terre et le ciel.

— Quand il pleut comme ça, c'est signe que le tonnerre s'éloigne.

— N'enlevez pas votre bras, Roy, je vous en prie.

— Regardez vers le sud, dit-il, la voix rauque. Regardez, la flèche s'enfonce cette fois dans ce hammock éloigné d'un bon mille.

— Vous me quittez, Roy. Non, ne me quittez pas. Ne me quittez jamais.

Sous prétexte d'arranger la tente, il s'était levé de la couche qu'ils partageaient dans le canoë. L'averse risquait d'emplir l'avant de l'embarcation ; les nuages pesaient toujours au-dessus des joncs, si pressés et si denses qu'il faisait sombre en plein midi. A l'abri de la bâche en peaux de daim, le noir était plus noir encore : à peine distinguait-il vaguement la forme de Mary, l'imploration de deux mains levées. Il céda à cet appel muet, lui remit doucement un bras autour des épaules et sentit que son cœur battait toujours avec la même violence palpitante.

— Laissez-vous aller, chère, reposez-vous. Le danger est passé.

Le mot de tendresse lui était venu aux lèvres tout naturellement, et il se garda de faire allusion au danger, plus personnel, qui menaçait de les englober tous les deux, à présent que s'éloignait la menace de la nature. Ce cœur qui battait tout contre le sien disait son histoire à qui voulait la comprendre ; la terreur que l'orage avait déchaînée s'était apaisée en même temps que le ciel, laissant Mary Grant en proie à une émotion de nature très différente. Roy ruminait sombrement des pensées amères : « Qu'elle le sache ou non, qu'elle sache ou non par quel mot la désigner, une passion gonfle ses veines en cette minute, une passion... qui ne serait que trop encline à répondre à la mienne : un rien peut l'enflammer ! »

Pendant qu'il méditait ainsi, la voix de Mary lui murmurait :

— Serrez-moi quelques secondes encore...

Mais ce n'était plus l'appel de la jeune fille que terrifiait la tempête. Même sans paroles, l'imploration de ce murmure eût été explicite. Un courant passait de la chair à la chair, aussi réel que les grands jets de feu qui joignaient le ciel à la terre, aussi primitif que le premier cri inconscient de la femme vers l'homme. « Cela n'est pas Mary Grant, se dit-il. Ce sont mille générations de solitaires appelant leur compagnon dans la nuit. »

Puis il entendit un petit rire étouffé et il sut qu'elle était revenue du lieu de solitude et se retrouvait elle-même, bien qu'elle n'eût pas un instant quitté la prison de ses bras.

— Quelle effronterie que de m'introduire ainsi dans votre tente ! dit-elle. Pluie ou pas pluie, cela mériterait que vous me fassiez passer en cour martiale.

— Je suis content de... cette intrusion. En vérité, oui, car j'avais moi aussi un peu peur tout seul.

Elle rit encore, et, comme elle se penchait en arrière pour tâcher d'étudier les traits de Roy dans cette pénombre vaguement baignée d'une lueur fantomatique, ses cheveux chatouillèrent la joue du garçon. Cette fois, il y avait une trace de coquetterie dans son rire :

— Voilà à présent que vous faites de la politesse. Cela ne vous va pas. Et surtout pas dans ces conditions-ci. Pas dans ce théâtre assez particulier.

Roy chercha son propre refuge dans le persiflage :

— Précisez-moi mon rôle, j'improviserai un texte.

— Vous êtes le premier Adam, c'est l'évidence même. Et l'envahissement de votre paradis par Ève vous déplaît fort.

— Si je dois en croire le livre de la Genèse, il la reçut avec contentement des mains du Seigneur.

— Pour le regretter à loisir ensuite, comme nous le savons tous.

— Vous êtes ici, répondit-il, quittant le ton de la plaisanterie. Vous êtes ici et il n'y a que cela qui compte. Et, puisque vous y êtes venue, il est inévitable que vous vous trouviez... exactement là où vous vous trouvez...

— Roy... vous ne faites pas de politesse à présent ?

— Non, chère.

Cette fois, il employa de propos délibéré le tendre vocable, et il sentit Mary frémir entre ses bras.

— Si je dis à mon tour que je suis heureuse qu'il pleuve, est-ce que cela fait de moi une petite garce vraiment garce ?

— Si je comprends bien, vous avez délibérément envahi mon gîte dès que vous avez trouvé le prétexte qui vous manquait ?

— Ne retirez pas vos bras. C'est une chance que je n'avais pas encore eue et j'ai bien l'intention d'en profiter au maximum.

— Prenez garde de ne pas faire naître un malentendu dans

mon esprit, dit-il, s'efforçant à donner une impression de gaieté qui ne répondait pas à la vérité. *Si j'étais*, en somme, le premier Adam ?

— Si vous l'êtes, vous vous civilisez beaucoup trop vite.

— Que voulez-vous dire ?

— Peu importe pour le moment. Je vous ai enfin amené à une situation où vous ne pouvez pas m'échapper, à moins de préférer la noyade sous l'averse. Vous n'avez d'autre ressource que de me répondre, et j'espère bien que vous le ferez en toute sincérité.

— Essayez toujours, dit-il avec un accent de dansante légèreté qui lui demanda un dur effort.

— Pourquoi m'avez-vous toujours fuie, Roy ?

— Mais je n'ai jamais rien fait de tel !...

— Vous m'avez fuie comme la peste. Si je ne m'étais pas débrouillée pour — déjà ! — envahir votre canoë le jour de Matecumbe, je ne vous aurais pas vu une seule fois de face. Alors même que vous alliez risquer votre vie en cette traversée à la nage, vous avez refusé de me dire deux mots.

— Vous aviez bien assez de choses en tête ce soir-là, et moi aussi !

— Votre opération suivante fut de vous arranger avec Chekika pour un échange d'otages. Moi pour vous — si c'est dit incorrectement, ça m'est égal, le fait seul importe. Vous n'avez même pas voulu me *regarder*, en cette affreuse matinée du Tertre Indien, quand ils *m*'ont *ramenée* à terre et *vous* ont *emmené* à Fakahatchee...

— Cela faisait partie des conditions imposées.

— Ne pouviez-vous du moins lever les yeux lorsque j'ai crié votre nom ?

— Regrets. Ce n'était pas permis.

— Très bien, Roy. Voici donc une question trop directe pour vous permettre une réponse dilatoire de plus. Pourquoi avez-vous de l'antipathie pour moi ?

— Mais je n'en éprouve aucune !

— Parce que je retire Andy de votre vie ? Ou bien êtes-vous fâché parce que je vous ai incité à me parler de votre passé ?

— Je ne suis pas fâché le moins du monde. Et je considère Andy comme un fameux veinard !

— Alors c'est parce que je me suis introduite de force dans cette expédition — juste comme je me suis introduite de force dans vos bras ?

— Voilà que vous brûlez ! dit-il durement.

Et il appuya sa réponse d'une étreinte plus étroite. Mary

ne s'effaroucha point de ce que cette affirmation fût dépourvue d'artifices. Bien au contraire, elle parut fondre entre ses bras avec autant de souplesse que si cette place lui avait été destinée de toute éternité.

— Bien sûr, je puis toujours aller m'asseoir sous la pluie, chuchota-t-elle, très bas. Est-ce là le but que vous cherchiez ?

— C'est moi qui devrais aller m'asseoir sous la pluie, répondit-il. Ne savez-vous pas pourquoi ?

— Dites-le-moi, Roy.

Il le lui dit, sans aucune parole, se courbant avec lenteur au-dessus d'elle, lui laissant toute facilité de retraite ou de refus, puis la baisant aux lèvres, durement, longuement. Depuis leur première rencontre et leur folle bagarre dans le Miami, il gardait ce baiser pour les lèvres de Mary. Un baiser qui fit flamber ses longues semaines de désir et d'attente en une flamme si joyeuse que ses souffrances s'en trouvèrent abolies. (Provisoirement, il ne s'en rendait que trop bien compte, malgré l'ivresse du moment.)

— Cela répond-il à votre question, Mary ?

— Adéquatement, dit-elle en souriant, sans bouger, entre ses bras.

La pluie descendait en grondant sur la tente, mais un petit soleil pâle qui commençait à paraître entre les nuages semblait venu là tout exprès pour baigner la jeune fille d'une étrange lumière aqueuse. Roy eut la curieuse sensation de flotter, noyé pour ainsi dire, dans une vague profonde de désir, trop ébloui par son acceptation pour pouvoir respirer.

— Reconnaissez que je me suis donné beaucoup de mal pour le cacher ? demanda-t-il. Reconnaissez que vous ne vous en doutiez pas encore il y a un instant ?

— Pourquoi avoir honte de me désirer ?

— Vous êtes la fiancée, l'épouse promise à Andrew, d'une part. D'autre part, je suis une piètre prise pour n'importe quelle femme. Sans parler de la fille d'un magnat de New-York...

— Pas un mot de plus, Roy ! Embrassez-moi plutôt. Ça ne me contrarie pas ! Pas le moins du monde !

— Non, Mary. Il ne faut pas. Ce n'est pas loyal, ce n'est pas juste, pour aucun de nous.

— Pourquoi non ? Est-ce qu'il ne vous est jamais venu à l'esprit que moi aussi je pourrais... vous désirer ?...

Il la dévisagea, doutant de ses propres oreilles :

— Est-ce que vous vous rendez compte de ce que vous dites ?

— Ma foi, oui ! Pourquoi donc vous aurais-je poursuivi jusqu'aux abords mêmes du village de Chekika ? Pourquoi ai-je attendu neuf jours là-bas, sur cette île, en priant le ciel de vous ramener sain et sauf ?

— Taisez-vous, Mary !

— Mais puisque c'est vrai ! Je n'ai pas honte de vous l'avouer, maintenant que vous vous êtes confessé.

C'était elle à présent qui attirait vers les siennes les lèvres du garçon, et le baiser qu'elle lui offrait égalait en abandon celui qu'elle avait reçu. Juste à temps, pas une seconde trop tôt, il se libéra de l'étreinte parfumée, lui échappa moitié bondissant, moitié titubant, et, quand il sentit sur lui la grande douche salutaire et froide de l'averse, il se retrouva son propre maître.

— Je vais prendre mon tour de garde, dit-il, grave. Restez où vous êtes et tâchez de dormir. Cette nuit vous aurez besoin de vos forces et de votre courage.

— Revenez, Roy. Vous n'avez même pas besoin de dire que vous m'aimez. Revenez seulement.

— Savez-vous ce qui arriverait si je vous écoutais ?

— Bien sûr que je le sais ! J'avais toujours soupçonné qu'au fond du cœur j'étais une petite garce. A présent je le sais.

— Et Andy ?...

— Andy est à cinq cent mille milles d'ici et content d'y être. Nous sommes Adam et Ève, et nous sommes à l'aurore des temps. Je ne vous ferai pas de reproches plus tard. Et vous n'avez pas besoin de dire que vous m'aimez. Vraiment...

— Mais je t'aime, dit-il. Je t'aime et c'est pour cela que je suis incapable de te blesser maintenant.

Beaucoup plus tard, lorsqu'il tenta de se rappeler sa fuite panique, il se souvint d'un cri qu'elle avait lancé, un seul cri, de dessous la tente en peaux de daim où il avait failli connaître la défaite.

L'instant d'après, il était en sécurité sur la berge du chenal de vase, et la pluie tissait entre Mary et lui un solide écran de protection. Aucun bruit ne troublait l'incessant tambourinement de la pluie. Aucun bruit, si ce n'est l'espèce de mélopée de sa propre voix qui maudissait abondamment et dans toutes les directions le docteur Royal Coe et ses œuvres.

A trois reprises, au cours de l'heure suivante, il faillit retourner vers la crique... Mais, à chaque fois, la victoire de l'esprit sur la chair était plus nette qu'à la précédente.

Et puis elle fut décisive...

CHAPITRE V

La pluie avait cessé juste avant que tombât le crépuscule. A l'orient, le ciel entier s'épanouissait comme une fleur autour de la lune montante, promettant une nuit parfaite. Le docteur Royal Coe secoua de ses épaules le poids de la tempête et quitta le douteux abri de la grande touffe de yucca sous laquelle il avait monté sa garde pendant l'interminable après-midi. Il était temps de se diriger vers le village de Chekika ; temps aussi d'affronter Mary Grant. Pendant qu'il effectuait prudemment la traversée de l'îlot, il se demandait — sans se répondre — laquelle de ces deux épreuves était la plus pénible.

Lorsqu'il parvint à la crique, il pensa d'abord que la jeune fille était partie : le canoë, soigneusement écopé après la longue averse, les peaux de daim remises à leur place à l'avant, bien sanglées sur la cargaison dont le volume avait beaucoup diminué, le canoë était vide. Les avirons et la godille étaient prêts ; le fusil même était posé, tout chargé, en travers des deux platsbords. Mais nulle part il n'y avait trace de Mary...

Ébranlée par le farouche retrait de Roy, ou encore secouée de remords devant la profondeur de ses propres révélations, elle était capable, pour éviter de se retrouver en face de lui, d'avoir fui dans le dédale des joncs. Elle était capable même de s'être infligé quelque dommage physique, irrémédiable peut-être, tandis qu'il se réfugiait si obstinément dans la solitude. A ces pénibles et plausibles suppositions, le cœur lui manqua.

Il se préparait à mettre les mains en cornet autour de ses lèvres pour lancer aux échos le nom de sa bien-aimée, quand une voix sortit d'entre les feuilles du figuier.

— Tout va bien, Roy. J'en ai terminé pour aujourd'hui avec mes tentations.

Tout en parlant, elle s'avançait dans le clair de lune, et il la vit enduite de vase de la tête aux pieds.

— Je n'irai toutefois pas jusqu'à dire que j'ai regret au sujet de cette journée, et j'espère bien que vous aurez pour moi le même compliment qu'ainsi je vous adresse.

Il sentit que la tension cédait un peu, et, pendant qu'il préparait le canoë :

— Tout est donc bien, fit-il, et je ne dirai pas un mot.

— Je vous en prie, Roy ! pendant les quelques heures qui vont venir, nous ne pourrons pas nous permettre d'être « des gens comme tout le monde ». Trop de choses reposent sur nous.

— Apparemment, nous ne pourrons jamais être « des gens comme tout le monde ». Surtout quand nous sommes ensemble...

— Attention ! Une minute de plus, et vous allez dire que *vous* avez des regrets. Et cela, je ne le permettrai pas !

— Installez-vous à l'avant, dit-il sans aménité, ni même courtoisie. Je prendrai la godille.

Il se barbouillait de boue pendant qu'il parlait. Puis il donna un coup d'œil à sa montre et fronça les sourcils, parce que le clair de lune était assez vif pour lui permettre de distinguer les aiguilles. Si Ranson suivait exactement l'horaire prévu, il avait déjà quitté le marécage des Épicéas bleus. Ce ne serait pas chose à faire que de se laisser rejoindre par le sergent cette nuit !

— Avant que nous partions, dit-il, mettez-vous bien deux choses dans la tête. Si je vous commande de vous coucher à plat, obéissez sans perdre une seconde : cela vous sauvera peut-être la vie. Et, si nous sommes abordés, ne criez pas. Vous avez une petite chance d'être prise pour un garçon. Je demanderai à ce que nous soyons conduits directement à Chekika, nous pourrons toujours tâcher de nous faire passer pour des messagers de Washington.

— Les choses peuvent-elles en venir là, Roy ?

— J'espère que non, dit-il gravement, mais nous devons être préparés au pire. Et, surtout, nous devons garder la tête froide et essayer de ne pas nous faire peur à nous-mêmes.

— *Je garderai* la tête froide, promit-elle.

Et il s'aperçut avec un mélancolique frisson que la voix de la jeune fille était aussi ferme que la sienne.

— Alors, allons-y, dit-il. Essayez de ramer sans bruit.

Le canoë glissa de la crique dans le chenal, dessinant un vaste arc autour de l'îlot qu'ils abandonnaient. Roy constata, non sans satisfaction, que l'entaille triangulaire dont il venait de marquer le tronc du plus grand chêne était clairement visible dans la blancheur de plus en plus vive du clair de lune : Ranson n'aurait aucune peine à repérer le jalon quand, dans une heure, il passerait par là. Il laissa le canoë suivre doucement le courant et regarda Mary s'incliner et se redresser régulièrement, les bras et les épaules se mouvant en cadence pour assurer la tâche dont il l'avait chargée, à l'avant de l'embarcation. Pour l'heure du moins, il lui était bienheureusement facile de prétendre que ce svelte auxiliaire était en vérité un garçon entraîné à obéir aux ordres sans discuter.

— A gauche toute, murmura-t-elle sans se retourner. Entre la pointe et le bouquet de magnolias.

— Le courant principal passe à droite.

— C'est ce qu'il vous semble. Mais vous vous perdriez dans une marnière à moins de cent mètres : je me rappelle nettement la position de ces magnolias.

— Que le Ciel nous vienne en aide si vous vous trompez ! soupira Roy.

Et il rasa de près la rive pour aller faire une entaille triangulaire sur le plus gros arbre. Il ne fallut pas plus d'une dizaine de coups de rames avant qu'il fût prouvé que la mémoire de Mary était excellente : le passage resserré dans lequel ils voguaient s'élargit avec une soudaineté dramatique, en plein milieu d'une jungle épaisse, pour s'ouvrir en un chenal droit comme tracé à la règle et qui semblait s'étirer à l'infini vers l'horizon où flottait un brouillard lumineux.

— La jambe de la spatule, dit-elle. Reconnaissez que cette mâtine effrontée sait dessiner.

— Je l'ai toujours reconnu, dit-il sans hésiter. Il ajouta une phrase ambiguë : Andy lui-même pourrait suivre ce chenal.

— Ne vous avancez pas à la légère. Il y a des îles plus bas, et quelques coudes imprévus. Préparez-vous à faire une entaille ou deux de plus avant d'en sortir, je vous indiquerai les points favorables quand nous en approcherons.

— Tout doux ! tout doux ! Encore quelques économies de temps de ce genre, ou quelques autres prouesses, et j'en arriverai à croire que vous êtes indispensable.

— Veillez au moins à ce qu'Andy fasse mention de moi dans son rapport final. Je n'en demande pas plus, mais j'y compte !

Il s'aperçut qu'il avait légèrement flanché en entendant la jeune fille lancer le nom d'Andy aussi placidement dans la conversation : « Si nous en sortons vivants, il y en aura des choses dont il vaudra mieux ne pas parler à Andy ! Il y en aura dont nous ferons mieux de ne jamais nous souvenir, fût-ce en nous-mêmes. » Ainsi pensait-il sans mot dire. Le temps manquait d'ailleurs pour regretter leur demi-folie partagée dans le paradis bâché de daim. Manquait plus encore pour se réjouir — bien qu'avec amertume — qu'il ne pût être question de récidiver.

— Il vous citera avec tous les honneurs possibles.

— Ne soyez pas si sombre, je vous en prie. Personne n'est mort, pour le quart d'heure, ni vous, ni moi, ni lui.

« Ne comprends-tu donc pas que je préférerais cent fois être mort ? Comment pourrais-je vivre après t'avoir ouvert mon cœur ? » Mais il prit bien garde de ne pas révéler à haute voix ces réflexions qui le plongeaient dans une torturante agonie.

— Baissez la tête, dit-il. Je vais longer de près la rive orientale. Les herbes dures vous couperaient la peau en rubans.

— Et la vôtre ?

— J'ai l'habitude des anicroches de ce genre, dit-il, souriant malgré sa mélancolie, quand Mary se laissa glisser jusque sous le banc de nage juste avant que leur avant allât brouter les joncs et les carex.

Le long de la rive orientale, l'ombre était assez épaisse pour couvrir leur avance régulière au cas peu probable où ils seraient observés. Pendant un très long bout de temps, tandis qu'ils nageaient vers le sud, il resta silencieux. Durement cinglé au passage par des carex ou des joncs, il n'eut pas une exclamation. Il avait décidé de franchir ce chenal à la godille, pour ménager les forces de Mary en vue des derniers milles, qui seraient les plus épuisants.

— Dirigez-vous vers le milieu du courant, Roy. Le chenal tourne court, très près d'ici. Vous pouvez déjà distinguer, sur fond de lune, trois cyprès morts, pareils aux sorcières de Macbeth.

— Ne vous ai-je pas commandé de garder la tête baissée ?

— C'est bien ce que je fais. Ça ne m'empêche pas de suivre votre trajet : la quille est, à l'avant, percée d'une multitude de vieux trous de balles.

Il jura entre ses dents quand il sentit la proue du canoë s'enfoncer dans la boue et fit marche arrière avec ardeur, cherchant l'eau sous la quille. Les trois cyprès, vigoureusement dessinés contre la lune, sur une petite île à mi-courant, formaient un repère parfait. Il continua en marche arrière, contrit, pénitent et humilié, jusqu'à l'eau profonde et s'arrêta, au plus noir de l'obscurité, pour frapper une encoche triangulaire à l'intention de Ranson. Il entendit alors Mary qui riait doucement en reprenant sa rame.

— Vous imaginez-vous l'horreur et la confusion de six cents hommes entassés sur cette plaque de vase ?

— Ne frottez pas de sel sur mes plaies, je vous prie, dit-il, acide. Je n'avais pensé qu'à vous.

— La fois prochaine, il vaudra mieux penser à vous. Nous arriverons plus vite à Big Sulphur.

Au cours des heures suivantes, pendant qu'ils continuaient obstinément leur route vers le sud sous la haute lune ronde, Roy se rendit compte à dix reprises qu'elle avait raison. Plus d'une fois, sa longue expérience de cette région l'amena à protester contre l'avis de Mary Grant, et, en chaque occasion, la mémoire de la jeune fille s'affirma plus sûre que n'était sûr l'instinct du garçon. En deux occasions, alors qu'il avait passé outre à son insistance relativement à un repère donné — ce qui l'obligea en conséquence à remonter tout au long d'une vasière qui aboutissait en pleine jungle et qui à l'aller déjà lui avait semblé interminable — en deux occasions, donc, il aurait juré qu'il entendait, venant du nord, les coups de pagaie de l'équipe Ranson.

Puis, une autre entaille creusée, il acceptait la route choisie par Mary et, très bientôt, se trouvait en eau profonde, avec cinq précieux milles de plus derrière lui, et Big Sulphur presque visible à l'horizon.

Le dernier tournant fut le plus difficile, un tournant à angle droit que figurait sur le croquis le genou plié de l'oiseau. A cet endroit, leur route se trouva obstruée par le fenouil sauvage, pleine de souilles d'alligators, et l'air empuanti résonnait hideusement de l'appel amoureux des mâles. Le chenal s'effilochait, inextricable, parmi une brume verdâtre ; Mary elle-même fut forcée de se tenir debout à la proue afin d'éclairer leur passage, et ce fut elle alors qui, brandissant la hache de guerre, fit toute une série d'encoches, tant sur la rive droite que sur la gauche, pour aiguiller Ranson dans la bonne voie.

Lorsque, enfin, le canoë parvint à l'eau et à l'air libres, la jeune fille se rassit avec un soupir de satisfaction.

— Vous pouvez nous amener à quai, cap'taine, le pilote se repose sur ses lauriers.

Roy se leva pour la saluer en manière de remerciement et reprit la perche de godille. Le tintamarre des sauriens faisant leur cour s'atténuait derrière eux, le chenal aux eaux épaisses et lourdes s'élargissait comme une baie sous la lune, avec des fonds si hauts parfois que le canoë oscillait à leur contact jusqu'à ce que la godille le libérât. Mais aucune erreur n'était possible, il n'y avait pas à s'y tromper sur ce dense demi-cercle de végétation passant par le sud et par l'est, non plus que sur cette odeur quasi hypnotique qui se renforçait par secousses, à chaque poussée du flot profond vers le dehors. Là, d'un blanc de lait sur l'eau sombre, s'étalait la première tache sulfureuse, trop-plein d'une source perpétuellement agitée, et qui débordait de tous les points de son bassin calcaire. Où le bourbier se perdait en suintant parmi les déchets spongieux d'un sol en décomposition, les chenaux serpentaient à travers le dernier quart de mille de jungle et s'en allaient rejoindre la Mer Herbeuse vers l'ouest.

— L'orteil gauche de la spatule, dit Roy humblement. Je me souviens.

— Avant d'y entrer, voulez-vous que nous vérifiions l'heure ?

Il dirigea le canoë dans l'ombre de la rive, tira sa montre et constata que les aiguilles étaient toujours lisibles dans le clair de lune : trois heures moins un quart. Grâce à Mary, l'objectif était atteint, avec du temps de reste.

— Nous allons gagner le bord de la source et examiner le terrain, dit-il. Chekika peut avoir posté une garde à sa sortie de derrière. De toute manière, à partir de ce point il me faudra nager jusqu'à Fakahatchee.

— Nous nagerons ensemble, Roy.

— Discutons-en plus tard, dit-il, envoyant le canoë bondir d'un élan vers la source qui, déjà, devenait une présence visible depuis cet épais écran de feuilles.

A cette seconde exacte, il entendit le premier battement de tambour venant du village au delà de la source. Presque aussitôt s'y joignit le chant de victoire familier qui l'avait souvent privé de sommeil pendant son emprisonnement.

— Que signifie, Roy ?

— Conseil de Guerre. La même guerre dont ils discutaient déjà quand je suis devenu leur hôte.

— Vous croyez que c'est pour ce soir ?

— Cela me paraît peu probable. (Il cassa encore une fois l'erre du canoë pour écouter.) La nation séminole est comme toutes les autres, elle parle d'une guerre longtemps avant de tirer le premier coup de feu.

Cependant qu'ils se dirigeaient, eux, vers la source, le « tempo » des tambours s'accentuait furieusement, tournait à la frénésie : c'était, cela aussi, un phénomène familier... après que Chekika avait mis en perce son second tonnelet de rhum.

Godillant de toute sa force vers Big Sulphur, Roy priait le ciel pour que le concert des tambours allât croissant en cette dernière heure avant l'aube. Un village en ribote, c'était précisément ce qu'Andy aurait choisi s'il en avait eu la liberté, lorsqu'il avait entrepris de mener son Corps Franc vers ce but.

— S'ils sont seulement à moitié aussi ivres qu'ils en ont l'air...

— Touchez du bois ! Nous serons bientôt fixés.

Il tira le canoë au sec à l'endroit où le chenal bourbeux débouchait sur la bouillonnante limpidité de la source, le poussant assez loin dans un massif de palétuviers, et, par routine, incisant d'une dernière entaille le tronc d'un immense épicéa bleu au bord même de Big Sulphur.

Sa main se referma sur le poignet de Mary sans qu'aucune parole dût être échangée entre eux. Ils traversèrent ainsi le fouillis des racines de palétuviers, puis grimpèrent sur une surface dégagée, sorte d'à pic naturel qui dominait le bassin calcaire de la source. Ici, grâce aux traînées de lune qui indiquaient encore la route du village de Chekika, il pouvait se faire une idée exacte de la tâche qui les attendait. Du geste, il appela Mary, qui fut bientôt à côté de lui, comme lui à quatre pattes. Côte à côte, ils avancèrent d'un centimètre à la fois, jusqu'à ce qu'ils se trouvassent penchés au-dessus de la source, avec une vue panoramique de la rive orientale et des tunnels de verdure qui conduisaient à Fakahatchee Hammock.

— Vous aviez raison, dit Mary. Il avait bien posté une garde.

Depuis le lever de la lune, il avait observé l'ennemi sous cent déguisements divers — une touffe de yuccas sur la berge, un palmier nain dont une palme, le temps d'un éclair, se transformait en bonnet de guerre. Grâce à la clarté de la lune, astucieuse magicienne qui commençait par donner une dimension extraordinaire aux objets quotidiens, pour, au dernier moment, les ramener à leur taille véritable, ces ennemis silencieux s'étaient fondus dans leurs formes naturelles. Mais le profil oscillant du Séminole sur la plage, au-dessous d'eux, celui-là demeurait un Indien, sous quelque angle qu'on l'examinât. Roy se frottait les yeux et regardait encore, convaincu malgré tout que c'était un mirage né de ses peurs intimes.

— Je ne crois pas que ce soit un garde. Ou, si c'est vraiment une sentinelle, il est trop brindezingue pour voir à pareille distance.

— Comment pouvez-vous en être tellement sûr ?

— Regardez comme il titube. Autour du Feu du Conseil, on parle guerre. A vue de nez, je dirais que celui-là est un des plus jeunes guerriers, sur le point de se purifier à la source, histoire de renouveler son courage.

Mary hocha gravement la tête :

— Nous avons vu cela plus d'une fois quand j'étais ici avec le docteur Barker. Ils arrivaient par douzaines pour s'agenouiller sur cette rive et implorer l'aide d'en haut. Comment ne sont-ils pas plus nombreux cette nuit, si, réellement, on parle guerre au Feu du Conseil ?

— A en juger par les tambours, la plupart sont trop enfoncés dans le rhum !

— Nous ne pourrions donc pas espérer de meilleure chance pour atteindre le docteur Barker.

— Après que nous aurons disposé de notre ami d'en bas.

— Faudra-t-il le tuer, Roy ?

— Seulement en cas d'accrochage.

Déjà Roy s'était glissé sous l'arche protectrice des palétuviers. Le Séminole était à présent juste au-dessous de lui, un jeune costaud assez mal en point grâce à l'alcool, nu comme un ver et qui semblait sans arme. Comme Mary l'avait supposé, il fortifiait ses esprits en buvant à grandes lampées l'eau de la source, à genoux sur le sable de la plage, puisant dans la coupe de ses mains jointes. Tour à tour, buvant et se lavant le corps, il psalmodiait une prière rituelle à chaque fois qu'il élevait les bras. En descendant vers la plage, Roy aperçut sur l'autre bord de la source une petite pirogue tirée au sec et comprit que le jeune Indien avait, en arrivant du village, plongé et nagé d'une rive à l'autre comme acte initial de cette cérémonie et que, dès que les fumées de l'alcool auraient quitté son cerveau, il regagnerait le Feu du Conseil.

La hache était dans le poing de Roy, encore qu'il ne se souvînt aucunement de l'avoir décrochée de sa ceinture ; il siffla doucement, afin d'amener son objectif vivant à se redresser. Comme le Séminole s'appuyait sur ses mains et sur ses genoux, le côté plat du tomahawk, au bout d'un arc bien dessiné, entra en contact violent avec sa tempe. L'Indien s'affala sans un son, et, juste au moment où il allait glisser dans les profondeurs ruisselantes de lune, Roy tira en arrière le corps inanimé et le rejeta sur le sable.

— Ça va, Mary : descendez aux ordres.

Levant les yeux de son ouvrage, il fronça les sourcils : la jeune fille était déjà à son côté. Elle avait dû glisser entre les palétuviers aussi silencieusement qu'il l'avait fait, et presque en même temps.

— C'est sa pirogue; là-bas, dit-elle. Si nous nagions ensemble jusque-là ?

— Restez où vous êtes. Ranson sera ici au plus tard dans une demi-heure.

— Je vais avec vous, Roy.

— Vous ne pouvez, habillée, faire un tel parcours de nage.

— Regardez, vous verrez que je suis prête.

Couverte de boue comme elle l'était, Mary lui avait semblé faire partie de l'obscurité. Elle entra dans le clair de lune, et il vit qu'elle avait abandonné son pantalon militaire. La bande-culotte qu'elle portait dessous, et qu'elle avait gardée, était l'exacte réplique de celle qu'il portait lui-même, et la brassière en peau de daim qui lui comprimait les seins avait l'air de faire partie de sa propre peau.

— Passez-vous devant ? Ou si c'est moi

Il étouffa un juron en la voyant plonger avec grâce et décision sans attendre sa réponse. La forte poussée de la source fit immédiatement bondir son corps comme une lame d'argent, et la boue qui la couvrait disparut en une seconde. Il la suivit, en une longue plongée plate, employant toute sa force pour la distancer avant l'autre bord.

Grâce à la merveilleuse pureté de l'eau et à la forte poussée verticale qui soulevait tout son corps, il eut un instant l'illusion de flotter dans l'air. Les entêtantes vapeurs sulfureuses montant autour de lui comme un brouillard firent tournoyer ses esprits au moment où, se trouvant juste à la hauteur de Mary, il étendit la main pour la toucher. Pour ces brefs instants, tout au moins, l'Éden était à eux, rien qu'à eux : il dut résister à la folle impulsion de batifoler là jusqu'au jour, laissant Ranson et Andrew se débrouiller pour mener le raid à leur guise. Plus que toute autre chose, ce fut la pensée du docteur Barker qui le sauva.

— Laissez-moi entrer le premier. D'autres peuvent se trouver sur la rive.

Elle fit un signe d'acceptation et nagea dans son sillage jusqu'à ce que des branches abondamment moussues commençassent à former la voûte au-dessus de leurs têtes. Sans s'attarder à examiner ses chances, il grimpa à terre, s'aplatit derrière un arbre et examina les bois bien éclairés qui, du bord de la source, dévalaient vers le marécage. Aucun signe de vie ne se manifestait de ce côté, aucun bruit en dehors de l'insistante cacophonie des tambours et des voix noyées de rhum, à un bon demi-mille de là.

La petite pirogue indienne avait l'air, sur le sable, d'une vieille bûche oubliée par le flot et par les humains.

Roy fit signe à Mary de remonter à côté et, pendant qu'elle obéissait, il détournait — avec prudence et difficulté — ses regards des longs membres souples.

— Il a probablement laissé ses vêtements à bord.

Déjà Mary avait soulevé dans le clair de lune le paquet de tissu abandonné dans la pirogue. Un cri de pure rage lui échappa,

— C'est à moi, Roy ! La robe que je portais au dernier acte de *Roméo et Juliette. Ma* robe !... Pour deux sous, je retournerais en face et je scalperais ce diable rouge de mes propres mains !...

En dépit de la tension anxieuse de cette minute, Roy se prit à rire à pleine gorge.

— Mettez-la donc, puisque c'est la vôtre ! Il n'y aura pas de mal à être décente !...

— C'est vous qui devez la porter, décida-t-elle. Surtout si vous avez l'intention d'utiliser sa pirogue.

— Je crains de ne pas vous suivre...

— Simple, pourtant ! Un guerrier ivre quitte le village en pirogue pour Big Sulphur, vêtu en Juliette. C'est en Juliette — et en pirogue — qu'il doit revenir.

Roy avala sa salive, mais n'émit aucune protestation tandis qu'elle arrangeait autour de ses épaules la blanche draperie. Ça pouvait aller : même quand il ployait les bras, rien ne craquait...

— Vous êtes d'avis que je dois ramer droit à la plage même de Chekika ?

— Et pourquoi non ? vous semblez dans la peau du rôle.

— Et vous ?

— Je suis à la place qui me revient, dit-elle en se faisant toute petite et en se blottissant à l'avant. Couvrez-moi de sa couverture si vous y tenez, bien que l'heure ne soit pas à la modestie.

— Je préférerais de beaucoup vous laisser ici, couverture ou pas couverture.

Roulée comme une chatte dans la pirogue, Mary lui offrait son sourire le plus effronté :

— Si je vous choque en ce moment, imaginez un seul instant l'effet que ma vue produirait sur Andy !

— Vous avez vu comment j'ai traité cet Indien. Souhaiteriez-vous le même traitement pour votre part ?

— Vous ne me toucheriez pas dans l'état où je suis, rétorqua-t-elle en riant. Vous êtes bien trop gentleman pour ça...

— Les circonstances sont peu propices à la plaisanterie, Mary !

Il se leva dans la pirogue, tenant une rame haut levée, menaçante, mais le rire étouffé de Mary garda toute sa sérénité.

Il s'inclina devant l'inévitable et se mit à ramer furieusement vers le premier tunnel qui allait de la source au marécage. Pour la dernière fois, il était contraint d'accepter la profonde logique de Mary. L'ayant amenée jusqu'ici, il n'avait pas d'autre alternative que de l'amener jusqu'au bout : il ne pouvait vraiment pas lui demander d'attendre sous la lune, seule et presque nue, au bord de la source sulfureuse. Des guerriers encore pouvaient, d'une minute à l'autre, venir du village pour se désaltérer à l'eau guérisseuse. En outre, quand les Rangers arriveraient, il y avait de bonnes chances qu'elle fût la première à essuyer leur feu.

« Si je la garde à l'œil, pensait-il, je pourrai m'arranger d'une manière quelconque pour la rendre à Andy. »

Et, fermement accroché à cette perspective, qui était aussi une résolution, il tenait les yeux fixés sur le prochain coude de la vasière, au-dessus et au delà du clair mystère pelotonné à la proue de son embarcation...

Il souquait à présent dans le long bayou stagnant qui allait jusqu'au dernier écran de chênes aquatiques masquant vers le sud et vers l'ouest Fakahatchee Hammock, le traversa hardiment, tout en prenant soin de rester au milieu du courant et de ramer à pleins bras. Puisqu'il était un Séminole déguisé, la circonspection ne répondait plus à rien.

La pirogue s'engagea dans le vert tunnel odorant qui perçait l'épaisseur du feuillage. Une dernière fois, il freina sur sa godille, pour murmurer son ultime recommandation à Mary, tenant les deux mains largement étalées pour l'obliger à garder la tête au-dessous du plat-bord.

— Je m'en vais droit à la plage, c'est la seule chose à faire. Tirez cette couverture par-dessus votre tête — et ne bougez ni pied ni patte jusqu'à ce que je vienne vous chercher.

Le Feu du Conseil brûlait haut, en dépit de l'heure tardive ; au premier coup d'œil, Roy eut l'impression que la nation séminole tout entière s'agitait dans le compound devant la hutte du Chef. Son regard trouva immédiatement Chekika, trônant, ce soir-là, sur la plate-forme de sa demeure, tel un satyre somnolent qui présiderait à sa propre glorification. Chittamicco, derviche-né, menait la ronde folle autour du feu, un serpent dans chaque poing, les yeux flambant d'un éclat fanatique. Les tambours palpitaient dans les coins d'ombre, faisant danser en cadence cent paires de pieds cuivrés et soulevant sur la place d'étouffants nuages de poussière.

Certains de ces braves étaient nus comme la main et barbouillés d'hiéroglyphes guerriers. D'autres se paraient de robes de grande cérémonie. Les costumes shakespeariens se remarquaient de tous côtés, ainsi que des pièces dépareillées d'uniformes militaires. Les squaws et les guerriers donnaient les mêmes signes d'ivresse, une ivresse née de leurs communes passions pour la danse et pour le rhum.

Lorsqu'il regarda de plus près, Roy s'aperçut que la ronde tournait autour du haut trépied de cyprès élevé à gauche du foyer, et qu'elle s'infléchissait avec régularité en cet endroit, touchait, à chaque battement de tambour, cet axe bizarre. Et, chaque fois, l'éclair d'un couteau brillait à travers la poussière, comme si une centaine de bouchers rouges débitaient un cheval accroché au cadre de bois et dansaient tout en travaillant.

Roy éprouva une étrange appréhension à les regarder, mais, calant dans le sable la proue de la pirogue et rassurant d'une pression de main la forme immobile que voilait la couverture, il s'éloigna — car toute hésitation eût été fatale — pour se mêler à la farandole titubante et lança à pleine voix un triomphant cri de guerre. Il lui était impossible de reculer, impossible de vérifier une fois encore si la cachette de Mary présentait une suffisante sécurité, impossible aussi de ne pas imiter ceux qui le précédaient, bien qu'il eût identifié l'horrible chose sanguinolente pendue, la tête en bas, au grossier gibet. Des bouffées de poussière lui en cachaient encore le visage, ou plutôt ce qu'à cette heure tardive les squaws en avaient laissé.

Il tremblait d'avance, certain que ses genoux céderaient lorsqu'il lui faudrait — et son tour approchait — danser autour du cadavre, hurler des injures aux orbites sans yeux, déboyauter un peu plus, d'un coup de hache supplémentaire, le corps déjà en lambeaux. Et puis, parvenant à feindre ce coup de tomahawk, il cria sans trembler, il cria du même enthousiasme que son prédécesseur, il cria de joie malgré son dégoût, car, si le mort lui demeurait familier bien qu'il n'eût plus ni nez, ni lèvres, ni yeux, ni oreilles, ni cheveux, ce mort qui se balançait affreusement, poussé par-ci, repoussé par-là, n'était pas le docteur Barker. C'était le cadavre du trafiquant Daniel Evans.

CHAPITRE VI

CINQ MINUTES PLUS tard, quittant ce cercle de carnage, il s'affalait contre la hutte du botaniste. Comme il l'espérait, ou bien Chekika n'avait point placé de garde cette nuit, ou alors le garde dormait. Seconde hypothèse bientôt confirmée par un ronflement volcanique et une prodigieuse odeur de rhum provenant simultanément d'un coin d'ombre.

Roy n'éprouva aucune surprise à voir la maigre carcasse du docteur installée, jambes croisées sur un tas de peaux d'ours, juste en dedans du chambranle, devant la porte ouverte, considérant les réjouissances avec tout l'intérêt d'un savant en vacances. Le cheroot qui rougeoyait entre ses lèvres contribuait sans doute à sa parfaite sérénité.

Le chirurgien feignit de trébucher et de tomber dans la poussière, la main du vieillard se leva pour un geste de tranquille bénédiction accompagné d'une formule séminole :

— Va en paix, mon brave !

— Puis-je parler librement, monsieur ?

Si cette question murmurée troubla le vieux savant, il n'en laissa rien paraître. Le cigare continua de rougeoyer, cependant qu'il en tirait une longue plume de fumée. Puis le docteur se leva et fit un pas vers la forme étalée comme un sac dans la poussière de son seuil.

— Qui donc ose parler anglais dans la maison du Chef ? chuchota-t-il en séminole.

— Qui d'autre que Salofkachee ?

— Lève-toi et montre ton visage.

— Sans péril pour vous ou moi ?

— Sans aucun péril. Chekika lui-même est ivre depuis minuit. Ivre de sang.

Roy se souleva prudemment sur les mains et les genoux. Quand bien même on l'apercevrait depuis le Feu du Conseil, appuyé qu'il était contre le mur de palmes on le prendrait pour un des gardes du botaniste, un de ceux qui ronflaient dans l'ombre avec tant de conviction.

— Quand ont-ils assassiné Evans ?

— Saurais pas dire exactement. A un moment quelconque de la journée, près du Feu du Conseil.

Le docteur Barker tira une bouffée méditative.

— Incidemment, ceci est l'un des meilleurs cigares de Dan. Suis-je endurci ou cynique ? toujours est-il que je le fume avec une très grande satisfaction. Un prisonnier, sans doute, prend les plaisirs comme ils se présentent sans trop s'interroger sur leur origine.

— Il était ici depuis mon départ ?

— Pour autant que j'ai pu le savoir, ses canots de fret sont arrivés du Golfe hier à l'aube.

Le docteur Barker continuait à fumer sans vergogne, mais ses yeux ne quittaient pas ceux de Roy.

— Les cigares, évidemment, proviennent de vols et de pillages, comme le rhum et les cotonnades que tu verras un peu partout aux abords du Feu. Le Roi des Panthères m'en a fait porter une boîte entière ce soir, pour mon usage personnel, signe probable qu'il désire que je vive quelque temps encore.

« Il peut y avoir trop d'une bonne chose, pensait Roy. Et le calme est une bonne chose, mais pas à l'excès. En cette minute même, quelque six cents Rangers se dirigent sur nous des quatre points cardinaux à la fois. Mary est seule au fond d'une pirogue à deux cents mètres d'ici, entre la mort et elle il n'y a que l'épaisseur d'une couverture. Et moi, comme un imbécile, dans la vieille chemise de nuit de quelque acteur obscur et oublié, je prie pour que cette mascarade me tire d'affaire... »

En même temps, il mettait le docteur Jonathan Barker au courant de ces faits, en un discret murmure. Assis immobile contre le mur de palmes, il écoutait le tambour redevenu frénétique et regardait les restes de Dan Evans être toujours et encore tailladés et balancés à la rouge lueur des flammes.

Le docteur Barker reprit d'une voix monotone, comme un professeur qui ajouterait une note en commentaire au texte précédent :

— Ils ont l'intention de se mettre en route demain vers quelque nouveau pillage.

— Ainsi Andy ne s'est pas mis en route, lui, un jour trop tôt ! Les fusils sont-ils distribués ?

— Pas encore. Ils sont rangés comme du bois à brûler dans la maison de Chekika. Pour tout ce que j'en sais, c'est là même que la querelle éclata. Elle s'aggrava près du Feu du Conseil. Dan était, à ce que j'ai compris, frère de sang de la tribu. Il fit une double erreur en venant seul, et en demandant plus de la moitié du butin. Même alors il ne pouvait être exécuté sans un vote du Conseil.

Le docteur soupira profondément et, profondément, tira sur ce qui restait de son cigare.

— Comme tu as pu le voir, la majorité du Conseil a voté pour l'exécution, après quoi les choses se sont quelque peu gâtées... je veux dire que la discipline a disparu...

Roy frappa le sol du plat de la main, et ce geste d'impatience coupa en deux la phrase du botaniste :

— D'ici dix minutes Andrew attaquera. Il faut que nous fassions sortir Mary de cette pirogue et que nous trouvions un abri pour vous deux. Quelle importance, comment une canaille est morte après avoir vécu ?

— Tu voudras bien admettre que ces fusils ont quelque importance, Roy ? A mon avis, ce sont des carabines du meilleur modèle anglais.

La voix du vieux botaniste était toujours d'une trompeuse douceur, mais dans l'ombre ses yeux lançaient des éclairs.

— Imagine ce que ça donnerait, employé à bout portant contre Andy et ses Rangers, si Chekika avait le temps d'armer le village.

— Andy ne lui en laissera pas le temps.

— N'en sois pas trop certain ! Pour l'heure, Chekika se considère comme le roi absolu de tout ce qui l'entoure. Et pourquoi non ? Chittamicco l'a précisément avisé que le dernier indésirable blanc a détalé hors des Glades. Assis sur sa plateforme, le Roi des Panthères est le seul Chat qui ait des griffes sur des milles à la ronde. En fait, il se sent si sûr de lui-même qu'il n'a sans doute pas l'intention de répartir ces armes avant demain. Mais il changerait promptement d'avis si Andrew Winter surgissait en hurlant d'entre les herbes et les joncs.

— Que conseillez-vous ?

— Si ce que tu dis est vrai, notre ami le dragon peut mettre six cents soldats sur ce hammock — tant de l'Armée de métier que Rangers — en dix minutes. Je ne crois pas que nous puissions trouver meilleure occasion de créer une diversion par l'intérieur.

— Et Mary ? Qu'en ferions-nous ?

— Mary doit rester dans sa cachette actuelle pour l'instant, à moins que tu sois disposé à une nouvelle mascarade.

Le docteur Barker fit un pas circonspect en direction du Feu du Conseil et revint, son placide sourire toujours intact.

— Je n'ai découvert la cache des costumes qu'hier, pendant que la nation était allée puiser du courage à la source sulfureuse. Si bien que je puis, instantanément, me transformer en roi Lear. Et, si tu juges que le jeu vaut la peine, nous pouvons faire de Mary une Desdémone ou une Ophélie — avec la même facilité.

— Tout vaut mieux que de la laisser seule.

Le vieillard hocha la tête en manière d'acquiescement et, sans ajouter une parole, rentra dans sa hutte — d'où, conformément à sa promesse, il surgit en quelques minutes, vieux roi Lear de velours vêtu et couronné d'or.

— Un peu de peinture de guerre, et je suis à toi.

Bientôt, gondolant et titubant, ils marchèrent ensemble vers le Feu du Conseil, rasant le bord de la place autant qu'ils le pouvaient, se dirigeant vers la rangée des canoës parqués sur la plage.

Dans la mesure où il était possible d'en juger à l'œil nu, deux Séminoles ivres, ni plus ni moins que les autres, s'arrêtaient à l'ombre d'une hutte, bien en dehors déjà de la bruyante frénésie des danses guerrières, lorsqu'une troisième silhouette bondit pour les rejoindre, une mince fille vêtue de blanc mais enduite de marne jusqu'aux yeux, ses longs cheveux noirs flottant sur les épaules.

Quoique endurci par une assez impressionnante succession de chocs, Roy demeura cependant sans paroles lorsque la voix de Mary Grant sortit de ce masque de glaise — et il recula d'un pas quand le roi Lear s'élança en avant pour la serrer contre son cœur :

— Bienvenue à Fakahatchee, Ophelia, dit doucement le vieillard. Je vois que tu t'es souvenue de l'endroit où prendre les costumes.

— Ne me dévisagez pas, Roy, dit Mary. Je suis restée enveloppée dans la couverture jusqu'à ce que je puisse paraître à nouveau décemment en public.

— Où donc êtes-vous allée ?

— Dans le hangar d'entrepôt, bien sûr. Derrière la maison

du Chef. Il semble que je connaisse mieux le village que vous.

— Et si vous aviez été surprise ?

— Peu de risque, ce soir ! Entrez tous deux dans cette hutte, elle est vide. Et j'ai à vous montrer ce dont je me suis emparée... outre la robe d'Ophélie...

Roy jura tout haut et la suivit dans la lumière équivoque de la paillote. Le Feu du Conseil les poursuivait jusqu'ici de ses reflets. Mary écarta sa cape et exhiba un arc tendu, une flèche à la pointe lestée de résine :

— J'ai pensé que nous pourrions nous en servir comme signal d'avertissement pour Andy : il ne peut espérer d'instant plus propice pour l'attaque.

— De toute manière, Andrew débarquera dans peu de minutes, et il s'agit de nous remuer si nous voulons gagner un refuge.

— Nous pourrions employer cette flèche pour mettre le feu à la maison du Chef ; avec un peu de veine, nous pourrions la faire sauter dans les nuages.

Le docteur Barker embrassa Mary pour la seconde fois ; grâce aux robes de velours qui le drapaient et à sa couronne de fer-blanc penchée sur l'œil, il « faisait » absolument conspirateur de mélodrame. Lui aussi semblait s'amuser énormément ; comme Mary, il vivait son rôle.

— Vous avez vraiment bien employé votre temps, chère !

— J'ai vu ces fusils empilés sur la plate-forme du Chef, si c'est ce que vous voulez dire. Et j'ai compté au moins six tonnelets de poudre. Nous pourrions, à nous trois, gagner la guerre d'Andrew. Il n'aimerait peut-être pas beaucoup cela.

— Et révéler notre présence à Chekika ?

— Chekika est en folie comme les autres : vous n'avez qu'à regarder par cette porte, vous verrez qu'il est entré dans la danse.

Roy l'empêcha de se montrer et, d'une poigne solide, la maintint dans une zone d'obscurité tandis qu'ils contournaient le compound, suivis par le docteur Barker qu'une telle circonspection faisait soupirer. En quelques enjambées, ils furent hors de portée des reflets dansants.

Au moment de se glisser sous la protection des chênes maritimes, au bord de la plage, Roy jeta, malgré sa hâte, un vif regard en arrière et s'aperçut que Chekika, toujours bondissant et gambadant au milieu des siens, brandissait dans ses deux poings levés n couteau à cannes. Arrivé auprès du gibet qui soutenait encore les débris de ce qui avait été Dan Evans, il lâcha l'arme de la main gauche et, la faisant tournoyer aussi haut que possible, l'abattit sur la corde, faisant ainsi choir le cadavre mutilé, tête la première, au milieu du foyer. Le hurlement de triomphe et de cruelle allégresse qui suivit parut ébranler l'îlot jusqu'en ses profondeurs... Roy parla vite, ses lèvres tout contre l'oreille de Mary :

— Nous avons rempli notre mission, Mary. Nous avons trouvé le docteur Barker. Ne tentez pas la chance...

— Où nous conduisez-vous, à présent ?

— Si vous connaissez tellement bien le hammock, vous devez vous souvenir qu'il existe, au bout de cette plage, une sorte de lise. Je vais vous y plonger, vous et le docteur, jusqu'à la fin du combat. Il y a certainement assez de boue et de sable pour que vous y entriez jusqu'au-dessus des épaules, et assez de racines puissantes pour que, des mains, des genoux et des pieds, vous y soyez solidement ancrés. En tout cas, les balles qui iraient jusque-là trouveraient suffisamment de vase pour s'y perdre.

— Êtes-vous d'accord, docteur Barker ?

— C'est Roy qui dirige l'expédition, dit doucement le vieillard. Nous devons prendre ses ordres — et les suivre.

— Suivez-moi tous les deux le long de la rive.

Le roi Lear obéit sans protester, passant de l'herbe à la boue en un long et silencieux patouillement. Pendant quelques instants, la robe blanche d'Ophélie sautilla sur un fond de lueurs rougeâtres et Roy, un poing solidement entortillé dans l'ourlet de sa robe, se préparait à l'entraîner de force. Finalement, avec un haussement d'épaules, elle céda et se laissa tomber à côté de lui, au point où la berge, marquée, comme de cicatrices, d'un lacis de racines en relief, se fondait en une vasière visqueuse, juste avant le bord du chenal.

Dès que leurs pieds eurent touché la boue, ils se sentirent aspirés par sa noire étreinte. Ancrés comme ils l'étaient aux racines à la fois affleurantes et profondes, ils pourraient aisément et sans péril se laisser absorber jusqu'aux épaules. La haute berge marneuse constituait une excellente protection contre les balles qui disparaîtraient dans sa masse molle : sur tout Fakahatchee Hammock, il n'existait pas de lieu où la sécurité fût mieux assurée — à présent que le souffle de la guerre était déjà sur eux.

— *Cette fois-ci*, dit Roy avec insistance et autorité, il s'agit sérieusement de rester où je vous mets. Je reviendrai vous chercher dès que la chose sera sans danger pour vous.

— Ne nous quittez pas, Roy !...

— Je crains bien de ne pouvoir faire autrement. Si vous voulez m'autoriser à prendre cet arc et cette flèche, je vais tâcher d'en faire le meilleur usage.

— Vous trouvez que c'est juste, tout ça, vous, docteur Barker ?

— Nul archer ne peut rivaliser d'adresse avec Roy, dit, toujours tranquillement, le botaniste.

Roy retira de la main consentante de Mary le court arc de cèdre :

— Promettez-moi maintenant — et vite, car le temps presse — de vous cramponner à cet abri jusqu'à ce que je vous appelle. Docteur, veillez à la garder saine et sauve pour Andy.

— Promettez de rester avec moi, Mary, murmura le docteur, imperturbable.

— Je le promets, soit. Mais je vous déteste tous les deux !

Sans oser se retourner, Roy se hâta en direction du Feu du Conseil : « Si je m'arrête pour réfléchir à cette histoire, se disait-il tout en marchant, jamais je ne courrai ce risque... »

Rien n'était plus ridiculement aisé que de regagner en bondissant la zone de lumière, de se mêler à ce tournoiement farouche et déchaîné assez complètement pour saisir un brandon enflammé, de s'en écarter jusqu'au sable où il laissa choir le bois brûlant. Personne, pas même Chekika, ne s'aperçut de sa venue, de ses gambades, ni de son départ.

Au loin, mais se rapprochant avec rapidité, le cri de l'engoulevent s'éleva dans le marécage, en même temps que la première promesse de l'aube. Puis le cri s'éleva au nord et à l'ouest. Les canoës d'Andrew Jackson Winter évoluaient avec une précision absolue, exactement une demi-heure derrière son éclaireur. « Maintenant ou jamais ! » se dit fermement celui-ci. Et ses lèvres murmuraient une rapide oraison jaculatoire cependant que ses mains fixaient la flèche à l'arc et que ses talons s'appliquaient au sol et s'enfonçaient pour mesurer et assurer la trajectoire du trait.

Le point où il se tenait était éloigné de la maison de Chekika de quelque cinquante mètres : un garçon de dix ans aurait pu envoyer une flèche droit dans cette toiture de palmes sèches. Roy plongea la pointe goudronnée dans la flamme de son brandon et, très haut par-dessus la folle mêlée des danseurs, la comète en miniature se perdit un court moment entre les étoiles pâlissantes, puis, avec une vitesse sifflante, elle se perdit définitivement parmi la chaume de la toiture.

Alors une lueur terrifiante surgit, s'épanouit, remplaça les palmes sèches, qu'elle avait dévorées en naissant, et, d'une seule haleine, si l'on peut dire, la flamme fut partout à la fois.

Sitôt « bien allumée », la maison de Chekika réduisit le Feu du Conseil à n'être qu'un simple lumignon : alors qu'il avait illuminé le hammock entier, s'il s'était éteint à présent, personne ne s'en serait aperçu. Le battement des tambours, le trépignement poussiéreux des pieds dansants furent instantanément silencieux : les guerriers, ahuris et consternés, s'apercevaient, trop tard, de ce qui s'était passé derrière eux pendant que leur folie les tenait. Et, déjà, le mur n'était plus qu'une nappe incandescente, le feu enroulait une douzaine d'agiles serpents autour des pilotis de la plate-forme et Roy voyait, de loin, les massifs tonnelets de poudre qu'entouraient les fusils entassés, les langues de flamme qui léchaient inexorablement le plancher sur lequel reposaient armes et munitions.

Abraham fut le premier à se rendre compte du danger, à se détacher de la foule et à se précipiter vers la plate-forme. Une pincée de guerriers s'élancèrent sur ses talons, mais la plupart des Séminoles, littéralement cloués au sol par la stupéfaction, ne semblaient comprendre ni l'importance ni l'imminence du péril, à vrai dire ne rien comprendre du tout à ce qui se passait.

Chekika lui-même, assis alors à l'extrémité du Feu du Conseil la plus éloignée de sa demeure, restait comme figé sur place, comme hypnotisé, pendant que la flamme grondante, rampant de gauche et de droite, se réunissait sous la cache aux poudres. Seul Chittamicco réagit instantanément, et dans le sens de sa nature : Roy le vit, sans surprise aucune, détaler comme un lièvre vers l'abri précaire, mais abri relatif tout de même, d'une hutte.

Le porte-parole noir n'était qu'à mi-hauteur des marches menant à la plate-forme — car il avait fallu beaucoup moins de temps à tous ces événements pour se succéder qu'il n'en faut pour les raconter — quand l'explosion se produisit. Les Indiens qui l'avaient suivi furent pris avec lui dans la pleine fureur de cet éclatement, qui parut arracher au sol la maison du chef et en éparpiller les débris dans l'atmosphère, comme si un volcan caché dans les entrailles du marécage était subitement entré en activité.

Le corps d'Abraham fut projeté dans l'espace — on aurait dit un sac de charbon négligemment lancé en l'air par un géant — et retomba, brisé, démembré, quelque part dans la nuit. Un grand geyser de feu jaillit vers le ciel, lorsque le dernier tonnelet de poudre, éclatant parmi les ruines embrasées, secoua Faka-hatchee Hammock jusqu'en ses profondeurs.

Puis, tout aussi soudainement que le chaume était devenu flamme, la masse incandescente ne fut plus qu'une masse noire éructant des tourbillons de fumée, parmi les craquements du bois brûlé. L'aube grise, se répandant sur l'îlot, révéla un trou sombre au lieu où s'était fièrement dressée la demeure de Chekika.

Seuls s'entendaient les lamentations des squaws et les appels insistants des engoulevents qui montaient des broussailles et des boqueteaux au bord et à l'ouest du village.

Aucune vie, aucune présence ne se manifestait en dehors du passage de Roy, qui, lancé à toutes jambes, longeait la plage et s'enfonçait dans la première touffe de joncs.

CHAPITRE VII

IL AVAIT A PEINE GAGNÉ sa cachette, à l'écart de la rive, lorsque l'attaque, d'un seul coup, se déclencha. Ce fut comme une vague brune, surgie du cœur même du matin, saupoudrée comme d'une écume par l'éclat des avirons propulsant un demi-cent de canoës droit sur les plages de Fakahatchee Hammock.

Elle traversa comme un essaim les champs de maïs du nord et de l'ouest.

Elle s'étala par-dessus les broussailles et les buissons de l'est et du sud.

Nul cri de guerre n'accompagnait le flot de cette marée silencieuse, pas un coup de feu n'éclata avant que le dernier canoë fût tiré au sec.

La stratégie d'Andrew était simple et il avait déployé ses forces à la perfection. Avant que s'entendît le premier claquement d'un fusil qu'on armait, le village était investi des quatre côtés. Quand vint enfin la première salve, son grondement s'échappa d'un cercle d'acier qui se resserrait à chaque commandement proféré à voix basse.

Avec l'aurore derrière eux, les Rangers concentraient leur tir en direction du bûcher de la maison de Chekika : Andy avait compris, apprécié et utilisé comme il convenait le feu d'artifice qui avait guidé son débarquement. Grâce à cette impitoyable clarté perçue à distance, grâce aux instants de stupeur et d'hésitation qui avaient figé dans le compound presque tous les guerriers épargnés par le cataclysme, l'ennemi constituait à présent, pour les meilleurs tireurs de Floride, une importante cible ramassée.

La première volée, aussi précise qu'un tir de manœuvre, abattit sur place le tiers des Séminoles. La seconde, qui fit voler les murs et les toits de palmes d'une vingtaine de huttes où les habitants se précipitaient follement dans l'espoir de s'y réfugier, fut presque aussi efficace.

Roy se trouva debout, sans savoir comment, et joignant sa voix aux cris de triomphe des envahisseurs.

Déjà, à la suite de l'attaque, vieille de quelques minutes à peine, il ne restait plus à Chekika la moindre possibilité d'une résistance organisée. Surpris, affolés, déconcertés, incapables dans la lumière sale et trouble d'avant le jour de distinguer les amis des ennemis, les Séminoles ne pouvaient plus livrer que des combats individuels et, si la moindre échappée s'ouvrait, en profiter pour détaler à toutes jambes.

Roy vit qu'il pouvait remonter à terre à sa guise à présent qu'il se trouvait du bon côté de ce cercle de poudre et d'acier.

A quatre pattes, il traversa la bande de ketmie et de fenouil sauvage qui bordait la rive, juste comme les premiers rayons de soleil perçaient le dôme de brouillard. Autour de la place, près de la maison de Chekika effondrée en cendres, une douzaine de huttes flambaient.

Les duels, les combats de petits groupes engagés de toute part indiquaient les dernières convulsions de la résistance, scandées par le choc des haches de guerre, l'aboiement des carabines et des pistolets, et témoignaient de la rapidité avec laquelle l'attaque s'était disloquée en corps à corps. Si près qu'il fût, il parvenait difficilement à distinguer un Américain d'un Séminole, jusqu'à ce qu'il se rappelât que les hommes du capitaine Winter portaient un brassard blanc.

Tout autant que la soudaineté foudroyante de son raid, les déguisements bien étudiés et bien réalisés par Andrew payaient déjà d'importants dividendes en scalps ! En traversant le village à la course, Roy faillit tomber sur le cadavre d'Abraham, déchiqueté par l'explosion. Des corps de Séminoles étaient étroitement massés autour du Feu du Conseil. D'autres, tués d'une balle dans le dos comme ils tentaient de fuir, s'étalaient sur le seuil de leur hutte. D'autres encore avaient résisté en groupes encerclés pour, finalement, être abattus jusqu'au dernier.

Criant le nom d'Andy dans le vacarme faiblissant de la bataille, Roy continuait sa route trébuchante. Déjà aucun doute n'était plus possible quant à la conclusion de l'aventure. Débordés par le nombre dès le début, annihilés par l'effet de surprise de l'explosion qui avait donné le signal de la charge, les Séminoles mouraient trop vite pour avoir le temps de se rendre.

Si Chittamicco avait prudemment disparu de l'arène, Chekika, entouré de ses seconds, refusant de gagner quelque temporaire cachette, tournant le dos à cette Mer Herbeuse qui l'avait si longtemps abrité, fit face, sans peur, à une vingtaine de carabines. Acculé en un point où nulle chance de fuite ne lui restait possible, le roi des Chats Sauvages attendait, l'insolence et le défi sur le visage. Il n'y eut ni proposition ni demande de reddition. Roy se détourna juste avant que la salve partît. Mais il se trouvait assez près pour entendre les balles toucher leur but, pour entendre aussi le dernier cri de panthère lancé par Chekika lorsqu'il emporta dans l'au-delà sa haine pour tout ce qui était blanc.

La mort de leur Chef marqua la fin de l'action, bien que de rares petits groupes se rendissent encore lorsque Roy rencontra Ranson. Le sergent était accroupi dans une manière de hangar-entrepôt sur la hauteur de l'île, avec quatre assistants fort occupés autour de lui. Roy vit que sa propre trousse était ouverte et ses instruments préparés sur une planche faisant table improvisée. Le fait que le sergent pouvait se préoccuper de cela — et compter sur la venue du chirurgien — mettait le sceau sur la victoire remportée par le capitaine de dragons.

— Vingt et une minutes à la montre du capitaine, monsieur, dit Ranson. La plus courte bataille — Tippecanoë excepté — à laquelle j'aie jamais participé.

— Tous sont pris ?

— Pas tous, docteur. Une cinquantaine, soixante peut-être, ont pu filer. Mais ceux-là ne nous combattront plus jamais. Pas vraiment. La Floride est ouverte aux colons, en toute sécurité, à compter de ce jour.

— Où est le capitaine Winter ?

— A l'intérieur du hangar, monsieur. Ce n'était pas son jour de chance, je le crains. Il a pris... un coup de couteau au moment même où nous avons pris... pied sur l'îlot.

Andy était étendu dans l'entrepôt éclairé par un foyer, adossé à un chevalet de bois. Agenouillé à son côté, le caporal Poore lui pressait de toutes ses forces un tampon contre la poitrine. Tout blessé qu'il était, Andy n'avait pas cessé un moment de diriger l'action et il continuait ; il aboyait précisément un ordre à l'intention d'un messager-coureur quand Roy passa le seuil. Envoyant d'un geste l'homme vers sa course, il parvint à dédier à son ami un drôle de sourire grimaçant, mais sa peau blême sous les restes de peinture démentait la cocasse bonne humeur de l'accueil.

— Qu'est-ce que tu dis de ma façon de tirer des plans, vieux frère ? Est-ce qu'on aurait pu faire mieux pour un concours à West Point ?

— Toutes mes félicitations, capitaine ! Cordiales et sincères.

Ce disant, le chirurgien avait pris la place de Poore auprès du blessé. Pendant qu'il examinait rapidement la plaie, il garda un ton de voix tout à fait détaché pour s'informer.

— Lourdes pertes ?

— Pas plus de vingt morts. Les autres étaient trop suffoqués pour réagir. Tu as sous la main l'unique blessure grave.

Menton baissé, Andrew jetait un œil vers le tampon d'où suintait le sang, exactement comme s'il ne s'écoulait pas, d'abord, d'un trou dans sa propre poitrine.

— Les aides de Ranson pourront sans difficulté panser les autres, si tu veux t'occuper de moi.

— Ne te fais pas de bile, capitaine. Tu vivras pour porter tes médailles.

L'oreille du chirurgien l'avait déjà renseigné sur la nature des dégâts sans qu'un plus long examen fût nécessaire. Seule une blessure au poumon produisait ce susurrement rythmique à la cadence de la respiration. A en juger par l'éclat frais et rouge du pansement, une artère intercostale avait été tranchée. Il souleva brièvement le tampon et fronça les sourcils en voyant le sang non pas couler, mais jaillir aussitôt et retomber en courbe sur le sol. Ce n'était pas une chose simple ni facile que d'aller récupérer, pour le suturer ensuite, un vaisseau profondément rétracté dans une perforation de ce genre. Et cependant, il ne restait que quelques minutes entre Andy et la mort si l'opération n'était faite, et faite promptement.

— Est-ce que tu as tiré le docteur Barker de ce pétrin ?

Arraché à son diagnostic, Roy répondit par un hochement de tête. Comme toujours, il était absorbé par son problème. Au surplus, le temps lui manquait absolument pour expliquer qu'il avait caché le botaniste et Mary dans la même vasière.

— L'idée de faire flamber cette hutte est-elle de lui ?

— Partiellement.

— Rien n'aurait pu nous être plus utile. Est-ce vrai que Dan Evans est en train de rôtir dans leur Feu du Conseil ?

— Tout ce qu'il y a de plus vrai. Cesse de parler, veux-tu ? Tu t'épuises rapidement.

— Tout y a passé ! Tout le fourbi et tout le barda ! Ranson était sûr que c'était Dan. Je n'ai jamais voulu le croire. Peut-être bien que tu devrais me laisser mourir, alors, histoire de balancer les comptes.

— Reste tranquille un moment. Et tais-toi. Je vais te faire mal, mais je ne vais pas te laisser mourir.

Roy, qui sentait Andy glisser dans le coma entre ses doigts, donna ses instructions à voix basse au caporal Poore. Il lui fallait de la résine : le sergent en avait un plein poêlon qui bouillonnait sur un feu de bois, au dehors. Les bandes étaient bien roulées, les aiguilles à suture étaient prêtes, il les avait remarquées en passant. Ranson l'avait vu sauver trop de vies avec un outillage réduit, mais bien calculé, pour en négliger aujourd'hui la préparation.

— Nous travaillerons ici même, caporal. Lorsque vous aurez rassemblé les choses que je vous ai demandées, apportez-les-moi, priez le sergent de venir m'assister et de m'apporter ma trousse. Faites vite tous les deux, le temps est essentiel !

Le lointain murmure de la mort à l'ouvrage, les lamentations aiguës des squaws captives, tout disparut de son esprit pendant qu'il se penchait à nouveau sur son problème opératoire. La menace cachée sous cette tache d'un si beau rouge était terriblement vraie. Les intercostales sont d'assez grosses artères qui suivent le bord intérieur de chaque côte, juste à l'extérieur de la plèvre, cette membrane de la cage thoracique qui enveloppe les poumons. Ces vaisseaux, s'ils viennent à être tranchés, ont l'habitude perverse de se rétracter aussitôt et de telle manière que c'est une sérieuse difficulté, par là même, de les ressaisir, car le chirurgien ne sait pas exactement jusqu'où pousser ses recherches, cependant que le temps le pousse et que la vie coule. Trop souvent aussi une hémorragie interne ajoute un danger de surcroît, entraînant la vie à flots dans la cage thoracique même, sans que l'opérateur puisse s'en apercevoir autrement que par l'effondrement de la victime...

Roy regardait les aides qui préparaient les instruments nécessaires, il regardait le soleil verser une lumière rose et propre par les fentes du toit, et il se réjouissait de préparer un sauvetage alors que le carnage sévissait au dehors. Le succès cyclonique de l'attaque, l'entraînant dans son sillage, ne lui laissait aucun sentiment de victoire, aucune impression de triomphe, aucun soulagement véritable à la pensée que la guerre indienne entrait — enfin ! — dans l'Histoire de la Floride. Il aurait bien le temps d'étudier ces réalités plus tard. Si Andy vivait — mais évidemment il ne pouvait être question qu'Andy mourût. Roy ne l'admettait pas une seconde. Le conquérant de Fakahatchee, lui aussi, appartenait à l'Histoire — mais Andrew Jackson Winter appartenait tout aussi certainement à Mary Grant. Il allait le sauver pour elles.

— Vous avez la résine, sergent ?

— Toute prête à la porte. Une poêle pleine. Juste à la température. Vous comptez sceller la plaie, monsieur ?

— Dès que j'aurai pu saisir et ligaturer l'artère.

Il avait le scalpel au bout des doigts, il commença son exploration prudente, circonspecte. L'instant le plus pénible de l'épreuve viendrait pour Andy au moment où le chirurgien découvrirait la plaie dans toute sa longueur et plongerait à la recherche du vaisseau sanguin blessé. Pendant ce temps-là, Andrew respirerait du mieux qu'il lui serait possible avec la paroi thoracique ouverte d'un côté. L'irruption de l'air, la pression qui écraserait le poumon, pouvait, si les choses tournaient mal, l'empêcher complètement de fonctionner. En ce qui concernait la souffrance née de la plaie elle-même et du travail opératoire, le temps manquait pour qu'un opiat pût agir et il n'avait rien d'autre, absolument rien d'autre sous la main. Les tâtonnements du scalpel et de la sonde, la morsure de la suture, aucun palliatif ne viendrait en atténuer la cruauté. Pour toutes ces raisons, Roy se réjouissait qu'Andy se fût évanoui et se préparait à travailler avec toute la promptitude possible.

— Prêts ? Je commence.

Il enleva le pansement, ignorant l'immédiat jet rouge qui surgissait à chaque battement du cœur. A présent, la plaie ouverte par le couteau ennemi était tout entière sous les yeux, et il constata que seule la côte avait sauvé la vie du blessé : la lame avait patiné sur l'os, tranchant la peau et le muscle, mais elle avait perdu de sa force initiale pendant ce trajet heurté, de sorte que le couteau ne s'était enfoncé au delà du muscle que tout au bout de la plaie, et, si l'artère était tranchée, le cœur n'était pas touché.

Par cette trouée ouverte, l'air entrait et sortait avec un bruit de soupir, et, bien que partiellement maîtrisé par la pression du pouce que Roy y tenait appuyé, faisait entendre un sifflement asthmatique menaçant. La déchirure était petite, perforation plutôt qu'incision, ce qui diminuait les risques d'hémorragie interne et de suites dangereuses, s'il parvenait à trouver, à saisir et à ligaturer l'artère.

Il glissa dans les profondeurs de la plaie son index gauche — contre lequel s'appuyait fermement la courbe de l'aiguille à suturer — et tâtonna le long de la côte jusqu'à ce qu'il sentît l'artère et pût la rouler entre son doigt et la côte.

Les lèvres d'Andy étaient d'un bleu d'ardoise et, sous la dramatique pression de l'air extérieur, sa respiration n'était plus qu'un très léger murmure.

Tout à coup, ayant trouvé sa prise, Roy plia le doigt fermement vers le haut, l'aiguille suivit le mouvement, et le jet rouge devint simple filet. En même temps, la pression de son articulation contre la perforation de la plèvre coupait l'afflux d'air extérieur et permettait aux poumons à bout de force de se gonfler à nouveau.

— Pouvez-vous la tenir, docteur ?

Il rencontra les yeux anxieux du sergent et hocha lentement — et affirmativement — la tête :

— Je crois que oui. En tout cas, je suis prêt à suturer.

La pointe de l'aiguille était à présent comme si elle faisait partie de son doigt, sondant au loin les tissus de la plaie, distinguant leur nature par le degré de résistance qu'ils lui opposaient. Elle avait passé le long de la tendre fibre musculaire, s'était écartée de la côte et se mouvait à présent le long du tronc même de l'artère : Roy la fit remonter jusqu'à ce que la pointe, la soie incurvée, le chas et enfin le crin de suture reparussent successivement.

Saisissant alors l'aiguille dans des forceps, il l'attira au dehors et, coulant à sa suite, le crin de suture qu'il serra et noua de ses doigts libres. Dès que la main gauche fut retirée de la plaie, l'air s'y précipita aussitôt en sifflant, mais pas une goutte de sang ne coula. Il laissa doucement l'artère redescendre à sa place, le crin de suture une fois coupé.

— Voilà déjà l'hémorragie arrêtée, sergent. Il s'agit à présent d'arrêter cet appel d'air.

D'autres aiguillées de fil à suture, pendant librement du chas des aiguilles, vinrent se placer dans sa main. Cousant avec toute l'attentive concentration d'une bonne ménagère, il attira au-dessus de la perforation un premier lambeau de muscle, qu'il assujettit à grands points rapides, puis il rabattit en face l'autre lambeau de manière que les deux fissent une sorte d'X approximatif, et se recula pour juger de l'effet. Ainsi qu'il l'avait espéré, les deux muscles en se recouvrant formaient une sorte de digue très efficace et qui empêchait presque toute pression extérieure.

Quand les poumons d'Andy se gonflèrent, une très petite quantité d'air s'échappa à travers la perforation ; quand ils se contractèrent, la valve musculaire improvisée joua, se refermant sur elle-même, valve à sens unique, mais parfaitement sûre.

Le sergent Ranson tendit alors par-dessus le corps inerte du capitaine la poêle de résine chaude et Roy en prit une portion sur le manche de son scalpel. Elle était à une température malléable, ce qui lui permit de l'étendre en premier lieu en couche égale sur le rebord des muscles croisés, puis un carré de toile fine fut disposé au-dessus de cet appareil et maintenu en place par une seconde couche de la substance adhésive. Une épaisseur de charpie enfin fut assujettie par-dessus le tout à l'aide d'une bande enroulée d'abord autour de la poitrine, puis, en harnais, par-dessus l'épaule du blessé : Roy fixa le nœud final et s'écarta du lit, cédant sa place au sergent.

— Dix minutes à la montre du capitaine ! s'exclama Ranson. Jamais vous n'avez travaillé plus vite, docteur.

— Il *fallait* faire vite, ou le perdre.

Sergent et chirurgien baissèrent ensemble leurs regards vers le patient et sourirent à l'unisson. La cyanose qui bleuissait les lèvres d'Andy au début de l'opération avait à peu près disparu, les poumons ayant repris leur fonction vitale à l'abri du pansement. L'allure du pouls, la teinte de la peau confirmaient en même temps la robuste santé d'un héros taillé pour survivre à presque toutes les blessures. Roy s'aperçut qu'il en avait fait la réflexion à haute voix.

— Du moins, je l'ai conservé sain et sauf pour Mary.

— Pardon, monsieur ?

— Il quitte le service pour épouser Miss Grant, nous le savons tous. Nous ne pouvions guère le laisser mourir après sa dernière — et victorieuse — bataille.

Du fond de son coma, Andy soupira. « Tu seras debout dans huit jours », lui dit mentalement Roy. « Dans quinze jours, tu auras quitté l'uniforme et tu seras prêt à tailler la première marche de cette nouvelle partie de ta carrière. »

Il se détourna et sortit de la hutte, oppressé par une douleur qu'il n'aurait pu nommer. Il était temps d'aller rechercher

Mary et le docteur Barker dans leur cachette. La guerre était finie, et sa propre abdication était complète.

— C'est vous qui commandez à présent, sergent. Pouvez-vous faire construire un brancard dans l'un des canoës ?

— J'ai plusieurs civières de prêtes, monsieur. Je prendrai le capitaine dans mon embarcation.

— Veillez à ce qu'il reste allongé sur le dos pendant une huitaine de jours au moins.

Ranson grimaça un sourire perplexe :

— Je ferai de mon mieux, monsieur ! Ne serez-vous pas là pour m'aider ?

— Je ne crois pas, sergent. Mon tour de service est fini aussi, vous savez ! Si le docteur Barker croit pouvoir supporter la fatigue, je pense que nous regagnerons Flamingo Key par Cape Sable.

— Vous le trouverez en bonne condition, docteur. Le coup qu'il a reçu l'a étourdi. Mais il revient très bien à lui.

Roy pivota sur lui-même, les paroles de Ranson venaient de s'inscrire dans son cerveau comme en traits de feu.

— Vous dites que... *vous avez trouvé* le docteur Barker ?

— Dans la vasière, monsieur. Au delà du mouillage des canoës. Poore est venu le signaler à l'instant, pendant que vous finissiez de ficeler le capitaine. Vous étiez trop occupé pour entendre...

Mais déjà Roy était parti, avec Ranson sur les talons. En traversant le compound, il eut une vision de cauchemar : douze corps cuivrés se balançaient dans les choux-palmistes, le long du chenal. Tandis qu'il évitait les dernières huttes brûlant encore, la mélopée désolée des squaws entrait en lui, finissait par faire partie de lui comme les battements de son propre cœur.

Il fonça dans les broussailles vers l'ouest, et, avant même d'avoir aperçu le docteur Barker, il sut ce qui s'était passé.

La berge boueuse qui surplombait la lise était un chaos d'empreintes. Les buissons et les broussailles, tailladés par une vingtaine de couteaux à cannes, indiquaient clairement le point où les Séminoles avaient pris la route de l'exil. Ceux des Indiens qui avaient pu, au dernier moment, franchir le cercle mortel où les avait enserrés Andrew s'étaient précipités en trombe vers le chenal à l'extrême pointe de l'île et, de là, s'étaient dirigés vers l'ouest à force rames, pour sauver leur vie. On voyait encore la trace des canoës à l'endroit où ils avaient été traînés de la rive boueuse à l'eau libre. Pour atteindre le chenal au plus près, car pour ces fugitifs aussi le temps comptait, ils avaient rasé le bord de la vasière...

Des Rangers à pied et en canoës scrutaient encore les broussailles, buissons et boqueteaux, à la recherche d'éventuels survivants. Poore était accroupi à côté du docteur Barker, de qui il supportait la tête sur ses genoux.

— Il n'est pas blessé, docteur. Étourdi seulement.

Roy se pencha vivement pour vérifier l'assertion du caporal. Une bosse pareille à un petit œuf se gonflait à la tempe du vieillard, et une large tache de boue sur ses cheveux blancs montrait comment il avait été renversé par le choc. Mais il ne semblait souffrir d'aucune contusion interne. Il était évident que le botaniste avait été assommé par une main experte et laissé sur place de propos délibéré.

— Miss Grant ? N'y a-t-il aucune trace d'elle ?

Roy se força à poser la question, bien que la réponse fût déjà sous ses yeux.

— *Miss Grant ?* docteur.

— Elle était ici également, caporal. Mais évidemment vous ne pouviez pas le deviner.

Le docteur Barker ouvrit les yeux et intervint tranquillement, comme s'il avait suivi l'échange de phrases :

— Big Sulphur, Roy. C'est là qu'ils sont allés.

— Comment vous sentez-vous, monsieur ?

— Très bien, très bien. Étourdi par un coup de rame.

Le vieux botaniste fit un effort pour se soulever hors des bras du caporal, puis abandonna sagement cette idée.

— Chittamicco voulait que tu le suives. C'est pourquoi il m'a laissé ici.

— Chittamicco ?

— Il t'attend à la source. Il t'attend pour régler le compte. Il a dit que cette fois-ci il était bien sûr que tu viendrais.

Cette fois, le docteur Barker se leva pour de bon, dédaignant la main secourable du caporal Poore.

— Regarde ce cyprès sur la rive. Tu comprendras...

Le soleil du matin, étalant sa patine dorée dans les moindres recoins de l'île, s'arracha à quelque chose de blanc qui flottait. Roy marcha vers le cyprès comme un homme plongé dans un rêve. Fixée à l'arbre par une foëne, la robe d'Ophélie, tachée de boue, dansait dans la brise du matin comme si elle eût été vivante.

CHAPITRE VIII

LES CANOËS S'APpuyaient contre la berge ouest de la source, mouillés en sécurité, hors de portée de fusil. Le matin était d'une merveilleuse beauté, répandait sa clarté comme une bénédiction sur l'eau de cristal, et tant de perfection donnait au paysage, et à l'heure même, quelque chose d'irréel. Accroupi à l'avant du canoë de Ranson, comme un chien courant qui sent la piste, Roy ne pouvait pas s'arracher à la conviction qu'il rêvait. Il avait rencontré la mort assez souvent pour connaître son visage : la mort n'avait pas le droit de s'embarquer tranquillement parmi les canoës rassemblés, pas le droit de s'incorporer à cette journée souriante.

Il savait que cinquante paires d'yeux le suivaient attentivement, il leva la main droite, paume en dehors. Ranson braqua instantanément le canoë ; derrière lui, là où le tunnel vert de l'estuaire débouchait sur la source sulfureuse, il entendit le soupir qu'exhalait le bois des autres canoës brusquement arrêtés. « Voici mon heure, se dit-il. L'heure du sacrifice final. Dieu permette que je fasse ce sacrifice avec dignité. Non que la dignité — ou même la vie — puisse avoir une importance quelconque si Mary n'était pas saine et sauve. » Sur ce point, il était convaincu : la boueuse robe blanche qu'il tenait à la main ne pouvait signifier autre chose. Néanmoins, même cette vérité pouvait cacher un piège.

Il baissa la main, paume tendue vers le sol, et Ranson, détachant le canoë de la verte étreinte de la berge, l'amena en pleine vue des Séminoles massés de l'autre côté de l'eau et le laissa glisser sur son erre. Le sergent alors leva les deux bras pour montrer qu'il n'était pas armé, Roy imita ce geste, mais, d'une main, il brandissait un trident auquel flottait comme un pennon la robe d'Ophélie. Pendant un long moment, nul signe ne vint des canoës en grappe juste en face. Puis l'un des canoës se détacha des autres et parut en plein soleil. Un panache de plumes blanches se dressait à l'avant, et, même à cette distance, Roy reconnut Chittamicco à la pagaie.

Les deux embarcations s'élancèrent l'une vers l'autre comme une paire d'alligators hostiles, se croisant à se frôler au milieu exact de la source. Chittamicco, levant un trident identique à celui que brandissait Roy, le baissa pour en porter un coup vicieux et rageur à la quille du canoë ennemi. Roy rendit coup pour coup avec une semblable fureur rituelle. Un murmure étouffé monta de la rive quand les Séminoles en attente constatèrent que le défi porté par leur nouveau chef était accepté.

Chittamicco, alors, leva la main pour réclamer le silence et, quand il prit la parole, sa voix était curieusement calme.

— Tu vas combattre, Salofkachee ?

— Pour la jeune fille, oui. Est-elle encore vivante ?

— Elle est vivante, et bien portante. Tu veux la regagner ?

— Prouve la vérité de tes paroles.

— Je te fournirai la preuve avant que nous passions pardessus bord l'un et l'autre. Mais, d'abord, il faut que ton pagayeur s'en aille.

Ranson parla dans le silence, en anglais :

— A nous deux, nous pouvons facilement lui faire son affaire, docteur. Vous n'avez qu'un mot à dire.

— Ce n'est pas ce qui aiderait Mary Grant.

— Si vous voulez mon avis, c'est lui le dernier foudre de guerre de tout le tas. Ils nous rendront la jeune fille sans aucune difficulté une fois que nous aurons réglé son compte à celui-là !

— Peut-être. Mais nous ne sommes même pas certains qu'elle soit vivante. Comment, alors, le saurions-nous ? J'accepte son défi, c'est la seule façon d'en sortir.

— Alors, permettez-moi de me battre à votre place. Je me suis servi d'une foëne bien avant aujourd'hui, et d'ailleurs mon poids équilibre mieux le sien que ne fait le vôtre.

— C'est mon cœur qu'il veut arracher, pas celui du sergent Ranson. Retournez à terre comme il le demande, je le tiendrai en respect jusqu'à ce que vous soyez hors d'atteinte. (Roy tendit la main et serra chaleureusement celle de Ranson.) Ne croyez pas que je n'apprécie point la générosité de votre offre, sergent. Par bonheur, moi aussi je sais me servir d'un trident.

— Ça n'empêche pas que ce soit un assassinat organisé.

— A supposer ! Ce n'en serait pas moins la seule façon d'assurer le mariage du capitaine Winter à la date prévue. Allez ! à l'eau, Ranson, et donnez-moi cette pagaie.

Le sergent renifla un bon coup et se laissa glisser hors du canoë. Chittamicco leva son arme, et Roy vit la vieille lueur familière s'allumer dans ses yeux, comme si le diable avait ouvert la porte d'une fournaise dans la cervelle du Séminole. A son tour, il leva son trident en avertissement solennel. Ranson nagea, plein d'insolence, tout contre le canoë de l'Indien, secoua son poing au visage de Chittamicco, puis regagna la rive orientale avec toute la grâce d'un manatee.

— Tu as affirmé que la jeune fille est saine et sauve, Père des Séminoles, dit Roy. Rétractes-tu ces paroles ?

Chittamicco accepta gravement l'énoncé de son nouveau titre et remercia d'un léger salut :

— La fille est au fond de ma pirogue, Salofkachee. Ses mains et ses pieds sont attachés et la bouche est couverte pour l'empêcher de parler. Mais elle est intacte. Tu en croiras ma parole quand tu la verras.

Roy ravala sa protestation et son regard croisa en face celui de l'ennemi. Vantardises et tracasseries faisaient, il ne l'ignorait pas, partie des préliminaires obligatoires de défis de cette sorte ! Si la liberté lui en était laissée, Chittamicco était capable de le harceler ainsi des heures durant, avec des mots ambigus, faisant image, mais pas plus précis que ceux-là...

— J'ai accepté les conditions du combat. A toi de me montrer que la jeune fille est dans ta barque.

Il avait braillé ces mots à toute force pour que sa parole atteignît les oreilles de ceux de la rive occidentale, tout comme Chittamicco avait braillé avant lui. Maintenant, il osa se lever dans son canoë au risque de le faire verser, dans un effort pour vérifier si Mary était réellement dans la pirogue de son ennemi, troussée comme un poulet, jetée sous le banc de nage.

Aussitôt, Chittamicco fit marche arrière, ramenant son canoë à dix bons pieds vers l'ouest.

— Doutes-tu de ma parole, Salofkachee ?

Roy haussa les épaules et marqua le premier point :

— En aucune façon. Je demande seulement que tu passes par-dessus bord en même temps que moi. J'ai accepté ton défi, comme ça !

Il écopa une poignée d'eau au creux de sa paume et la lança au visage de Chittamicco.

— Veux-tu répondre ?

— Très volontiers, Salofkachee.

L'héritier de Chekika essuya les gouttes de ses yeux, ignorant le babillage qui s'élevait de la berge.

— J'ai dit que ta dame est ligotée, couchée au fond de cette pirogue. Le crois-tu ?

Trop tard, Roy comprit son erreur et repartit avant que le Séminole pût ajouter d'autres mots à cette image verbale.

— Montre-moi son visage avant que nous commencions. Ou bien ta promesse est-elle aussi creuse que tes paroles ?

Le nouveau chef des Séminoles se dressa de toute sa hauteur dans sa pirogue, les deux pieds écartés, solidement d'aplomb. Se balançant sous la poussée de la source, il fléchit fièrement sur ses muscles fermes, orgueilleux de son corps, comme s'il défiait son adversaire d'en faire autant.

« Il a tout risqué pour que j'accepte ce combat à ses conditions, pensait Roy. La source fait partie de son plan, et les témoins sur les deux rives. S'il peut me transpercer de son trident à Big Sulphur, il aura fourni la preuve que sa médecine est la plus forte. Moi disparu, le dernier lien de la nation avec le monde blanc disparaît, et son autorité sera indiscutable. Il rassemblera ces débris, tout pitoyables qu'ils sont en ce moment les regroupera sur l'île du Gros Cyprès, reformera leurs rangs et leur enseignera qu'il faut se battre à nouveau et encore... »

La voix de Chittamicco tonnait, l'arrachant à sa méditation. Il se figea sur sa pagaie.

— Tu te battras si je te rends la fille ?

— Oui, grand lâche ! Te cacheras-tu donc toujours derrière elle ?

Chittamicco se pencha au fond de la pirogue et, quand il se redressa, il tenait à pleins bras Mary Grant qui se débattait. Comme il l'avait dit, elle avait les pieds et les mains liés, et elle était étroitement bâillonnée. Au premier regard, il pensa la voir nue sous le soleil dur et cru, mais il se contraignit à regarder et s'aperçut qu'elle était toujours vêtue de la bande-culotte et du serre-poitrine en peau de daim qu'elle portait pendant leur voyage vers Fakahatchee.

Un grand hurlement de joie s'éleva des canoës indiens quand Chittamicco, d'un puissant mouvement d'épaules, souleva la jeune fille et la tint sur une paume levée, les doigts écartés au creux de ses reins, le corps tendu comme celui d'un acrobate-porteur. « Toujours sa folie qui perce, se dit Roy, qui avait deviné les intentions de son ennemi avant même que celui-ci eût repris la parole.

— La voilà. Elle est à toi, Salofkachee. Mais il faut que tu ailles la prendre dans Big Sulphur.

Déjà le corps de Mary avait quitté la pirogue, lancé en un arc assez court et piquant, la tête la première, dans les profondeurs cristallines au-dessous de sa quille. Roy aperçut au passage les yeux suppliants de Mary, immédiatement obscurcis par une montée de bulles tandis qu'elle se débattait frénétiquement pour libérer ses bras et ses jambes. Un second « plouf ! » retentissant lui apprit que Chittamicco avait déjà quitté son bord et plongé comme une anguille de cuivre. Il suivit, sans se donner un instant de réflexion.

Il rejoignit Mary au cœur même de la source, tâtonna pour trouver une prise et finit par saisir solidement les cheveux noirs de sa bien-aimée, qui flottaient en deux longues nattes. Le tranchant du trident ne faisait qu'un piètre couteau, mais Roy était parvenu, aidé par sa volonté désespérément tendue, à dégager les bras de la jeune fille avant que Chittamicco, descendu plus profond, pût exécuter sa volte pour porter son premier coup. Il sentit Mary haletante dans son étreinte quand elle vit le péril qui fonçait sur eux et il sentit qu'à cet instant même elle s'efforçait à placer son corps entre lui et le trident du Séminole. Alors, dans une furieuse explosion de bulles, battant une eau plus claire que l'air, il se prépara à lancer ce fer pointu autant qu'une aiguille, pendant que Mary roulait vers la surface.

Son premier coup fut paré et contré ; ses pieds, rassemblés comme des massues au bout d'un ressort serré, se détendirent, cognèrent l'ennemi en plein creux de l'estomac ; il évita les mains qui voulaient le saisir et jaillit à l'air libre. Il vit Mary s'efforçant à libérer ses jambes et sut qu'elle avait pu, tout d'abord, arracher son bâillon, car il l'entendit crier :

— Roy ! Êtes-vous blessé ?

— Pas encore. Nagez vers mon canoë et grimpez-y. Tout de suite. Le voilà qui revient.

Grâce à la rapidité de ses propres évolutions, plus encore à cause de la plongée profonde de Chittamicco, il avait pu au moins — et c'était l'essentiel — sauver Mary de la noyade que Chittamicco lui avait si soigneusement préparée. Leur ennemi, certes, ne devait pas s'attendre à voir Mary nager aussi bien que n'importe quel homme. Dans les profondeurs de Big Sulphur, il avait attendu pour jouir de son agonie — et cette attente avait servi les jeunes gens — avant de remonter pour disposer de Roy à loisir.

Maintenant que Mary se trouvait saine et sauve à bord du canoë, il était, lui, contraint à piétiner l'eau en surface et à bonne distance pour reprendre l'haleine que les pieds de Roy avaient chassée de ses poumons.

— Venez à bord, Roy !

Il parla vite, sans risquer de se détourner du trident, dont la menace était à moins de deux mètres de lui :

— Ramez vers la rive orientale, Mary. Il ne peut pas vous arrêter à présent...

Avant qu'il pût terminer son injonction, le trident fonçait ; il para pour sauver sa vie, roula sur lui-même à cause de l'effort qu'il avait fourni pour porter un coup à son tour et nagea le plus vite qu'il put, afin de donner à Mary une chance de s'éloigner. Chittamicco poursuivit son attaque avec une force de taureau et ce fut à Roy, à présent, de battre l'eau à distance, à la fois pour reprendre son souffle et pour éloigner de son cœur les terribles pointes d'acier.

Il eut vaguement l'impression qu'une ombre était suspendue au-dessus de lui ; son ennemi pressant ses attaques, Roy recula et sentit son épaule éraflée par de l'écorce ; il comprit alors que l'ombre qui le surplombait était celle de son propre canoë. Se laissant lestement couler, il reparut de l'autre côté et s'aperçut que le canoë était vide. Mary répétait son appel en cet instant ; il se risqua à tourner la tête et vit qu'elle avait grimpé dans la pirogue du Séminole.

— Pour l'amour du Ciel, *revenez* !

Si Mary l'avait entendu, elle n'en fit rien voir et continua de tourner autour des deux silhouettes aux prises au centre de la source. Roy n'avait pas le temps de discuter sa présence sur les lieux et n'avait pas de souffle à perdre pour répéter son ordre, car Chittamicco arrivait en brassant l'écume, visiblement disposé à donner le *coup de grâce* (1).

Le trident d'acier, derrière lequel le Séminole avait mis toute sa force et tout son poids d'os et de muscles, manqua sa gorge de trois pouces. Il avait fallu beaucoup de courage au garçon pour attendre cette attaque et feindre, quand elle se produisit, de n'être plus sur ses gardes, pour, à la dernière

(1) En français dans le texte.

seconde qui restait entre lui et la défaite, oser une esquive habile. Le trident lancé avec force et fureur s'enfonça dans le cyprès pulpeux de la quille sous laquelle Roy se trouvait, et le manche se brisa net, cependant qu'un cri d'exultation échappait au jeune homme. Mais il s'agissait de faire vite, lui aussi, avant que Chittamicco pût se ressaisir, et ce fut tour de crier de rage lorsque son trident, ayant éraflé la peau de cuivre de l'adversaire, s'enfonça tout aussi naturellement dans la quille rugueuse, frémit et se brisa au ras du manche.

Ils étaient tous les deux désarmés à présent, et l'avantage de ce fait allait au Séminole, plus grand, plus lourd, plus endurci, alors que, dans les manœuvres précédentes, la légèreté, l'adresse de Roy l'avaient servi.

Il plongea, décrivit à la nage sous l'eau un large arc, sentit la main crispée du Séminole tout près de sa cheville et se retourna en filant vers la surface comme une fusée. Il ne put atteindre l'air libre, Chittamicco l'avait attrapé bien avant. Les longs bras durs et forts l'encerclèrent étroitement, avec une puissance de ressort d'acier, chassant tout l'air de sa poitrine. Les doigts, montant toujours, comme des griffes, cherchaient sa gorge et ses yeux. Cette fois-ci, le Séminole avait atteint son but, il avait gagné, le néant réclamait son homme. Juste comme cette pensée se faisait jour dans le cerveau de Roy, il entendit, dans son cerveau, exploser le coup de fusil...

Et il sut qu'il coulait à fond, au centre de la source bouillonnante, entraîné par le poids de son ennemi — bien que le ressort d'acier se détendît et que l'étreinte du Séminole fût sans vie... Puis la poussée de la source le renvoya vers le haut, une main s'enfonça dans ses cheveux et l'attira en direction de la surface, tandis que le corps de Chittamicco se détachait de lui... La splendeur éclatante et lumineuse de ce matin de Floride lui entra d'un seul coup dans les yeux et un grand cri de joie s'échappa de sa gorge...

Et puis l'obscurité envahit définitivement son esprit, et il ne sut pas que les deux bras de Mary Grant l'entouraient et le soutenaient dans le bouillonnement cristallin de Big Sulphur.

CHAPITRE IX

Le mur nu, blanchi à la chaux, lui semblait assez familier. Familière aussi, la silhouette penchée sur lui, qui faisait couler entre ses lèvres un liquide amer, l'objurguait pour qu'il en avalât davantage. La voix et l'homme se refusaient à n'être qu'un. La mise au point ne se faisait pas.

Il savait qu'il était mort. Il savait qu'il vivait. A cause de Mary Grant. Il savait que c'était Mary, et non lui, qui avait porté le coup de fusil final par lequel il avait été sauvé. D'une façon quelconque — et la nature ou la forme du tapis magique qui l'y avait transporté n'avait, pour l'heure, aucune importance, — il se trouvait ramené dans ses anciens quartiers de Fort Everglades...

Fort Everglades, où tout avait commencé...

Le mur nu, blanchi à la chaux, s'était enfin décidé à faire partie d'une chambre.

Et le docteur Jonathan Barker s'insérait dans le tableau : Roy lui sourit avec reconnaissance. Il convenait tout à fait que le botaniste fût à son chevet au moment où il faisait, dans le monde des vivants, sa rentrée triomphale après un passage dans le monde des ombres.

— Pourquoi la quinine ? Je vais très bien.

— Très bien, fils. La fièvre t'a quitté dans la nuit. Mais ce fut une bien mauvaise attaque, tant qu'elle dura.

— J'ai été noyé, dit Roy. Ou autant dire noyé.

— C'est assez ça. Pendant quelque temps, nous avons cru t'avoir perdu, bien que Ranson eût expulsé la plus grande partie de l'eau qui encombrait ton organisme. La fièvre t'a saisi avant que tu eusses complètement repris connaissance. On pourrait dire qu'elle a guetté longtemps le moment de s'abattre sur toi.

Peu à peu les détails lui revenaient. Adossé à ses oreillers, il laissait les fragments se mettre en place, ils finiraient par former un tout.

Une civière... une haute pile de couvertures... dans un canoë. Par-dessus la tête, une interminable succession d'ombre et de soleil... peut-être de branches et d'espaces libres... Des frissons qui lui secouaient les os et qui l'obligeaient à supplier qu'on lui donnât plus de couvertures... Une fièvre qui semblait vouloir dissoudre entièrement ses chairs... L'embarcation qui avançait doucement, sans secousses...

Il n'avait plus que le vague souvenir des mains qui l'avaient soulevé au bout du voyage ou de la façon dont il était parvenu à ses anciens quartiers dans le Fort. Pour l'heure, il lui suffisait de rester allongé et de laisser la voix du vieux docteur l'envelopper.

— Dix jours en tout. Depuis notre arrivée ici, tu es sous l'influence d'un opiat léger. Je ne voulais pas te voir quitter le lit avant que tu fusses complètement rétabli. Nous avons eu bien assez à faire avec Andy !

Donc Andy était guéri, bien portant à nouveau et braillant de santé. Cela aussi, c'était grâce à lui, et il pensait sans joie aux conséquences.

— Peu importe Andy pour le moment. Parlez-moi de Mary.

— Je crains bien que tu aies, au contraire, affaire à Andy avant longtemps. Il réclame à cor et à cri de venir te voir depuis que nous lui avons permis de se lever.

— *Parlez-moi de Mary, s'il vous plaît.*

— D'après ce que j'en puis voir, elle n'a jamais été mieux. Andy n'est pas de cet avis, mais...

Le botaniste évita de justesse de rire d'une plaisanterie à lui.

— Ne la remercie surtout pas de t'avoir sauvé la vie — n'oublie pas cette recommandation. C'est quelque chose dont il lui est encore impossible de parler.

Roy ferma les yeux pour évoquer ce souvenir et le retrouva, clair comme du cristal. Des bras de cuivre l'enserrant comme des serpents jumeaux, chassant l'air de ses poumons qu'ils écrasaient... Le coup de fusil juste au-dessus — au point qu'il lui avait paru détoner à l'intérieur de son crâne... Maintenant, enfin, il savait comment s'était décidée l'issue de la lutte inégale qu'il avait livrée à Big Sulphur.

— Où a-t-elle trouvé le fusil ?

— Carabine britannique. Dans la pirogue de Chittamicco.

Elle-même y avait été jetée comme un paquet, elle y avait gagné de savoir que l'arme y était aussi. Notre ancien ennemi avait dû l'emporter « en cas »... une manière d'assurance... Il ne se sentait pas assez certain de t'achever aux conditions de lutte fixées par lui-même et acceptées par toi... Il n'aimait pas l'incertitude, cet homme...

— Et c'est Mary qui s'en est servie ?

— Exactement. Lorsque tu as coulé cette dernière fois, elle avait amené la pirogue juste au-dessus de vous et elle attendait que vous reveniez tous les deux en surface, assez près pour être sûre de ne pas manquer sa cible.

— On pourrait dire, en somme, qu'elle a terminé la guerre à elle seule.

— On pourrait très certainement. Plus de cinquante Indiens sont venus faire leur soumission dès qu'ils ont vu que Chittamicco était bel et bien mort. Comme ça, sans faire de pointage, je dirais que nous avons pratiquement vidé les Glades de nos ennemis. Il restera toujours quelques isolés au Gros Cyprès, mais ils s'occuperont de leurs affaires — si nous nous occupons des nôtres.

— Dans ces conditions, qu'est-ce qui chiffonne Andy ?

— Il vaut mieux que ce soit lui qui te le dise.

— Mettez-moi sur la voie, non ? Son expédition punitive a atteint son but. Elle a atteint jusqu'au dernier sous-chef de Chekika. C'est probablement la plus brillante campagne de toute la guerre. Sans aucun doute, Washington lui en reconnaîtra tout le mérite...

— Je crois qu'il est question d'une médaille attribuée par le Congrès...

— Est-il inquiet parce que Mary...

Une peur soudaine le traversa :

— Chittamicco l'avait-il brutalisée ?

— Il n'a pas eu le temps, dit sèchement le docteur Barker. Le fait est, Roy, que c'est *toi* qu'Andy voudrait actuellement tenir au bout de son fusil.

— Il doit bien savoir tout de même que ce n'est pas moi qui avais dissimulé Mary dans mon canoë.

— Il sait. Mary lui a fait une confession pleine et entière.

Le botaniste baissait les yeux tout en parlant, mais Roy était certain d'avoir vu ses lèvres esquisser un sourire de malice pure.

— Mary n'avait rien à confesser ! Rien qu'une impulsion

idiote et spontanée qui l'a fait se joindre à l'expédition. Une impulsion, dirai-je, qui valait bien le risque qu'elle lui a fait courir.

Il s'interrompit — l'œil du docteur Barker était sans équivoque.

— De quoi m'accusez-vous, docteur ?

— De rien, fils. De rien. Sauf peut-être d'une attaque aiguë d'intégrité. Après tout, il est naturel qu'un gentleman veuille protéger une dame. Même quand la dame n'a vraiment pas l'air de demander protection.

— Est-ce que vous vous rendez compte de ce que vous dites ?

— Un compte très exact. Mais, n'est-ce pas ? c'est l'affaire d'Andy et non la mienne. Toutefois, ce matin, il brûlait du désir de te cravacher, — si tu étais en état, bien entendu.

— Envoyez-le-moi tout de suite !

— Sauf erreur, il doit être dans le hall.

Le vieux savant riait en passant la porte, c'était un fait. Et la manière qu'avait Andrew de s'engouffrer dans la chambre en coup de vent, l'air à la fois furieux et avantageux, était encore un fait. Un acteur attendant sa réplique en coulisse n'aurait pu arriver plus promptement sur scène, ni déclamer le début de son texte avec plus d'autorité :

— Je crois comprendre que tu as repris conscience, Roy ?

— Pleinement — bien que je n'en puisse croire mes oreilles.

— Je ne te provoquerai pas à présent, tu es encore trop faible. Mais je te demanderai une explication — si tu en as une à m'offrir.

— A quel sujet ? *Mary ?*

— Nies-tu que vous avez partagé la même couverture dans les Glades ?

Roy sentit monter en lui tout à la fois un insane désir de rire et une fureur qui lui mettait une boule dans la gorge :

— Ta fiancée n'a pas pu te dire cela ?

— Elle fut assez effrontée pour le reconnaître, en ces termes.

— Est-ce qu'il ne serait pas préférable d'en discuter avec elle ?

— Tu l'admets donc, toi aussi ?

— Je n'admets rien du tout, Andy.

— Veux-tu me promettre de réparer dès que tu pourras quitter ce lit ; de faire d'elle une honnête femme ? Ou bien devrai-je te conduire à l'autel à la pointe de mon fusil de chasse ?

— Elle est *ta* fiancée, *ta* future épouse — pas la mienne.

— Nos fiançailles sont rompues. A ma requête. Crois-tu que je l'épouserais après... après ce qu'elle m'a raconté ?

Tout faible qu'il était encore, Roy trouva la force nécessaire pour empoigner la carafe d'eau sur sa table de nuit. Andrew recula vers la porte et esquiva le projectile de justesse.

— D'ailleurs, elle ne veut pas de moi, dit-il, déjà passé dans le couloir et gardant la porte prudemment entr'ouverte. D'après ce que j'ai compris, l'échantillon lui a plu, elle veut l'ensemble.

Il ferma la porte avec dignité, tandis que le plateau aux médicaments s'écrasait contre le chambranle.

Roy se recoucha parmi ses oreillers, haletant de colère, et toujours pris du même inepte désir de rire — désir contre lequel il se débattait encore, quand un coup léger fut frappé de la porte qui s'ouvrit à un « Entrez » littéralement rugi.

— Êtes-vous bien sûr que c'est prudent ?

— Tout à fait. Du moins pour le quart d'heure. Quand je serai rétabli, il paraît que nous sommes destinés à devenir les héros d'un mariage au fusil de chasse. Cette idée vous attire-t-elle particulièrement ?

Mary s'approcha et s'assit au pied du lit, l'air modeste et réservé :

— Parlez pour vous-même, Roy, dit-elle.

— Andy est mon porte-parole. Derrière son propre fusil.

— Obéissez-vous toujours au capitaine Winter ?

— Jamais quand la guerre est finie, lança-t-il hargneusement, pour se mettre à rire parce qu'il croyait voir se dessiner un plan qui...

» Dites-moi quelque chose d'abord, vous. Est-ce vous qui lui avez mis ces idées dans la tête ?

— Naturellement. Ça n'a pas été difficile du tout.

Il la regarda avec une fureur qui fondait lentement. Il la regarda comme s'il ne pouvait suffisamment s'emplir les yeux de sa vue. Quand, enfin, il parla, ce fut en forçant les mots à sortir un à un, et en les soulignant involontairement.

— Vous... lui... avez... dit... (pause plus longue, suite plus difficile à énoncer) que... nous... avions... partagé... le même lit ?...

— C'était parfaitement vrai, n'est-ce pas ?

— Seulement dans un certain sens. Purement local et mobilier. Vous auriez pu garder cela pour vous, d'ailleurs.

— Et passer ma vie à côté d'un uniforme de grande tenue ?

— Vous ne l'aimiez donc pas ?

— Pas après que vous m'aviez entraînée dans le Miami derrière vous ! Pas après que *vous* aviez dit que vous m'aimiez ce certain jour, parmi les joncs. Bien sûr, ce jour-là, nous étions tous les deux en danger de mort. Maintenant que cette menace n'est plus que du passé, si vous souhaitez vous rétracter...

Mais déjà il avait interrompu ses taquineries par les moyens les plus appropriés et dont l'emploi a fait ses preuves au cours des âges.

Lorsque leurs lèvres se séparèrent enfin, Mary eut un petit rire très doux en appuyant sa joue contre celle du garçon :

— Tout compte fait, nous n'aurons pas besoin d'être conduits à l'autel par Andy à la pointe du fusil de chasse...

5692-12-54. — Imp. CRÉTÉ
Corbeil-Essonnes (S.-et-O.).
Dépôt légal : 3e trimestre 1951.

Imprimé en France.
Éditeur N° 335.